OP ZOEK NAAR EEN BEZIELD VERBAND

I

Januari 1924

JAAP GOEDEGEBUURE

OP ZOEK NAAR EEN
BEZIELD VERBAND

EERSTE DEEL

De literaire en maatschappelijke opvattingen van H. Marsman
in de context van zijn tijd

G. A. VAN OORSCHOT AMSTERDAM
1981

82/33

Voorbereiding en realisering van deze uitgave werden mede mogelijk gemaakt met financiële steun van de Nederlandse Organisatie voor Zuiver-Wetenschappelijk Onderzoek en het Ministerie van Cultuur, Recreatie en Maatschappelijk Werk.

ik sta alleen, geen God of maatschappij
die mijn bestaan betrekt in een bezield verband

H. Marsman, *Tempel en kruis*

INLEIDING

Aanvankelijk was het mijn bedoeling een onderzoek in te stellen naar de poëtica van H. Marsman: het complex van zijn opvattingen over aard en functie van literatuur. Maar omdat die poëtica een breder terrein bestreek dan alleen het literaire, bleek het van meet af aan noodzakelijk de analyse daar bij aan te passen. Literair-kritische en maatschappelijke normen, esthetische en ethische postulaten, ze vielen samen in Marsmans denken over literatuur, dat een houding in het leven impliceerde. Ik zal dat verduidelijken.

In plaats van *literatuur* spreekt Marsman veelal van *poëzie*, waarbij niet altijd met absolute zekerheid valt uit te maken of hij zich met voorbijzien van verhalend proza, drama en essayistiek beperkt tot de dichtkunst, of dat poëzie als een 'pars pro toto' synoniem is met literatuur. Een dergelijk gebruik van de term in zijn begrippenapparaat is zeker niet uitzonderlijk, en bovendien begrijpelijk bij iemand die voor alles dichter was, en in zijn theoretische stukken en kritieken steeds hamerde op het primaat van de poëzie. De zorg om het lot van de poëzie ging bij hem onverbrekelijk samen met maatschappelijke betrokkenheid. De dichtkunst gold als een essentieel-maatschappelijk verschijnsel, niet zozeer in die zin dat hij de sociaal-economische productieverhoudingen van beslissende betekenis achtte voor haar karakter in een bepaalde fase van de geschiedenis, maar vooral als inspiratiebron, maatstaf en richtsnoer voor de samenleving. Die opvatting laat zich aflezen uit wat hij in 1929 schreef naar aanleiding van Slauerhoffs bundel *Eldorado*.

> Het lot van een wereld, een cultuur, een volk, een land en een mensch hangt samen, of valt samen met het lot der poëzie in die organismen. Daarom is onze critiek een hardnekkige en hardvochtige defence of poetry, want deze verdediging is de meest essentieele defence of life.

Het moet deze overtuiging geweest zijn die Marsman al vroeg in zijn ontwikkeling tot de conclusie bracht dat hij zijn dichterschap diende op te vatten als leiderschap, literair èn maatschappelijk. En het is op grond van die ruime opvatting van zijn dichterschap dat zijn kritische stukken over literatuur zo maatschappelijk gericht zijn. Weliswaar wordt in zijn eigen geschriften de aspiratie tot het leiderschap niet met zoveel woorden uitgesproken, maar uit de reacties van tijdgenoten die hem goed hebben gekend valt op te maken dat hij door een dergelijk streven beheerst werd. Zo schreef Hendrik de Vries kort na Marsmans dood:

De drang, zich te geven, heeft hem dermate bezeten, dat ze hemzelf te machtig was, en hem a.h.w. nooit alleen liet. Ook in zijn eenzaamheid schijnt hij zich steeds af te vragen 'wat zal deze eenzaamheid voor anderen beteekenen'. Het was als een kwellend verantwoordelijkheidsgevoel, waarmee hij zichzelf in de weg stond, en waardoor hij vaak misgrepen beging die minder begaafden – ook verstandelijk minder begaafden – licht hadden vermeden. [...] Doch het plichtsgevoel waarvan ik sprak richtte hem steeds weer op de buitenwereld – hetzij een kleine kring van ingewijden, hetzij een grootere gemeenschap, het eigen land of de menschheid – en de wellust van het geven was vaak sterker dan het bewustzijn van wat hij gaf. Hij kwam trouwens in een tijd waarin het meest individueele, als kiem, de meest universeele beteekenis kreeg voor ieder kunstenaar die de vernieuwingsdrift, onmiddellijk op de oorlog volgend, meeleefde, en waarin de 'moderniteit' gevoeld werd als een soort openbaring uit het Onbekende, die het nooitgekende na zich zou sleepen.

Deze woorden van De Vries, die Marsman van vrij nabij gekend heeft al stond hij nooit op zeer vriendschappelijke voet met hem, lijken er op te wijzen dat Marsman zijn leiderschap meer uit verantwoordelijkheidsgevoel heeft aanvaard dan uit eerzucht gezocht. Uit een dergelijke houding van 'nolens volens' waaraan een zekere tweeslachtigheid niet vreemd is, vloeien alle inconsequenties voort die hem bij het uitoefenen van zijn leiderschap parten hebben gespeeld. De Vries stipt er zelf al één aan: de 'moderniteit' die Marsman bij het begin van zijn optreden beschouwde als een conditio sine qua non van de poëzie die hij voorstond, zonder evenwel goed te beseffen dat hij daarmee inging tegen zijn eigen voorkeur en smaak die vooral gebaseerd waren op de literaire traditie.

De kwestie van het leiderschap dat aan Marsmans opvatting over de rol van de dichter inherent is brengt ons bij het letterkundige klimaat tijdens het interbellum. Gegevens hierover hebben een belangrijke rol in het door mij verrichte onderzoek gespeeld omdat ze Marsmans opvattingen en hun implicaties in een helderder licht plaatsten. Daardoor kreeg deze studie, die was begonnen als een analyse van een poëtica, gaandeweg het karakter van de geschiedenis van het optreden van Marsman als literaire figuur. Deze dichter, kritikus, romancier en tijdschriftredacteur neemt immers een markante positie in de periode tussen de beide wereldoorlogen in, in de eerste plaats door zijn aspiratie naar het leiderschap, die hij overigens maar ten dele waar maakte, en verder door de algemeen aanvaarde betekenis die men aan zijn verschijning als dichter hechtte. Zijn eerste bundel *Verzen* werd door tijdgenoten beschouwd als een van de meest karakteristieke uitingen van de generatie die na de Eerste Wereldoorlog volwassen werd. Om dit te illustreren, citeer ik een vrij willekeurig gekozen krantebericht, gepubliceerd toen Marsman in 1936 de Van der Hoogtprijs voor zijn bundel *Porta nigra* had ontvangen, een bekroning die hem een soort van officiële erkenning bracht.

De verschijning van Marsmans eerste dichtbundel 'Verzen' is een datum geweest in de Jong Hollandsche literatuur. Geen jongere zal dezen datum vergeten. Het roode boekje, dik zwart bedrukt, ging van hand tot hand. Iedereen kende het van buiten. Het deed een nieuwe verstechniek, een nieuwe 'levenstechniek' – als men dat zeggen mag – ontstaan. Het legde verband tusschen de Hollandsche jongeren-beweging en de poëzie der beste Duitschers: Rilke, Trakl, de nieuw-ontdekte Hölderlin en het maakte, na de actie van 'Het Getij', die voorbereidend was geweest, ruim baan voor de groep van 'De Vrije Bladen'. Ook op de katholieke letteren had het zijn weerslag. Het verscheen één jaar voor De Gemeenschap, tot wier vriendengroep Marsman sedert de oprichting van het maandblad, waaraan hij ook meermalen medewerkte, behoort. In de z.g. aesthetische zuiverings-acties van De Gemeenschap waren de inzichten van Marsman soms beslissend. Er ontstond, typisch kenmerk eener nieuwe beweging, een nieuwe waardeeringsschaal.

Het was mede op grond van het prestige van modern en epochemachend dichter dat Marsman het leiderschap zo gemakkelijk kon verwerven. Toen hij eind 1924 werd benoemd tot redacteur van *De vrije bladen*, het Nederlandse avant-gardeblad dat toen juist zijn eerste jaargang achter de rug had, maakte hij de twaalf afleveringen die onder zijn verantwoordelijkheid ontstonden tot de meest roemruchte in de geschiedenis van dit tijdschrift. Daarna bleef hij tot aan de oprichting van *Forum*, dat het feitelijk einde van *De vrije bladen* als verzamelpunt voor de levende literatuur inluidde, het inspirerend voorbeeld voor redactie en medewerkers. Een zelfde rol speelde hij ten aanzien van het katholieke literaire orgaan *De gemeenschap*, waar zijn charisma als dichter – o.m. op te maken uit het zojuist aangehaalde krantebericht – zo mogelijk nog groter was, en waar zijn poëtica een tijd lang de norm vertegenwoordigde.

Er is alle reden om te veronderstellen dat bestudering van Marsmans werk in de contemporaine context een misschien niet volledige, maar wel zeer karakteristieke kijk biedt op de letterkundige geschiedenis van het interbellum. Tot op zekere hoogte geldt dat ook voor de culturele en politiek-maatschappelijke geschiedenis van Nederland tussen 1918 en 1940. Want al brengt de keuze van mijn onderwerp met zich mee dat Marsmans opvattingen over literatuur de meeste nadruk krijgen, het is door de hiervoor al aangeduide aard van die opvattingen onvermijdelijk, in te gaan op de politieke, sociale en algemeen-culturele context. De noodzaak hiertoe is immers gelegen in Marsmans poëtica zelf, waarbinnen een nauwe relatie bestaat tussen literair-kritische en maatschappelijke noties, zoals ik in het begin van deze inleiding al aangaf. Buiten beschouwing laten van deze context zou een onverantwoorde reductie van het historisch beeld en dus vervalsing daarvan betekenen.

Uitlatingen van Marsman over de relatie tussen literatuur en maatschappij als die welke ik in het begin van deze inleiding citeerde, en opmerkingen en getuigenissen van tijdgenoten over zijn leiderschap, zijn voor mij aanleiding geweest te onderzoeken wat nu precies de aard van de literatuuropvattingen en het daarop gebaseerde leiderschap van Marsman is geweest. De vraag naar de aard van iemands opvattingen brengt haast vanzelf met zich mee dat ook het ontstaan en de ontwikkeling ervan aan een nader onderzoek onderworpen worden. Wanneer bv. de verschillende stadia van Marsmans opinie over het expressionisme ter sprake komen, is het zinvol de vraag te stellen door welke impulsen en invloeden de evolutie van deze opinie gestuurd werd. Er hoeft niet met de rigide en achterhaalde, want te ongenuanceerde these van Taine, dat de mens het product is van de factoren 'race, milieu et temps' te worden ingestemd, om toch toe te kunnen geven dat iemands opvattingen en denkbeelden, in dit geval de poëtica van H. Marsman, niet 'zo maar uit de lucht komen vallen', maar samenhang vertonen met lectuur, scholing, sociale status, sociale mobiliteit, etc. Waar men voor waken moet is invloed (een van de meest omstreden en gecompliceerde kwesties van de literatuurgeschiedenis, en a fortiori van de historische wetenschappen in hun geheel) zo simpel op te vatten als zou het literaire werk A, geschreven door auteur X, auteur Y brengen tot het schrijven van het literaire werk B. Zo eenduidig verloopt invloed niet. In vrijwel alle gevallen gaat het bij literaire beïnvloeding om een bundel van impulsen; nog belangrijker dan te traceren hoe deze bundel is samengesteld, en op welke bronnen de samenstellende delen zijn terug te voeren, is een antwoord op de vraag op welke wijze de invloed door de ontvanger in diens eigen oeuvre is verwerkt.

Marsmans poëtica is een complex van overgenomen en overgeërfde ideeën die stammen uit het literair-kritisch begrippenapparaat zoals dat sedert de Romantiek vrij algemeen gehanteerd werd, vermengd met denkbeelden van eigentijdse theoretici, en verwerkt tot een geheel dat bij alle onoorspronkelijke elementen toch een persoonlijk en eigensoortig karakter heeft. Bovendien is die poëtica geen statisch fenomeen, dat na een periode van ontstaan en groei zichzelf gelijk bleef, maar een dynamisch complex dat permanent in wording en ontwikkeling was. Het gaat mij om het beschrijven van die wording en ontwikkeling, niet om het causaal verklaren, zoals dat in de positivistische historiografie van de negentiende eeuw gebruikelijk was. Daarom worden in deze studie de evidente parallellen met kritische opvattingen en scheppend werk van Marsman in de Nederlandse literatuur en daarbuiten zo veel mogelijk gesignaleerd, en waar nodig aan nadere analyse onderworpen, zonder dat een expliciet oordeel gegeven wordt wat betreft de kwestie of Marsman origineel was of niet.

Op grond van het beginsel dat het object van deze studie, de poëtica en het leiderschap van Marsman, zo veel mogelijk verhelderd diende te worden, ben ik zeer ruim geweest in de keuze van mijn materiaal. Uiteraard lag het uitgangspunt bij het œuvre van Marsman. Maar juist daarbij doet zich al meteen een eerste complicatie voor. Waaruit bestaat dat œuvre eigenlijk? Als het aan de betrokken figuur zelf gelegen had, zou ik me hebben beperkt tot het door hem in 1937 samengestelde en in 1938 uitgegeven *Verzameld werk* in drie delen, poëzie, verhalend proza en kritisch proza. Kort voor zijn dood in juni 1940 heeft Marsman zijn vrienden D. A. M. Binnendijk en Albert Vigoleis Thelen laten beloven ervoor te waken dat niets buiten deze canon herdrukt zou worden. Wat hem betrof mocht het afgekeurde werk voorgoed de vergetelheid ingaan. Wat er bij zijn streng schiftende selectie werd achtergehouden overtrof het definitieve corpus ruim in omvang. Ongeveer de helft van zijn poëzie en verhalend proza, al dan niet in boekvorm verschenen, en tweederde van de kritieken, beschouwingen en essays vielen door de zeef.

Het is duidelijk dat wie op een verantwoorde wijze over Marsman wil schrijven zich niet tot diens persoonlijke voorkeur mag beperken, maar zijn terrein van onderzoek dient uit te breiden tot bibliotheken en archieven. Een van de voornaamste tekortkomingen die men René Verbeeck, auteur van de monografie *De dichter H. Marsman*, kan aanrekenen is dat hij zich wat de poëzie van Marsman betreft tevreden heeft gesteld met de lectuur van het eerste deel van het *Verzameld werk*. Dat heeft in vele gevallen conclusies opgeleverd die wellicht anders (en juister) geweest zouden zijn, wanneer Verbeeck ook de overige gedichten van Marsman in zijn beschouwing betrokken had.

Het œuvre zoals ik dat hier opvat omvat naast het in het *Verzameld werk* gepubliceerde al het in boek-, tijdschrift- of dagbladvorm geopenbaarde werk van Marsman op poëtisch, verhalend, essayistisch en literair-kritisch gebied. Maar daarnaast is er ook nog een aanzienlijke hoeveelheid ongepubliceerd materiaal dat wordt bewaard in de kelders van de Koninklijke Bibliotheek en het Letterkundig Museum: gedichten, al dan niet voltooid, afgeronde en fragmentarische stukken verhalend proza, artikelen, polemieken en tal van aantekeningen. In het kader van mijn onderzoek heeft dit materiaal dezelfde status als het gepubliceerde werk.

Vervolgens zijn er Marsmans brieven. Hoewel hij naar eigen zeggen geen geroepen epistolier was (in tegenstelling bv. tot zijn vrienden Du Perron en Greshoff), vormt zijn correspondentie een rijke bron van informatie op het gebied van zijn creatieve en kritische praktijk, zijn opvattingen, zijn lectuur etc. Overigens is het met dit materiaal iets anders gesteld dan met de categorieën van gepubliceerd en ongepubliceerd werk die ik hiervoor noemde. In de eerste plaats moet bedacht worden dat een brief altijd geschreven wordt met het oog op een situatie van hoor en wederhoor. Daardoor kan veel onuitgesproken en impliciet blijven dat anders uitvoeriger uitgelegd en becommentarieerd zou moeten worden. Met het publiceren van een geschrift in gedrukte vorm voor lezers die men lang niet allemaal kent verloopt de communicatie veel eenzijdiger en indirecter, en moet gestreefd worden naar een overwogener en vaak ook nauwkeuriger formulering van ideeën. De dikwijls spontane en impulsieve gedachtenwisseling per brief kan een aanzet zijn tot uitgekristalliseerde mening in een openbaar te maken geschrift.

Brieven kunnen ook een rijke bron zijn van een ander soort gegevens, die een nevenaspect van de literatuur betreffen: dat van het letterkundig leven, het literaire klimaat van een bepaalde periode. Kennis daarvan is in vele gevallen verhelderend bij het verstaan van de primaire teksten. De informatie over de oprichtingsgeschiedenis van *De vrije bladen* en *Forum*, die in Marsmans correspondentie te vinden is, vervult een belangrijke functie bij het beter begrijpen van werk dat in deze tijdschriften werd gepubliceerd.

De voorzichtigheid die in acht genomen dient te worden bij het gebruik maken van brieven voor literair-historische doeleinden, geldt op een andere manier ook voor het aanwenden van informatie, verkregen uit de mondelinge verklaringen van hen die Marsman van nabij hebben gekend. Wat in het geheugen ligt opgeslagen vertekent en vervaagt met het voortgaan van de tijd. Daarom heb ik er slechts in een enkel geval, waarin bovendien steun uit andere bron betrokken kon worden, gebruik van gemaakt.

Ik zou ten aanzien van biografische informaties zeker niet zo ver willen gaan als Hannemieke Postma, die in haar studie over Marsmans *Verzen* stelde dat bij de interpretatie van literaire teksten dergelijke gegevens wel mogen verhelderen, maar niet verklaren; een stelregel die zij noodzakelijk acht, omdat de interpretator anders afhankelijk zou worden van toevallig materiaal dat net zo goed wel als niet aanwezig kan zijn. Zelfs in het kader van een werkimmanente interpretatiemethode, als door haar voorgestaan, vind ik dit een onhoudbare gedachte. Ieder gegeven dat de waarschijnlijkheid van een interpretatie steunt, of dat nu textueel of extra-textueel is, acht ik bruikbaar. Het merkwaardige is overigens dat Postma deze restrictie niet maakt voor geografische en cultuurhistorische gegevens van extra-textuele aard die ze regelmatig in haar interpretatie van Marsmans gedichten heeft betrokken.

Biografische gegevens kunnen bij de verklaring van het literaire werk dienst doen als hulpconstructies die de onderzoeker op het juiste spoor brengen. In de fase waarin de interpretatie met feitelijke argumenten, ontleend aan de tekst, aannemelijk gemaakt moet worden, hoeven deze gegevens niet per se de last van de bewijsvoering te dragen. Ter verduidelijking geef ik een voorbeeld. Ik gebruik daarvoor het gedicht 'Madonna' van Marsman waarvan de interpretatie door Postma als problematisch wordt ervaren. De eerste regel luidt: 'Gij slaapt met ons als paarden in uw armen'. Postma is onzeker hoe *wij*, dat door *ons* wordt geïmpliceerd, moet worden opgevat. Als de enig aanvaardbare mogelijkheid kiest zij voor de verklaring dat met *wij* twee personen ('twee gelieven' meent zij zelfs op blz. 172 van haar boek) bedoeld zijn, op grond van de regels 'en zijn zoo grondloos in elkaar bedolven,/dat wij de merken ruilen van ons hart'. In de evaluatie van 'Madonna' merkt ze op dat het gedicht veel eenvoudiger en krachtiger zou zijn 'wanneer met *wij* "alle mannen" zou worden bedoeld, die in dit gedicht de troostende kracht van de vrouw bezingen.' Het lijkt haar zelfs uitermate waarschijnlijk dat Marsman iets dergelijks bedoeld heeft, maar dat hij door een slordigheid in de zojuist geciteerde regels, die door de aanwezigheid van *ruilen* en *elkaar* twee personen doen veronderstellen, die interpretatiemogelijkheid heeft afgesloten. Ze meent de bedoeling niet als verklaring te kunnen doen gelden, op straffe zich schuldig te maken aan een 'intentional fallacy'. Nu heeft Marsman in het geheel niet bedoeld wat Postma veronderstelt. In het hoofdstuk 'Laatste jaren' van het door haar herhaaldelijk geciteerde *De vriend van mijn jeugd* schrijft Arthur Lehning dat bij een weerzien met Marsman, dat door de dood van de laatste verhinderd werd, 'een hernieuwde en nieuwe vriendschap' zou zijn gegroeid, waarbij de afstand tussen hen beiden minder groot zou zijn dan zij in het verleden hadden gemeend. 'Sterker dan naar onze polemische beschouwingen zou wellicht onze herinnering uitgaan naar het vers waarin hij schreef: *dat wij de merken ruilen van ons hart.*' Deze passage wettigt het vermoeden dat Lehning en Marsman de *wij* uit 'Madonna' zijn, een vermoeden dat mij bij navraag door Lehning werd bevestigd. Postma zit er dan ook dicht bij wanneer ze de in de evaluatie verworpen mogelijkheid oppert dat er 'hetzij een vriendschap hetzij een liefdesverhouding tussen de twee figuren' bestaat. Deze twee hebben een gemeenschappelijke relatie tot één vrouw die door de titel de trekken van de moeder Gods krijgt toebedeeld. De religieus aandoende afstand tussen haar en de *wij* benadrukt de innige relatie die tussen de twee bestaat, en geeft aan dat haar rol tegenover de twee mannen die van een patrones is.

In een literair-historische studie als deze, die niet in de eerste plaats gericht is op tekstinterpretatie, hebben biografische gegevens wel degelijk kracht van argument. Natuurlijk hebben ze ook hier hun belang ter verheldering van het werk zelf. Maar tevens verschaffen ze inzicht in het functioneren van Marsman als literaire figuur in de context van zijn tijd. Verder kunnen ze dienen bij het toetsen van het al dan niet autobiografische karakter van poëzie en verhalend proza.

De allergrootste voorzichtigheid is natuurlijk geboden bij het gebruik van min of meer autobiografische teksten. Die restrictie lijkt vanzelf te spreken voor wat betreft Marsmans geïdealiseerde autobiografie *Zelfportret van J. F.* Het lijdt geen twijfel dat de dichter Jacques

Fontein een dubbelganger van de auteur is; daarvoor zijn de overeen-komsten tussen de faits et gestes en de opvattingen van de schepper en zijn personage te duidelijk. Maar het portret is vertekend, niet alleen in de uiterlijke gegevens over de hoofdpersoon, die als bijzaak mogen gel-den, maar ook in de gedeelten waarin wordt gereflecteerd op het eigen dichterschap, passages die een buitengewoon authentieke indruk maken, en ook wel als bewijsmateriaal in analyses van Marsmans eigen poëzie zijn gebruikt.

Een niet minder grote voorzichtigheid past bij de stukken die Mars-man zelf met enige nadruk als autobiografisch heeft gepresenteerd. Ook in de zo openhartig en onverhuld lijkende 'confessies' (zoals hij in brie-ven aan Du Perron zijn 'Drie autobiografische stukken' noemde) schuilt een flinke dosis vertekening ten opzichte van de werkelijkheid. Het is een romantiserende vertekening, die niet tot doel heeft de eigen per-soonlijkheid in enig opzicht – artistiek, moreel of anderszins – te ver-fraaien, maar om achteraf een structuur en een organische ontwikkeling aan te brengen in werk en leven (want die twee waren voor Marsman 'ongescheiden-onderscheiden één') die er in werkelijkheid niet zo waren. Ik geef een paar voorbeelden om dit te verduidelijken.

In 'Naamloos en ongekend', het eerste van de 'Drie autobiografische stukken', lezen we:

> Ik had vrij kunnen zijn, 'een stil en onopmerkelijk vreemdeling, naamloos en ongekend', ik had los kunnen zijn van mijn verleden, onversteend, vloeiend. Ik had mij zelf kunnen zijn.

In de afrekening met zijn vitalistisch verleden houdt Marsman hier vast aan een van de belangrijkste aspecten van dat vitalisme: de bereidheid voortdurend in beweging te blijven, zijn positie niet te consolideren, een rollende steen te zijn die geen mos vergaart. Het gaat hier waar-schijnlijk om een op 'wishful thinking' gebaseerd idee, want volgens de mening van vrienden als Binnendijk en Lehning lag het helemaal niet in zijn aard altijd maar in beweging te zijn; het is bovendien een trek die in lijnrechte tegenspraak is met zijn verantwoordelijkheidsgevoel dat hem tot het leiderschap dreef.

Aan dergelijke tegenspraken is zijn œuvre rijk, zeker wanneer men dat uitgebreider ziet dan het door hem zelf samengestelde *Verzameld werk*, dat dan wel niet als een carrière-afsluitend monument bedoeld is, maar dat desondanks als geheel toch sterk bepaald is door een zelfde behoefte aan geïdealiseerde structurering van de eigen ontwikkeling als blijkt uit *Zelfportret van J. F.* en 'Drie autobiografische stukken' die er een plaats in vonden. Zo heeft Marsman bv. met grote zorgvuldigheid de kritieken en beschouwingen die zijn geïnspireerd door de neothomistische kunsttheoreticus Maritain, en geschreven gedurende de jaren 1926 tot 1929, zijn 'katholiserende' periode, herschreven of weggelaten, toen hij zijn *Critisch proza* redigeerde. Een ander rudiment van die fase van zijn leven, te vinden in het eerste deel van de oorspronkelijke versie van 'Dichten over den dood' is bij opname in het *Verzameld werk* eveneens verdwenen. De zelfcensuur achteraf moet worden gezien tegen de achtergrond van Marsmans polemiek met het christendom, die het karakter had van een persoonlijke bevrijding naar het voorbeeld van Nietzsche, na 1933 zijn belangrijkste leidsman. Die polemiek zou culmineren in *Tempel en kruis*, een gedichtenreeks die in 1937 al werd voorbereid, en die in de compositie al evenzeer een gestileerd zelfportret verraadt.

In de geschriften over Marsman, ook die welke tijdens zijn leven verschenen, is meermalen sprake van een 'mythe Marsman'. Om aan te geven wat hieronder verstaan moet worden, laat ik een passage volgen uit het artikel dat Jan Engelman in 1927 schreef naar aanleiding van de bundel *Paradise regained*.

> Dit [is] geen critiek, doch een legende. [...] Het is de legende van den prins die als piraat uitvoer naar het wilde eiland van het aardsche paradijs – en wien het stigma werd ingebrand van hen, die achter een grooter zee een meter dorren grond willen veroveren voor het Heilig Graf.

Een uitlating als deze zou aangevuld kunnen worden met tientallen andere uit de contemporaine kritiek, culminerend in het herdenkingsnummer van *Criterium* dat in 1940 aan Marsman werd gewijd. Er moet bij worden aangetekend dat het slachtoffer zelf alle aanleiding had gegeven tot mythevorming rond zijn persoon. Zo schreef hij in het nawoord van de eerste druk van *Paradise regained* over zijn eerste gedichten – die de sterkst legendescheppende werking hebben gehad – als 'een stuk jeugd, en een stuk poëzie naar ik hoop, niet alleen van en vooral niet voor mijzelf, maar ook van en voor mijn geslacht.' Het zijn dergelijke uitspraken die gezien moeten worden in het licht van de drang naar het leiderschap van een generatie. In een later stadium zou Marsman proberen van die mythe los te komen.

De roem is een kwelling, zelfs als hij echt is: hij achtervolgt ons met een caricatuur van onszelf, hij herinnert ons aan het versteende beeld dat wij zijn in ons werk, aan de vervalschte schim waarmee de menschen ons vereenzelvigen. Deze bijna-dubbelganger is een parasiet die mij uitzuigt.

Het stuk waaruit dit fragment stamt werd geschreven in een periode dat hij, wat zijn scheppend werk betrof, in een impasse verkeerde, en bovendien zag dat zijn leidende rol in de kritiek uitgespeeld was na de verschijning van het duo Ter Braak-Du Perron en de oprichting van *Forum*. Het besef dat hij op een keerpunt van zijn ontwikkeling stond zal de wil schoon schip te maken hebben versterkt; maar daarnaast werd hij überhaupt gekenmerkt door de neiging af te rekenen met het verleden. Die trek in zijn persoonlijkheid berustte op de angst voor de verstening. Het vitalisme, door hem als levenshouding van eigen vinding ingezet tegen die obsessie (waar zijn houding ten opzichte van de dood mee samenhangt), zou echter evenzeer tot een beeld verstenen. Het was dus tegen de fossiel geworden mythe, die hij als zijn dubbelganger herkende, dat Marsman in verzet kwam.

Nu de literatuurgeschiedenis zich toch, ondanks zijn verzet, met hem bezig gaat houden, zal één van haar belangrijkste taken zijn: onderscheid te maken tussen de mythe Marsman en de werkelijke Marsman, zoals die uit zijn werk, uit documenten en uit getuigeverslagen als figuur kan worden opgeroepen.

Het zal inmiddels duidelijk zijn dat Marsmans afwijzende houding tegenover geschiedenis en geschiedschrijving van invloed is geweest op het bronnenmateriaal, voor zover hij daar directe bemoeienis mee heeft gehad. Ook dat is bepalend geweest voor de gevolgde methode van onderzoek en presentatie van het materiaal, dat zoals gezegd zo ruim mogelijk is gekozen, en ook in ruime mate aangeboden wordt: als uitvoerig citaat in de tekst of als bijlage in een apart deel bronnenpublicatie. Ik beschouwde het als mijn taak de beschikbare gegevens zoveel mogelijk voor zich zelf te laten spreken, waarbij ik uiteraard door een zeker arrangement al heb aangestuurd op conclusies, die in mijn commentaar op de gegevens geformuleerd en uitgewerkt worden. De opzet van de studie werd in grote trekken bepaald door de chronologie van Marsmans leven, dat is onderverdeeld in fasen, gemarkeerd door literaire feiten. Met een dergelijke opzet heb ik echter geen literaire biografie willen schrijven, en een diepgaand onderzoek naar de samenhang tussen 'leven en werken' moet men hier dus niet verwachten. Daarmee beweer ik niet dat een dergelijk onderzoek zonder zin voor de literatuurstudie, irrelevant of verouderd zou zijn, zoals velen die de laatste halve eeuw in de literatuurwetenschap werkzaam zijn geweest willen doen geloven. Maar voor mij stond het werk van Marsman, en meer in het bijzonder zijn poëtica, centraal, wat overigens het gebruik van biografische gegevens niet uitsloot, zoals ik al betoogde. Mijn houding was niet die van de biograaf, zoals die door Dresden wordt gekarakteriseerd in *De structuur van de biografie*: een houding die gebaseerd is op de spanning tussen afstand en identificatie ten opzichte van de 'held', tussen het objectieve 'hebben' en het subjectieve 'zijn'. Zonder de opvattingen van Marsman los te willen zien van zijn persoon (wat ik onmogelijk acht), was het mij vooral te doen om die opvattingen. Van welke aard waren ze, wat betekenden en bewerkten ze, hoe verhielden ze zich tot andere, gelijktijdige opvattingen over literatuur en leven, en tenslotte: wat is hun waarde wanneer ze worden gekozen tot uitgangspunt van een (her)waardering van Marsman als literaire persoonlijkheid?

Er mag dan een verschil bestaan tussen een literair-historische studie als deze en een biografie, die zich naar Dresdens woorden beweegt in het grensgebied tussen wetenschap en kunst, op minstens één punt komen ze overeen. Zoals de biograaf aanwezig is in het portret van degeen wiens leven hij beschrijft, zo is ook het beeld van de feiten, geschapen door de geschiedschrijver in zijn streven naar een zo groot mogelijk quantum aan objectieve waarheid, subjectief. Het is slechts één beeld van een historisch geworden en dus nooit meer te achterhalen Waarheid.

EERSTE JAREN

Over de vroegste jeugd van Marsman is weinig bekend. In het verhuld-autobiografische *Zelfportret van J. F.* laat hij zijn alter ego Jacques Fontein schrijven:

> Het is mogelijk dat de kinderervaringen beslissend zijn voor het geheele leven en dat vrijwel iedereen met verteedering denkt aan het kind dat hij was. – Ik heb die verteedering niet; noch het bewustzijn dat wat ik als kind ervoer mij gemaakt heeft tot wat ik nu ben; en hoewel ik mijn geringe belangstelling voor mijn leven als kind op verschillende wijzen verklaren kan, ik geloof niet dat zij alleen voortkomen uit het feit dat wat ik tegemoet ga mij altijd meer boeit dan wat achter mij ligt; maar vooral hieruit dat ik het verband tusschen het kind Fontein en mijzelf niet of nauwelijks voel.
>
> Of niet voelen wil, zegt mijn dubbel-ik.

In het vervolg van dit boek zal nog voldoende materiaal worden aangedragen ter adstructie van de stelling dat bovenstaande woorden als de mening van Marsman zelf beschouwd kunnen worden. Zijn afkeer van het verleden ('wie zichzelf herleest, leest een grafschrift'; 'leeg is het graf der jeugd'), zijn weerzin tegen psychologiseren zijn ook in zijn verdere werk veelvuldig uitgesproken. Men hoeft zich bij de benadering van Marsmans leven en werken niet zo sterk aan hem te conformeren dat men zijn pro's en contra's deelt. Moest dat zo zijn, een biografie van Marsman zou niet geschreven kunnen worden. Evenmin is het echter nodig elk feit uit zijn curriculum vitae, hoe nietig en van weinig relevantie ook, te duiden in het licht van zijn œuvre.

Marsman senior, Jan Frederik Marsman, had zijn veeartsenijkundige studie na de dood van zijn vader, molenaar te Zwolle, moeten afbreken en vond vervolgens een betrekking als bediende bij een boekhandel in zijn geboorteplaats, en daarna bij de Leidse firma Kooyker. Op 8 augustus 1895 vestigde hij zich te Zeist, waar hij was benoemd tot beheerder van het filiaal van de Utrechtse boekhandel Brugsma en De Haan. Op

Marsman met zijn ouders en zijn broers Frits (midden) en Jo (rechts)

1 januari 1897 werd hij eigenaar van deze zaak, gevestigd in de 2e Dorps-straat 34, dicht bij de oprijlaan naar het Zeister Slot.

Nadat hij op 24 april 1898 was getrouwd met de uit Amsterdam afkomstige Maria Adriana Johanna van Wijk, werd op 30 september 1899, als eerste van drie zoons, Hendrik Marsman geboren.

De vader van Jacques Fontein is een apotheker, wiens carrière als marineofficier mislukt is. Deze 'draai' in het verhaal is tekenend voor de manier waarop Marsman datgene wat hij in zijn eigen leven en dat van zijn ouders essentieel achtte behield, en de uiterlijke omstandigheden wijzigde. Geen veearts, maar marineofficier, geen boekhandelaar, maar apotheker, een dorp bij Leiden in plaats van Zeist, waarbij hij zonder twijfel heeft gedacht aan Noordwijk of Katwijk, waar hij ten tijde van zijn rechtenstudie aan de Leidse universiteit verbleef. De innerlijke ont-wikkeling van Fontein is echter die van de auteur zelf.

In de aanhef van het hoofdstuk 'Ouderlijk huis' uit het *Zelfportret* schrijft Marsman: 'De herinnering aan mijn moeder zal zeker duurza-mer zijn dan die aan mijn vader. Ik geloof echter niet dat ik dit voor-gevoel moet verklaren uit een sterkere genegenheid voor haar. Want hoe uiteenloopend mijn gevoelens voor hen beiden ook zijn geweest, ik kan niet zeggen dat ik van hem minder hield. Een vreemde bekentenis in een tijd, waarin men toch minstens zijn vader moet haten.' Aan deze regels zou men een aantekening kunnen toevoegen, die te vinden is in de voorstudies van het *Zelfportret*: 'was het omdat hij mij bij voorbaat de kans ontnam later dat afgodsbeeld vader in mij te vermorzelen? Ik weet het niet, maar het deed pijn. Het was de eerste vernedering die ik bewust onderging, een aanslag op mijn trots: een vader te hebben die zichzelf een beest een wrak moest noemen tegenover zijn zoon, en erger – een mislukking zelfs. Dat stak mij het meest.' De jonge Marsman moet als kind al de absolutist geweest zijn zoals die zich later, als literaire figuur, in het publiek manifesteerde, het geringste gebrek aan vol-maaktheid en zuiverheid voelend als een vernedering. De koppige reac-tie van Jacques Fontein, nadat hij gehoord heeft waar de kinderen van-daan komen, is typerend: 'ik kom tóch van de sterren'.

Met de moeder bestond de sterkste binding; dat valt alleen al af te lezen uit het aantal brieven dat aan haar persoonlijk is gericht, een hoe-veelheid die de correspondentie aan de vader ruimschoots overtreft. Daar komt een verschil in warmte van toon bij. In de periode van lang-durig buitenlands verblijf, aan het eind van de dertiger jaren, zorgde Marsman er zo veel mogelijk voor omstreeks de zevende april, haar ver-jaardag, in Nederland terug te zijn. Zij van haar kant was altijd vol zorg voor het lichamelijk en geestelijk welzijn van haar zoon. Orthodox-protestant als ze was, sloeg ze Marsmans latere verwijdering van het calvinisme, en zijn toenadering tot de rooms-katholieke kerk met bezorgdheid gade.

De twijfel aan het geloof moet omstreeks zijn achttiende jaar gekomen zijn; ze valt onder meer op te maken uit een gedicht dat gedateerd is 10 september 1917.

> O god, mijn god, dien 'k altijd heb beleden,
> waarom laat gij mij in den nacht alleen?
> Schreit ook uw ziel niet op bij mijn geween,
> of heb ik soms nog niet genoeg gebeden?
>
> Speelt ge met mij, zooals 'n laffe jongen,
> z'n zusje speelgoed bijna-gevend, plaagt,
> en zegt: 'Je krijgt 'et, als je 't nòg eens vraagt –'
> – dan wègvluchtend in lange schicht'ge sprongen?

'Een groote statige vrouw met een bijzonder innemend gezicht en onuitsprekelijk rustige manieren. Grijs, bijna wit, zoolang ik haar heb gekend en van een wonderlijk gelijkmatige stemming. Zonder iets van voos optimisme of vroolijkheid […] was haar aanwezigheid voortdurend iets als een tot onzichtbaarheid toe getemperde glans. Zij was ook zeer spaarzaam met woorden.' Met deze karakteristiek begint het portret van de moeder van Jacques Fontein. In de aantekeningen voor het *Zelfportret* staat daarentegen genoteerd; 'Mijn moeder. nerveus, smal, coterieën, adels-vergoding, principienreiterei, star, hoogmoedig, minzaam, kordaat.' Dat geeft een heel ander beeld, dat overeen blijkt te komen met de herinnering die Marsmans jongste broer Jo aan zijn moeder heeft. Onmiddellijk op de geciteerde notitie volgt: 'Moe kon zich niet opwerken tot haar "eigen" leven. logisch.' Van de vader heet het in dezelfde aantekeningen: 'De opvoeding van mijn vader in strijd met zijn natuur.'

Deze summiere gegevens over Marsmans ouders wijzen erop dat deze mensen de door hen gewenste bestemming nooit hebben kunnen bereiken; dat geldt zeker voor de vader. Tegen wil en dank bleven ze gevangen binnen het kleinburgerlijke milieu waarin ze terecht waren gekomen. Ver voordat hij de leeftijd had bereikt waarop hij van een pensioen kon gaan genieten, op 1 januari 1922, trok Marsman sr. zich uit zijn zaak terug, om daarna een administratieve betrekking te aanvaarden.

Roel Houwink, die toen in Zeist woonde, en het gezin Marsman in deze tijd van nabij kende, deelde mij mee dat de boekhandel aan de rand van het faillisement was gekomen. In overeenstemming daarmee zijn de door Marsman per brief aan Lehning geuite klachten over de deplorabele financiële situatie thuis. Later zou Marsman het gegeven van de vader die in geldzorgen is geraakt verwerken in het hoofdstuk 'Ouderlijk huis' in het *Zelfportret*.

Marsmans moeder kreeg nooit de gezochte aansluiting bij de Zeister elite, tot spot van haar zoon, maar ook wel tot zijn ongenoegen: 'Ik paste niet in die sfeer, en ik werd er geloof ik, ook buiten gehouden, omdat ik er weinig in paste – en ik haatte die sfeer. Niet alleen uit verborgen afgunst op alles wat zich ongedwongen en onbekrompen bewoog in een zekere weelde uit een linksche jaloerschheid op gratie, wereldsche vreugde en een vlot savoir-vivre, maar ook uit de felle romantische hartstocht van een jongen die hongert naar leven, wild en vervoerend en die haat wat naar oppervlakkigheid zweemt, heel het keurige gladgepolijste leven der burgers, rijken en armen, maar dat der rijken vooral, omdat zij den nood die den armen het leven laat voelen, of zij willen of niet, alleen kennen van hooren zeggen en bestrijden met fancy-fairs.'

Als we naast deze passage – die niet uit het *Zelfportret* komt, maar niet minder autobiografisch van karakter is – een passage uit het hoofdstuk 'Pont Caulaincourt' uit *De dood van Angèle Degroux* leggen, waarin Marsman, zonder een spoor van ironie, een mondaine soirée beschrijft op een manier die zijn geïmponeerd-zijn door dergelijke manifestaties toont, dan valt al snel te denken aan een term als 'minderwaardigheidsgevoel'. Jacques Fontein brengt die term in het geding wanneer hij een verklaring zoekt voor de obsessie die de eerste kleuterschooltijd hem bezorgde.

Ik kan er tenminste geen andere verklaring voor vinden, hoezeer deze ook strijdt met andere trekken in mij. De tegenspraak bestaat hierin dat ik al heel jong een sterk besef van mijn waarde had. Ik was buitendien als jongen zoo trotsch dat ik mij ondanks mijn ijdelheid weinig bekommerde om lof. Ik vond mijn meerderheid de natuurlijkste zaak van de wereld en behoefde haar niet te verdedigen om mijzelf ervan te overtuigen. Wie eraan twijfelde versleet ik voor gek en ging ik schouderophalend voorbij.

Ligt er aan elk minderwaardigheidsgevoel een werkelijke minderwaardigheid ten grondslag? Ik heb het mij honderdmaal afgevraagd. Dan zal de diepere grond van het mijne vermoedelijk gelegen hebben in mijn zwakke gezondheid.

Arthur Lehning (rechts) met zijn moeder en zijn broer

*Marsman als page tijdens een optocht t.g.v. het eeuwfeest van de Nederlandse
onafhankelijkheid in 1913*

Hier valt nog bij aan te tekenen dat er geen werkelijke tegenspraak bestaat tussen een gevoel van inferioriteit ten opzichte van anderen en een besef van eigen waarde, als bedacht wordt dat de laatste trek de – al dan niet bewuste – compensatie vormt van de eerste.

Marsmans gezondheid was inderdaad van jongsaf uitgesproken slecht. In 1905, toen hij zes jaar was, had hij zijn eerste ernstige longaandoening; daarna heeft hij zijn leven lang te kampen gehad met een regelmatig terugkerende bronchitis. Daarom zou hij, na een geslaagd toelatingsexamen, worden afgekeurd toen hij in 1914 het onderwijs aan de Amsterdamse zeevaartschool wilde gaan volgen. De passie voor de zee zou hij echter behouden. Niet alleen om gezondheidsredenen verbleef hij in latere jaren graag aan de kust, maar ook omdat hij er een ideaal 'zielslandschap' vond. 'De zee is de eenige vrouw die ik nooit verried', schreef hij eens in een brief aan Lehning; zij neemt dan ook een belangrijke plaats in zijn poëzie in.

Over de periode tussen zijn zevende en veertiende jaar, toen hij de lagere school van de Hernhutters bezocht, schreef Marsman later dat hij in zijn herinnering aan die jaren nauwelijks bestond. Scherper werd zijn geheugen waar het zijn middelbare schooltijd betrof, doorgebracht aan de Utrechtse Rijkshogereburgerschool. Daar ontwikkelde zich met de eveneens in Zeist wonende en even oude Arthur Lehning een intensieve vriendschap, die van beslissende betekenis voor Marsmans ontwikkeling zou zijn. Lehning was de tweede zoon van de uit het Duitse Elberfeld afkomstige Paula Schübler. Zij had zich in 1905 met Arthur en zijn broer gevestigd in Zeist, waar haar tweede echtgenoot, F. J. Müller woonde. Deze behoorde tot de Hernhutters, die, oorspronkelijk afkomstig uit Duitsland, leefden in een sinds 1745 bestaande gemeenschap, gevestigd in de tuin van het Zeister slot.

In de onvoltooid gebleven roman *De vriend van mijn jeugd* (ook wel *De twee vrienden*), handelend over zijn relatie met Lehning, waaraan Marsman eind 1933 begon te schrijven, neemt Paula Schübler een belangrijke plaats in. 'De vriendschap van Paul, de genegenheid van zijn moeder zijn voor mij onvergetelijk', verklaart hij in dit manuscript, dat niet verder reikt dan enkele hoofdstukken. Lehnings moeder was een zeer belezen en ontwikkelde vrouw, die een milieu schiep dat voor Marsmans culturele en intellectuele vorming van grote betekenis is geweest. De grote Duitse dichters en schrijvers, klassiek en modern, werden er gelezen en besproken. Marsman vond er na schooltijd een tweede thuis, en maakte er zo intensief kennis met de Duitse taal en cultuur dat hij zich een geboren Duitser voelde. Tijdens de Eerste Wereldoorlog lag zijn sympathie dan ook aan de zijde van de Centralen, een houding waaraan de omgang met de familie Müller uiteraard niet vreemd geweest zal zijn: Arthur zelf was fel pro-Duits, en zijn oudere broer vocht als vrijwilliger mee in het keizerlijke leger.

Meer dan moeder van zijn vriend is Paula Schübler tot aan haar dood in de zomer van 1921 voor Marsman een oudere, moederlijke vriendin geweest. Bepaalde lijnen uit haar portret zijn overgegaan in dat van Jacques Fonteins moeder, zoals een vergelijking met de op pag. 22 geciteerde zinnen uit het *Zelfportret* met de nu volgende passage uit *De twee vrienden* leert.

> Innemend is een slecht woord voor haar, maar ik weet werkelijk niet hoe haar met één woord te noemen – en de diepe genegenheid die ik voor haar gevoeld heb, leeft zeker niet in dat woord. Ik kan wel zeggen dat ik van haar hield maar met een genegenheid waaraan vreemd genoeg alle verliefdheid ontbrak, terwijl zij in zekeren zin alles had om mijn verliefdheid op te wekken. Zij was ouder natuurlijk, ik denk even veertig, toen ik haar voor het eerst leerde kennen, knap, vol gratie en ongedwongen voornaamheid, zeer gevoelig en hartelijk en hoewel zij heel vroolijk kon zijn in den grond van haar hart, heel eenzaam en melancholiek. [...] Soms was zij stralend, jong en haast overmoedig, maar vaker zat zij als ik binnenkwam mijmerend in haar stoel naar het venster, haar beenen als om zich schrap te zetten tegen het vage verval van haar peinzen, veerkrachtig over elkander gekruist.

Tussen deze terugblik, twaalf jaar na de dood van Paula Schübler geschreven, en de omgang met haar ligt het in *Witte vrouwen* (1930) gepubliceerde gedicht 'In memoriam P.M.-S.', het lyrisch pendant van bovenstaand portret, dat in gelijke mate wordt gekenmerkt door de polen stralende voornaamheid en ingekeerde melancholie.

De vriendschapsrelatie met Arthur Lehning is ongetwijfeld de hechtste in Marsmans leven geweest, ook al was ze niet tot het einde zo intensief en allesomvattend als tussen 1915 en 1922. Daarna veroorzaakte het verschil in maatschappelijke opvattingen een breuk in hun verhouding. Dat verschil bestond altijd al, maar het was, in ieder geval door Marsman, als iets bijkomstigs ervaren. 'Het ging', schreef hij later, 'al dachten wij anders, allereerst om onze eigen bevrijding en wij ondergingen die vrijheid door het genot van tegen allen te strijden en afbreuk te doen aan al wat gevestigd is. Ik schreef mijn eerste 'futuristische' verzen en

Paul was een jong communist en hoe weinig die twee dingen in den grond elkander ook raken negatief waren zij een van de banden die ons leven verbond.'

Lehning heeft in 1953 zijn herinneringen aan Marsman uitgegeven onder de titel die Marsman wilde geven aan het boek over hen beiden: *De vriend van mijn jeugd*. Tot op heden vormen ze de beste biografische, en in veel opzichten ook de betrouwbaarste literair-historische studie die aan Marsman is gewijd. Maar Lehning heeft in dit boekje niet meer gegeven dan het meest wezenlijke van de dichter op een bepaald moment in diens ontwikkeling, en in zijn bescheidenheid en reserve heeft hij zichzelf zo veel mogelijk uit het beeld weggewerkt. Een studie van Marsmans leven en werk, waarin naar grotere volledigheid wordt gestreefd, kan evenwel niet buiten de informatie uit de brieven en documenten in Lehnings bezit. Marsman schrijft in het begin van *De twee vrienden* dat hij niet zo zeer door Lehning is beïnvloed, als wel dat zij beiden aan elkaar zijn ontbrand. Maar dat is een omschrijving die het bestaan van invloed over en weer allerminst uitsluit.

Met betrekking tot hun opleiding aan de Utrechtse HBS deelt Lehning mee dat die 'uiterst pover' was. 'Daar wij geen ambitie hadden om ingenieur te worden was onze belangstelling voor lijntekenen, werktuigkunde, geometrie e.d. miniem.' De enige vakken die hun interesse hadden waren geschiedenis en Nederlands, wat samenhing met hun hartstochtelijke preoccupatie voor literatuur, een passie die nog gestimuleerd werd door het onderwijs van dr. Klaas Later (de dr. Du Pon uit het *Zelfportret*). En wat op school niet gelezen werd, kwam aan bod op de kamer van Arthur Lehning, waar de vrienden hun vrije tijd doorbrachten. Daarnaast gingen ze op in sport, vooral voetbal. Die laatste liefhebberij zal Marsman van huis uit hebben meegekregen, want ook zijn vader was een sportief man, die al met zijn zoons ging kamperen toen dat nog als iets zeer buitenissigs werd beschouwd.

'Ik geloof achteraf dat ook de middagen op het sportveld van de grootste beteekenis zijn geweest. Niet alleen doordat mijn lichaam er gezondheid opdeed, zoodat ik ook innerlijk weerbaarder werd, maar omdat mijn sportieve prestaties gevoegd bij het toenemen van mijn lichamelijke kracht een goed tegenwicht vormden tegen de kans om te verschroeien bij het vuur van den geest.' Wanneer Marsman dit twintig jaar na dato noteert, heeft hij zijn 'vitalistische' periode al geruime tijd achter de rug, maar in zijn terminologie heeft hij zich er nog niet van kunnen of willen losmaken, en blijft hij de polariteit lichaam-geest uitdrukken in bewoordingen van fysieke kracht.

Zó herinnert Arthur Lehning zich de jonge Marsman:

> Met een jaar of achttien was hij lang van postuur en met zijn blonde, borstelige, weerbarstige haar maakte hij de indruk van een gezonde Germaan en ofschoon hij tenger was, zag men hem zijn zwakke gezondheid, die hem jaren lang heeft gekweld, niet aan. Alleen zijn abnormaal kleine en smalle handen maakten een inbreuk op dit beeld. Zijn grote neus prononceerde zijn steeds resolute, soms bruuske optreden en op buitenstaanders moeten zijn openhartigheid en zijn eerlijkheid een ongecompliceerde indruk gemaakt hebben. Zijn manieren waren nonchalant en hij had iets hooghartigs. Marsman was een groot prater, enorm slagvaardig, soms geestig en veelal luidruchtig. Hij reageerde snel en hij had zijn oordeel over mensen en dingen altijd klaar.

Zijn eerste gedichten had hij toen al geschreven.

Marsman (geheel links) met medeleerlingen van de vierde klas HBS te Utrecht, w.o. Lehning (geheel rechts)

HOOFDSTUK 2

VAN EPIGONISME TOT EXPRESSIONISME

Op 25 januari 1916 noteerde Arthur Lehning het eerste door Marsman geschreven gedicht in zijn dagboek. Het mag misschien verbazing wekken dat de jonge dichter zelf zijn poëtisch debuut niet op schrift vastlegde, maar een dergelijke nalatigheid was nu juist typerend voor Marsman, en zegt niets over zijn ideeën over het dichterschap, die op dat moment even verheven zullen zijn geweest als in latere jaren, toen hij zich er publiekelijk over uitliet. Maar waar Lehning van jongsaf al werd beheerst door een 'manie de paperasses', die zich uitstrekte tot de briefjes en kladjes van zijn beste vriend, was Marsman uiterst nonchalant in het beheer van zijn archieven. Zo moest hij zijn vrienden bij herhaling om afschriften van zijn manuscripten vragen, wanneer het op bundelen aankwam; zelf bezat hij ze dan niet meer.

Het bewuste gedicht heette 'Zomeravond', en zou gevolgd worden door een reeks van soortgelijke verzen 'in den trant van Hélène Swarth', die alle terecht kwamen in het fraai gekalligrafeerde 'kleine paarse album' dat Marsman aan Lehning ten geschenke gaf op diens achttiende verjaardag, met de aantekening dat het een afgesloten periode betrof. Een andere jeugdvriend, Roel Houwink, die Marsman overigens pas leerde kennen in de loop van 1920, dus op een moment dat hij het stadium van zijn poëtische jeugdzonden al lang achter zich gelaten had, spreekt van jeugdwerk in navolging van Frans Bastiaanse en Jan Zeldenthuis, figuren die met Hélène Swarth behoren tot het tweede plan en de nabloei van Tachtig, schrijvers van rustige natuurpoëzie en sentimentele lyriek.

Waarom liet de jonge Marsman zich bij zijn eerste dichterlijke proeven inspireren door epigonen, een letterkundig species waarover hij later zo hartstochtelijk de staf zou breken, en niet door bewonderde meesters als Kloos en Gorter? Zelfs van invloed van een mindere godheid als Perk, die door zijn jongensachtig enthousiasme en zijn soepele versificatie als schoolvoorbeeld voor aankomende dichters kon gelden, is in deze beginfase nog geen sprake. Misschien vond hij het werk van epigonen wel de meest representatieve uitdrukking van een groeps- of periodestijl, en was het talent van een werkelijk groot kunstenaar wel te ongenaakbaar voor een debutant om zich mee te meten.

In het nagelaten prozafragment 'Paul', voorstudie van *De twee vrien-den*, beschrijft Marsman de eerste creatieve ervaringen van een jong dichter.

Hij was in een gelukkige stemming.

De muziek had hem omgewoeld – en zonder dat zij scherp tot hem doordrong, werd zij een sfeer om hem heen, een ruimte waarin hij zuiverder denken en ademen kon. Terwijl de zaal langzaam uit zijn aandacht vervaagde en het orkest een ver accompagnement werd voor het werken van zijn verbeelding, waren in hem de eerste rhythmen gaan zoemen van een gedicht. Zacht had hij de regels in zichzelf gemompeld en de rhythmen getrommeld op zijn knie en nu, terwijl hij voor zich uit staarde in den nachtelijken regen die in het jagende licht van de vóórlampen woei, herhaalde hij, diep in zijn jas, zijn pasgeboren gedicht in zichzelf, vier vijf maal achtereen – en aldoor doorstroomde hem (weer) dat klaar en lichamelijk besef van kracht en geluk dat dichters bezielt ook bij het schrijven van hun somberst gedicht. Maar dit geluk isoleert en vervreemdt, en het vervreemdde den jongen dichter Hans Vreede van de men-schen van zijn omgeving. Hij was alleen met het trotsche en schuwe geheim van zijn dichterschap.

Tien dagen tevoren had hij zijn eerste verzen geschreven en zóó was hij nu reeds aan de sloopende tyrannie van het dichten ver-slaafd dat hij, toen zij in een week niet terugkwam – zijn muze wan-hopig smeekte hem opnieuw te bezoeken. Hij wist nog niet wat hij deed.

Een variant van deze beschrijving vinden we in de definitieve versie van zijn geromantiseerde jeugdherinneringen:

Ik [liep] na mijn huiswerk door de avondlijke straten van de doode provincieplaats waar ik woonde als een trotsche balling, die schuw en hooghartig zijn weg ging. Ik wandelde door de donkere plant-soenen, onder hoog, kaal, maartszwiepend geboomte, dat hijgende en gekromde schaduwen wierp over mijn weg. Ik zocht bij voor-keur de verlaten stukken van een afgelegen gracht, daar waar het water troebel en giftig werd en als in een grot van melancholisch bederf wegschoof onder de gewelfde schaduwen van een brug. Daar stond ik dan, vol van zoemende regels en beelden, brokstuk-ken mompelend – maar weldra liep ik weer door, want al loopend

1914

alleen kon ik het rhythme dat nog half onbewust en embryonaal in mij sluimerde, volledig tot klinken brengen, een stroomende continuïteit, die magnetisch de woorden en beelden opriep die het gedicht moesten dragen en met schokken ontstond dan het vers. Ik had nooit het gevoel de verwekker ervan te zijn, hoogstens de moeder en de vroedvrouw; en als het kind er dan was, liep ik nog urenlang, moe maar intens bevredigd de stad rond, steeds in mij zelf de strophen herhalend en nooit doorklonk het mij zelf zoo betooverend als in dien eersten nacht, vlak na de geboorte.

Opvallend is – naast de Nijhoviaanse opvatting over de genese van het gedicht, die in het tweede fragment nog wordt aangescherpt – de overeenkomst tussen beide citaten. Toch situeert Marsman het tweede in 1919, toen hij zich bevond in de periode waarin hij de 'kosmische' poëzie, verzameld in de eerste afdeling van *Verzen* (1923), schreef. Moet daaruit afgeleid worden dat ook het eerste fragment wel betrekking moet hebben op die fase? Er is één sterk argument voor die veronderstelling. Het citaat is uit een stuk verhalend proza, waarin wordt verteld hoe de jonge dichter Hans Vreede en zijn vriend Paul Borgmann (een op Arthur Lehning geïnspireerd personage) na het bijwonen van een concert in een auto op weg zijn naar huis. Op 14 maart 1919 stuurt Marsman het pas geschreven gedicht 'Vrouw' aan Lehning toe, even nadat ze beiden in Utrecht een uitvoering van Mahlers vierde symfonie hebben bijgewoond. In de begeleidende brief schrijft hij: 'Dit Verhevene... het gansch verzwolgen worden in vrouw-en-muziek. Maar: meer nog dan die zinnelijk-geurende vrouw – en erger nog: het glanzen van haar rijpe vleesch –, en de meest zingende muziek, sidderde in mijn felle verbeeldingsherinnering die andere –, wier haren mij de sterkste impressie gaven sinds "Nacht" – en sterker!' Het lijkt me zeer waarschijnlijk dat het gedicht, waarvan het ontstaan in het fragment 'Paul' wordt beschreven, 'Vrouw' is, het oudste in *Verzen* voorkomende gedicht. Dat betekent dan tevens dat Marsman zijn dichterschap in zijn geromantiseerde herinneringen heeft willen laten beginnen met zijn kosmische periode, die begin 1919 aanbrak. Niet alleen de jeugdgedichten à la Hélène Swarth, maar ook de vroeg-expressionistische poëzie, die in dit hoofdstuk nog ter sprake komt, heeft hij daarmee verloochend; een ontkenning die hij met de samenstelling van het *Verzameld werk* (1938) zou bekrachtigen.

De beschreven gemoedstoestand past inderdaad veel beter bij de bevlogenheid die de eerste gedichten van *Verzen* kenmerkt dan bij de eerste schools aandoende proeven van lyriek. Het is natuurlijk toch niet uitgesloten dat Marsman het creatieve proces van meet af aan zo heeft ervaren als hij in de hiervoor aangehaalde passages beschreef. Zij, die hem als 16-, 17-jarige hebben gekend spreken van een trotse, teruggetrokken jongen, die zich toen al tooide met het aureool van dichter, en zich dienovereenkomstig – in houding, kleding en gebaar – gedroeg. De bewondering voor Stefan George zal aan die hiëratische pose niet vreemd zijn geweest. Aan een dergelijke habitus kunnen natuurlijk ervaringen die uitzonderlijk zijn en tot uitzonderlijkheid stempelen ten grondslag hebben gelegen.

De gedichten die in de loop van 1916 ontstonden, vertonen in hun na-Tachtiger afhankelijkheid weinig onderlinge verschillen. Medio 1917 treedt er een kentering op, getuige dit fragment:

> Het matgroene licht van den nacht
> Komt glijen donzig zacht en
> Over 't blauwe veld en de boomen
> die, zwart,
> staan te droomen,
> Gebed-stille beelden van smart....

De datering onder deze regels luidt 4 juni 1917. Het literaire maandblad *Het getij* was op dat moment aan zijn tweede jaargang toe. Volgens Lehnings verklaringen waren hij en Marsman enthousiaste lezers van dit tijdschrift, vooral vanwege de dichterlijke en essayistische bijdragen van Herman van den Bergh, toen twintig jaar. Deze was juist gedebuteerd met *De boog*, een dichtbundel die met *De wandelaar* (1916) van M. Nijhoff het begin van een nieuwe periode in de Nederlandse literatuurgeschiedenis inluidde. Wanneer men let op Marsmans keuze van adjectieven – 'matgroene', 'blauwe' – bij de substantieven 'licht' en 'veld' waardoor eerder een emotie wordt uitgedrukt dan dat een zintuigelijke impressie van het waargenomene wordt gegeven, dan springt de invloed van Van den Bergh onmiddellijk in het oog. Lehning, in *De vriend van mijn jeugd*, en Hannemieke Postma in haar studie over *Verzen* geven vele voorbeelden van Van den Berghs grote en directe invloed op Marsmans vroege poëzie, en het is niet nodig hun werk hier over te doen. Marsman zelf is zich deze invloed pas aan het eind van zijn leven goed bewust geworden, getuige het stuk 'Rectificatie, coïncidentie, "plagiaat" en plagiaat', postuum gepubliceerd in *Groot Nederland* van oktober 1940. Daarin schrijft hij o.m. dat hij de zinsnede 'vuur en wijn' in het gedicht 'Invocatio' (daterend uit 1921) had gebruikt zonder zich te realiseren dat deze woorden hem bij waren gebleven uit Van den Berghs 'Bergland', dat in *De boog* voorkomt. Ze zijn echter ook al te vinden in een fragment dat dateert van september 1917: 'vuur van m'n hart,/wijn van m'n ziel'. *De boog* was toen kort tevoren verschenen. De afhankelijkheid van Van den Bergh zou voorlopig alleen nog maar groter worden, en een toppunt bereiken in gedichten als 'De landman spreekt' en 'De twee schilders'. Marsman heeft deze gedichten nooit gebundeld en evenmin een plaats gegeven in zijn *Verzameld werk*.

Het is de vraag of de poëzie van Van den Bergh en zijn navolgers in *Het getij* (o.a. Martin Permys, ps. van M. J. Premsela) wel expressionistisch genoemd kan worden. Weliswaar gebruikt Van den Bergh de kosmische vergroting, en is in zijn gedichten het idee van verbondenheid met de mensheid te vinden, maar in het eerste geval ging het om een eigen vondst, die onafhankelijk van de Duitse expressionisten tot stand was gekomen, en in het tweede liet hij zich inspireren door de poëzie van Walt Whitman, en diens adept in de Franse literatuur Verhaeren. Van den Bergh was exclusief Frans georiënteerd, en van de Franse dichters had hij de grootste affiniteit met de symbolisten: Laforgue, Regnier, Jammes en vooral Rimbaud. Het typische gebruik van kleuraanduidende adjectieven (zoals dat bv. blijkt in het door Marsman zeer bewonderde 'Nocturne') gaat in hoofdzaak op deze alchemist van het woord terug. Dat houdt in dat de kleuren een min of meer vaste, symbolische betekenis hebben, en niet, zoals bij de Duitse expressionisten, een betekenis krijgen die afhankelijk van de context varieert. De eerste gedichten van Marsman sluiten zich op dit punt bij Van den Bergh aan. Rimbaud heeft hij niet eerder gelezen dan in de loop van 1919.

Wat zich over Van den Bergh laat opmerken geldt in breder verband ook voor *Het getij*. Redactie en medewerkers van dit blad waren eensgezind in hun streven naar het nieuwe en afwijzing van het oude, dat zij vooral belichaamd zagen in de verflenste Tachtigerpoëzie. Vooral de tot voor kort nog zo door Marsman bewonderde Hélène Swarth moest het, met name door de polemische pen van Van den Bergh, daarbij ontgelden. Waar men het nieuwe precies moest zoeken, daarvan had men gedurende het eerste jaar dat *Het getij* bestond nog weinig benul. De omstandigheid dat het niet-belligerente Nederland op dit moment van internationale contacten was afgesneden zal aan die betrekkelijke richtingloosheid zeker debet zijn geweest; na 1918, toen de Eerste Wereldoorlog eindigde, werd *Het getij* een uitgesproken avant-garde orgaan met internationale oriëntatie. Afgaande op het gros van de bijdragen in de eerste jaargangen zou men geneigd zijn te zeggen dat het heil voorlopig werd gezocht in de hoek van de theosofie, en andere op het Oosten geïnspireerde levensbeschouwelijke stelsels.

In 1916 was *Het getij* opgericht als het orgaan van de 'Kring voor letterkunde', een groep vrijzinnig-protestante studenten. Ernst Groenevelt en Willem de Mérode waren de belangrijkste figuren in de leiding van het blad. De eerste afleveringen waren onopvallend en stonden op een laag peil, totdat Constant van Wessem tot de redactie toetrad en het vriendenpaar Herman van den Bergh en Martin Permys als medewerkers introduceerde.

Permys was te zeer de stem van zijn meester Van den Bergh om in poëtisch opzicht interessant te kunnen zijn. Van de groep rond *Het getij* was het aanvankelijk dus uitsluitend Van den Bergh die Marsman inspireerde. Later gingen ook de door Marsman bewonderde Hendrik de Vries, en Slauerhoff aan het blad meewerken, maar toen had Marsman zijn 'vorming' al achter de rug. Van den Bergh was zowel in praktisch als in theoretisch opzicht een voorbeeld. Noch het eerste, noch het laatste is altijd zo door Marsman gevoeld. Zo merkte hij in het najaar van 1936 tegenover interviewer Raymond Brulez voor de BRT-microfoon op dat de in *Nieuwe tucht* gebundelde opstellen achteraf gezien op hem geen baanbrekende indruk maakten. Deze opmerking lijkt ingegeven door dezelfde 'vergeetachtigheid' die hem in deze jaren bracht tot de uitspraak dat zijn eerste poëzie met die van Van den Bergh zo goed als niets te maken had. In zijn bespreking van *Nieuwe tucht* in de NRC van 10 november 1928 had hij nog over Van den Bergh geschreven: 'hij was de kern, de gangmaker van een beweging in onze litteratuur, die – het blijkt uit de verhouding van deze 'Nieuwe Tucht' en wat er daarna aan jongere essays en critieken verscheen – voor de jongere poëzie, voor het taalbewustzijn, en dus voor het leven van een jonger geslacht van enorme beteekenis is geweest en nòg is.' Tussen 1928, toen Van den Bergh al jaren zweeg, en Marsman dus niet gehinderd werd door de vertekende blik die men heeft als men te dicht bij de feiten staat, en 1936 ligt de ontmoeting en het diepgaande contact dat erop volgde met E. du Perron, die van zijn depreciatie voor Van den Bergh nooit een geheim heeft gemaakt, en Marsman op dit punt zeker beïnvloed heeft. De conclusies van Oversteegen bevestigen het door Marsman in 1928 gesignaleerde belang van *Nieuwe tucht*. In *Vorm of vent* wordt aangetoond hoe Van den Bergh min of meer de peetvader was van de groep rond *De vrije bladen*, dat *Het getij* in 1924 opvolgde als leidinggevend tijdschrift van de jonge literatoren. Overigens werkte Van den Berghs invloed in deze kring het sterkst op D. A. M. Binnendijk, jarenlang redacteur van *De vrije bladen*, en een van de belangrijkste kritici. Juist hij was het die met zijn inleiding bij de poëziebloemlezing *Prisma* Du Perron er toe bracht een wig te drijven tussen Marsman en zijn medestanders. Ik kom nog uitgebreid op deze kwestie terug.

Ook Marsman heeft volop geprofiteerd van Van den Berghs theorieën. Zo wordt op zijn latere opvatting over de goddelijke oorsprong van de poëzie al geanticipeerd in een passage als de volgende, al moet daaraan meteen worden toegevoegd dat Van den Bergh hier allerminst een origineel denkbeeld lanceerde, want sedert de Romantiek waren dergelijke metafysisch verankerde ideeën het grondpatroon van de meeste poëtica's; Van den Berghs voorganger en meest directe voorbeeld in dezen was Albert Verwey. Voor de jonge Marsman fungeerde Van den Bergh gedeeltelijk als intermediair voor de denkbeelden van Verwey; later zou Marsman een directer afhankelijkheid van Verwey tonen.

Een kenmerkend citaat uit *Nieuwe tucht* luidt:

> Het goede gedicht heeft, ideëel gesproken, de grootste en meest karakteristieke eigenschap, die gestorven geslachten aan de godheid toeschrijven: begin – en eindloosheid. Het is een meeuwevlucht – onbepaald aanscherend, levend, onbepaald wegscherend. Het is een samenvatting van aanwezen en gedachten, over alle bodems, door alle sferen der tijden. Het is, voor wie zich op dit mensch-zijn verheffen, een deel van het edelst en eeuwigst menschenbegrip, dus een Godheid-zelf.

Uit een dergelijke vooronderstelling vloeit de these van het primaat der poëzie voort: 'eerst een verjongde woordbeschouwing is bij machte, een vernieuwde wereldbeschouwing in het leven te roepen; en immers alleen de laatste is het, die mutaties in de beoefening der poëzie bewerkstelligt.' Ongeveer tegelijkertijd schrijft Theo van Doesburg in *De stijl*: 'de scheppende zinsbouw, het woord, de taal, de volzin – volgens het procédé eener ideale "bezetenheid", zal in staat zijn de menschelijke mentaliteit zoo diep en wezenlijk te veranderen, dat een geheel andere wijze van zien daarvan het gevolg zal zijn.' De woordkeus waarmee Van den Bergh epigonen aanvalt lijkt Marsman te hebben geïnspireerd tot de tirades in de tijd dat hij als redacteur van *De vrije bladen* zijn donderpreken hield:

Zij maken het lichaam der oudere schoonheid tot een mummie, en dwingen, in versuffing of weerbarstigheid, het door tucht ontordende lijf der jongere binnen de kinderkamer. Wij gelooven aan het eerste, een droomtoestand; en derhalve – roepen willen wij u, u voor den geest brengen wat gij reeds weet, maar over welk weten ge heendommelt, verweekelijkt en sentimenteel geworden; een niets ervarend als emotie, dus als gedicht; een gelukzalig anachronisme.

Ik releveerde al dat Van den Berghs aanvallen zich vooral richtten op Hélène Swarth en Frans Bastiaanse, dichters die tot dan toe Marsman als voorbeeld hadden gediend. Het is daarom zeer begrijpelijk dat Marsman, na eenmaal de juistheid van Van den Berghs kritische standpunten te hebben erkend, zich ook in de poëtische praktijk naar hem ging richten. Ook in de stijl van Van den Berghs prozagedichten heeft Marsman aanknopingspunten gevonden voor zijn eigen experimenten in dit genre, zoals bv. blijkt uit een vergelijking van een stuk als 'Dagen' en de lyrische artikelen die Marsman korte tijd later in *De nieuwe kroniek* publiceerde.

Er waren zeker ook verschillen tussen Marsmans en Van den Berghs voorkeuren en opvattingen. De vrijwel uitsluitend Frans georiënteerde Van den Bergh was, zoals eerder opgemerkt, een groot bewonderaar van de twee aartsvaders van het humanitair expressionisme, Whitman en Verhaeren, dichters die Marsman niet uit kon staan, al valt in zijn depreciatie moeilijk uit te maken of dat was omdat hij hun niet vergaf wat volgelingen hadden aangericht, of vanwege de kwaliteit van hun eigen poëzie. In dit licht moet een opmerking worden gezien, voorkomend in het stuk dat Marsman in 1922 aan Van den Bergh wijdde: 'Een gelukkig gesternte, een diepe beschaving hoeden hem voor de breidelloosheden der Verhaeren-vergoders.'

Al had *Het getij* dan voor Marsman zijn belang voor 90% aan de bijdragen van Van den Bergh te danken, toch zal het blad voor hem ook de functie hebben vervuld van een kompas voor de literatuur en de beeldende kunst buiten Nederland, een functie die een sterk internationaal georiënteerde redactie na 1918 tot programmapunt verhief. Men was zich bewust van het avantgardistisch karakter van het blad tussen de andere Nederlandse literaire periodieken. Zo bevatte elke aflevering berichten van buitenlandse correspondenten met betrekking tot de stand van zaken in de moderne kunst ter plekke. Deze overzichten werden geredigeerd door Theo van Doesburg (ps. van C. E. M. Küpper), die op dat moment, aan het eind van de oorlog, zijn sporen op modernistisch gebied ook buiten de grenzen al ruimschoots verdiend had. Vooral had hij bekendheid verworven en contacten gelegd via zijn eenmansonderneming *De stijl*, een jaar na *Het getij*, in 1917, opgericht. Maar in tegenstelling tot *Het getij* was *De stijl* vanaf het eerste begin een blad met een geheel eigen karakter en een voor Nederlandse begrippen origineel en goed uitgewerkt programma.

Het staat vast dat Marsman *De stijl* al vroeg geboeid heeft gelezen; waarschijnlijk is hij er op geattendeerd door zijn schoolvriend Jan van Marle, die artistieke aspiraties had, en na zijn eindexamen een kunsthandel in Rijswijk begon. In die laatste hoedanigheid figureert hij in het *Zelfportret*. Via reproducties in *De stijl* kon Marsman kennis maken met het werk van kubisten als Feininger en Léger, voordat hij het in 1921 in de Berlijnse galerie *Der Sturm* zag.

Van Doesburg introduceerde in een bespreking van het Italiaanse avant-gardeblad *Valori plastici*, dat een nummer aan de moderne Franse kunst had gewijd, de Franse dichters Cocteau, Dermée, Jacob, Cendrars en Salmon (in *Het getij* van juni 1918), en twee maanden later August Stramm, Alfred Döblin, Ezra Pound en Marinetti (augustus 1918). Nog belangrijker dan deze informatieve stukken waren de kunsttheoretische beschouwingen die Van Doesburg, al dan niet onder zijn schuilnaam I. K. Bonset schreef, vooral op het gebied van de poëzie. Ook hier laten zich bepaalde ideeën traceren die zich vastzetten in Marsmans poëtica in ontwikkeling, en even later publiekelijk door hem verwoord zullen worden. Zo stelt Van Doesburg in *Het getij* van oktober 1919 vast dat het Duitse expressionisme vormontbindend werkt, en onevenwichtig en emotioneel is, een mening die hij ongeveer tezelfdertijd in *De stijl* verkondigt. Op dat moment kende Marsman nog niet de door Kurt Pinthus samengestelde bloemlezing uit de expressionistische lyriek *Menschheitsdämmerung* (1919), naar aanleiding waarvan hij in een bespreking in *Den gulden winckel* van 15 april 1921 ongeveer hetzelfde zou opmerken.

De nadruk die Van Doesburg altijd gelegd heeft op de strakke vorm vindt een pendant in Marsmans hameren op het begrip vormkracht, al zal nog blijken dat het ver doorgevoerde, dogmatisch formalisme van Mondriaan en Van Doesburg hem vreemd was. En in het manifestachtige statement in het eerste nummer van *De stijl* dat 'voor de verspreiding van het schoone niet een sociale maar een geestelijke gemeenschap noodig is' kan men een preluderen zien op een thema dat regelmatig bij Marsman is te vinden in de jaren waarin hij een geestelijk leiderschap ambieert.

Bij dit laatste moet worden aangetekend dat Mondriaan en Van Doesburg, daarbij geïnspireerd door hun intellectuele mentor Schoenmaekers, een kunst voorstonden, waarin het universele geopenbaard zou worden. Aan dat streven diende het individuele ondergeschikt gemaakt te worden, sterker: het werd gezien als een storend en tegenwerkend element. Op dit punt sluit de Stijlgroep zich aan bij een tendens in de modernistische kunstbeschouwing die na 1910 sterker wordt. In de theorievorming speelt de schilderkunst een leidende rol, en geeft aan de literatuur het voorbeeld. Nadat Kandinsky zijn denkbeelden, die met de ideeën van Mondriaan en Van Doesburg parallel lopen, in *Über das Geistige in der Kunst* heeft ontvouwd, publiceert Apollinaire een jaar later, in 1913, *Les peintres cubistes*, dat wordt ingeleid door het programmatische opstel 'Sur la peinture'. Daarin komt de eis voor: 'Il faut aux nouveaux artistes une beauté idéale qui ne soit plus seulement l'expression orgueilleuse de l'espèce, mais l'expression de l'univers, dans la mesure où il s'est humanisé dans la lumière.' Kort na 1910 had Mondriaan al geschreven: 'Heeft men lang de oppervlakte liefgehad dan zoekt men iets meerders. En toch is de oppervlakte hetzelfde. Door deze heen ziet men het innerlijke. Ziende de oppervlakte, vormt zich het innerlijke beeld in onze ziel. Dit beeld moeten we beelden. Want de oppervlakte in de natuur is schoon maar de nabootsing is dood. De dingen geven ons alles, maar de afbeelding geeft ons niets.' Met deze uitspraak zet hij zich duidelijk af tegen de impressionistische schilderkunst die zich verloor in zintuigelijke waarneming en daarmee de vormontbinding in de hand werkte. In dezelfde geest schrijft Apollinaire: 'La vraisemblance n'a plus aucune importance, car tout est sacrifié par l'artiste aux verités, aux nécessités d'une nature supérieure qu'il suppose sans la découvrir. Le sujet ne compte plus ou s'il compte c'est à peine.'

Er lijkt me geen essentieel onderscheid te maken tussen Apollinaire's 'expression de l'univers' en Mondriaans uitdrukking van het universele. Beiden zien de kubistische schilderkunst als een middel daartoe, al zal Apollinaire nooit zo ver gaan als Mondriaan en Van Doesburg die de volledige abstractie als eis stellen. Apollinaire benadrukt dat voor hem het kubisme geen koele mathematische opsomming is, maar een logische structurering van de materie volgens de principes van de universele harmonie. Buiten het realisme en haar sentimentele zwakheden om, heeft het de spirituele waarheid gevonden, die de enige reden is van het kunstwerk. Sensibiliteit die anarchistisch te werk gaat, acht hij gevaarlijk, omdat die spoedig uitloopt op het paroxysme van het individualisme. Vooral in het impressionisme en het fauvisme (de richting die in veel opzichten valt te beschouwen als het pendant van het expressionisme in de Duitse schilderkunst gedurende het eerste decennium van de twintigste eeuw) ziet hij een dergelijke sensibiliteit heersen. Zijn waardering voor Picasso en Braque berust dan ook mede op het feit dat zij de discipline en het vakmanschap in ere hebben hersteld. De hiervoor gereleveerde opmerkingen van Van Doesburg met betrekking tot het expressionisme sluiten daar volledig bij aan, diens bezwaren tegen het individualisme al evenzeer. Wat later zal Van Ostaijen tot dezelfde bevindingen komen naar aanleiding van Picasso. Het interessante bij hem is, dat het verwerpen van het subjectivisme in verband gebracht wordt met de Platoonse filosofie, die, al dan niet via de Kantiaanse esthetiek, de basis vormt van deze theorieën. Ter verduidelijking van een vroegere uitlating stelt Van Ostaijen:

> Waar ik de term 'subjekt' gebruikte, bedoelde ik deze in universalistiese, niet in individualistiese zin, – Plato. – Ik gebruikte dit in tegenstelling van empirie. Vlucht van het empiriese naar het subjekt, en dit subjekt vooruitzetting van het denken. *Ont*-individualisering is nu eenmaal zonder subjekt niet denkbaar. Ik sprak dus immer zeer duidelik van het subjekt ontdaan van zijn empiriese verschijning, waartoe de individuële smaak hoort. Bijgevolg, aforisties gezegd, drie trappen: empirie, subjekt, ontindividualisering. [...] Het streven naar ontindividualisering is de maatstaf naar dewelke te meten is het goddelike in de kunst.

Is er bij Van den Bergh c.s. nog wel enige affiniteit te vinden wat de conceptie van de metafysische basis van de kunst betreft, op het punt van het al dan niet accepteren van het individualisme lopen de meningen van de Stijlgroep en de Getijers volledig uiteen. In zijn poëzie ('er is geen ras dan de persoonlijkheid') en zijn theoretische stukken had Van den Bergh steeds de waarde van de enkeling benadrukt. In *Het getij* werd die mening ondersteund door mederedacteur Ernst Groenevelt ('persoonlijkheid is gezond individualisme') en Alfred Haighton. De meest afgeronde mening van Van den Bergh zelf over deze kwestie is te vinden in de aflevering van maart 1922 (toen het blad eigenlijk al naar zijn einde liep); het is ook dan dat zijn standpunt politiek-maatschappelijke implicaties krijgt. Hij schrijft o.m.:

> Van een simplistische menschen-universaliteit noch van een zelfs nog zoo volslagen statengemeenschap heeft het individu eenige

geestelijke baat tegemoet te zien, tenzij dan een waardelooze, onherkenbare flarde van wat het zelf aan de samenleving afstond. Maar door beiden lijdt het schade. Niet in zijn innerlijke waardij die – n'en déplaise al te geloofsgetrouwe marxisten – volstrekt vrij staat van iedere sociale ordening. Doch in zijn uitingskansen welke afgebroken worden door het rumoer van een steeds rauwer, steeds opdringeriger en onbeschofter uniformiteit, door de altijd wassende globalisering en vervlakking.

En even verder heet het, bijna apologetisch, en haast Marsmaniaans-vitalistisch: 'De traditie der persoonlijkheid die, naar wordt gezegd, de menschheid verkruimelt doch inderdaad den mensch tot doel van het leven kroont, zal triumpheeren, *in naam van dat leven zelf*.
Dergelijke denkbeelden over de verhouding tussen individu en massa lijken de erfenis van het rationalistisch denken dat culmineert in het negentiendeëeuwse liberalisme. Maar er zijn tekenen, hoe onbeduidend op zich zelf misschien ook, die er op wijzen dat Van den Bergh nog wel iets anders was dan een liberale individualist. Een programmatische titel als *Nieuwe tucht*, het sterke accent dat in zijn gedichten gelegd wordt op het instinctmatige leven, de irrationele grondslag van zijn poëtica, de aristocratische teneur van zijn individualistische uitlatingen; het zijn tendensen in het Europese geestesleven van na de wereldoorlog, die ten grondslag liggen aan het zich in Italië ontwikkelende fascisme, waarvan Van den Bergh, en met hem vele andere jonge kunstenaars en intellectuelen in Nederland, zich als sympathisant zal manifesteren. Tegenover het socialisme staat Van den Bergh – evenals trouwens Van Doesburg, al was die tegenstander om redenen van artistieke vrijheid – afwijzend, maar anders dan orthodoxe liberalen had hij van de parlementaire democratie geen hoge dunk.

Met de nodige voorzichtigheid kan gesteld worden dat er in *Het getij* een mentaliteit valt waar te nemen die fascistoïde trekken vertoont; later zijn enkele medewerkers (met als saillantst voorbeeld Haighton) regelrecht de kant van het fascisme opgegaan. Aan het aristocratisch-individualisme van Van den Bergh heeft Marsman zich ongetwijfeld gespiegeld, getuige bv. zijn openlijk beleden afkeer van parlementaire democratie en evenredige vertegenwoordiging, die zijns inziens symptomen van verval en vervlakking zijn, en een uitlating als de volgende, gedaan in *Den gulden winckel* van 15 april 1922, een maand dus na publicatie van het zojuist genoemde artikel van Van den Bergh in *Het getij*.

De gave des onderscheids is een zeer kostbaar goed, in waarheid een gave der goden, zeer uitzonderlijk. En hare toepassing van hooge zeldzaamheid. Maar, nu adel van geest en gemoed, van den smaak, van keurende gevoeligheid en verfijnde intellectualiteit der persoonlijkheid gemist en veracht mogen worden – nu beschaving niet geldt meer, noch eruditie, wordt de streng-onderscheidende, de gevormde, de aristos luid overstemd door den on-nauwkeurige, door den omroeper, den venter van de straat. Want wie kan schrijven, nog?; want wie heeft stijl en ras, en houding? Met de verpeupeling van de samenleving gaat de verpeupeling van den geest in vrijende omarming; adel?! Een duit de el.

Dat hij in *Het getij* een basis vond voor de inzichten die hij ontwikkelde op esthetisch èn politiek-maatschappelijk terrein, maar dat hij daarnaast *De stijl* gebruikte als gids om zich in de artistieke stromingen van het moment te oriënteren, komt treffend tot uitdrukking in een brief die hij eind oktober, begin november 1918 aan Lehning schreef, met de intentie voor zijn vriend een verslag te schrijven van zijn geestelijk groeiproces. De aanvang van het fragment dat ik citeer is een variant op wat Van Doesburg even tevoren in *Het getij* had opgemerkt: 'En toch moet in deze volgorde: bekijken – zien – aanschouwen, de ontwikkeling en het resultaat der menschelijke ervaringsmogelijkheid geformuleerd worden.' Het is niet de enige aanhaling die in deze brief geparafraseerd zal worden.

Elk individu en ook heel de menschheid groeit van en door 't zinnelijke naar het geestelijke, groeit van gevoel tot aanschouwing, groeit van inzicht door doorzicht tot conceptie. Naar zijn bizonderheid bepaalt ieder de rustpunten en ook het eindpunt in die ontwikkelingsgang. Zoo kan het eind van den eén het begin van den ander zijn. Zoo is het begin, maar helaas ook het eind van Breitner, waarschijnlijk tenminste, want absoluut onmogelijk is het niet, dat zelfs hij nog eens van 'richting' verandert.

Zoo groeide Van Deyssel van 'La terre' e.a. tot 'Frank Rozelaar', zoo zijn ook wij gegroeid van klankwelusteling tot stille, schouwend ingekeerde menschen. Van woeste, zielscheurende lyriek (Kloos, Gorter), door intellectualisme (Hofmannsthal, Jaan Holst, Faust, Verwey) en decadentie (Wilde, Verlaine, Nijhoff, Baudelaire, (Rilke) en ethisch-socialistische menschheidskunst (Whitman, Jet Holst, Van Suchtelen) tot 't puur geestelijke (Shakespeare,

Archipenko) d.i. het reële, het eenig werkelijke (m.i. ook door Rodin niet bereikt, zijns ondanks zelfs niet!). Toch kan ik me voorstellen, dat 'n kunstenaar, die het natuurlijke tot het 'Natur-ähnliche' omschept (dus nog niet abstract wordt) die hoog-geestelijke evenwichtigheid geeft, en Rembrandt heeft dat bewezen – En Rembrandt was 'naturalist' –

Ik vind het niet noodig, dat het individueele, of liever het persoonlijke zich oplost, d.i. prijs geeft aan het universeele. Want de persoonlijkheid, de 'vertegenwoordiger der menschheid', is, werkend naar zijn eigen genie, het best in staat om het universeele te openbaren. Het persoonlijke is voorwaarde tot en kenmerk van elk kunstwerk, tenminste in een 'cultuur' loos tijdperk (in den zin waarin de Middeleeuwen een (en het laatste!) cultuurperiode was) – Maar speciaal onze tijd, roept om de persoonlijkheid, waar alle cultuur-eenheid ontbreekt – Nietzsche!, of Marx, of zelfs Christus! Natuurlijk zijn de Oud-Chineesche, en Egyptische of Byzantijnsche Kunst en de Gothiek voor-de-hand-liggende tegen-voorbeelden, maar mijn beperking heft deze als zoodanig op. Want, zooals gezegd, de Middeleeuwen was een cultuurperiode, en onze tijd is dat niet, nog niet... En daarom is ook de nieuwe beeldende kunst niet representatief voor onzen tijd, integendeel: ze zijn antipoden – Men zou kunnen zeggen, en men staat oogenschijnlijk zeer sterk in betrekking ook tot de nieuwe kunst, dat kunst (welke ook) het organisch-gegroeid product is van een tijd, zooals uit paring organisch groeit het kind. Maar juist daarom is deze 'kunst' geen kunst, omdat alle verband met onzen tijd zoek is – Rodin is even ondenkbaar in de Socratische tijd als van Doesburg in den onze – Of meent men, dat het feit van zijn bestaan (als modern kunstenaar althans!) zijn noodzakelijkheid insluit en dat bestaan dus rechtvaardigt? – Veeleer lijkt 't mij een willekeurig ingrijpen, begrijpelijk voor een evenwicht-zoekend mensch –, maar niet meer dan een wensch-uiting. Want geen dezer artisten verschijnt mij in zijn werk als het prototijpe van een modern mensch –

Ziehier waarom ik deze beweging wil qualificeeren als 'onrijp' – Niettemin voel ik voor het streven – vergeestelijking – zeer veel, maar ontstoflijking hoeft niet te leiden tot wiskunde. Gelouterd gevoel, maar geen ingenieurs-berekening, geen onfeilbaarheid!

Deze slotwoorden zijn regelrecht gericht aan het adres van Mondriaan en Van Doesburg die in de abstractie de enig adequate uitdrukking van het universele zagen; een abstractie waaraan zij, in het spoor van de wiskundige Schoenmaekers, geometrisch vorm gaven.

Uit het vervolg van de brief, door Lehning aangehaald in zijn herinneringen, blijkt dat Marsman in deze dagen *De stijl* las. Het artikel van Mondriaan waarop hij zinspeelt is hoogst waarschijnlijk 'De nieuwe beelding in de kunst', dat de basis werd van alle theorieën die daarna in het blad ontwikkeld zouden worden. Weliswaar waren de afleveringen waarin het bewuste artikel voorkomt al een jaar eerder verschenen, maar Marsmans vermelding dat hij *De stijl* I–II in handen heeft, lijkt er op te wijzen dat hij doelt op de eerste jaargang.

Overigens moet aangetekend worden dat Mondriaan zijn standpunt van die nuance voorzag, dat naast het universele het individuele in de kunst gehandhaafd bleef door het ritme van de compositie en de materiële werkelijkheid der uitbeelding. Van Doesburg ging in zijn ontkenning en bestrijding van het individuele verder; daarom kiest Marsman tegen hem partij, althans voor het moment, want een jaar later zal hij persoonlijke toenadering tot de redacteur van *De stijl* zoeken.

Een punt uit het brieffragment dat ik nog accentueren wil betreft de karakteristiek van de Middeleeuwen als de laatste cultuurperiode. Hier openbaart zich, zij het nog zeer impliciet, bij de jonge individualist de tegendraadse hang naar 'een bezield verband', dat het leven zin en richting geeft, en alle maatschappelijke verschijnselen in een hiërarchische orde plaatst. In dat licht gezien krijgt zijn ijveren voor de moderne kunst iets krampachtigs: koste wat kost wil hij 'van zijn tijd zijn' (enkele malen formuleert hij dat als een apodictische leus), zoekt daarom naar adequate, dus 'moderne' expressiemiddelen, maar wordt daarnaast voortdurend bekropen door de bange gedachte 'dat alle verband met de tijd zoek is'. Als redmiddel (een middel dat ongetwijfeld met zijn diepste overtuiging, die nimmer modernistisch was, strookte) zullen we hem voor de literatuur zien teruggrijpen op de traditie, en voor de politiek een theocratische utopie naar voorbeeld van de Middeleeuwse standenstaat onder leiding van de katholieke kerk zien ontwerpen. Die gespletenheid tussen modern en traditioneel denken zal een oorzaak worden van zijn falen als redacteur van *De vrije bladen* in 1925. Het is onvermijdelijk even op latere ontwikkelingen vooruit te lopen, omdat dit document, de oudste van Marsman bewaarde brief, een 'voorspellende' waarde heeft. De belangrijkste elementen van zijn latere evolutie zijn er in kiem in aanwezig.

Dat geldt ook voor zijn beleving van categorieën als werkelijkheid en tijd. Ik citeer nogmaals:

Zeer hevig beklemt mij bij tijden de twijfel, de 'cartesiaansche' twijfel – d.i. de twijfel aan ons geestelijk (werkelijk) bestaan – de bliksemschichtende twijfelstraal, die het bestaan vernietigt tot ijlte, – droom –; wegzinken voel je je, en je krijgt de zelfde gewaarwording als wanneer je droomt dat je van een dak of hoogen toren valt – suizend... en met een schok wordt je wakker..

Iets anders is de quaestie [...]: is onze zintuigelijke waarneming betrouwbaar? Maar dat is iets fundamenteel-anders, d.i. ongeveer de twijfel aan ons lichamelijk bestaan.

Maar heviger dan deze beide, ontroert mij het besef, dat wij staan aan het eind van den tijd; dat elke seconde de laatste is (niet in Bijbelschen zin, maar strikt-logisch.) Niet wij gaan voorwaarts, maar de tijd vloeit onder ons door (denk aan de voorbijschietende boomen naast een trein) – Vóor ons de toekomst – vloeibaar – en reeds is ze tot 'heden' gestold; wij ontrukken met onze verlangende geest de zekerheid aan de onzekerheid, wij maken gedachtelijk de toekomst reeds tot heden – en –: snellen den dood tegemoet – Voor de toekomst wordt het heden vergeten, er is geen tijd tot bezinning of reflectie – wij gaan voorwaarts!: (verwaande waan!) – wij vergeten te leven.

[...] Het leven is niet in woorden te vangen, want 'alles vloeit' en het woord is stil – onbewegelijk – Misschien is het woord gestolde geest, ja ook natuur (stof) gestolde geest (maar geest niettemin) – het zichtbare veruiterlijkte onzienlijkheid en wij menschen geprojecteerde gedachten Gods.

De laatste alinea is in zijn idealistische metafysica (afgezien van het vleugje Heraclitus) een uiting van de 'tijdgeest', al dient bedacht te worden – ik wees er hiervoor ook al op – dat de Platoonse en Plotinische filosofie al sedert de Romantiek een vast terugkerend element in elke esthetica vormde. Later zal het metafysisch patroon van Marsmans poëtica een belangrijke uitbreiding krijgen door de kennismaking met de theorieën van de neothomist Maritain. Dat zal hem dan opmerkingen in de pen geven als deze: 'De trek naar het overzeesch paradijs wordt in mij niet gewekt of gesterkt door het contrasteeren daarmee van een duistere aardsche werkelijkheid, maar veelmeer door die vormen van menschelijk leven en scheppingsvermogen, en door sommige stukken natuur, die op aardsche, gebroken wijze na- en voorspiegelingen zijn van den hemelschen Tuin.'

Vanaf 1918 is de poëzie voor Marsman metafysisch verankerd, en wel in dubbel opzicht: 1. het woord is emanatie van de goddelijke geest (vgl. het begin van het Johannesevangelie); 2. de poëtische creativiteit reflecteert het buiten-werkelijke, m.a.w. het volmaakte. Aan het woord zit echter nog een ander aspect: het fixeert ('stolt') de beweging van het leven, en komt daarmee in tegenstelling te staan. Wanneer de dood in latere jaren een allesbeheersend probleem voor Marsman zal worden, krijgt het geschreven woord een negatieve, aan het leven vijandige waarde: 'het beeld dat leeft als gedicht voor wie kan lezen, is dood voor den man die het schreef.'

De vervreemding die optreedt in de ervaring van werkelijkheid en tijd wordt later een essentieel, hoewel niet zeer sterk op de voorgrond tredend motief in Marsmans poëzie. In combinatie met het motief van de dood treedt het op in 'Val' en 'Salto mortale', en in 'Zinkend schip' waarin het besef wordt uitgedrukt

> dat al wat
> der wereld is
> een waan is,
> een bekommernis.

Ook in *Tempel en kruis* keert het idee van de werkelijkheid, in dit geval de hele geschiedenis, als projectie van het subject terug.

> kan het zijn,
> dat van Genesis af
> het parabolisch Verhaal,
> de Ellips der Geschiedenis –
> tot het vuur van de Apocalyps
> de laatste beelden verbrandt,
> de luchter, het boek en het lam –
> niets anders is
> dan het vluchtige spiegelbeeld
> van mijn slaap, tusschen droomen verdeeld?

En Jacques Fontein noteert: 'De vraag naar den zin van het leven kwelt mij minder dan die naar de werkelijkheid van het bestaan'.

Het karakter van zijn literaire producten in deze tijd werd nog geheel door zijn lectuur beheerst. Naast en na de invloed van Swarth, Bastiaanse, Reddingius en Zeldenthuis heeft hij zeker ook een en ander aan Van Deyssel te danken, zoals bv. blijkt uit het nooit gepubliceerde prozafragment 'Mijn woord'. Deze laatste invloed zal ongetwijfeld ook van belang zijn geweest voor het tot stand komen van zijn artistiek zelfbewustzijn; ook aan Stefan George heeft hij zich in dat opzicht sterk gespiegeld.

In april 1917 las hij met Arthur Lehning de gedichten van Hugo von Hofmannsthal, en de indruk van deze lectuur wist hij zich tot in de subtielste nuances veertien jaar later nog te herinneren:

> in dien vreemden vroegrijpen tijd, vlak voordat een wilder élan onze hartstochten aandreef, voelden wij ons tot onze verste vezels doortrokken van een veege vermoeidheid; een herfstelijk besef van te laat – en waartoe? – geboren te zijn, een – meenden wij – verfijnde, décadente geblaseerdheid, die onzen blik iets verveelds gaf, een hang naar een tegelijk gecultiveerde en nonchalante hooghartigheid, een laatdunkend verkwijnen, heel deze afgeleefde grijsaardsstemming, die ons zoo oud leek en die in wezen zoo onbeschrijflijk jong is, vonden wij in Hofmannsthal terug – en tegelijk het besef het geheele leven, hoe dan ook, te hebben gemankeerd.

Hoe juist dat herinneringsbeeld na jaren nog was, blijkt uit de gedichten die Marsman in deze maanden schreef. Een treffend voorbeeld is 'Stervensstonde', met 'Opstand' geschreven in augustus van dat jaar (maar bij publicatie een jaar eerder gedateerd!), en beide geplaatst in *Nederland* jaargang 1919. Aan hetzelfde tijdschrift had hij onder het pseudoniem Ernst Verkerk al het verhaal 'Artieste' bijgedragen.

De kennismaking met de gedichten van Van den Bergh in *Het getij* en *De boog* moet de beslissende ommekeer naar een 'wilder élan' hebben betekend. Idioom en thematiek van zijn poëzie veranderden definitief. In dat proces heeft de ernstige longontsteking waar hij na februari 1918 gedurende enkele maanden aan leed een katalyserende rol gespeeld. Het is bekend dat de intensiteit waarmee men leeft tijdens een zware ziekte kan toenemen, paradoxaal genoeg meer naarmate de afstand die men van het leven genomen heeft groter is. Er zal een zekere pose schuilen in het cynisme van de 'Doodsliedjes', maar ze geven aan dat Marsman de puberale fase waarin zijn eerste gedichten waren ontstaan, achter zich had. Zijn sensibiliteit, zijn (over)gevoeligheid in het waarnemen zijn tijdens zijn bedlegerigheid ongetwijfeld versterkt. Men hoeft nog niet met Houwink aan te nemen dat Marsman epileptisch was ter verklaring van het visionaire van zijn 'kosmische' poëzie om toch te kunnen ver-

Marsman (derde van boven) tussen Zeister vrienden en vriendinnen

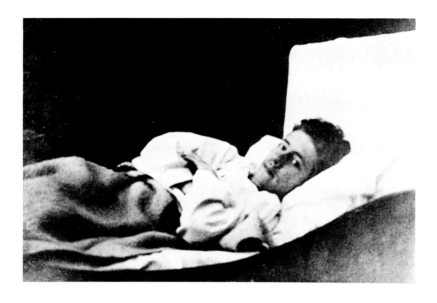

Herstellend van longontsteking (mei 1918)

onderstellen dat bij het ontstaan van deze gedichten een bepaalde fysieke constitutie een rol heeft gespeeld. Daarnaast is de door Lehning gesignaleerde *Getij*-toon van het meest opvallende gedicht uit deze periode, 'Dageraad', er een teken van hoe Marsman ook aan invloeden van buitenaf bloot stond. Het is natuurlijk niet toevallig geweest dat hij juist dit gedicht ter publicatie aan de redactie van *Het getij* liet zenden. Tot zijn grote teleurstelling werd het evenwel geweigerd.

Na zijn dood is over deze kwestie een discussie ontstaan, toen Hendrik de Vries in zijn bijdrage aan het herdenkingsnummer van *Criterium* had geschreven dat het Herman van den Bergh was geweest die Marsman als medewerker uit *Het getij* had geweerd. In hetzelfde nummer van *Criterium* had Van Wessem echter als zijn mening verkondigd dat Marsman nooit aan *Het getij* had willen bijdragen vanwege bezwaren tegen de door hem als redacteur incompetent geachte Ernst Groenevelt. Van Wessem, zelf oud-redacteur, noemde Groenevelt niet met name, maar het is duidelijk dat het om hem gaat. In de aflevering van *Criterium* oktober 1940 trok De Vries daarop zijn beschuldiging aan het adres van Van den Bergh in. De zaak kreeg een vervolg toen P. N. van Eyck in *Criterium* van juni 1941 uit een door Marsman aan hem geschreven brief citeerde, ten bewijze van De Vries' aanvankelijke veronderstelling.

E. Krispyn, die in zijn artikel 'Van den Bergh, Marsman en het Noord-Nederlandse expressionisme' een – overigens op hier en daar onjuiste en misleidende presentatie van het feitenmateriaal gebaseerd – resumé van de hele affaire geeft, houdt het er na raadpleging van Van den Bergh en Lehning op dat Van den Bergh indertijd het belang van Marsmans poëzie onvoldoende heeft geacht om opname in zijn blad te rechtvaardigen. Als argument voor deze hypothese voert hij aan dat Van den Bergh hoegenaamd geen herinneringen aan inzendingen van Marsman bewaard heeft. Dat is natuurlijk mogelijk, al blijft het merkwaardig dat een aantal van de afgekeurde gedichten door de streng schiftende (en door Van den Bergh bewonderde!) Albert Verwey geruisloos in *De beweging* werd opgenomen. Misschien heeft de redacteur van *Het getij* in de epigonistische trekken van deze verzen aanleiding gezien ze tegen te houden, al moet tot zijn nadeel worden gezegd dat hij de navolgingen van zijn mederedacteuren Permys en Groenevelt tolereerde. Gesteund door latere uitlatingen van Van den Bergh wijst Krispyn het argument van persoonlijke animositeit van de hand. Overigens is er al evenmin reden een dergelijke verdenking op Groenevelt te schuiven (zoals Krispyn doet), aangezien zijn bundel *De narcis* pas in 1922 in *De nieuwe kroniek* vernietigend door Marsman besproken werd, dus lang nádat hij zijn onaangename ervaringen met *Het getij* had gehad.

Een andere factor van belang bij het ontkiemen van zijn eerste persoonlijke poëzie was zijn lectuur gedurende het voorjaar van 1918, toen hij dagelijks voor zijn herstel verbleef in de tuin van de met zijn moeder bevriende freules Van de Poll, liggend op een chaise longue. In het *Zelfportret* noemt hij in dit verband het werk van Hölderlin, Novalis, Rilke, George, Hofmannsthal, Trakl en Heym, maar hier moet sprake zijn van een slecht geheugen of lust tot romantiseren. Hofmannsthal had hij al eerder gelezen, Hölderlin, Novalis en Rilke vermoedelijk ook, Trakl en Heym kan hij op zijn vroegst pas in de loop van 1919 hebben leren kennen. In zijn lange brief uit de herfst van dat jaar komen deze twee dichters, die later zo'n belang voor hem kregen, nog niet voor. Juister is vermoedelijk de vermelding dat hij de mystieke geschriften van Ruusbroec, Eckehart, Hadewych en anderen las: 'Teveel met het oog op de stemming waarin zij mij brachten, met het verlangen om vervoerd te worden buiten mij zelf, om de vernietiging van mijn grenzen, die mij althans de herinnering verschafte aan de versmelting met het heelal, die ik vroeger in mijn droomen gekend had – meer dan om het systeem, of liever heelemaal niet om het systeem, en zelfs ondanks hun systeem. […] Ik las de mystieken omdat zij mij voerden naar een sfeer buiten het leven, voor zoover men zich zooiets kan droomen.' Lehning meent in *Marsman en het expressionisme* dat zijn vriend in de mystieke geschriften zijn extatische drang naar vereniging met de kosmos herkende; daarin zou hij zich dan expressionist tonen.

Nu is de kwalificatie 'expressionistisch' voor Marsmans gedichten een probleem. Krispyn komt in zijn genoemde artikel tot een negatieve conclusie omdat voor hem een essentiële trek van het expressionisme in de literatuur gelegen is in het besef van de dichter dat tussen hem en de kosmos een mystieke eenheid bestaat. Marsman daarentegen zou zich in zijn gedichten opstellen tegenover de kosmos met de intentie hem in zich op te nemen, in plaats van er zelf in op te gaan. Met dezelfde maatstaf rekent Krispyn Van den Berghs poëzie uit *De boog* en *De spiegel*, tot het expressionisme. Men krijgt de indruk dat hij hiermee zijn waardering voor Van den Bergh probeert te verwoorden. Expressionisme is voor hem geen neutraal begrip. Daarmee past zijn artikel in een Van den Bergh-revival die rond 1958 gaande was, waardoor hij wellicht geneigd was Van den Bergh op een hoger voetstuk te plaatsen dan Marsman. Hiervoor signaleerde ik al hoeveel Van den Bergh te danken had aan de Franse symbolisten, met name aan Rimbaud, die als een van de peetvaders van het expressionisme te beschouwen valt; men denke aan zijn invloed op Trakl en Heym! Krispyn heeft te veel nadruk gelegd op het element 'mystieke verbondenheid met het totaal van het aardse leven' in Van den Berghs werk, en bv. over het hoofd gezien dat het gebruik van kleuraanduidende adjectieven tegen de internationale context gezien traditioneel (in dit geval door de symbolisten) bepaald was. Om te bepalen of Van den Bergh en Marsman nu werkelijk expressionistische gedichten schreven, zal ik eerst een omschrijving van het begrip 'expressionisme' geven.

Hannemieke Postma, die zich het meest recent met Marsman heeft bezig gehouden, heeft al getracht om op grond van eerdere definities en omschrijvingen een samenvattende karakteristiek van het begrip expressionisme te geven, maar kwam daarbij tot de slotsom dat iets dergelijks onmogelijk is. De definities bleken (zoals meestal het geval is met omschrijvingen van periodeverschijnselen) te beperkt, te vaag of te incoherent, of ze omvatten een disparate opsomming van kenmerken, thematisch en stilistisch, die waren gevonden bij schrijvers en dichters, die a priori werden beschouwd als expressionistisch. Uitgaande van Marsmans eerste bundel stelde ze een lijst op van parallellen tussen Marsman en de Duitse expressionistische dichters, waarvan ik hieronder een samenvatting geef. Een dergelijke karakteristiek heeft natuurlijk het

– door de schrijfster toegegeven – nadeel dat Marsman bij voorbaat als expressionist wordt beschouwd, wat nog aan te tonen viel. Anderzijds garandeert de overvloed aan aangetoonde overeenkomsten dat er van duidelijke verwantschap sprake is.

1. Voorkeur voor bepaalde woordsoorten, met name het verbum dat meestal voorkomt als infinitief en participium.
2. Neologismen, vooral in samenstellingen van meestal twee, soms meer substantieven.
3. Voorkeur voor bepaald woordgebruik, dat aansluit bij
4. Een bepaalde beeldspraak, waarin woorden zgn. 'chiffre-' of meerwaarde krijgen. Deze waarde wisselt met de context.
5. Grammaticale veranderingen. Transitieve werkwoorden worden intransitief en omgekeerd.
6. Elliptische zinsbouw.
7. Compositorische kenmerken: gelijktijdige antithese, simultaneïteit.
8. Thematische voorkeur voor: kosmische vergroting en kosmische vervloeiing, identificatie tussen vrouw en landschap, de stad.

Hieraan kunnen nog worden toegevoegd:

9. Het uitspreken van sociaal engagement, in nauwe relatie met de tijdsomstandigheden.
10. Hanteren van de vrije versvorm.
11. Voorkeur voor het prozagedicht.

Het onder 9 genoemde kenmerk ontbreekt in het werk van Marsman. Krispyn contateerde de afwezigheid van de kosmische vervloeiing, Verbeeck acht dit gegeven wel een enkele maal aanwezig, maar interpreteert het als een bekentenis van onmacht, temidden van de 'heersers' – gedichten. Dat Verbeeck zich uitsluitend op het door Marsman zeer selectief samengestelde *Verzameld werk* heeft gebaseerd bij zijn studie van diens poëzie is duidelijk; Krispyn heeft klaarblijkelijk hetzelfde gedaan. In een van de oudste expressionistische gedichten, 'Nacht', dat eind 1918 geschreven werd, komen de regels voor:

Door witte wanden van mijn lichaam heen
mengde mijn ziel zich met de ziel van Nacht...

herhaald in 'Triptiek', in 1921 gepubliceerd:

door witte wanden van uw lichaam heen
mengde uw ziel zich, met de ziel der nacht

Het in de eerste druk van *Verzen* nog voorkomende 'Stroom' opent:

Rondde zijn lichaam tot gespannen nacht

aan de gewelven der vervloeide leden
sloegen de schaduwen hun laat gebaar:
vergane eeuwen aan verwijde flank.

In deze gevallen is de vervloeiing gekoppeld aan de sfeer van de nacht, door Verbeeck beschouwd als een aan de dichter vijandig element. Wat de door hem als materiaal gebruikte gedichten uit het *Verzameld werk* betreft, kom ik op die stelling nog terug; voor dit moment kan volstaan worden met de constatering dat de context van bovenstaande citaten Verbeecks hypothese geen steun biedt. De herinnering aan de tijd waarin hij de vervloeiing als een lijfelijke ervaring kende, geldt voor Marsman zeker niet als iets negatiefs, zoals al blijken kon uit de op pag. 51 aangehaalde opmerking over de mystieken in het *Zelfportret*. De dromen waarvan in die aanhaling sprake was, en tijdens welke de versmelting met het heelal werd bereikt, beschrijft Marsman in een volgend hoofstuk van zijn verhulde autobiografie.

Ik droomde, ook als ik in bed lag, van reizen door het heelal en ik ging zoo volledig in deze verbeeldingen op, dat ik het bewustzijn volkomen verloor. Ik droomde niet meer dat ik reisde – ik reisde. Tegen den nacht ging ik scheep, onder de vlag van het opkomend donker en het stervende avondrood, zooals ik het, onder allerlei beelden, zoo vaak heb beschreven in de verzen van dien tijd. Smal en vervoerd lag ik in mijn rusting, tusschen mijn schild en mijn zwaard.

Ik was niet alleen. Ik bevoer den nacht in een boot die gevormd was uit het lange en breede haar van een vrouw. Wij hielden elkaar omstrengeld en zo voeren wij, de ogen gesloten, over de geheimzinnige nachtelijke zee, 'de zee van leven en dood'. Maar langzamerhand loste dit alles zich in de oneindigheid op, de vrouw verging in den nacht en ook ik zelf vervloeide: mijn lichaam, kantelend, zoodat mijn rug langs den hemel boog, verwijdde zich tot het heelal.

Vooral het slot van dit fragment geeft het karakter van de kosmische ervaring in Marsmans poëzie uitstekend weer: vervloeiing en vergroting zijn er twee onlosmakelijk met elkaar verbonden aspecten van. Zo is de relatie tussen dag en nacht ook veel minder antithetisch dan Verbeeck heeft gesteld.

Ik keer even terug naar Van den Bergh. Hoe verhoudt hij zich tot de opgesomde kenmerken van expressionistische poëzie? Overeenkomsten treffen we bij hem aan op de punten 2,3,5, 8 en 11. De andere kenmerken ontbreken in zijn werk nagenoeg geheel. Dat lijkt te wijzen op een aanzet tot expressionisme, maar tevens op een ten achter blijven op juist die punten waar het expressionisme brak met de vormen van het verleden. Met zijn formalistische eis van een nieuwe tucht sloot Van den Bergh zich juist aan bij een neo-klassicistische tendens die zich vóór zijn eerste optreden al had gemanifesteerd in de Westeuropese literatuur, en die met Bloem en Gossaert haar vertegenwoordigers in Nederland had. Dat stempelt Van den Bergh, naast Nijhoff, tot een overgangsfiguur. Typerend voor zijn positie is bv. zijn in 1924 gepubliceerde oordeel over de meest geavanceerde poëzie van Apollinaire, de *Calligrammes*, waarover hij opmerkt: 'Is het aan te nemen, dat hij *onbewust* nog zoo laat zijn onbetoomde aanvalszucht aan den ketting legde van een overwonnen en stuk-bejubeld kubisme?' Hoe sterk hij Apollinaire wel naar zijn beeld vervormt, blijkt uit de kenschets van diens werk als '*doordrongen van den ernst der vruchtbaarheid*', waarop hij volgen laat: 'Verder dan van iedere 'officieele' poëzie staat het af van het litterair malthusianisme, dat dadaïsme wordt genoemd. Het vertegenwoordigt de bestormende, 'imperialistische', vernieuwende levenslust.'

Ook Marsman zou zich na zijn expressionistische periode, met ingang van zijn tweede bundel *Penthesileia* (1925), tot de traditie wenden, maar die stap ging bij hem nooit, als bij Van den Bergh, gepaard met een hanteren van de klassieke prosodische schema's. En zijn expressionisme is geavanceerder, vooral in de tweede afdeling van *Verzen* (die volgens Krispyn nota bene niets bevat 'dat naar vorm of inhoud enige verwantschap met het expressionisme vertoont' en derhalve door hem buiten beschouwing gelaten wordt!) en in de derde afdeling. Op raakvlakken en parallellen met de Duitse expressionistische dichters kom ik later in dit hoofdstuk nog terug. Als ik daar toch even op vooruit loop is het om te benadrukken dat Marsman op één punt essentieel van de dichters uit *Menschheitsdämmerung* verschilde: de maatschappelijke betrokkenheid. In dit verband wordt wel gesproken van humanitair expressionisme, waarin het gevoel van verbondenheid met de kosmos gepaard ging met een door Whitman en Verhaeren geïnstigeerde liefde voor de mensheid. Aan het einde van de Eerste Wereldoorlog kreeg deze tendens, ongetwijfeld dankzij de tijdsomstandigheden, in de expressionistische lyriek de overhand. De juist genoemde bloemlezing van Kurt Pinthus is de befaamdste vrucht van deze richting, die in Zuidnederlandse, katholieke kringen tot grote bloei kwam, en door Marsman zeer gesmaad zou worden. Wies Moens, Karel van den Oever en de jonge Paul van Ostaijen, verenigd in het tijdschrift *Ruimte* (1920–'21) horen ertoe. In Noord-Nederland kwam deze lyriek alleen gedurende de twintiger jaren in het vanuit Tilburg geleide blad *Roeping* naar voren.

In *Het getij* kreeg de humanitaire lyriek nooit een belangrijke plaats. Van den Berghs poëzie was geheel anders van aard, en waar een bekommernis om het lot van de mensheid uitgesproken werd, was het alleen in de publicaties van de theosofische paden bewandelende Anjana Bertos (ps. van Albert Plasschaert), met in zijn voetspoor Ernst Groenevelt, Karel Wasch, en bij tijd en wijle ook – mirabile dictu – Hendrik de Vries, bv. in zijn *Lofzangen*.

Marsman moet wel iets van deze sfeer hebben aangevoeld en verwoord in het gedicht met de programmatische titel 'Dageraad', dat zo ongelukkig door de redactie van *Het getij* geweigerd werd. In de laatste twee strofen wordt een bekommernis om het lot van de mensheid uitgesproken die aansluit bij het contemporain humanitair expressionisme. In de voorstudie van het gedicht is het verband met de tijdsomstandigheden expliciet:

> 't Uitgemergeld menschdom ligt gebogen
> een verbrijzeld standbeeld van zijn hoogste glorie
> [...]
> 't Witte vuurlicht van de oorlogsban
> schroeide m'n oogen blind,
> m'n leden zwart. –

Maar tevens zit in de slotregel van de definitieve versie van 'Dageraad' een Van Deysseliaans individualisme opgesloten ('ik ben de Brenger van een nieuwen Tijd') dat door de voorafgaande regels al is aangegeven (5 van de 12 beginnen met het woord *ik*). De puur-individualistische beleving van eenheid met de kosmos, waarbij van een verbondenheid met de rest van de mensheid geen sprake is, wordt een essentieel kenmerk van Marsmans poëzie dat zich op dit moment al ontwikkelt. Enkele jaren later zal hij 'Einde' schrijven, met de veelzeggende aanhef:

> Terzij de horde –

Februari 1916

nooit gleed een bloemsignaal
tegen de steilte van mijn schemernacht

Vooralsnog zou hij nog enige tijd sterk onder invloed van Van den
Bergh blijven, zoals de gedichten uit de eerste maanden na zijn ziekte
aantonen. Zo bevat 'Het zachte leed' de regels

Als violette schemer in mijn kamer is
en zwarte stilten

die een directe echo lijken van

binnen mijn violette kamer siddert
een smalle klok die het eentonig vindt

Maar hier betreft het een merkwaardig geval van coïncidentie, want
Van den Berghs 'Voordicht', waaruit de laatstgeciteerde regels afkomstig zijn, verscheen voor het eerst in *Het getij* van februari 1920, anderhalf
jaar nadat Arthur Lehning 'Het zachte leed' in zijn dagboek had genoteerd. Het is een geval dat tevens leert hoe voorzichtig er omgesprongen
moet worden met het toekennen van regelrechte invloed. Het feit dat
Marsman hier anticipeert op zijn voorbeeld mag evenwel als illustratie
dienen van de poëtische ban waarin Van den Bergh hem gevangen
hield. Een ander exempel daarvan is het gedicht 'Nocturne', dat alleen
door de titel al reminiscenties wekt aan het gelijknamige vers uit *De
boog*.

Ik sta te wachten aan het glimmend strand –
Over de zee klom aan de horizon
een witte vlam – en danst,
zooals een vrouw danst met oranje haar,
en zweeft naar mij...
zich beeldend tot jouw wezen,
neigt naar mij...
– strekt hoofd en handen...

Rood is de schreeuw van mijn verdorden mond:
kom – kom!
– en zwaar is de val van mijn gebogen lijf...

Als ik mijn oogen opsla in den nacht
ben ik alleen –
en vouw mijn handen
en ik smeek: Vergeef!
Want ik mag niet wenschen en niet begeren.

Een volgende fase van zijn nu snel verlopende dichterlijke evolutie ging Marsman in aan het eind van 1918. Door het isolement waarin hij verkeerde – na zijn ziekte zou hij zich pas in maart 1919 weer bij de eindexamenklas van de Utrechtse HBS voegen – had hij ruim de gelegenheid om zich te bezinnen op zijn dichterschap en het scheppen van een theoretisch kader voor zijn poëzie. De brief waaruit ik op pag. 43–46 zo ruim citeerde valt te beschouwen als een voorlopige mijlpaal in de ontwikkeling van zijn poëtica.

In december 1918, een maand na de genoemde brief, schreef hij het driedelige gedicht 'Nacht' dat hij opdroeg aan de toen 23-jarige componist Willem Pijper, met wie hij als plaatsgenoot – beiden waren afkomstig uit Zeist – kennis had gemaakt. Hij moet in Pijper, die zich zeer sterk afzette tegen het Hollandse muzikale milieu dat zijns inziens door provincialisme en epigonisme werd beheerst, en dat hij in honende artikelen geselde, een geestverwant hebben herkend, iemand bovendien die als modernist zijn sporen al had verdiend. Pijpers Eerste symfonie zou weldra zijn naam vestigen. 'Nacht' is ondanks de nog zeer duidelijke invloed van Van den Bergh, al te constateren aan de beginregel 'Nacht brandt de ruimte blauw', een echt Marsmaniaans gedicht over de verhouding tot de vrouw en de natuur. In de eerste afdeling van *Verzen* is sprake van een thematische koppeling, soms onderling tegengesteld van aard, tussen het mannelijke en het vrouwelijke, gesymboliseerd in de beelden zon en hemel enerzijds, aarde en nacht anderzijds. Vereniging van deze beide elementen is problematisch. De in deze lyriek optredende persoonlijkheid is zichzelf genoeg; in zijn kosmos is alleen plaats voor hemzelf. In 'Nacht' wordt het solipsisme, voorlopig voor de laatste maal in Marsmans poëzie, doorbroken, en kan de ik zich wegschenken aan het vrouwelijke, dat hier niet – het zal in later werk van cruciaal belang blijken – aan de sexualiteit is gekoppeld, maar een aureool van moederlijke, maangodinnelijke zorgzaamheid heeft. Opvallend is het gevoel van vermoeidheid, het idee 'een oud bestaan' achter zich te hebben. Als contra-motief in de kosmische poëzie blijft dit rudiment van de op Hofmannsthal geïnspireerde pose van de jonge dichter gehandhaafd. Enkele voorbeelden:

Eeuwen wentelden hun volheid samen:
zijn fundament –

aan de gewelven der vervloeide leden
sloegen de schaduwen hun laat gebaar:
vergane eeuwen aan verwijde flank.

een late, smalle bloem,
op den verloomden maatslag van den tijd –

Het is ook mogelijk te denken aan het voorbeeld van de poëzie van Karel van de Woestijne, niet alleen in de houding, maar ook in ritme en gekozen bewoordingen. Marsmans bewondering voor de symbolistisch-decadente dichter, de enige ware vertegenwoordiger van het literaire fin de siècle in de Nederlandse letterkunde, is bekend.

Op 11 januari 1919 werd 'Nacht' opgenomen in het radicale, door Wiessing geredigeerde weekblad *De nieuwe Amsterdammer*, ook wel de 'mosgroene' genoemd, ter onderscheiding van *De groene Amsterdammer* waarvan het een afsplitsing was. Behalve enkele gedichten zou Marsman aan dit blad ook zijn eerste literair-kritische artikel bijdragen, het programmatische stuk 'De jongeren', dat te beschouwen valt als een voortzetting van zijn brief aan Lehning van een jaar eerder. Voor het eerst is hier een uitspraak van hem over het expressionisme te vinden: 'diè kunst waarin met de schijnwerkelijkheid bewust gebroken wordt en de natuur illusie opgeofferd aan een geestelijke realiteit.' Hij vervolgt, geheel volgens de consequenties van zijn eigen denken: 'Verstaat ge, dat in wezen alle kunst zòò is en dat sommig werk, – het ware –, zelfs ondanks den maker, vergeestelijkt wordt. Ik denk aan Rodin. Gansch de moderne kunst is van dat besef doortrokken, de poëzie die ik bedoel niet het minst.' Door de kwestie zo te stellen zit hij niet alleen dicht bij de lijn zoals die in *De stijl* werd uitgezet, maar ook bij de grote noemer waaronder het expressionisme gebracht zal worden: een zoeken naar het wezenlijke van de dingen, dat niet blijft staan bij hun voor het oog waarneembare buitenkant.

Het is in dit artikel ook voor de eerste maal dat Marsman gebruik maakt van de term vitaliteit, waarvan hij later aan Du Perron zal schrijven dat zijn kritiek 'er bol van staat'. Het begrip is echter nog gekleurd door de invloed van Van den Bergh, wat gedemonstreerd kan worden met de nu volgende alinea, waarin de levensverheerlijking van de dichter van *De boog* in doorklinkt: 'Waarlijk: het nieuwe, wijde optimisme heeft ons besprongen, wij beleven de vitaliteit, de dynamiek, de spanning, wij gelooven in het sap der aarde, in de dracht der nachten, in het vlammend zaad, en onze liefde, universeel en scheppend, kan het welkend bloemblad en de tuimeling der aéroplane gelijkelijk beminnen.'

Het Marinetti-achtige slotaccoord brengt ons op de vraag of Marsman op dit moment al kennis had genomen van de diverse futuristische manifesten die sinds 1909 waren verschenen. Het is mogelijk dat hij er mee in contact gekomen was via de Duitse vertalingen die in *Der Sturm* waren gepubliceerd. Hij zou dit blad dan in handen gekregen moeten hebben van zijn al eerder genoemde trendgevoelige vriend Van Marle, een veronderstelling die bevestigd lijkt te worden door het gebruik van de term expressionisme, en het aan Herwarth Walden, redacteur en theoreticus van *Der Sturm*, geijkte gebruik ervan. Een andere mogelijkheid is dat het gebruik van het vliegtuig als modernistisch symbool in de lucht hing en dat de kennismaking met de geschriften van Marinetti pas tot stand is gekomen via Erich Wichmann, die persoonlijke contacten met de futuristen had. In een nog uitgebreider te citeren brief aan Van Doesburg van 2 september 1919 vraagt hij om vertalingen 'van de manifesten der futuristen en de andere verhandelingen der Italianen.' Op de relatie Wichmann-Marsman kom ik later in dit hoofdstuk nog terug.

Waar Marsman zich afzet tegen de vorige generaties om het eigentijdse van de door hem in *De nieuwe Amsterdammer* geïntroduceerde richting te beklemtonen, is hij weer de spreekbuis van Van den Bergh:

Een verschil met de 80-ers (speciaal met de bloedlooze uitloopers dier Grooten), dat de Getijer graag en met nadruk betoogt is dat tusschen individualist en persoonlijkheid. Als individualist wordt dan beschouwd de gecastreerd-eenzijdige anarchist, die in willekeurige taaluitbuiting zwelgt en exclusief-eigene belevingen als kunst uitleeft, terwijl de persoonlijkheid, breed en horizontaal, tegenover het enkel verticale van den eenzame, wijde en universeele liefde voelt voor àl het bestaande.

De qualificatie 'anarchist', hier nog in duidelijk pejoratieve zin gebruikt, zal even later een herwaardering ondergaan, wanneer Marsman zijn houding tegenover Lehning als 'anarchistisch-aesthetisch vitalisme' omschrijft. Ook voor Van den Bergh zelf heeft de term weinig negatiefs, getuige zijn typering van Apollinaire: 'niet [...] een persoonlijkheid van in aesthetische vooroordeelen gevangen democratisch-realistischen geest, maar [...] een [...] aristocratisch-anarchistische mentaliteit'; even daarna zal hij hem 'anarchistische romantiek 'toeschrijven. Later, wanneer zijn maatschappelijke visie zich in een zeer specifieke richting ontwikkelt, en hij het individualisme als een vloek beschouwt, zal Marsman weer schrijven: 'de (verbreede) individualist wordt, her-wordt: persoonlijkheid. De consequente individualist wordt: anarchist.'

Op het moment dat het hierboven besproken artikel gepubliceerd werd, had Marsman zich al meer en meer ontpopt als 'verticale eenzame', die van wijde en universele liefde voor het bestaande maar weinig blijk gaf. In het voorjaar van 1919 werd hij 'als bij bliksemslag overvallen door een inspiratie, zoo intensief, als ik het later zelden meer heb gekend.' Op 14 maart stuurt hij zijn gedicht 'Vrouw' aan Lehning toe met de brief waaruit ik op pag. 33 een fragment citeerde. Sterk spreekt daar de zelfbewuste kunstenaar, bezield door de wetenschap dat hij een eigen stem gekregen heeft. In 'Vrouw' vindt men de elementen die de 'echte Marsman', zoals we die uit het door hem zelf geschapen beeld kennen, typeren: de kosmische vergroting, de als negatief ervaren sexualiteit, de expressionistische beeldspraak en versificatie. 'Vrouw' is het oudste gedicht dat werd opgenomen in *Verzen*, en tegenover het drie maanden oudere 'Nacht' markeert het duidelijk een nieuw begin. Kort daarop kwam in de daarop volgende maanden een aantal gedichten gereed dat met 'Vrouw' het fond van de eerste afdeling van deze bundel vormt, en Marsmans reputatie zou vestigen: 'Verhevene', 'Heerscher', 'Schaduw'. Negentien jaar na dato over deze periode schrijvend zou Marsman constateren dat het geluk, ondervonden tijdens het schrijven van wat hij zijn 'eerste gedichten' noemt, door geen enkele menselijke ervaring was te overtreffen.

Men kan, zoals Jacob Smit in zijn vergelijkende studie over Bilderdijk, Perk en Marsman heeft gedaan, vaststellen dat de kosmische zelfvergroting niet geheel Marsmans eigen vinding was, en daarnaast toch erkennen dat met deze gedichten iets geheel nieuws in de Nederlandse poëzie werd geïntroduceerd. Al had Marsmans onmiddellijke voorganger en voorbeeld Van den Bergh zich ook al van de bij expressionisten als stijlfiguur voorkomende kosmische beeldspraak bediend, er is in zijn poëzie geen gedicht aan te wijzen waarin deze vorm van beeldspraak zo radicaal de thematiek van het gedicht bepaalt als in 'Heerscher', dat naar het traditionele van de versificatie gerekend, nog dicht bij de schrijver van *De boog* en *De spiegel* staat. In het in 1922 geschreven 'Vlam', dat de bundel *Verzen* zou openen heeft Marsman dan naast zijn eigen beeldspraak ook zijn eigen concieze versvorm gevonden.

Tekenend voor zijn toegenomen zelfbewustzijn is ook zijn grotere zelfkritiek. Hij voelde dat hij de balans op moest maken van zijn vroegere dichterlijke productie, en dat maande hem tot voorzichtigheid met publiceren, al is het eigenaardig dat hij toch een aantal van zijn oudere gedichten aan de openbaarheid prijs wilde geven. De verzorging hiervan liet hij over aan Lehning, zoals blijkt uit de brief die hij hem bij de jaarwisseling 1918/1919 schreef. Opvallend is dat *Het getij* niet voorkomt op het lijstje met in aanmerking komende tijdschriften, en dat Marsman zich niet te goed voelde om mee te werken aan *Nederland*, het voor de familiekring bedoelde blad van de literaire middelmaat, dat werd geleid door M. van Loghem, het vroegere zwarte schaap van de Tachtigers. In dit blad, waar hij al eerder een onder schuilnaam geschreven novelle had gepubliceerd, verschenen in de loop van 1919 twee in de zomer van 1917 ontstane gedichten.

Een belangrijke gebeurtenis was de opname van vier van zijn verzen in Albert Verwey's blad *De beweging* van juli 1919. Verwey was in de jaren vlak voor en tijdens de Eerste Wereldoorlog met Van Eeden de Tachtiger geweest met het grootste gezag in de Nederlandse cultuur, een man bovendien die met zijn tijdschrift een leidende positie innam. Uit het feit dat Marsman contact zocht, en opname van zijn werk in *De beweging* ambieerde, kan gemakkelijk worden afgeleid dat hij Verwey's gezag als een vanzelfsprekendheid accepteerde. Men kan natuurlijk de vraag stellen waarom hij zich dan tegelijkertijd zo sterk afzette tegen de Tachtigers, een houding waarin hij als redacteur van *De vrije bladen* zou volharden. Men dient dan echter te bedenken (het citaat uit *De nieuwe Amsterdammer* op pag. 55 geeft dat ook al aan) dat hij voornamelijk epigonen op het oog had, en wat nog belangrijker is: dat er in zijn kritische houding een enigszins geforceerde pose, eigen aan de beginnende literator, stak om zich ten koste van het verleden te profileren. Hij stond dichter bij de generatie van 1910 (Bloem, Van Eyck, Gossaert en A. Roland Holst) en onder het patronaat van Verwey dan hij zichzelf ooit, maar zeker op dit moment, heeft willen toegeven. Het in *De stijl* en *Het getij* voorgestane streven naar vergeestelijking, naar een kunst die niet zou blijven staan bij de uiterlijke weergave van de realiteit, maar het wezen van de werkelijkheid zou trachten uit te drukken, had zijn parallel (als het neutraal uitgedrukt wordt, met even veel recht zou van medeoorsprong gesproken worden) in Verwey's eis dat de kunst 'het eeuwige wezen' van het leven mee moet delen. Het is zeker geen toeval dat Verwey geïnteresseerd was in Kandinsky, en dat hij in jaargang 1913 van *De beweging* bereidwillig plaats inruimde voor Van Doesburgs essay 'De nieuwe beweging in de schilderkunst'. Deze wetenschap kan voor Marsman een stimulans geweest zijn om aan Verwey in te sturen, wat hij waarschijnlijk met meer gemak deed waar zijn gedichten waren afgewezen door *Het getij*, dat als het meest geavanceerde tijdschrift in Nederland gold; *De stijl* werd ervaren als scherpslijpend en dogmatisch, en kende een veel geringere verspreiding. Aan het slot van dit hoofdstuk komt nader ter sprake dat Marsman vrijwel tegelijkertijd met zijn inzendingen aan Verwey een gedicht instuurt aan Van Doesburg, en zich een jaar later beleefd wendt tot Kloos in diens hoedanigheid van redactiesecretaris van een – toen al als verkalkt geldende – *Nieuwe gids*. De toon waarmee hij zich tot deze drie tijdschriftleiders richt wijst op een zeker opportunisme.

Als bewijs van de veronderstelling dat Marsman in Verwey vooral de welwillende, begrijpende en tolerante dichter zocht, een figuur tegen wie hij torenhoog opkeek, en wiens oordeel voor hem van grote waarde was, kan zijn brief van 13 mei 1919 gelden, die de gedichtencyclus 'Omtrekken' ('Vrouw', 'Verhevene', 'De twee schilders', 'Schaduw') begeleidde.

> Zeer Geachte Heer,
> Hierbij neem ik de vrijheid U enkele verzen toe te zenden, met het verzoek deze in 'De Beweging' te plaatsen.
> Juist omdat ik weet, dat voor U kunst niet enkel is 'gevoel's' uiting, zal mij Uw oordeel van veel waarde zijn.
> In afwachting,
>
> Hoogachtend
Uw dw H. Marsman

Verwey accepteerde de inzending op 5 juni en schreef Marsman een waarderende brief, zoals kan worden afgeleid uit diens antwoord van 6 juni. Op 21 september 1919 stuurt Marsman opnieuw kopij, een 'kleine schets en een gedichtje'. Hij weet dan al dat het blad aan het eind van het jaar zal worden opgeheven, maar hoopt niettemin op plaatsruimte. Die is er kennelijk niet meer geweest, want het zou bij zijn debuut in het juninummer blijven. Op 17 november 1923, wanneer *Verzen* verschenen is, stuurt Marsman zijn bundel aan Verwey toe met de volgende brief:

> Zeer Geachte Heer,
> Destijds heeft U, door het publiceeren van enkele gedichten, die ik nu in mijn eersten bundel opnam, mijn zelf-vertrouwen gesteund,

en door de 'sanctie', die deze daad – het doen-verschijnen in de Beweging – stilzwijgend inhield, de eerste aandacht er op gevestigd, en vooral, een bres geschoten in de 'muur' van bezwaren, die zich onmiddellijk rondom optrok. –

Ik ben zoo vrij U, in dankbare herinnering daaraan, mijn verzen toe te sturen. Mocht U er mij, door brief of tijdschrift Uw oordeel omtrent doen weten, dan zoudt U mij wederom ten zeerste verplichten.

Intusschen verblijf ik,

met de meeste hoogachting
Uw dw H. Marsman

Het lijkt me hier de plaats om de onjuistheid recht te zetten als zou het 'contact met Noordwijk', waarover Marsman in een brief van 24 juni 1919 aan Lehning spreekt naar aanleiding van de publicatie in *De beweging*, tot stand gekomen zijn in een persoonlijke ontmoeting, zoals Van Wessem meedeelt in *Criterium* van april/mei 1942. Van Wessem komt tot deze veronderstelling in de wetenschap dat Marsman tijdens zijn rechtenstudie aan de Leidse universiteit verblijf hield in Noordwijk aan Zee, waar ook Verwey woonde. Maar Marsman liet zich pas met ingang van het collegejaar 1921/22 aan de Leidse academie inschrijven, en vestigde zich in oktober 1921 in Noordwijk. Er is geen enkele aanwijzing dat hij Verwey daar, of in Leiden, persoonlijk heeft ontmoet. Het feit dat hij in een brief van november 1923 terugkomt op een publicatie van vier jaar eerder, en daarmee de draad van de correspondentie weer opneemt, pleit daar ook tegen. Toch wordt hier en daar het persoonlijk contact met Verwey als vaststaand feit vermeld.

Marsman mocht dan naam hebben gemaakt via het blad dat het neoklassicisme hoog in zijn vaandel had staan, het was als modernist dat hij van nu af bekend stond; en modernist wilde hij zijn, ook al ging dat in tegen zijn werkelijke belangstelling. Op 7 november 1919 liet hij Lehning weten een 'énorme materieel-kennis' te hebben opgedaan omtrent 'moderne dingen', en Huysmans, Mallarmé, De Guérin en Kandinsky te lezen. Met Rimbaud had hij volgens opgave van Lehning kort tevoren kennis gemaakt. Mallarmé en Rimbaud: niet toevallig houdt Van Doesburg zich met deze beide initiatoren van de moderne poëzie bezig als hij in *Het getij* en *De stijl* zijn theorie van de 'nieuwe woordbeelding' formuleert. Af en toe had Marsman met de appreciatie van het moderne, ondanks alle goede bedoelingen, wat moeite. Zo schreef hij aan Lehning van Chagall 'geen biet' te snappen.

Zoals ik al vermeldde, vond de kennismaking met *Der Sturm* al in de loop van 1919, of misschien zelfs nog eerder plaats; uit een brief van 17 oktober 1919 aan Van Doesburg blijkt dat Marsman het blad gelezen heeft. Als hij dan ook de oude jaargangen heeft kunnen inzien, wat me, gelet op een zekere bekendheid met Marinetti niet onwaarschijnlijk lijkt, kent hij inmiddels de gedichten van August Stramm. Diens staccato-achtig ritme, de door uitroeptekens benadrukte geëxalteerdheid en de sterk erotische implicaties zijn terug te vinden in het Duitstalige gedicht 'Götter-Fruchtbarkeit', waarvan het manuscript gedateerd is op 23 april 1919. Het is een merkwaardig feit dat Marsman de invloed van Stramm, op de zojuist genoemde uitzondering na, zo lang, tot de herfst van 1922, onverwerkt heeft kunnen laten. Pas in de derde afdeling van *Verzen* is deze invloed merkbaar, al wordt over het belang ervan verschillend geoordeeld. Maar bij zijn actieve verwerking van Trakl vinden we iets dergelijks; kennelijk had hij de lectuur van een complete bundel nodig om zich geheel aan een dichter te kunnen overleveren en zijn invloed te ondergaan.

Een andere belangrijke figuur uit het *Sturm*-milieu, wiens lyriek weliswaar in het teken stond van het door Marsman verworpen humanitair expressionisme, maar wiens kosmische beeldspraak een grote overeenkomst heeft met de zijne, is Kurt Heynicke. Overeenkomsten met bv. 'Heerscher' heeft het in *Menschheitsdämmerung* opgenomen 'Mensch'.

> Ich bin über den Wäldern,
> grün und leuchtend,
> hoch über allen,
> ich, der Mensch.
> Ich bin Kreis im All,
> blühend Bewegung,
> getragenes Tragen.
> Ich bin Sonne unter den Kreisenden,
> ich, der Mensch,
> ich fühle mich tief,
> nahe dem hohen All-Kreisenden,
> ich, sein Gedanke.
> Mein Haupt ist sternbelaubt,
> silbern mein Antlitz,
> ich leuchte,
> ich,
> wie Er,

das All;
das All
wie ich!

Er is natuurlijk een essentieel inhoudelijk verschil, naast de in het oog springende verstechnische verschillen, tussen Heynicke's pantheïsme en Marsmans vergoddelijking van de eigen persoonlijkheid. Maar in de kosmische vergroting ligt hun overeenkomst, die ook blijkt uit een gedicht als dit:

Ich gehe gipfelhohe Abendwege
ich gehe sternenweit in die Stunden der Nacht.
Die Bilder des Himmels hänge ich an meine Hand
mein Atem trägt die Welt hinauf.
Ich *blühe* seltnen Auges in den Raum
urgross
bin ich Stufe zu Gott.
In meiner Brust schlafen fremde Seelen ihren
Traum in Tod
Flamme ist mein Haar,
Gottes Hand fasse ich glühend hinab
und bin eines Menschen
unferne Liebe.

De duidelijkste parallellen met Marsman heb ik gecursiveerd. Zo vertoont de derde regel overeenkomst met 'als de nacht staat op zijn stille handen' en 'dieses strömen/das abend hängt an unsre hände', resp. uit 'Jean Paul'en 'Das Tor', die beide uit 1921 dateren. Er kan uiteraard ook verband gelegd worden met de aanhef van Van den Berghs 'Tegen avond': 'Hemels staan op mijn hand gebogen'. Het transitieve gebruik van bloeien vinden we in 'Bloei', terwijl de achtste regel uit het gedicht van Heynicke overeenkomst vertoont met

schimmen van strenglooze geslachten
ankren zich;
in de omnachting van zijn schedel
wentelt de aarde haar ivoren vlak.

uit 'Stroom'. Heynicke's 'Abend':

Wenn die Strassen
abends sich mit weiten Fingern
ihren dunklen Mantel holen
und ihn knöpfen
mit dem bleichen, weichen Licht der Gaslaternen

laat zich leggen naast 'Bloesem':

als gij den avond om uw schouders plooit,
figuur, gekerfd uit nachtelijk ivoor

al is in dit geval de metaforiek bij Heynicke niet kosmisch, maar antro-
pomorf, in tegenstelling tot Marsmans beeldspraak. Tenslotte doen de
slotregels van 'Erhebung'

Wir sind Korallen, die im Meere träumen.
Wir sind ein Reh, das nachts dem Mond begegnet

denken aan

en huiveren als reeën aan uw slapen,
biddende planten in gemeenen nood

een overeenkomst die ook opgaat wat betreft het opgenomen worden
van het individu in een groter geheel. Van het laatstgenoemde gedicht
van Heynicke weten we dat het Marsman sterk moet hebben aangesproken, want het maakt deel uit van een cahier vol met door Marsman
zelf afgeschreven verzen. Dit document, dat hij blijkens een – niet van
hem afkomstige – inscriptie op 30 augustus 1923 schonk aan Sjoerd
Broersma, een minder bekende medewerker van *Het getij*, geeft een
inzicht in zijn poëtische voorkeuren in deze tijd. Ik laat een opgave van
de inhoud volgen:

Kloos	Sonnet VIII
Van den Bergh	Sabbath [volgens Krispyn het enige gedicht waarin de dichter zich met de godheid iden-tificeert!]
Hölderlin	Hälfte des Lebens
Rilke	Opfer
Rupert Brooke	The sead

Apollinaire	Le pont Mirabeau
Bloem	October
H. de Vries	Mijn broer
Heynicke	Erhebung
Hofmannsthal	Ballade des äusseren Lebens
Li Tai Po	Auf der Wiese [door M. geciteerd in 'Diva-gatie', een artikel in *Den gulden winckel* van 15 april 1922]
Novalis	Hymne

Achterin staan de volgende namen: 'v. Hofmannsthal; George; Hölder-lin; Goethe; Coleridge; Shelley; Keats; Rosetti; Byron; Wordsworth; Vondel. Luyken. Verwey. Boutens. V.d. Woestijne. Adwaita. Moens. Verlaine; Baudelaire; Verhaeren. Rimbaud. Roland Holst. Stadler. Trakl.'

Men ziet hoe de klassieke dichters overheersen, en hoe romantisch georiënteerd Marsman was. De enige verrassingen zijn de aanwezigheid van Moens en Verhaeren en het ontbreken van Heym en Stramm.

Heynicke's 'Erhebung' is ook het enige gedicht dat Marsman in zijn geheel citeert in zijn bespreking van *Rings fallen Sterne*, gepubliceerd in *Den gulden winckel* van 15 feburari 1922, maar veel eerder geschreven.

We krijgen inzicht in de aard van Marsmans waardering voor *Der Sturm* in de laatste van een drietal bewaard gebleven brieven aan Van Doesburg, alle daterend uit 1919. Bij de eerste, geschreven op 29 juni 1919, sluit hij het volgende gedicht in:

golf spoelt buik der nacht
(walm en stank)
Dag zweet. Tomate-rood
vette vrucht –
splijt tegen donker!
(donker is rot en scherp)
vleezen bol is aarde
  – larven
    zwermen
    vratig:
    menschen!–
gespoten sap is licht
       geschrompeld vlies
      hemel.

'U is een der betrekkelijk weinigen die 'n vers als dit bijgaand zuiver kunnen zien', schrijft Marsman hoopvol. Wat bracht hem ertoe een dergelijk gedicht, dat maar heel weinig te maken heeft met het andere werk dat hij in deze tijd schreef, überhaupt op papier te zetten? Ik vermoed dat hij bij Van Doesburg in de pas heeft willen lopen, en een gedicht heeft willen sturen, dat hij zelf beschouwde als realisatie van de eisen, die Van Doesburg in zijn theoretische artikelen over poëzie in *Het getij* en *De stijl* geformuleerd had. Pas veel later, voor het eerst in de *Stijl*-afleveringen van mei en juli 1920, zou Van Doesburg onder het pseudoniem I. K. Bonset zelf enkele voorbeelden van de door hem voorgestane poëzie publiceren in de vorm van zijn *X-beelden*, 'kubistische' verzen die hij volgens eigen opgave tussen 1913 en 1918 geschreven had. Veelzeggende verzameltitel: op de wijze van röntgenfoto's wilde hij de werkelijkheid doorlichten, op zoek naar de essentie ervan. Tegen de afwijzende reacties zou hij zich verdedigen door in *De stijl* te schrijven: 'Wanneer wij dus de alogica van onzen bewustzijnsinhoud als maatstaf nemen voor de nieuwe verskunst, dan zal het mogelijk zijn dat een vers als X-beelden op de bedoelde wijze treft. Begrijpen is voor kunst altijd uitgesloten. Kunst houdt op waar men haar begrijpt. Poëzie laat zich niet begrijpen – zij grijpt.' In zijn 'Inleiding tot de nieuwe verskunst', gepubliceerd in *De stijl* van januari 1921, stelde hij: 'Wat de moderne dichter van den lezer eischt is niet: begrijpen volgens eenig logisch patroon, maar beleven. [...] De moderne dichter wordt, aangespoord door zijn intuïtie en door aan het woord elke traditioneele 'beteekenis' (in den zin van begripsomschrijving) te ontnemen, gedwongen zijn volledige beleving der realiteit uit te drukken door niets dan woordverhouding en woordcontrast.'

In een volgende brief, van 2 september 1919, vraagt Marsman Van Doesburg om literatuur over de moderne kunst. *Der Sturm* en Van Doesburgs eigen geschriften kent hij; het gaat hem vooral om 'schrijvers-en-werken [...] in daadwerkelijk moderne poëzie', om vertalingen van de futuristische manifesten en de geschriften van Kandinsky. Aarzelend geeft hij zijn eigen mening: 'Rekent u ook het beste Getijwerk tot de moderne kunst; vermoedelijk is het slechts een overgang? Ik persoonlijk zie in Van den Bergh onze eerste artiest-in-dezen.' En verontschuldigend voegt hij er aan toe: 'Mijn eigen poging, U destijds gezonden, zie ik nu inderdaad ook als bête.' Ongetwijfeld bedoelt hij het zojuist geciteerde gedicht. Overigens bleef het overhaast uit handen geven van eigen werk en een daarop volgend loochenen ervan, een trek die de weinig zelfverzekerde Marsman ook later zou kenmerken.

De laatste – mij bekende – brief dateert van 17 oktober 1919, en is een wat late reactie op het 'Manifest I van "De Stijl" 1918', gepubliceerd in het eerste nummer van de tweede jaargang, verschenen in november van het jaar daarvoor. Voor een goed begrip laat ik de eerste vijf punten uit dit manifest, ondertekend door Van Doesburg en zes medewerkers van *De stijl*, waaronder Mondriaan, hieronder volgen:

1. Er is een oud en een nieuw tijdsbewustzijn.
   Het oude richt zich op het individueele.
   Het nieuwe richt zich op het universeele.
   De strijd van het individueele tegen het universeele open-baart zich, zoowel in den wereldkamp als in de kunst van onzen tijd.
2. De oorlog destructiveert de oude wereld met haar invloed: de individueele overheersching op elk gebied.
3. De nieuwe kunst heeft naar voren gebracht hetgeen het nieuwe tijdsbewustzijn inhoudt: evenwichtige verhouding van het universeele en het individueele.
4. Het nieuwe tijdsbewustzijn staat gereed zich in alles, ook in het uiterlijke leven, te realiseeren.
5. Traditie, dogma's en de overheersching van het individueele (het natuurlijke) staan deze realiseering in den weg.

Marsmans brief laat zich beschouwen als een voortzetting van zijn over-wegingen die hij een jaar eerder voor Lehning op papier zette, waarop hij ook al teruggreep toen hij het artikel 'De jongeren' voor *De nieuwe Amsterdammer* schreef. Het is op dit artikel dat hij tegenover Van Does-burg zinspeelt.

Geachte Heer,
   Mag ik in verband met het Stijl-Manifest, dat toch op reageeren doelt, zoo vrij zijn U het volgende mee-te-deelen?
   Ik ben overtuigd, dat De Stijl wortelt in dat tijdsbewustzijn, dat de kunst der naaste toekomst zal bepalen, al berust die overtuiging bij mij (nog) niet op een-zelf-ervaren van dat tijdsbewustzijn, – dat ik dus noch in theorie belijden kan noch in werk veruiterlijken.
   Voor mij is reeds Het Getij (waarin U ook werk publiceert) (v.d. Bergh) een vernieuwing, in zooverre, dat ik meen, dat hij de nog – onvergane elementen der 'oude Barok'-kultuur samengreep. In een al te fragmentarisch en onwijsgeerig artikel gaf ik mijn meening daaromtrent (– lijd ik alleen aan het euvel van na één of twee maan-

den een inzicht radikaal te moeten zuiveren?) In Der Sturm lijkt mij het individualisme slechts in *andere vorm*, maar toch wèzenlijk te heerschen; waarom *ik* het overigens niet kan veroordeelen. Maar zelfs hier àl stuit ik op dit bezwaar (hier, d.i. in de *theorie* van Der Sturm): *het prijs-geven van de persoonlijkheid*, wat voorloopig in de werken van De Stijl mij zuiver tot uiting schijnt te komen. U en andere zeggen wel: 'het individueele en het universeele in beeldende verhouding' brengen, maar het individueele is er voor mij geheel uit gebannen. Andere franje-eischen en –vooroordeelen tellen voor mij niet: 'sentiment, fantasie, menschelijkheid...' eenerzijds en: 'mathematica, dorheid, gemis-aan-dit-en-dat' anderzijds, maar ik meen het principieele aangeduid te hebben. Zoo is mij de afstand Perk-v.d. Bergh klein bij dezen: v.d. Bergh-Walden en deze kleiner dan Walden-Mondriaan. (U begrijpt: de namen dienen tot karakteristiek, en geenszins als waardebepaling!)

Ook heb ik – en dit geldt *Uw* artikels – nog niet de trait d'union kunnen vinden in Uwe verhandelingen, b.v. 'Schoonheids-en-liefdesmystiek' en die in De Stijl. In het eerste onderschrijft U toch het: 'panta rei' en gaat er zelfs toe over Papini's anti-filosoof zijn (op grond daarvan) – juist te noemen (wat gelukkig geen beletsel bleek voor het schrijven van zoo talrijke interessante 'filosofische' verhandelingen!). Elders – overal in Uw Stijl-beschouwingen – berust Uw uiteenzetting op een aanvaarden van Hegel's principes, wat tenslotte m.i. leidt tot deze conclusie: Kunst beeldt beweging (rhythme..) *en*: Kunst beeldt rust. –

Natuurlijk ligt deze synthese klaar: Rust is: bewegend evenwicht, beweging: rhythmische rust, maar daar U dat voor zoover ik mij herinner niet betoogde, meende ik die oplossing er niet aan te mogen toevoegen.

Dit alles ter staving hiervan: dat ik nog niet gerijpt ben tot het zenden van een adhaesie-betuiging in dien zin, dat mij de nieuwe waarheid 'aan den lijve' zou zijn geopenbaard.

Voor het ter-lezing-zenden van de eerste Stijl-nummers mijn vriendelijken dank. Ik zend ze U dezer dagen terug.

Met bel. gr.　　　Hoogachtend,

H. Marsman.

Uit deze brief blijkt duidelijk dat in de tijdelijke toenadering tot Van Doesburg de reserve m.b.t. diens standpunt al opgesloten zat; enige tijd later overweegt de laatste houding bij Marsman. Op 23 juni 1920 schrijft hij aan Lehning: 'een brief van Van Doesburg – het was – met andere dingen van mij (welke, bij God?) een poging tot "nieuwe beelding"! (sic!) ik moet ijverig Bonset (een Stijler) lezen, om "los te komen van mijn subjectivisme". – Kostelijk, dat alles, hè? Eenigszins neemt hij het dus au serieus, anders was zoo'n epistel van zijn kant dwaasheid. Dat is het van mijn kant, nòg.' Het is niet geheel duidelijk of Marsman met het laatste verwijst naar zijn eigen brieven en inzending van het voorgaande jaar, of dat er intussen weer andere brieven gewisseld zijn.

Even later zou hij openlijk afstand van Van Doesburg nemen, al was het dan dat hij zich richtte tot Bonset, een pseudoniem waarachter hij wellicht Van Doesburg niet herkende; deze hield zijn ware identiteit zorgvuldig geheim. Zowel in zijn bespreking van Van Ostaijens *Bezette stad*, in *Den gulden winckel* van 15 juni 1921, als in zijn 'Divagatie' in hetzelfde tijdschrift, aflevering 15 december 1921 (dit laatste stuk werd vele maanden eerder geschreven), erkende hij dat met de theoreticus Van Doesburg de dichter Bonset aan de spits der modernen staat; maar in zijn stuk over Van Ostaijen schreef hij dat de 'X-beelden' hem niet van de realiteit van Bonsets wereldconceptie (mystiek monisme) hadden overtuigd, en daaraan voegde hij in tweede instantie toe dat hij in Bonsets poëzie de aanknopingspunten miste om vast te kunnen stellen of deze 'X-beelden' werkelijk uitingen waren van een gevoel van de eenheid aller dingen.

Het is mogelijk dat Marsman in zijn groeiende reserve voor Van Doesburg werd gestimuleerd in het contact met Erich Wichmann, die in Van Doesburg een charlatan zag. Het contact tussen hen beiden begon toen Wichmann op 6 mei 1920 een waarderende brief schreef naar aanleiding van Marsmans gedichten, waarin hij vooral 'het groote gebaar', 'de zwaai' waardeerde. Het contact was overigens door Marsman zelf gezocht: hij had Wichmann enkele van zijn gedichten toegezonden. In zijn zoeken naar medestanders en/of mentors moest hij ook wel bij Wichmann terecht komen.

Als het herinneringsbeeld juist is, kende Marsman hem al van horen zeggen uit zijn Utrechtse HBS-tijd. In het manuscript van *De twee vrienden* worden de stiefvader van Paul Bürger de woorden in de mond gelegd: 'Jullie zijn rijp voor Meer en Berg allemaal. Pijper en Wichmann en de hele bende en Paul ook nog als hij niet oppast. Ja die Wichmann dat is ook een prachtexemplaar. Trouwens, als kind al en zoo brutaal als de beul en hij vertelde voor de zooveelste maal hoe Erich als jongen van ongeveer tien jaar zijn vader [hoogleraar in Utrecht, J. G.] had gestoord bij een lezing voor het Deutsche Verein. Hij was midden onder het

± *1920*

betoog opgestaan, liep door de volle zaal naar de katheder en vroeg zijn vader of hij nu haast klaar was omdat hij zoo'n geweldigen honger had.' Als puber en adolescent zou Erich zijn reputatie van tegen het vaderlijk gezag rebellerend bohémien nog versterken.

Waar Marsman zich in deze periode van zijn leven als anarchistisch-esthetisch vitalist beschouwde, moest hij wel affiniteit met Wichmann voelen; als modernist had deze duizendpoot al diverse wapenfeiten op zijn naam staan. Hij was een van de weinigen in Nederland die zich voor de Eerste Wereldoorlog al internationaal hadden georiënteerd. Al in 1912 en 1913 publiceerde hij artikelen in *Der Sturm*, dat enkele jaren daarvoor door Walden was opgericht, en in dezelfde tijd legde hij contacten met de futuristen Marinetti en Severini. Hij was als dichter en kritikus actief, en in de laatste hoedanigheid vielen zijn felle, polemische stukken op. Maar vooral legde hij zich toe op de beeldende kunst, waarvan hij diverse takken naast elkaar beoefende: schilderkunst, lithografie, edelsmeedkunst en glasblazen. Daarin onderscheidde hij zich doordat hij zich toelegde op de non-figuratieve expressie, een voor het Hollandse publiek van die dagen uiterst choquerend fenomeen, dat niet weinig bijdroeg tot zijn faam. Achteraf gezien heeft hij zijn talenten, die zeker meer dan gewoon waren, versnipperd.

Ook in politiek opzicht was Wichmann actief, met de pen en de daad, en hier was hij bezield van hetzelfde radicalisme dat hem in zijn artistieke uitingen kenmerkte. Zijn levensdevies leek te zijn: tegen de middelmaat en de matigheid, en op grond daarvan keerde hij zich tegen alles wat Nederlands was, van het drinken van melk tot de parlementaire democratie. In zijn streven het kiesstelsel belachelijk te maken had hij het meeste succes toen de Amsterdamse straatfiguur Hadjememaar als lijstaanvoerder van de Rapaille-partij in 1921 in de Amsterdamse gemeenteraad gekozen werd. Het brein achter deze schertsvertoning was Wichmann, gesteund door zijn geestverwanten. Ook Marsman is zijdelings in deze affaire betrokken geweest, want Wichmann nodigde hem uit een bijdrage te leveren aan de verkiezingskrant, een invitatie waaraan overigens geen gevolg gegeven zou worden. Dit milieu had zich in 1916 verenigd in een genootschap met de programmatische naam 'De anderen', waaruit later de kunstenaarssociëteit 'De kring' voort zou komen. De leden van deze losse groepering waren onderling verbonden door hun belangstelling voor de moderne kunst, hun radicaliteit en hun haat tegen de bourgeoisie. Verschillen tussen politiek rechts of links golden niet, en werden pas manifest toen sommigen communist werden, en anderen, zoals Wichmann zelf, fascist. En zelfs toen was de politieke

Houtsnede van J. Havermans, bedoeld als illustratie van het gedicht 'Mijn droom'
(deel II, p. 37)

scheiding der geesten nog geen aanleiding tot openlijke vijandschap, zoals blijkt uit het feit dat bij Wichmanns begrafenis in 1929, een met fascistisch vertoon gepaard gaande plechtigheid, vrijwel al zijn oude makkers, waaronder Marsman en Lehning, aanwezig waren. Tussen deze gebeurtenis en een neo-fascistische bijeenkomst in de bossen bij Soest in de herfst van 1979 ligt namelijk niet alleen een halve eeuw, maar vooral een twaalfjarige terreur zonder weerga.

Tot 'De anderen' behoorde bv. ook de beeldhouwer en grafisch kunstenaar Jan Havermans (een van de in politiek opzicht links georiënteerden in dit gezelschap), die na lezing van Marsmans gedichten in *De beweging* zo enthousiast werd dat hij ze met het oog op een uitgave in hout ging snijden. Aanvankelijk zou deze editie van *Ruimteschemer*, die behalve 'Omtrekken' ook andere gedichten uit deze periode zou bevatten, verschijnen bij 'In die Coornschure', de al eerder ter sprake gekomen kunsthandel van Van Marle. In de brief van 7 november 1919 aan Lehning blijkt dit plan vaste vormen te hebben aangenomen; verschillende houtsneden zijn dan ook al gereed. Anderhalf jaar later, in mei 1921, is er opnieuw sprake van een bundel onder dezelfde titel, maar dan te verschijnen onder auspiciën van 'De anderen', en kennelijk met andere houtsneden. Uit wat Marsman op 30 mei aan Havermans schrijft valt af te leiden wat de inhoud van de bundel zou worden: 1. 'Omtrekken' minus het inmiddels verworpen 'De twee schilders'. 2. De handschriftuitgave 'Brieven aan die zeer ver en zeer nabij is, Beide', door Marsman zelf vervaardigd. 3. De driedelige cyclus 'Triptiek', naderhand te verschijnen in *De nieuwe kroniek* van 31 december 1921. Op 10 september 1921 wordt Havermans aangekondigd dat er nog een Duits gedicht volgt; het is 'Das Tor', nu nog 'Slawa-Hiddensoe' geheten, geschreven tijdens de reis naar Duitsland, die een wending in Marsmans ontwikkeling zal betekenen. Dit wordt al aangegeven door de opmerking tegenover Havermans in dezelfde brief dat hij inmiddels wat anders is gaan denken over de oudere gedichten. Toch kondigt hij in een noot bij 'Divagatie' (in *Den gulden winckel* van 15 december 1921) het spoedige verschijnen van *Ruimteschemer* bij 'De anderen' aan. Het zou bij een aankondiging blijven.

Min of meer als vriendendienst, maar ook uit een zekere bewondering, schreef Marsman een korte, aanbevelende bespreking van het door de auteur samengestelde boek *Erich Wichman tot 1920*, dat een staalkaart bood van zijn capaciteiten als schilder, graficus, houtbewerker, edelsmid, dichter en polemist. Wie dit boekwerk nu doorleest, ontkomt niet aan de indruk dat Marsmans respect voor Wichmann wel degelijk ook op affiniteit berustte. De manier waarop Wichmann zijn gerichtheid op de toekomst en zijn afkeer van het verleden formuleert, heeft vele parallellen in Marsmans oeuvre. Overigens zal Wichmann zich zonder twijfel hebben laten inspireren door dergelijke uitlatingen van Marinetti in verschillende futuristische manifesten. Al eerder hield ik de mogelijkheid open, dat Marsman via Wichmann met Marinetti in contact kwam.

De stijl waarin de eerste kritieken en essays van Marsman geschreven zijn, met de vele tussen haakjes geplaatste tussenzinnen, uitroeptekens en tegenwerpingen, die typisch hortende schrijfwijze, die met een bitsheid van toon gepaard gaat, is sterk door Wichmann beïnvloed. Ook in beider opvattingen zijn veel overeenkomsten te ontdekken; ik noemde al de afkeer van de algemene en de persoonlijke geschiedenis. 'Ik, die dit schrijf, ben van Nu en mijn eenige vijand is mijn ik van Toen', staat in *Erich Wichmann tot 1920*. In zijn bespreking van Erich Wichmanns *Idealisten* zal Marsman schrijven: 'Niets is inderdaad zoo'n veilige doodkist (zeker: Sarg und Leichentuch!) als de min of meer definitieve uitgaaf van het werk eener vergane periode, en niets is tevens zoo'n bevrijdende uitvaart.' En veel later verzucht hij: 'Wie zichzelf herleest, leest een grafschrift.'

Ook in de afkeer van humanitaire kunst en in de nadruk op vormbeheersing en vakmanschap vond Marsman een medestander in Wichmann. Ter illustratie citeer ik diens mening over Van Gogh.

> Geen nieuwen vorm, geen nieuwe techniek heeft hij gevonden, geen nieuwe uitdrukkings-middelen dus. En evenmin heeft hij de overgeleverde zuiverst samengevat. Neen, hij forceerde, verkrachtte de uitdrukkingsmiddelen der 'impressionisten'. Zoo werd hij teeken van de niet-meer-toereikendheid dier middelen; zoo werd hij tevens een uiter van menschelijk gevoel, soms met ontstellende vehementie.
>
> Wij gelooven niet meer dat de meest directe uiting van een aandoening de hoogste kunst is. Een schreeuw is geen kunst. Kunst is groote stilte.

Even voordat hij met Wichmann kennis maakt, wijst Marsman in een brief aan Lehning het humanitair expressionisme af. Op 20 maart 1920 schrijft hij over Leonhard Frank, de dichter van *Der Mensch ist gut*, en Franz Werfel:

> Dat jij en anderen bij eerste lezing door de boeken van Frank

getroffen worden is jammer/maar begrijpelijk; jammer/want de eventueele ontroeringen zijn geen Schoonheids-ontroeringen (en je weet wat mij 'Schoonheid' zeggen wil!) maar de aandoeningen stammen van het geval/het onderwerp/het gegeven in die lectuur; dat wint aan klank/begrijpelijk/waar lucht en gemoederen overladen zijn van sociaal-heden/ethiek-heden/al 'te' menschelijkheden.

Daar is 'der gute Mensch'; dat is/alvast/geen kunst/dat is, ook – en erger – als 'menschelijkheid' onwaardig: plat/hol-theatraal/onedel.

Franz Werfel: als ik ook deze dichter niet zoo hoogelijk prijs als de duitsche pers dat pleegt te doen/dan moet je daaruit niet – generaliseerend – opmaken/dat ik onwelwillend zou zijn. Waarlijk niet: maar mijn god: schift! Ik geloof dat mede in de houdingloosheid der huidige intellectueelen – die kleurloozen! – de oorzaak ligt voor een nog verder vretend verval; want wie hier in Holland/nog maar/heeft de heilige zekerheid – ondanks twijfelingen/die vergeeflijk zouden zijn? Want als wij groei wenschen/moeten wij zaad zijn.

En er zijn toch kunners; het komt mij voor/dat ook deze Werfel wat kan/maar eerstens was het stijlloos van hem in één jaar zooveel te schrijven/en voorts: dat te openbaren. Als hij wat goeds schrijft/ontstaat dat zoo: – Werfel is één der oneindigheidsverlangers – representatief voor een der zuiverste driften van heden – en zal/als hij/schier lijfelijk/zich mee voelt deinen in de algemeene saamhoorigheid der dingen (bouw ik de nachten niet en fluisteren bloemen niet mijn geurende liefde?) kunst kunnen scheppen. In zijn beste werk/is hij zoo. Deze mystiek voel ik als levens oerondergrond. Van Goudoever zeide: kosmisch ingesteld! Maar waar hij sociaal doèt/daar is hij dood – doodend/en doodelijk. Want is het grooter van menschelijkheid dat ik mijn scheemering adem langs den huid der luchten/dan dat ik/bespiegelend/theoretiseerend praat over prostitutie. Als de waarachtige communisten niet reeds nu het zaad in genoegzame mate en kracht gestrooid hebben/dan is hun verder pogen om 'niet'.

In het politieke schisma tussen Marsman en Lehning, waarvan in deze brief een symptoom merkbaar is, ligt de kiem van het conflict dat hun vriendschap in latere jaren zou doen bekoelen. Lehning was, studerend in Rotterdam, opgeschoven in links-radicale richting na zijn kennismaking met Bart de Ligt en Clara Meijer-Wichmann, twee vooraanstaande christen-anarchisten. Van zijn ideeën legde hij regelmatig rekenschap af in artikelen die hij met grote regelmaat publiceerde in het mede door hem geredigeerde *Rotterdamsch studentenblad*, een orgaan waar hij ook Marsman enige malen toegang verschafte. Zo schreef hij in zijn stuk 'De komende tijd' van 30 september 1919:

> Het Heden is de gebrokenheid. Wij lijden. Wij dragen. Wij bouwen. Wij zijn de dragers van het zaad, waarvan de nieuwe menschheid de vrucht zal zijn. Wij weten echter dat wij die gemeenschap alleen in den geest kunnen bouwen; dat er maar één weg is die gaat naar 't ideaal van Eenheidsland: regeneratie. Zoo zal van binnen uit de nieuwe orde geschapen worden, die door de oude zal heengroeien. En ondanks de scherper wordende verschillen is overal merkbaar de synthese. Op politiek gebied de strooming die gaat van 't nationale naar 't internationale, in philosophie en kunst het individualisme dat meer en meer plaats maakt voor het universeele en 't kosmisch begrijpen.

Het zal duidelijk zijn dat Lehning op grond van zijn nieuwe levensovertuiging koos voor de geëngageerde tak van het expressionisme en Marsman voor de a-politieke, al zou de laatste bij zijn veroordeling van het 'menschheidsexpressionisme' de stilistische bezwaren beklemtonen. Dat politieke bezwaren meegespeeld zullen hebben lijkt me echter zeer waarschijnlijk. Een paar jaar later zou de controverse tussen de twee vrienden voor het eerst in de openbaarheid komen toen Lehning in *De nieuwe kroniek* van 20 augustus 1922 naar aanleiding van Ernst Toller over het woord mensenliefde opmerkte dat zijn 'vriend Marsman' het slechts schimpend in de mond nam en als vals pathos bestempelde.

Tot de polarisering van opvattingen zal ook de kennismaking met het vriendenpaar Walter Pritzkow en Felix Emmel hebben bijgedragen. Deze twee mannen escorteerden een groep kinderen, die, verzwakt door de slechte voeding in het verarmde Duitsland van na de oorlog, kwam aansterken in Zeist, waar de Hernhuttergemeenschap door tal van banden met Duitsland was verbonden. Beiden schreven ze gedichten, en al brachten ze het daarmee niet tot grote bekendheid, in die hoedanigheid moeten ze tot de romantische verbeelding van Marsman en Lehning hebben gesproken. Marsman voelde zich het meest aangetrokken tot Pritzkow, die blijkens van hem bewaarde brieven aan Marsman, al even vitalistisch en kosmisch voelde als zijn jonge vriend. Lehning voelde zich meer thuis in het gezelschap van de radicale Emmel, die 'menschheidslyriek' schreef. Het contact met Pritzkow is voor Marsman ongetwijfeld van groot belang geweest voor zijn kennismaking met de contemporaine Duitse literatuur; zo is het heel goed mogelijk dat hij via deze intermediair nader kennis heeft gemaakt met de poëzie van Georg Trakl, van wie Pritzkow een groot bewonderaar was.

Marsmans kritiek op het humanitair expressionisme zou zich in eerste instantie toespitsen op Kurt Pinthus' anthologie *Menschheitsdämmerung*. In een manifestachtig voorwoord had de samensteller de intenties van zijn bloemlezing duidelijk gemaakt, bedoelingen die voor hem samenvielen met wezen en doel van de expressionistische lyriek. Om Pinthus' woorden in een juist kader te zien moet bedacht worden dat hij een van die jonge Duitsers was die de grote oorlog met wanhoop en walging hadden ondergaan en slechts één ding wensten: nooit meer een dergelijke zinloze slachting. Vele expressionisten, *Menschheitsdämmerung* legt daar ondubbelzinnig getuigenis van af, waren de mening toegedaan dat de oorlog een gruwelijke loutering was geweest waaruit een nieuwe mens zou opstaan. In het voorafgaande zijn we die mening al tegengekomen in de eerste expressionistische gedichten van Marsman en in het manifest van *De stijl* van november 1919. Pinthus schreef in zijn inleiding:

> Immer deutlicher wusste man: der Mensch kann nur gerettet werden durch den Menschen, nicht durch die Umwelt. Nicht Einrichtungen, Erfindungen, abgeleitete Gesetze sind das Wesentliche und Bestimmende, sondern der Mensch! Und da die Rettung nicht von aussen kommen kann – von dort ahnte man längst vor dem Weltkrieg Krieg und Vernichtung –, sondern nur aus den inneren Kräften des Menschen, so geschah die grosse Hinwendung zum Ethischen.
> [...] So ist allerdings diese Dichtung, wie manchen ihrer Programmatiker forderten [...]: politische Dichtung.'

Over de vormgeving merkte hij op: 'Muss sie nicht chaotisch sein wie die Zeit, aus deren zerrissenen, blutigen Boden sie erwuchs?'

Vóór Marsman had Van Doesburg al zijn stellingname op dit laatste punt verkondigd in *Het getij* van februari 1920. In een terminologie, die zich bediende van de toen veel gehanteerde dichotomie germaans-slavisch, luidde zijn oordeel over het expressionisme: 'Het is slavisch, titanisch, spontaan. Niet gewassen uit een cultuur, mist het leidend en ordenend vermogen. Het bezit geen vaste *kern* waarom het zich kan uitbreiden en cultiveeren tot een levende realiteit.' En met de hem eigen logica vervolgt hij: 'In het constructieve kubisme en het neo-kubisme wordt de gevoeligheid als door den geest overwonnen. [...] Deze anticonstructieve opvatting is primitief te noemen, omdat de waardefactoren meestal kwantitatief, in plaats van kwalitatief zijn. Het dynamische verkeert in het chaotische.'

Marsmans bespreking van *Menschheitsdämmerung*, gepubliceerd in *Den gulden winckel* van 15 april 1921, maar – zoals diverse van zijn bijdragen in dit blad – vermoedelijk eerder geschreven, en zeker veel eerder overdacht, opent op een manier die Wichmanns uitspraak 'Een schreeuw is geen kunst' meteen in herinnering roept. 'Het werk: een schreeuw, geboren uit veel bloed en tranen; vorm: ontbreekt; bij gevolg: geen kunst.' En hij werkt die stelling-a priori dan als volgt uit: 'Ik wil er met nadruk op blijven wijzen – tegen alle catechismussen der idee- en Mensch-expressionisten in – dat er zonder nauwkeurig vormbesef en ten-einde-toe-doorwrochte expressie nooit-ofte-nimmer kunst kan zijn; ik kies voorbeelden ("verdammt, soll ich euch denn alles vorpfeifen?" Jean Paul!) zelfs uit de grootsten, uit-den-treure verheerlijkt: Whitman, Van Gogh, Mevr. Roland Holst. Kosmisch in aanleg, ongetwijfeld, maar teveel van hun pogingen tot verwerkelijking stranden op een gemis aan kùnnen.'

In zijn ongeveer tezelfdertijd geschreven, maar drie maanden eerder in *Den gulden winckel* opgenomen 'Divagatie over het expressionisme', wees hij het humanitair expressionisme af op grond van de ondeelbaarheid van vorm en inhoud, een eenheid die hij zag als een 'organisch-gegroeid-zijn'. Velen die zich als actief-scheppend kunstenaar of als passief-beschouwend lezer met het expressionisme hadden bezig gehouden, hadden zijns inziens de fout gemaakt dat ze als kern van het kunstwerk de 'idee' zagen, d.w.z. 'wat een proza-paraphrase ervan nà kan vertellen.' Hij gaf er de voorkeur aan dan liever van symbolisme, of liever nog van alegorie te spreken. Tot een begripsbepaling kwam hij via een karakteristiek van de schilder Rudolf Bauer: 'Het onderscheid met den impressionist is in hoofdzaak dit: dat déze nimmer, Bauer (c.s.) bij "voorkeur" werken: "met de oogen dicht"; dat namelijk de tastbaar reëele buitenwereld noch als motief (te volgen: naturalisme of: te verdraaien), noch als uitdrukkingsmateriaal aan het totstandkomen van het expressionistisch kunstwerk deelneemt, zoodat het vrij en onvergelijkbaar met, schier relatie-loos nàast de natuur komt te staan, hoogstens bij elkaar te rubriceeren als beide: openbaringen van den geest.' Met deze definitie trekt hij de lijn door van het stuk in *De nieuwe Amsterdammer* van 13 september 1919, waarin hij vaststelde dat het expressionisme breekt met de natuurillusie. Toch lijkt hij hier nog wat verder opgeschoven in de richting van Van Doesburg: met hem leunt hij aan tegen Mallarmé in de opvatting dat het kunstwerk zijn eigen realiteit schept, een opvatting die de basis vormt van de abstracte schilderkunst en de 'poésie pure' (bv. Van Ostaijens 'organisch vers').

In 'H. Marsman: experiment en klassiciteit' heeft Piet Calis een verklaring gezocht voor Marsmans afwijzing van het humanitair expressionisme in diens individualisme. Diametraal daartegenover staat de mening van Marsmans jeugdvriend Roel Houwink, die een dergelijke afwijzing nu juist niet als een bewijs van individualisme ziet, maar als blijk van inzicht in het feit dat het 'humanisme als idealisme' een afgedane zaak was, en dus ook geen existentieel poëtische mogelijkheden meer bezat. Die verklaring lijkt me gezocht. Inderdaad was Marsman, zijn uitlatingen laten daar geen twijfel over bestaan, wars van het humanisme, reden waarom hij zich altijd sterk tegen het tijdschrift *De stem* af zou zetten. Maar eveneens zou hij vast houden aan de stelling dat de aanleiding voor een gedicht indifferent is.

Natuurlijk was het zijn individualisme dat hem vreemd deed staan tegenover elke ideologie die in strijd was zijn met opvattingen over de verhouding tussen enkeling en gemeenschap; we hebben er de bewijzen al van kunnen lezen. Het bleek bv. uit de manier waarop hij zich per brief tegen Van Doesburg keerde, hoe onderdanig dat dan ook gebeuren mocht. Dat individualisme had sterk aristocratische en artistieke trekken, waaraan het voorbeeld van de Tachtigers en van een figuur als Stefan George wel niet vreemd geweest zullen zijn. Vooral de ideeën van de hogepriesterlijke George moeten hebben geappelleerd aan Marsmans maatschappelijk bewustzijn. De gedachte dat de dichters als met buitengewone talenten begiftigden aan de leiding van de samenleving moeten staan was weliswaar niet van George zelf. Deze kon zich op dit punt aansluiten bij een romantische traditie van ruim honderd jaar met Goethe, Shelley en Carlyle onder haar vertegenwoordigers. Maar niemand streefde dit principe met zo'n ijzeren consequentie na als hij. Om zich heen had hij een kring van veelal jeugdige discipelen gevormd die de woorden van de meester indronken als superieure wijsheden die op velerlei gebied toepasbaar waren. Overigens zou deze esoterische George-Kreis nooit een factor van ook maar enig belang in de Duitse politiek worden.

Deze mentaliteit, die Marsman zich al vroeg eigen had gemaakt, vormde de basis van zijn maatschappelijke houding, die hem de democratie deed afwijzen als vervlakkend en vulgair. In Wichmann vond hij ook op dit punt een medestander; dat hij zijn oudere vriend zelfs als een autoriteit beschouwde, blijkt uit het regelmatig citeren of parafraseren van diens meningen, bv. in de 'Divagatie' waaruit ik op pag. 43 een fragment aanhaalde.

De 'divagaties', waarvan er drie werden gepubliceerd, vormen mijlpalen in Marsmans ontwikkeling, al maakt de moeizame, stotende schrijftrant duidelijk dat hij als stilist nog een lange weg af te leggen had. Het interessantst is de tweede, opgenomen in *Den gulden winckel* van 15 december 1921. Hij schreef het stuk op een moment dat hij, zonder het nog te weten, een periode van zijn dichterschap afsloot, want toen hij enige tijd later, in de zomer van 1921, in Duitsland verbleef, deed hij zoveel nieuwe literaire indrukken op dat zijn poëzie grondig van karakter veranderde. Uit deze 'Divagatie', waarvan hij blijkens een brief aan Lehning van 19 augustus 1921, toen hij de drukproeven gecorrigeerd had, zoveel verwachtte dat hij het stuk zijn 'meesterwerk' noemde, maar tevens dacht dat Holland het wel 'met afschuw' zou lezen, spreekt zijn zelfbewustzijn als dichter die zich in de literatuur van zijn tijd een plaats veroverd heeft.

Laat hun kunstwaarde (die ik graag loochen) terzijde – mijn 'Omtrekken' en 'Brieven' en 'Wending' (waarmee deze lijn niet onfraai sluit, zooals ge spoedig zult mogen beamen) zijn de meest-zuivere litteraire parallel – in Holland – van wat anderen en ik, weleens malgré nous min of meer, expressionisme noem(d)en, in beeldende kunst. [...] Een oratio pro domo te (moeten) schrijven, fascineert mij. Ik denk dat te doen in die singuliere ijdelheid, die mij – vind ik – zoo bizonder wèl staat; ik zal dan eindelijk eens – o, godgebenedijde stonde, waarnaar ik sinds mijn vijftiende jaar uitzie – kunnen afrekenen met één-en-ander, dat het verachten waard is; ik zal mijnen vrienden (wie zijn dat?) zoo min of meer verstaanbaar trachten te maken, wáarom ik zoo en niet anders wás en dacht en deed.

Als vast chroniqueur van de moderne literatuur voor *De nieuwe kroniek* deed Roel Houwink er het zijne toe de reputatie van Marsman als de meest geavanceerde dichter van zijn generatie te verbreiden. In het voorjaar van 1920 hadden de twee jongemannen met elkaar kennis gemaakt toen Houwinks ouders zich te Zeist hadden gevestigd. Marsmans vader, die Houwink al spoedig als klant in zijn boekhandel kreeg, en op de hoogte was van diens kritieken in het *Utrechts dagblad*, bracht het eerste contact tot stand. Wat Marsman in Houwink gewaardeerd zal hebben was de grondige kennis van de moderne literatuur uit Duitsland en Frankrijk; als gesprekspartner en wetsteen voor zijn eigen opvattingen zal de nieuwe vriend de plaats hebben opgevuld die was opengevallen toen Lehning in de herfst van 1919 in Rotterdam was gaan studeren en er voornamelijk nog schriftelijk contact bestond. Maar een vriend als Lehning is Houwink nooit geworden, al ging Marsmans loyaliteit in de jaren van hun relatie wel zo ver dat hij Houwink steeds in zijn artistieke activiteiten bleef betrekken en er bv. op stond dat ze samen tot redacteur van *De vrije bladen* zouden worden benoemd, toen Marsman eind 1924 voor die functie werd gevraagd.

Houwink zelf geeft in zijn herinneringen een visie op zijn relatie met Marsman, die bij voorgaande schets nauw aansluit.

> Wanneer ik mijn verhouding tot Marsman achteraf moet karakteriseren, zou ik haar het best een 'litteraire vriendschap' kunnen noemen, daarmee te kennen gevend, dat wij weliswaar ons in die jaren als vrienden, dus op grond van een *persoonlijke* relatie, tot elkaar aangetrokken wisten, maar dat deze vriendschap op de duur méér bleek te berusten op een gemeenschappelijke geestelijke gerichtheid ten aanzien van de litteratuur en haar toenmalige formele en materiële problematiek dan op een dieper liggende existentiële basis. Daartoe liepen onze naturen te ver uiteen en verschilden wij te veel van temperament.

De relatie zou dan ook verslappen toen Houwink zich, na beëindiging van de samenwerking in *De vrije bladen*, steeds nauwer aan ging sluiten bij de kring rond het protestants-christelijke tijdschrift *Opwaartsche wegen*.

Marsman had een zekere bewondering voor Houwinks *Novellen*, die hij beschouwde als de meest geslaagde voorbeelden van het expressionisme in proza, die de Nederlandse literatuur had voortgebracht. Achteraf is het moeilijk om er het vernieuwende van in te zien, als men ze legt naast *De heilige tocht* van Arij Prins, tien jaar eerder verschenen, en nog steeds te beschouwen als de uiterste consequentie van de impressionistische beschrijvingskunst waarin de prozaïsten onder de Tachtigers excelleerden. Marsman moet daarvan ook wel iets gevoeld hebben, want in de bespreking die hij aan de *Novellen* wijden zou, noemt hij Houwink weliswaar schepper van een nieuwe prozavorm, maar moet hij toegeven dat hij weinig verschil ziet in gevoelsinhoud met de voorgaande generatie. In de simpele gegevens en de beperkte horizon van het beschrevene signaleert hij overeenkomst met een huiskamerrealist als Herman Robbers, een saillante vergelijking, zoals we aan het slot van hoofdstuk 4 nog zullen zien. De facetten van Houwinks proza die hij waardeerde zouden later tot vaste items in zijn kritische beschouwingen worden: het ontbreken van een explicatieve psychologie en een karakterisering van de personages die voortvloeide uit de beelding van de hen omringende natuur. In de verwerkelijking van die laatste eis zag hij het expressionisme van Houwink.

Marsman heeft zich ongetwijfeld door de *Novellen* laten inspireren tot eigen experimenten in het verhalend proza: de schets 'Interieur' en nog een aantal onuitgegeven fragmenten die, niet toevallig, in het bezit van Houwink waren. Opvallend is dat de titels van Houwinks eigen stukken zeer Marsmaniaans zijn: 'Kromming', 'Virgo', 'Ondergang', 'Bloesem'. Ter vergelijking met Marsmans proeven in dit genre, en ter adstructie van de opmerking dat het verschil met het proza van de Tachtigers minder groot is voor ons dan voor de betrokkenen, laat ik van de novellen 'Kromming' en 'Balling' de aanhef volgen.

> Deuren werden opengeschoven.
> Hun hoofden verstarden in het licht. Schaduwen legden zich over den vloer en de geel-houten lessenaars. Het machinetikken – zondoorflitst – brak af. Stemgonzen overspon de stilte.

> Avond:
> Een storm besprong het land, brullende echo van de verbolgen zee.
> De dijken ademden zijn tred, maar achter het duin – omduisterd – plooide het windgeweld zich aan de hellingen. Zwijgen verwijlde. Een blauwe maan – asch overstriemd – omhulde zijn gestalte, maskerde zijn blik.

Marsman mocht dan met zijn divagaties en besprekingen van modernistische poëzie in *Den gulden winckel*, het enigszins bedaagde 'maandschrift voor boekenvrienden' de rol van avantgardist spelen, ook daar kon of wilde hij niet verhelen dat zijn houding iets geforceerds had. Dat was al te merken uit de op pag. 84 geciteerde zinsnede waarin hij zijn eigen poëzie min of meer nolens volens expressionistisch noemde. Typerend voor zijn positie is het slot van de waarderende bespreking van Paul van Ostaijens *Bezette stad* in *Den gulden winckel* van juni 1921, waarin hij de futuristische en dadaïstische invloeden als belangrijkste elementen had onderkend.

> Voorloopig, echter, lees ik liever George, onder anderen, wiens wereld mij vertrouwder is, – en wiens kunstenaarschap ik, zelf gansch anders georiënteerd overigens, van alle huidigen het hoogste stel. Maar men moest inzien, meen ik, dat kunst op duizenderlei wijze ontstaan en zijn kan, en dat ook de modernsten onder de modernen, zoo zij aan wat hun het 'leven' is vorm kunnen geven, dichter hebben te heeten, voluit.

Hier is nog sprake van het uitspreken van een overwogen reserve jegens het modernisme. Er zijn ook wel momenten aan te wijzen in deze periode van Marsmans dichterschap, waarop hij voor een regelrecht opportunisme koos. Opvallend is bv. hoeveel moeite en concessies hij doet als het er om gaat een gedicht gepubliceerd te krijgen in *De nieuwe gids*, toen zeker geen leidinggevend blad meer. Op 18 juli 1919, even nadat hij toegelaten is tot Verwey's *De beweging*, en in dezelfde tijd dat hij zich als geestverwant aan Van Doesburg presenteert, stuurt hij Kloos werk toe. Deze weigert opname, waarop Marsman hem antwoordt:

> Uw oordeel sprak uit, wat ik zelf bezig was in te gaan zien, n.l. dat het nogal 'klein' was. Ik ben er U dankbaar voor, dat U me zoo radicaal uit den droom hielp.
> Ook Uw raad: 'ga werken' weet ik zéér noodig, inderdaad: ik heb al haast te veel tijd verdaan met futiele bespiegelingen. Toch kan ik daar, zoo als U vermoedde, nog ruimschoots uit groeien, aangezien ik amper 20 ben.

Een half jaar later, in december 1919, probeert Marsman het weer, ditmaal met een stuk proza. Ook dit wordt niet in *De nieuwe gids* opgenomen. De derde poging wordt in juli van het volgend jaar gehonoreerd wanneer hij het sonnet 'De vliegmachine' heeft ingestuurd, dat overigens pas wordt geaccepteerd wanneer op verzoek van Kloos alles wat aan schoolmeesterspoëzie herinnert verwijderd is. Het briefje dat de nieuwe versie begeleidt frappeert wederom door de onderdanige toon.

Voorzichtig werpt Marsman Kloos tegen dat hij in tegenstelling tot zijn oudere collega 'niet zonder meer het als – (menschelijk) – bezield-voelen van de buitenwereld zou willen veroordeelen.' Wat een voorzichtigheid bij het verdedigen van een kernpunt van het door hem voorgestane expressionisme! Even verbazingwekkend is het hanteren van de sonnetvorm, zo favoriet bij Kloos en de andere Tachtigers en na-Tachtigers, maar wel bij uitstek ongeschikt voor het futuristische onderwerp par excellence. Weliswaar had Marsman in navolging van Hélène Swarth e.a. bijna al zijn jeugdgedichten in deze vorm geschreven, maar sinds hij Van den Bergh als voorbeeld had gekozen, leek hij hem als inadequaat terzijde te hebben geschoven. Waarom schreef hij voor Kloos wel gedichten op maat, en stuurde hij Verwey zijn meest persoonlijke poëzie toe? Op grond van een grotere verering, of omdat hij merkte dat hij alleen toegang tot *De nieuwe gids* kreeg, wanneer hij zich hield aan de daar gehuldigde opvattingen?

Vragen die men kan stellen zonder de hoop op een bevredigend antwoord bij gebrek aan voldoende materiaal, maar die met des te meer kracht opgeworpen kunnen worden daar het duidelijk is dat Marsman, in tegenstelling tot bv. Van Doesburg en Van Ostaijen, tamelijk wankelmoedig was in zijn modernistische overtuigingen. Toen hij vanaf 1921 regelmatig ging meewerken aan het veertiendaagse blad *De nieuwe kroniek*, een door Frans Coenen opgezette onderneming, bedoeld om het gat te vullen dat door de opgeheven *Nieuwe Amsterdammer* was achtergelaten, nam hij allengs een gematigder positie in, niet zo ver van de traditie verwijderd. Hij paste zich daarmee aardig aan bij de formule van het nieuwe blad, dat, minder radicaal dan zijn voorganger, toch een vrij ondogmatische houding innam in zake kunst en politiek, en al met al een typisch liberaal vrijdenkersblad was.

Marsman begon zijn medewerking aan *De nieuwe kroniek* in het nummer van 1 juni 1921 met een korte recensie van *Het verlangen* van J. C. Bloem, geschreven in dezelfde tijd als het stuk over *Bezette stad*. Deze bespreking laat nogmaals zijn wankelend evenwicht tussen klassiciteit en modernisme, traditie en vernieuwing zien, al slaat de balans ditmaal door naar de andere kant, wat zeker aan het te behandelen onderwerp gelegen zal hebben. 'Men heeft gemeend (en meent), dat anderen en ik vooropgezet handhaven: ge moet van vandaag zijn, wilt ge dichter heeten en mensch. Wat mij betreft: allerminst.' Na deze vaststelling is de weg vrijgemaakt voor een onvoorwaardelijke aanvaarding van de bundel van Bloem, een van degenen die tijdens het voorgaande decennium een terugkeer naar de traditionele vormen hadden bepleit.

Zoals vaker in zijn kritische geschriften uit deze tijd, stelt Marsman ook hier vast dat relativisme in het sinds 1900 vigerende denkpatroon overheerst; maar ditmaal voegt hij er aan toe dat deze mentaliteit 'iedere hechte oriënteering, iedere keus, iedere durende houding' ontwricht. Het is de eerste maal sinds zijn onverschillig worden voor het van huis uit meegekregen christelijk geloof, dat hij de behoefte lijkt uit te spreken aan een ideologie die zijn leven zin kan geven, en al zal hij zich sterk tegen deze drang blijven verzetten, blijvend keren kan hij hem niet. Bij herhaling zal hij het relativisme, dat hij onder meer signaleert in Van Doesburgs denken en in de levenshouding van de dadaïsten, gebruiken als argument *tegen* hun verwerpen van de literatuur van het verleden; een werkelijk relativistische beschouwing zou volgens Marsman moeten leiden tot een erkenning van principiële gelijkwaardigheid van alle kunst, historische en eigentijdse, traditionele en modernistische. In literair-theoretisch opzicht effent dat inzicht de weg naar aansluiting bij de vertrouwenwekkende traditie, die hij belichaamd vond waar ze het dichtste bij was: in de 'generatie van 1910', de dichters Bloem, Van Eyck, A. Roland Holst en Gossaert. Van Gossaert zou hij zich later openlijk distanciëren, toen hij hem was gaan zien als louter-formalist. Met de eerste drie legde hij later persoonlijk contact. Vooralsnog zette deze tendens zich echter niet met grote kracht door, maar bleef tot nader order werkzaam als een onderstroom in Marsmans denken over literatuur. Dat het modernisme nog even de boventoon voerde was te danken aan de lijfelijke contacten met de avant-garde die hij had tijdens zijn reizen naar Berlijn en Parijs.

HOOFDSTUK 3

TUSSEN BERLIJN EN PARIJS

Het was ongetwijfeld op uitnodiging van Walter Pritzkow dat Marsman in juni en juli 1921 enige weken doorbracht op het Oostzee-eiland Hiddensoe. Daar ontmoette hij twee vrienden van 'Bogo', zoals Pritzkow in kleine kring genoemd werd, met wie hij al spoedig in een nauwe en gecompliceerde relatie raakte, en die zijn leven gedurende de volgende maanden beslissend beïnvloed hebben. Nog jaren later zou deze periode hem een rijke bron van inspiratie zijn.

Slawa Weyna en Theo Kellner hadden een verhouding die berustte op meer dan vriendschap alleen, maar ook weer niet zo hecht was dat daarin voor een derde geen plaats zou zijn. Die derde werd Marsman. De hele affaire, die – wat de eerste episode ervan betreft – niet langer geduurd zal hebben dan de weken van zijn verblijf op Hiddensoe, en de dagen erna te Berlijn, waar Pritzkow en Slawa woonden en waar Kellner, die meestal te München werkte, vaak verblijf hield, gaf zijn jongensachtige fantasie voldoende aanleiding tot romantiseren. De feiten zelf waren op het moment van de beleving al omgeven door het fluïdum van de verbeelding, en de herinnering aan het complex van Wahrheit und Dichtung, dat Marsman acht jaar later tot stof voor de roman *Vera* en het verhaal 'A.-M.B.' diende, zou uitlopen op de enigszins geëxalteerde romantiek waaronder vooral *Vera* te lijden heeft.

De eerste indrukken van zijn verblijf deelde hij op 24 juli 1921 mee aan de in Nederland achtergebleven Lehning.

Ik moet den goden toch wel uitermate lief zijn, dat ze het mij vergunnen hier – de volstrekt-schoonste plek aan zee, waar dan ook – in gezelschap van enkele aristoi, bij weliswaar regenachtig weer, maar ongelooflijk schoon toch (waaiende winden – –nevel– –) enkele dagen door te brengen – en hoe! Bogo is toch ongetwijfeld een vitaal, diep, zwerfsch mensch, een – God weet het – dichter; ik geloof dat hij bij de menschen te noemen valt die ik altijd noem; Trakl!!! (Sebastian im Traum) – (Stramm) – (Stadler) Heynicke, – Kasack (Tragische Sendung). Urenlang lezen we, allen in mijn kamer. Slawa een fiere, 'rassige' Poolsche (een volkskind, met een

Slawa Weyna

fabelachtig instinkt voor menschen en kunst). Theo Kellner: schilder-architect (mijn nauwkeurig kontrast: bescheiden, zacht, on-intellectueel, on-formalistisch – hoewel wij beiden – op onze 'doodepunt': het expressionisme – verloochenen en volmaakte Wahlverwandschaften zijn.

De lectuur van deze dagen werd sterk beïnvloed door de voorkeur van de Duitse vrienden, die van de eigentijdse dichters Heym en Trakl – twee van de zeer weinige expressionisten die in Marsmans ogen blijvend genade konden vinden – zeer bewonderden, en van de ouderen Jean Paul, Hölderlin, George, Thomas Mann en Knut Hamsun, die, voor zover ze nog niet al bij hem in hoog aanzien stonden, tot Marsmans favoriete schrijvers zouden gaan horen. Conservatieve politieke denkers als Spengler en Moeller van den Bruck werden in dit milieu zeer gewaardeerd; met de laatste zou Marsman een paar weken later, in Berlijn, een ontmoeting hebben, waarover geen gegevens bewaard zijn gebleven.

Trakl was de grote ontdekking; toch moet Marsman al werk van hem gekend hebben, als het niet was via Pritzkow dan toch zeker door de bekendheid met *Menschheitsdämmerung*. Die eerdere bekendheid blijkt uit het stuk over Trakl dat twee jaar later in *De gids* werd gepubliceerd, een lyrische evocatie van de weken, doorgebracht op Hiddensoe.

Zijn verzen roepen een bronzen zomer voor mij op:
Ik verblijf enkele dagen – maanden te kort! – op een klein eiland in de Oostzee. De zomer was er – in noordelijk water, op schralen grond – niet zoo overdadig-bloeiend en zwaar-verzadigd, dat hij het bloed duizelend zong en loom-beschonken, maar diep en helder onze verrukkingen drenkte. Ruim en krachtig stroomde de zoute wind, die bloeide van kruidenreuk, en achter de ruischende heuvlen der waatren waren de hemelen een paarlen schelp. Overdag zeilden wij: wuivende tochten door een diep-blauwe wereld – en door het gedurig onstuimige water trokken wij, zwemmend, den lenigen slag onzer leden, als schietende spoelen, blinkende visschen in zacht kristal... Een koelen avond, rond middernacht – slaap beving reeds in zacht omarmen de zinnen der andren, minder dan ik met de feesten van zon en aarde vertrouwd – zat ik nog wakker in het bloeiend priëel van den nacht: de kamer was laag, balken streepten somber den zolder, de wanden waren

droomend met schaduw bekleed – over de tafel stroomde het goud van de lamp; daarnaast lagen, zag ik, aanschuivend tot lezen, de verzen van Trakl.... Ik moest ze reeds eerder hebben gehoord, schoot mij in, maar de indruk vervaagde – hoe onverklaarbaar dit ook mij-zelf nu moet schijnen: zoo gaan wellicht werelden onder, zonder dat onze wimpers bewegen... Sindsdien werd mij dit boek een onvervreemdbaar eigendom. [...]

Deze verzen waren als in dienzelfden tijd geschreven: de zomer droeg daar reeds enkele der kleuren die elders de herfst brengt: wonderlijk-gezuiverd en ontaardscht: zij bewegen zich in het geheimzinnig tusschengebied, waaraan de dubbele schoonheid van het tot de uiterste vervolmaking verklaarde leven en het daarmee diep verweven, helder-schoone sterven, dat schromend aanvangt, een boeiende bekoring verleent.

De indruk die deze lectuur op het licht ontvlambaar gemoed van Marsman gemaakt heeft, moet zeker niet worden onderschat; maar het zou nog een half jaar duren voordat hij doorbrak in zijn eigen poëzie. De directe neerslag van zijn ervaringen was het gedicht 'Slawa-Hiddensoe', dat onder de titel 'Das Tor' opgenomen werd in *Verzen*. Daarnaast waren er de voor Lehning en Houwink geschreven 'Dagboekbladen', expressionistische beschrijvingen van Hiddensoe en Berlijn. De versie die aan Houwink werd gestuurd had het karakter van het ene deel van een dialoog tussen twee 'modern' voelende kunstenaars, die hun meningen en inzichten aan elkaars oordeel wetten, en is uitgebreider en meer commentaar bevattend dan de voor Lehning bestemde fragmenten. Houwink heeft Marsmans brieven en zijn eigen antwoorden gepubliceerd in het herdenkingsnummer van *Criterium* onder de titel 'Een onvoltooide correspondentie'. De tweede brief geeft Marsmans eerste impressie van Berlijn, waar hij eind juli arriveerde. Het op dat moment opgedane beeld van de stad zette zich voorgoed bij hem vast, maar boezemde hem ook een zekere afkeer in, een gevoel dat voortkwam uit het bewustzijn dat Berlijn hem wezensvreemd was. Marsman, door Houwink in diens antwoordbrief 'dichter van een stervende tijd' genoemd (een duidelijke verwijzing naar de Spengleriaanse toekomstvisie, die Marsman in deze tijd al beheerste), meende het lied van deze stad nog niet te kunnen schrijven, en bekende dat 'het dicht dat hier [op de Potsdamer Platz, J.G.] opsprong' hem 'een walg' was. Ruim een jaar later zou hij Berlijn en Potsdam in twee van zijn *Seinen* vereeuwigen, weliswaar na een herhaald bezoek, maar mede op basis van zijn eerste impressies.

Zoals zeer velen die in de naoorlogse jaren op Berlijn toestroomden en de stad maakten tot een centrum van kunst en cultuur dat kon wedijveren met Parijs, was Marsman zeer geïntrigeerd door deze metropool. Later heeft hij in *Vera* beschrijvingen van Berlijn gegeven die horen tot de beste gedeelten van dit verder zo mislukte, bijna drakerige verhaal. Mogelijk heeft hij zich daarbij later inspireren door het grote epos van de stad, Döblins *Berlin Alexanderplatz*, dat kort voordat hij aan *Vera* begon te schrijven verscheen, en meteen door hem als een meesterwerk werd erkend. Maar of hij zich van dit voorbeeld, of van het verwante en evenzeer door hem bewonderde *Manhattan transfer* van John Dos Passos bediende, de door hem opgeroepen beelden van de stad maken een sterk persoonlijk-doorleefde indruk.

De zon staat boven de Potsdamerstrasze en schijnt op den Potsdamerplatz. Lange, langzame files van trams en bussen, gladde troepen van luxe-auto's glijden uit vier, vijf dreunende straten naar dit hart van het Westen, een der harten der stad. De kantoren stromen leeg op dit uur en de straten vol van beginnende schemer, verdonkerd door de woelende menigte. Van hieruit verdwijnen laat in den middag, per bus of per U, duizenden naar hun verre gezinnen, naar een eenzame kamer, naar een oude gebrekkige moeder; naar speelbanken, sportvelden, bals. Van hieruit krimpt en zwelt een stuk wereldverkeer, wonderlijk-onsamenhangend en grootsch, wonderlijk-doodsch, gemechaniseerd, hard en glad. Uit het vage verschiet van de Leipzigerstrasse stroomen, alsof die verte ze produceerde en startte, minuut na minuut, trams en bussen en limousines, en uit haar zijstraten springen zij aan als ijzersplinters naar een magneet; zij dringen voorwaarts, langzaam, volhardend, schouder aan schouder, colon aan colon. Grommend van ongeduld en opzwellende haast wachten zij, voor de magische streep – een kalkwitte afgrond van geen vijftig duim breed, die het plein als een gracht isoleert – totdat de drommen, haaksch op de richting Potsdamerstrasse op den enormen draaischijf der Potsdamerplatz een halve slag rond zijn gedraaid en noordwaarts en zuidwaarts vergleden zijn.

Langs café Josty zwenken door den vallenden schemer, de stappen voorbij; zwiepend zooals langs den trein de telegraafpalen zwiepten; de auto's en bussen dreunen voorbij; zij wentelen om den zwarten verkeersagent – het centrum der wereld – zooals sterren een oogenblik wentelen langs vaste baan, totdat de man in het

brandpunt ze loslaat uit den langen lasso van zijn blik en zij weg-
schieten in een straat. Vlak onder de balustrade, om den uitersten
rand van het wijde caféterras, wervelt het leven voorbij, gigantisch
vergroot door den groeienden schemer; of zit zij zelf, zich angstig
vastklemmend aan een spijl van haar tafeltje, in een wervelend
caroussel? Een verwilderde moeheid, een ontzettende eenzame
angst hangt in haar lichaam als een wolk; en wanneer zij, haar arm
op de balustrade geleund, haar ontwricht hoofd gesteund in de
hand, haar oogen een oogenblik sluit, tuimelen door den enormen
zwarten kap van haar schedel sterren en treinen, en huizen, huizen,
parken en pleinen, in cataclysma op cataclysma omlaag. –

Deze winter was één der somberste winters geweest, die Berlijn
had gekend. De duizelingwekkende daling der waarden zoog haar
omlaag in het bodemloos vallen van droomen waaruit geen ont-
waken haar opstiet. De stad viel weg in het ledig en zij bleef val-
lende. – [...] Alleen den profeten der ondergang bood zij een voet-
schabel: bekeert U, want morgen voltrekt zich het Laatste Oordeel
over ons volk, schreeuwde een man, die in een kozijn was gespron-
gen in de Leipzigerstrasse, die spoedig zwart stond van ganstigen,
hoonenden, allen gebiologeerden; en waarom smeet een moeder
haar tweeling, zorgvuldig verpakt in een wieg, met een rammelaar
en een pop, die zij hun ook in den hemel wou gunnen, op een middag in het Landwehrkanal, alsof het een rotte waschmand geweest
was? waarom sprongen twee jonge gelieven uit de achtbaan in het
Lunapark-Halensee in een electrische booglamp, die als de zon
schitterde boven het schelle tumult der eeuwige kermis? waarom
beplakten binnen één nacht twintig meisjes ongezien alle huizen
der Jenaerstrasse met geschabloneerde plakaten: God is dood, leve
de Sovjets!? waarom dansten Hans Arp, Baader en Huelsenbeck
boven het sousterrain van de taveerne, waarin Europa, dat goedige
oudje, geworgd lag? waarom schreef Spengler der Untergang des
Abendlandes? Panisch en hijgend werd de verwildering, die het
leven, – dat immers geen dag meer zekerheid bood –, ten onder
wou brengen in geilheid, opium, cocaïne, waanzin en anarchie.
Dieper en vlijmender drong de giftsmaak der angst in de lichamen
door. De cementen deklaag der straten was afgesleten tot een
dunne, papieren omhulsel. Daaronder broeide en brulde de lava.
[...] Berlijn hing aan een zijden draad aan den hemel: een log, zwaar
kolossaal monsterdier vlak boven een kokende hel. Deze enorme

kwal zoog de dampen op, die aan de zwavelpoel dier hel ontstegen en vergiftigde daarmee de milliarden maden die zijn vleesch door-wroetten: de menschen.

Toegegeven, er is zeer veel pathos, retoriek en overdrijving in deze beel-den. Toch vormen ze, door Marsmans ogen gezien, een authentieke registratie van het contemporaine Berlijn, die een vergelijking met de navrante schilderijen van tijdgenoten als Georg Grosz en Otto Dix en de kaleidoscopische visie van Döblin kan doorstaan.

In Berlijn ontmoette Marsman behalve Arthur Moeller van den Bruck ook de dichter Hermann Kasack, wiens bundel *Der Mensch* hij bijna een jaar later in *Den gulden winckel* van februari 1922 zou bespreken, tegelijk met *Rings fallen Sterne* van Kurt Heynicke, beide in bewonde-rende zin. Kasack, die niet voorkomt in de bloemlezing van Pinthus, was een van de weinige humanitair-expressionisten die acceptabel voor hem waren. Hij zou met hem tot zijn dood in briefwisseling blijven, maar van deze correspondentie is niets bewaard gebleven dan een type-script van de elegieëncyclus *Das ewige Dasein*, geschreven in 1937, dat Kasack Marsman gezonden heeft.

Nadat hij in Nederland het blad *Der Sturm* al had leren kennen, maakte hij nu ook kennis met Herwarth Waldens kunsthandel. Zijn kennis van de moderne schilderkunst ging tot dan toe niet verder dan wat hij op – veelal gebrekkige reproducties – had kunnen zien; alleen Redon, Van Gogh, en zijn tijdgenoten Van der Leck, De Winter en Wichmann kende hij uit eigen aanschouwing, en van deze vijf waren de eerste twee slechts voorlopers van het moderne geweest. Nu ging er met het werk van Kandinsky, Marc, Schmidt Rotluff, Klee en Kirchner een wereld voor hem open. Ook zag hij in Berlijn werk van de kubisten Picasso en Braque en sculpturen van Archipenko. Na een tweede bezoek in de zomer van 1922 zou hij in zijn 'Aanteekeningen over Franz Marc' al deze indrukken verwerken.

In de eerste helft van augustus maakte hij vanuit Berlijn een korte reis naar de Harz en Thüringen, en bezocht Erfurt, Weimar en Harzburg. Vanuit de laatste plaats schreef hij op 8 augustus aan Lehning: 'Bij veel groots' is Berlijn hoogstwaarschijnlijk 'erledigt' – Deze tijd is de wijdste en rijkste van mijn 'leben' tot nu toe.' Als er ooit van daadwerkelijk vita-listisch leven in Marsmans bestaan sprake is geweest, dan wel in deze maanden, al maakte hij nog een paar maal zulke intense periodes door tijdens zijn verblijf in Noordwijk, toen hij er pas woonde, in de zomer van 1924 op Vlieland, en tijdens de tweede reis naar Berlijn, die werd gevolgd door een tocht die hem langs vele andere steden naar Parijs voerde. Het zegt veel over Marsmans psyche dat hij de momenten van een groots en meeslepend leven vooral ervoer wanneer hij op reis was of vertoefde aan de kust, een van zijn geliefkoosde landschappen. In zijn reislust school de drang te ontsnappen aan de tredmolen van een eentonig, arbeidzaam leven. Zo schreef hij op 9 september 1925 vanuit Genève aan G. A. van Klinkenberg dat de reis hem veel goed deed en hem er van bewust maakte dat hij in Holland altijd maar half mens was. Toen zijn beroep als advocaat hem in 1933 een te grote psychische belasting werd, bevrijdde hij zich ervan, en trok daarna tot zijn dood langs diverse plaatsen in Europa, nergens langer verblijf houdend dan een aantal maanden.

Lang duurden de explosies van vitaliteit meestal niet, omdat zijn voortdurend zwakke lichamelijke constitutie de roofbouw niet lang kon verdragen. Hij moest zijn Harzreis voortijdig afbreken wegens oververmoeidheid en naar Berlijn terugkeren. Daar had hij voor zijn vertrek Anna-Margarethe Bahr al leren kennen, die later model zou staan voor Ilse von Kehrling in *Vera,* en onder haar eigen initialen de titelheldin zou worden van 'A.-M.B.', een verhaal dat als aanhangsel van *Vera* te beschouwen valt. Zoals de ik-figuur in 'A.-M.B.' heen en weer geslingerd wordt tussen zijn gevoelens jegens Hedda en Anne-Margarethe, en zoals Theo Walter slingert tussen Vera en Ilse, zo moet Marsman gependeld hebben tussen Slawa Weyna en Fräulein Bahr, al blijkt uit de cryptische en summiere aanduidingen in de brieven aan Lehning waarin hij van zijn ervaringen gewag maakt niets van het gewetensconflict waaraan hij zijn personages acht jaar later zal laten lijden. Evenmin geeft zijn correspondentie aan Lehning aan hoe de verhoudingen nu precies lagen. Maar zoveel is zeker dat hij al vanaf de eerste ontmoeting met Anne-Margarethe Bahr, bij wie hij via Pritzkow werd geïntroduceerd, sterk onder haar bekoring gekomen is. Aanvankelijk weerde zij hem in zijn al te grote enthousiasme wat af, zoals blijkt uit het eerste briefje dat ze hem schreef na zijn verzoek om een onderhoud, dat ze toestond op voorwaarde 'dass Sie Ihre Erwartungen in jeder Hinsicht, die ich ausserdem als Stilfreude ansehe, bedeutend herabspannen.' In deze weinige woorden vinden we de relatie scherp getekend: de koele, gereserveerde vrouw van de wereld en de onstuimige adolescent die opgewonden epistels schrijft. Die sfeer is ook terug te vinden in haar derde briefje. 'Ja das glaub ich wohl, dass Du über mich nicht erfreut warst damals. Aber siehst Du, und nun darfst Du Deinerseits nur nicht böse sein, – ich kann es durchaus nicht vertragen, wenn jemand kommt und mit jedem Wort und Blick fast wie bei einem Barometer anklopft, um den 'Stand der Seele nach einem Jahr' abzulesen. Dann schliesse ich noch mehr Türen zu als gewöhnlich und bin sogar agressiv grässlich. Ich mag durchaus nicht auf Kommando über 'tiefe Dinge' sprechen und durchaus nicht den Menschen dazu dienen etwas interessantes zu erleben.' Mogelijk spreekt zij hier van een soortgelijke gelegenheid als waarover Marsman op 27 augustus 1921 aan Lehning bericht: 'Je hebt je eenigszins verwonderd over mijn groote sympathie voor die vrouw, nu je haar zag; ik deed dat n.b. Woensdag ook even: zij was zeer mat, maar na den avond die wij gisteren samen doorbrachten, weet ik, dat zij mij 'de rijkste en zachtste der vrouwen' blijft, al heb ik mij – goddank – eindelijk bevrijd van de Bogo-Theo-Slawa-bril, die haar kalypso, decadent, hysterisch, pervers ziet – iets van dit alles als 'Wirkung', maar als een gratievolle natuurlijkheid echter, is niet haar geringste bekoring.' Kennelijk heeft Marsman die bril toch weer opgezet toen hij Anne-Margarethe als model koos voor het portret van Ilse von Kehrling. 'De loome verfijning van een oud weensch geslacht vertakte in Ilse zich tot een treurende twijg. Een bijna slepende gratie vermoeide haar breekbare passen, die zich in de latere jaren nog slechts zelden versnelden in een dans. [...] Zij was fervent-katholiek voor zoover hevigheid mogelijk was bij zooveel herfst en weemoed.'

Zoals al opgemerkt, moeten we het in de brieven en documenten met niet veel meer dan vage aanduidingen doen, en al krijgen we in het geromantiseerde werk, autobiografisch gefundeerd als het dan zijn mag, aanvullingen, voor de volledige betrouwbaarheid daarvan kan natuurlijk geen garantie worden gegeven. Vast staat in elk geval dat het contact met deze beide vrouwen diepe sporen bij Marsman heeft nagelaten. Beiden zijn ze symbool voor de wending die zich in zijn dichterschap voltrekt, in een brief aan Lehning van 19 augustus als volgt omschreven:

Hoog, misschien boven de persoonlijkheden dezer vrouwen uit staat deze nieuwe weg [...] die mij voert tot waar ik nu niet komen kon en die mij heft boven de pantserkoepel van het ingeschroefde IK en Ik-Alleen, naar de mildheid van het onzegbare: Du – leidt. Lees hier, wat in deze vier weken groeide uit je vriend, die bij groote en gedifferencieerde, niet zwakke zelfs, begaafde mogelijkheden, arm toch vaak, en met een krampachtig gebaar naar wijder, van verschrompelen niet heel ver af stond soms.

Bovenstaande dient ter introductie van het Slawa-gedicht.

Marsman vond zijn nieuwe weg toen hij een poëtische goudader had aangeboord in het werk van expressionisten als Heynicke, Heym, Stramm en vooral Trakl. In 'Das Tor' valt de Heynicke-achtige regel 'das abend hängt an unsre hände' op, al moet gezegd worden dat Marsman ook in zijn kosmische periode al invloed van Heynicke ondergaan kan hebben.

In het werk van Heym treffen enkele regels die Marsman geïnspireerd kunnen hebben, al kan de overeenkomst met bepaalde gedeelten uit zijn eigen gedichten evengoed op toeval berusten, omdat het niet zeker is of hij Heym al gelezen had toen hij 'Verhevene' schreef. Hoe dat ook zij, de regel

> haren sloegen hun vlag langs de hemel

doet denken aan

> Und graunhaft weiss erglänzen die Paniere,
> Die mit dem Saum die Horizonte schlagen.

De aanhef van het gedicht 'Der Abend'

> Das Dunkel ist im Osten ausgegossen,
> Wie blauer Wein kommt aus gestürzter Urne.
> Und ferne steht, von Mantel schwarz umflossen,
> Die hohe Nacht auf schattigem Kothurne

wekt sterke reminiscenties aan 'Bloesem', dat waarschijnlijk in de winter van 1921 op 1922 geschreven is:

> en door ons warme schrijden schrijdt de nacht –
> maar hoor, het wappren van haar grijzen mantel
> over den loomen stap der eeuwigheid.

Overigens moet bij deze laatste regels aangetekend worden dat er een variant van bestaat in de vorm van het slot van het nooit gebundelde gedicht 'Voor den nacht', gepubliceerd in het *Rotterdamsch studentenblad* van 18 oktober 1920.

Al met al zijn er weinig echte parallellen met de poëzie van Heym in deze periode, zeker niet wat de versificatie betreft: Heym schreef immers in de klassieke prosodie. Zeventien jaar later zijn er in de alexandrijnen van 'De boot van Dionysos', in *Tempel en kruis*, duidelijke echo's waar te nemen van de verzen uit 'Schwarze Visionen'. Belangrijk zal Heym met zijn neoromantische voorkeur voor het macabere, het bederf en de ondergang zeker geweest zijn voor een bepaalde visie van Marsman op het expressionisme, waarin deze kanten geaccentueerd worden. Het is de visie die Pinthus al had verwoord in de inleiding van *Menschheitsdämmerung*, en geadstrueerd met de keuze van de daarin opgenomen gedichten; maar dan ontdaan van de factoren sociaal protest en optimistische toekomstverwachting. Marsmans stuk 'Praeludium mortis', geschreven in april 1923, staat geheel in het teken van een dergelijke opvatting. Als hij schrijft over 'de zeldzamen welke de stad ondergingen als een weliswaar doodziek, maar donker levend organisme' die hij stelt tegenover hen die de stad 'slechts als een ontzield dynamisch spel van kracht en tegenkracht' ervoeren en 'den kreet der ziel veelal door den gil der sirenen' vervingen, speelt hij Heym uit tegen de 'vormelooze' humanitairen, zonder hem te noemen overigens. Zijn afkeer van de laatste categorie, en zijn voorkeur voor de zo anders geaarde Heym en Trakl, doet hem steeds sceptischer staan tegenover de noemer expressionisme waaronder beide groepen werden ondergebracht; daarom spreekt hij in 'Praeludium mortis' van een 'volmaakttoevallig woord'. Marsmans vermoedelijke mening over Heym vindt een pendant in die van Gunter Martens: 'die untergehende Welt, die zunächst den Lebenskult zu widerlegen scheint, bleibt antithetisch auf das Positivum 'Leben' bezogen, ist nicht anderes als das zugehörige Gegenstück und verweist damit auf dieselbe Hochschätzung des Vitalen, wie sie den positiven Gestaltungen des Vitalisten zugrunde liegt.'

De invloed van Stramm vormt een onderwerp apart, dat bij de behandeling van de 'Seinen' aan de orde zal komen. Resteert van de hierboven genoemde ascendanten van Marsmans poëzie tussen 1921 en 1923 Trakl, van wie Van Ostaijen in zijn bespreking van *Paradise regained* zou opmerken dat zijn invloed op Marsman een gelukkige was geweest omdat ze had geleid tot een reeks zeer gave gedichten.

Tijdens zijn eerste verblijf in Berlijn heeft Marsman de eerste complete uitgave van Trakls gedichten, verzorgd door Karl Röck in 1917, gekocht, dus ná de lectuur ervan op Hiddensoe. Getuige de vele fijne potloodstreepjes in de marge heeft hij het werk aandachtig en vermoedelijk zeer frequent gelezen. Gemarkeerd zijn zowel regels met accenten, die we bij Marsman terugvinden, maar die zijn poëzie ook al bezat voor zijn Trakl-lectuur, bv.

> Die Liebenden blühn ihren Sternen zu

als verzen die typisch Trakliaans zijn, en waarvan naderhand de echo bij
Marsman te horen is.

> Schatten drehen sich am Hügel
> Von Verwesung schwarz umsäumt.

> Am Abend säumt die Pest ihr blau Gewand

> Immer lehnt am Hügel die weisse Nacht

Daarnaast zijn er vele regels door Marsman aangestreept, die niet direct
van invloed op zijn eigen werk zijn, en die hem zonder meer getroffen
zullen hebben.

Lehning noemt als sterk door Trakl beïnvloede gedichten 'Das Tor',
'Invocatio', 'De blauwe tocht' en 'Madonna'; aan dat rijtje heeft Hannemieke Postma 'Wacht', 'Virgo', 'Bloesem' en 'Delft' toegevoegd. Zij
baseert haar bevindingen vooral op een onderzoek naar de manier
waarop Marsman de voor Trakl karakteristieke kleuradjectieven –
blauw, groen, bruin – en de daarbij horende symboolwaarde heeft overgenomen. Weliswaar is dat het meest in het oog springende en belangrijkste punt van overeenkomst, maar daarbij voegt zich het gebruik van
beelden die op regelrechte ontlening berusten, zoals in 'Bloesem'.

> Oneindig zijn de vloeren van den nacht –
> en droomend bruinen vrede, deint, o akkeraarde,
> dit donkre nachtland in uw warmen schoot

> o, paarlen licht

> aan donkers zachte zoomen
> schoort een verlaten boom
> den wankelenden boog der nacht.

Tot zover is de afhankelijkheid van Trakl manifest. De volgende vier
regels gaan echter terug op Heynicke:

> als gij den avond om uw schouders plooit,
> figuur, gekerfd uit nachtelijk ivoor,
> den droom der wimpers langs de luchten spant
> en scheemrend schrijdt.

Het plotseling op Heynicke teruggrijpen is minder vreemd wanneer bedacht wordt dat Marsman bij het begin van het tweede citaat een kosmische beeldspraak inzet, die hij tot het eind van het gedicht volhoudt. Op een enkele uitzondering na is het kosmische bij Trakl vrijwel afwezig. Heynicke is dan ook de dichter met wie Marsman van alle expressionisten de meeste affiniteit had in de periode van 'Ruimteschemer'.

Het vervolg van 'Bloesem' heeft, ondanks het gesignaleerde volhouden van de kosmische metaforiek, door het gebruik van kleuradjectieven weer veel Trakliaans.

> blauwen uw oogen bloei
> en slaan de velden witten geur en wijn
> die uw omdroomde schreden kostbaar siert;
> en firmamenten ruischen sterrenbloesems,
> die uwer handen tasten scheemrend dauwt.

De drie volgende regels gaan weer meer in de richting van Heym. Het slot van het gedicht, dat door Marsman bij de selectie van zijn *Verzameld werk* geschrapt is, valt bij het voorafgaande min of meer uit de toon, en loopt vooruit op bepaalde elementen die in *Penthesileia* en *Paradise regained* een sterkere zetting zullen krijgen.

> maar aan haar eind, in stroomende omarming,
> vouwen wij, aêr aan aêr, en mond aan mond gekust,
> ons bloed in zons omschaduwd breken open,
> en deinen, droomend zeil, naar Drooms omfloersde kust.

Ik ben uitvoerig op dit gedicht ingegaan om te laten zien dat Marsman niet werkte vanuit één bepaalde invloed, maar vanuit een bundeling van invloeden, stammend uit één achtergrond, die werd bepaald door zijn favoriete lectuur van het moment. Zo zullen in een latere fase Roland Holst en Rilke, en nog weer later Nijhoff sterk op de voorgrond treden.

Zeer Trakliaans is ook de aanhef van 'De blauwe tocht':

> Huizen hangen scheef in sluimering
> en de straten klagen eindeloos-verwezen

waarbij het laatste woord een germanistisch aandoende vertaling lijkt van *Verwesung*, het sleutelwoord in Trakls poëzie. De adjectieven in de volgende versregels (grijze vuur, blauw geluk, schemerenden gang, ronde stem, groene ademing, grijze horizonten) zijn alle in hun verbinding met de er op volgende substantieven verwant aan de door Trakl gebruikte bijvoegelijke naamwoorden. 'De blauwe tocht' is wel het gedicht dat het dichtst bij Trakl staat, al draagt de afdeling 'Droomkristal', de tweede van *Verzen*, in zijn geheel sterk zijn sporen. In de slotafdeling van deze bundel, de 'Seinen' is dat al minder, maar regels als

De maan verft een gevaar over de gracht

uit 'Amsterdam',

hooge vensters droomen hun vergaan

uit 'Weimar', en

groene dood
in de gracht
verzonken

uit 'Delft', verraden duidelijk hun herkomst. In de latere gedichten blijft de invloed van Trakl naspeurbaar. Enkele voorbeelden kunnen daartoe volstaan. De regels:

een sombren knaap
de laatsten zoon van een vermoeid geslacht

uit 'De vreemde bloem', corresponderen met 'O, wie alt is unser Geschlecht' uit 'Unterwegs', al is het hier natuurlijk ook goed mogelijk te denken aan A. Roland Holst, die een sterk stempel op de bundel *Penthesileia* heeft gezet. Maar een regel uit het titelgedicht van deze bundel als

daarachter zingt de zee een zachten dood

is zeer Trakliaans, evenals fragmenten uit een ander groot gedicht, het 'In memoriam P.M.-S.'

en in 't verborgene
onhoorbaar snikkend, lag zij met groote open oogen
langzaam en geheimzinnig te verbloeden.

Een verklaring voor zijn grote affiniteit met Trakl heeft Marsman zelf gegeven in het stuk dat hij over hem in *De gids* van juni 1923 schreef.

> Voor mijn gevoel, dat niet in de eerste plaats naar het muzikale neigt, naar ik meen – verschijnt, indien er een enkele maal sprake is van het in elkaar overgaan der kleur- en klankwaarden, doordat één dezer nauwverwante gebieden het andere dwingend in zich opneemt, eerder de klank als kleur dan dat de omgekeerde verschuiving zich in mij voltrekt: zoo gevoel ik ook in het werk van Trakl, waarin muziek en kleur innig verweven zijn – een atmosferisch samengaan, een bloedverwantschap zonder weerga – de kleur als het zacht-overheerschende.

Even verder in dit belangrijke stuk schrijft hij:

> Trakls in wezen rustige natuur en zijn eenvoudig hart hadden van den aanvang af een hang naar het vredig schoongekleurde landleven, al zag zijn gevoel voor de duisteren macht der zinnen en den wilden sprong van het bloed deze dingen, blijkens enkele zijner min of meer arcadische verzen, nimmer onnoozel-idyllisch, maar integendeel donker bewogen door zwaar, aardsch bloed.

De laatste opmerking verraadt Marsmans hang naar het vitale, dat hij ook zo sterk in de poëzie van Van den Bergh herkend en gewaardeerd moet hebben. Waarschijnlijk is hij door die schijnbaar pastorale, maar in wezen animistische kant van Trakl op de lange duur het sterkst geboeid gebleven. In *Vera*, dat hij laat spelen ten tijde van zijn diepgaande ervaringen met de gedichten van Trakl, is – natuurlijk niet toevallig – menigmaal van diens invloed sprake. Een vrij willekeurig gekozen fragment:

> Vera wandelt langs een rul geel herfstpad. De dag ruischt blauw in de ijle berken, die boven haar waaien door het middaglicht. De ruimte is leeg, wijd en rustig: de oogst is binnengehaald. De akkers zijn paars en bruin.
> Vera ligt in het gras, in de schaduw der berken. Beneden haar glinstert een beek. Daarachter wordt in de verte het land heuvelachtig en brons, en de hemel zachtparelmoer. Tusschen de heuvels ziet zij de burcht van het klooster.

Sfeer, jaargetijde, adjectieven: het is tot in alle nuances het landschap van de Oostenrijkse dichter. Hier, en in de geciteerde gedichten is nog slechts sprake van navolging of beïnvloeding; in het ongepubliceerde stuk proza dat hij in februari 1922 over Trakl schreef en opdroeg aan Slawa en Theo vindt men slechts een parafrase van diens poëzie.

Hij was één der eindeloos-verstilden; zachte vriend der avondlijke dingen: van het blauwe, schemerende duister, van de doode bloemen aan den vijver, van het weeke luiden van den wind. Zijn gang, bij nachteval, was een verloren tocht. Wel zeer eenzaam is zijn weg vervloeid (avond is de eindelijke zee, waarin alle onze wegen monden). Zijn klagend pad stierf in de duisternis en schemer was de grijze heul voor zijn gehavend hart. Nachtbloemen beurden laatsten dronk naar zijn verdorden mond. Grepen zijn lippen dien? Vergoot hij hem? Scherfd' de schaal in zijn verwelkte handen? Wij weten niets. – O, hoe zacht was dit geluidloos sterven: schim, geankerd, nacht na middernacht, aan den harden wand der eeuwigheid.

Dit zijn de stijl en de toon die we in de andere stukken over bewonderde dichters, Heym, Stramm, Novalis en Rilke, terug zullen vinden: geen analyse, geen feiten, maar zeer intense en subtiele impressies, opgedaan uit de lectuur, en geformuleerd als een psychisch portret van de behandelde, dat vaak nog meer zegt over Marsman zelf. Daarmee krijgt men nog geen personalistische literatuurbeschouwing zoals Ter Braak en Du Perron die later zullen beoefenen, een aanpak die Marsman na ca. 1934 zal inpassen in eigen kritische activiteiten. Marsman was in deze fase niet op zoek naar de persoonlijkheid van de dichter, maar beschreef in zijn artikelen een langs intuïtieve weg en op basis van een sympathiserende en vaak ook eclectische manier van lezen tot stand gekomen projectie. Zo interesseerde hem in Novalis niet de idealistische denker of de politieke theoreticus, maar 'de schildknaap van de dood' die hij in de 'Hymnen an die Nacht' vermoedde. Zo schreef hij van Jean Paul:

Hij is soms: schrik niet – expressionist. Dat kan ook dit zijn: zijn wereldbeeld is, uitgesprokener dan gewoonlijk, ik-beeld; de kosmos is doortrokken van eigen vormen. Men heeft, terecht, op dit anthropomorfisme gewezen als iets primitiefs. Zijn wereldbeeld, echter, is vaak verwrongen: hij kneedt den kosmos tot een oliebol; de hemel is zijn ruitervaan, en ergens ('heel ergens') danst zijn huilende schaduw achter den wand der nacht... en o! het vervaarlijk gevecht tegen den drom der sterren, – maar in zijn hand het zilvren schedelschild der maan (waar zou z'n lans zijn?)...

Het hoeft nauwelijks een betoog dat een dergelijke karakteristiek sterk deformerend en naar zichzelf toegeschreven is. Marsman schreef het stuk over Jean Paul aan het eind van zijn kosmische periode, die met de reis naar Duitsland beëindigd werd.

Nadat hij eind augustus 1921 uit Berlijn teruggekeerd was, haalde hij zijn ouders er toe over hem toestemming te verlenen rechten te gaan studeren in Leiden, in plaats van in het veel dichter bij de ouderlijke woning gelegen Utrecht. Zo kon hij in Noordwijk aan Zee op kamers gaan wonen, blijkens een brief van 20 oktober 1921 aan Lehning een oude wensdroom. Daar beleefde hij gedurende de eerste maanden van zijn verblijf een periode waarin hij de intense en enerverende ervaringen van de zomer in eenzaamheid kon verwerken. Waarschijnlijk schreef hij geen enkel gedicht, en slechts enkele kritieken – ze komen straks ter sprake – die op ondubbelzinnige wijze van zijn hernieuwd enthousiasme voor het moderne tout court blijk gaven.

Nadat hij zich op 8 oktober voor het eerst in zijn leven zelfstandig had gevestigd op kamers aan de Oude Zeeweg, schreef hij twaalf dagen later:

Noordwijk! Misschien leef ik hier nog zekerder, hechter samen met lucht en aarde dan daar, op Hiddensoe: dat is een schip ('die braune Barke' – ja ook wij vinden het Slawagedicht het allerbeste – en heel goed) hier is het wijde strand, brug tusschen land en zee.

En op 18 november:

ik kom hier in Noordwijk tot zoo hechte, krachtige heropbloei – de vrucht van dezen zomer, dat ik mij in de eenzaamheid zoo volmaakt 'gelukkig' voel als nooit tevoren.

Aan het eind van het jaar vond een aantal nieuwe gedichten zijn vorm. Op 21 december, wanneer hij de Kerstvakantie bij zijn ouders in Zeist doorbrengt, en daar geregelde ontmoetingen met Houwink heeft, schrijft hij aan Lehning:

Wij hebben gisteravond urenlang mijn allerlaatste werk (vijf verzen in deze vijf dagen! – geloof je dat? en goed ten deele) uitvoerig belicht binnen het kader van mijn vroegere dingen en binnen het kader der jonge hollanders en meenen: deze nieuwe dingen zijn de beste (van mij) en de modernste (ook: van mij); voor het eerst: expressionistische gedichten, zegt H. – geen 'reeks van vondsten'. Maar hij kent 'Hiddensoe' [wschl. bedoelt M. hier niet het gedicht van die naam, maar 'Das Tor', J.G.] niet: en vermoedt dat dat de overgang is. En binnen het kader van Holland van nu: het modernste en bij het beste. Vergeef mij deze ijdele uitweiding. Ik ben er zoo vol van. Het lijkt ten deele op mijn vroegere 'Tocht' –; heet ook 'Blauwe Tocht', maar is zoo veel voller, zoo veel meer doorwaaid.

Hierboven wees ik al op de enorme invloed van Trakl in dit gedicht; daarnaast is het ook een duidelijke en zeer expliciete afbakening ten opzichte van de kosmische periode.

> neen, schuchter niet:
> ik ben zoozeer ontdaan van overluchtse tochten
> en zoo afkeerig van het schaduwzeilen
> langs wankelende regenbogen,
> die droomen huifden over maanrivieren,
> dat ik in dezen nacht, die als een bloem verging,
> met harden wil het tasten mijner enkels schorend,
> mij tuimelende, wilde wegen brak
> langs steigerende rots
> en wapperende stroomen
> met witte vlag bezeilde naar uw open dag!
>
> geef mij uw hechte hand, zonder te tasten:
> ik ben zeer aardsch, ik ben u zeer verwant.

De sfeer waarin dit gedicht is ontstaan en de intensiteit van de creatieve uitbarsting worden nog eens duidelijk uit het vervolg van de brief aan Lehning: 'Ik heb maar weinig tijd voor lezen: ik wandel uren en schrijf dan thuis de dingen, onderweg gevonden, op; dat gaat nu al vijf dagen zoo. Zooiets als God in de scheppingsweek.'

De vrouw die in 'De blauwe tocht' wordt toegesproken is Nel van Nie. Voor haar had Marsman al vanaf het eerste moment dat hij zich aan de poëzie wijdde, gedichten geschreven. Ze was – zoals enkele andere vrouwen – zowel met hem als met Lehning een tijdlang zeer goed bevriend. Gedurende deze winter ging ze veel met hem om, aangezien ze evenals hij voor korte tijd in Noordwijk verblijf hield, waar haar ouders een vakantiehuis bezaten. Haar herinneringen aan deze dagen heeft ze in een ongepubliceerd gebleven, voor Nol Gregoor geschreven manuscript vastgelegd.

Opvallend in deze nieuwe poëzie, die werd verzameld in de afdeling 'Droomkristal', de tweede van *Verzen*, is de gewijzigde houding tegenover de erotiek. Was er kort voordien nog sprake van een 'Ik' dat zichzelf genoeg was, nu leek Marsman inderdaad, zoals hij al eerder aan Lehning liet weten naar aanleiding van het Slawa-gedicht, de weg naar het 'Du' gevonden te hebben. De vrouw wordt weliswaar nog beschouwd als een verheven wezen, wat tot uitdrukking komt in de kosmische vergroting van bv. 'Bloesem', maar niet meer als demonisch en afschrikwekkend, zoals in 'Bloei' en 'Vrouw'. In 'Bloesem' en 'De blauwe tocht' is een min of meer harmonieuze relatie te constateren, terwijl 'Smaragd' en 'Robijn' de schoonheid van de vrouw als een positief-esthetisch fenomeen waarderen. Alleen in 'Virgo' (dat overigens pas in de zomer van 1922 ontstond) is de solipsistische houding die de ik vroeger eigen was getransponeerd naar een vrouwenfiguur.

Het laatstgenoemde gedicht ontstond begin augustus 1922 tijdens een conferentie van de Woodbrookers in Barchem, waaraan Marsman in het gezelschap van Arthur Lehning en diens vriendin Annie Grimmer deelnam. Blijkens een aanduiding op het handschrift en de brieven aan Annie Grimmer, is 'Virgo' geschreven voor een zekere Thea. De thematiek van het vers is tekenend voor Marsman. In zijn werk wordt het streven naar zuiverheid (waarin voor de sexuele relatie geen plaats is) gesymboliseerd in een vrouwenfiguur. De bundel *Penthesileia* is geheel door die thematiek bepaald.

Tegelijkertijd schreef hij 'Madonna', geïnspireerd op het samenzijn van hem, Lehning en Annie Grimmer, waarin de vrouw verheven wordt tot goddelijke proporties, terwijl de ik en zijn vriend, die in hun verering voor de madonna verbonden zijn, 'verkleind' worden door middel van de animale beeldspraak (paarden, reeën, planten). De gedichten uit 'Droomkristal' zijn een aanzet tot een poëzie, die in *Penthesileia* ten dele, en in *Paradise regained* geheel bereikt wordt, poëzie waar een veel grotere plaats zal worden ingeruimd voor de erkenning van het menselijk tekort. De derde afdeling van *Verzen*, de 'Seinen', vormen in deze ontwikkeling een – bewust geforceerde – onderbreking. Deze 'stedengedichten' hadden hun kiem in de eerste reis naar Duitsland, maar tijdens de tweede reis, die Marsman in september 1922 maakte, groeiden ze uit, al zou het nog tot de winter duren voor hij ze definitief vorm gaf.

Hiddensoe, Stralsund, Milow, Berlijn, Potsdam, Weimar; hij had deze plaatsen een jaar eerder al bezocht en er zijn indrukken opgedaan.

Het best valt deze vertraagde verwerking te demonstreren aan de hand van een vergelijking tussen een brieffragment en een gedicht. Op 24 juli 1921 had Marsman aan Houwink geschreven over 'den dendergang der trein door den oneindigen tunnel der nacht (steden en firmamenten hangen aan hare baan, wiekende). Het is een zeer luguubre affaire, die D.-trein: dáár, denk ik, werd en wordt Europa verdobbeld; uit de daemonische monden der slapenden walmt het kwade.' Het gedicht 'Nachttrein' waarmee de 'Seinen' openen, is volgens de doorgaans betrouwbare datering van Lehning geschreven in 1922, na augustus.

> Nacht tunnel knellende vaargeul
> nacht
>
> het lied van de raadren wiegt ons ten doode
>
> waar mondt de nacht?
>
> mijn gezel is een jood
> wien slaap den mond spalkt
> hij riekt naar het kwade
>
> ik echter ben de vriend der diamanten duisternis
>
> waar mondt de nacht?

Marsman moet deze tweede reis wel als een bevrijding hebben ervaren, nu hij eindelijk, drie jaar nadat hij de HBS had verlaten, en na veel hangen en wurgen – in juli was hij nog een tijdlang overwerkt bij zijn ouders thuis geweest – was geslaagd voor het staatsexamen gymnasium, dat hem toegang tot de academische examens moest geven.

De eerste stad die hij aandeed was Bazel. Daarvandaan schreef hij op 31 augustus aan Annie Grimmer: 'Ik ben verrukt over B., een der schoonste steden, zoo hecht en sterk. Een ruimte-beheersching, als Goslar, maar grootscher, en durf en openheid als noordelijker steden. Een gedrag, een houding; Nietzsche wist waar hij woonde! En ik ken toch Stralsund, en Potsdam en Amsterdam.' Evenals aan de drie laatstgenoemde steden zou hij aan Bazel een 'sein' wijden, dat zijn euforische gemoedsstemming van die dagen in zich besloten heeft, en waarop in zijn brieven al gepreludeerd wordt: 'De Rijn snijdt geel of zacht olijfgroen er doorheen', berichtte hij Roel Houwink.

'Nu de looden mantel dezer knellende maanden afviel ben ik grooter van vlucht dan Icarus – en je weet wat zijn lot was', schrijft hij verder aan Annie Grimmer, tegenover wie hij belijdt wat hij later ook in een interview met Den Doolaard zal verklaren, dat hij het onstuimige, intense leven van groter belang achtte dan zijn literaire werk. '"Novalis" zal blijven liggen (is het goed?), alles zal blijven liggen, weken lang, – in de trein en op bed wat lectuur – Maar het leven zal onstuimig verder gaan, hooger en lager –; een heilig avontuur, maar het geweten van zwervers verhardt; het leven is hard en prachtig.'

Na Bazel verbleef hij een dag of tien in de Alpen, waarvan hij voor zijn vertrek nog had gevreesd dat ze hem moe zouden maken, maar die hem nu verrukten. Ze bleven zijn liefde houden tot zijn dood, getuige het feit dat hij er in later jaren keer op keer weer heen trok, om zich er tenslotte, zij het steeds op verschillende plaatsen, metterwoon te vestigen. Vanuit Vitznau schreef hij Houwink: 'dit land (voorbij Luzern) is het andere van Holland, en dus prachtig. De bergen, de blauwe bergen en ik, zijn na enkele dagen vechten, hechte vrienden.'

Vervolgens ging hij via Freiburg, Auerbach, Heidelberg en Frankfurt naar Berlijn, waar Lehning, die nu in de Duitse hoofdstad studeerde, hem wachtte. Samen bezochten ze het Museum van Moderne Kunsten waar op dat moment de grote overzichtstentoonstelling gehouden werd van het werk van Franz Marc, met wiens brieven Marsman kort tevoren kennis had gemaakt, een lectuur die hem sterk had geboeid. Daarnaast hing er in dit museum ook werk van Feininger, Kandinsky en Léger. Zijn indrukken verwerkte hij in het enige en zeer programmatische artikel dat hij ooit over schilderkunst publiceerde, de aantekeningen 'Over Franz Marc', opgenomen in de twee laatste nummers van *De nieuwe kroniek*, die dateren van 5 en 19 april 1923.

Via Lehning maakte hij – waarschijnlijk in het toenmalige trefcentrum van Berlijnse kunstenaars en intellectuelen, het Romanische Café aan de Kurfürstendamm – kennis met Mila Levit, diens vriendin Gertrude Bergwitz en Germaine Krull, die allen betrokken waren geweest bij de Münchener radenrepubliek van maart 1919. Hoewel hun linksrevolutionaire ideologie Marsman vreemd geweest moet zijn (ook Slawa Weyna moest daar niets van hebben, getuige haar brieven), hebben zij hem toch tot scheppend werk geïnspireerd. Aan de sfeer van het Romanische Café wijdde hij, in het spoor van Apollinaire, wiens werk hij sinds een jaar kende, zijn enige 'calligramme', dat pas in 1928 werd gepubliceerd in het modernistische blad van Burssens, Van Ostaijen en Du Perron, *Avontuur*, nadat naar Marsmans zeggen alle Nederlandse tijdschriften het als 'onplaatsbaar' hadden geweigerd; de mogelijkheid bestaat natuurlijk dat dit niet zozeer op grond van de inhoud als wel vanwege de moeilijk te reproduceren typografie van het gedicht was.

Gertrude is het onderwerp van een korte reeks erotische gedichten, en over Germaine Krull heeft Marsman een roman willen schrijven, een plan dat hem bezig is blijven houden tot het midden van de jaren dertig, en waarvoor hij enige malen zijn toekomstige hoofdpersoon, die toen in Parijs woonde, is gaan opzoeken. De brief van 20 september aan Houwink geeft de sfeer van opwinding aan waarin hij gedurende die dagen verkeerde. Opvallend is dat hij, verkerend in een artistiek milieu waarin het moderne haast als een dogma gold, zich weer volkomen aanpast, zijn reserves, zoals die in zijn artikelen naar voren waren gekomen, overboord zet, en zich zelfs opwerpt tot de Nederlandse vertegenwoordiger van de moderne literatuur als het gaat om het samenstellen van een internationale bloemlezing.

Ook in Parijs, waar hij op 25 september aankwam, en dat hem zo imponeerde dat hij er geëxalteerde brieven over aan Lehning schreef, voelde hij zich contactpersoon voor de Nederlandse kunst. Behalve uit zijn correspondentie met Lehning, blijkt dat ook overduidelijk uit een lange brief aan Houwink. Het is een merkwaardig document, waaruit weer eens duidelijk wordt hoe ambivalent en gebaseerd op persoonlijke invloeden van tijdelijke aard Marsmans houding ten opzichte van het modernisme wel was. 'Gertrude heeft, met Mila, weer eens mij naar de uiterste rand gestooten van een der tergende problemen: je moet van vandàag zijn. Zullen Parijs en Gertrude het winnen, of Slawa en de zee. Het is niet moeilijk te raden. Dat weet ze (G.) daarom wil ze (en om wat anders −), dat ik naar Berlijn kom.'

Dan is er de ambivalentie ten opzichte van Parijs, dat in deze brief min of meer staat voor de Franse moderne kunst, en algemener, voor de Franse cultuur in zijn geheel. Hij schreef vanuit Parijs aan Lehning dat het Duitse weliswaar dieper was, maar dat men 'dit land van Droom en Licht' toch kennen moest. Toch bleef na deze toenaderingspoging het Franse hem voorlopig nog wezensvreemd. Terecht heeft Lehning opgemerkt dat het niet toevallig is dat er over Parijs geen 'sein' geschreven werd. 'In Duitsland ontdekte hij toch blijkbaar een diepe verwantschap en zijn romantiek is niet alleen wezenlijk aan de Duitse verwant, maar ten dele ook aan die van het Duitse expressionisme ontbloeid.' In de jaren dat hij zich actief met het redactionele beleid van *De vrije bladen* bemoeide, probeerde hij bewust een 'germaans' tegenwicht te geven aan de 'gallische' invloed van andere redacteuren en medewerkers als Van Wessem, Kelk en Van den Bergh. Veelzeggend in dit verband is ook wat hij schrijft in *De twee vrienden*: 'Ofschoon ik het land had aan de Duitschers afzonderlijk en 'en masse', was er iets pruisisch in mij en ik heb mij later in Potsdam onmiddellijk thuis gevoeld.' En in de omgeving van dit citaat merkt hij op dat iets van het wezen van de Duitse dichters, waarmee hij van zijn jeugd af verkeerde, in het zijne was overgegaan.

Pas toen alle stof, die hij in zijn expressionistische fase in zich had opgenomen, verbruikt was, en zijn dichterschap in het slop geraakt, zocht hij 'regeneratie' in 'Parijs'. Dat was toen hij voelde dat de steeds sterker wordende tweestrijd tussen wat hij zelf 'de noordelijke en zuidelijke krachten van mijn natuur' noemde niet langer duren kon, omdat die verlammend was gaan werken op zijn creativiteit. In 1922 werd de kortstondige tweestrijd tussen de Franse en Duitse cultuur nog ten gunste van de laatste beslist. Waar dit duel zich op het terrein van het modernisme afspeelt, laten de kampen zich etiketteren als kubisme en expressionisme, al moet daaraan meteen worden toegevoegd dat Marsman van beide richtingen zijn zeer persoonlijke opvatting had.

In zijn essay 'In de spelonken van het modernisme' gaat Martien de Jong uitgebreid in op Marsmans zwenkingen in deze jaren. Evenals ik constateert ook hij in de kritieken over *Bezette stad* en *Het verlangen* een reserve ten opzichte van het moderne en een zeker traditionalisme, en laat doorschemeren dat er wat dat betreft sprake is van een zekere reactie op eerdere, revolutionair klinkende, uitspraken. Een tweede breuklijn, die met een terugkeer tot het modernisme gepaard gaat, ziet hij in de eerste reis naar Duitsland gedurende de zomer van 1921 'waar hij de verzen las van Trakl, Stramm, Stadler, Heynicke en Kasack.' 'Er is nu geen sprake meer van Stefan George of Rilke', voegt De Jong daaraan toe, en ter adstructie van Marsmans gewijzigd standpunt wijst hij op de 'Divagatie' in *Den gulden winckel* van 15 december 1921 en de 'Kantteekeningen bij twee expressionisten' in hetzelfde tijdschrift van 15 februari 1922, stukken die dan na de terugkeer uit Duitsland geschreven zouden moeten zijn. Dat laatste lijkt mij niet aan te tonen, integendeel, er zijn aanwijzingen dat deze artikelen voor het verblijf op Hiddensoe en in Berlijn ontstonden. In de brief aan Lehning van 16 augustus 1921 schrijft Marsman over 'zijn meesterwerk, *de oratio*, die Holland misschien nu met afschuw leest.' Volgens Lehning moet hier de op 15 december 1921 gepubliceerde 'Divagatie' bedoeld zijn, wat niet onaannemelijk is, omdat uit diverse andere gevallen blijkt dat de redactie van *Den gulden winckel* Marsmans stukken vaak lange tijd liet liggen. Dat geldt bv. ook voor de 'Kantteekeningen' over Heynicke en Kasack. Dit stuk is gedateerd 'V. – 1921', naar mijn mening te lezen als 'mei 1921'. De bundel van Heynicke die Marsman in dit artikel besprak, *Rings fallen Sterne*, kende hij al in het voorjaar van 1920!

Het merkwaardige feit doet zich dus voor dat Marsman naar aanleiding van Van Ostaijen de voorkeur aan Stefan George kon geven, en even later kon schrijven dat Rilke de naam 'genie' niet kon dragen, en George nauwelijks. Het is tekenend voor het wisselen van zijn opinies, in deze tijd niet per periode, maar per dag; we hebben dat al eerder kunnen waarnemen.

Van belang in de 'Kantteekeningen' is zijn visie op het expressionisme. Zijn afkeer van het 'mensch- en idee-expressionisme' is inmiddels een bekend gegeven; hij merkt van Kasack op dat deze dicht bij de humanitairen staat, en laakt dan ook in hem dat hij 'wel eens preekerig' wordt. Over Heynicke schrijft hij: 'Hij is, soms, en goed, 'expressionist'; zou, dan, als literair analogon, eenigszins te vergelijken zijn met iemand, die tusschen Kandinsky en Chagall instaat. Er is in hem: midden-eeuwsch-christelijke gothiek, herinneringen aan heiligenbeelden en -legenden; pantheïsme, de duister-verwrongen visioenen van martelaren, toch ook; het ontwrichte van den moderne, echter veelal; wat rust-en zachtvertrouwde deemoed, soms; het is, in hoofdzaak, donker, dit werk, fantastisch, ondergrondsch-en-overhemelsch, demonisch vaak; schimmig-fluisterend, het sluipen van een steile bloem uit den spelonk der nacht'. Als we niet wisten wie de auteur en de besprokene waren zou het evengoed over de poëzie van Marsman zelf kunnen gaan; Hendrik de Vries zal bv. een paar jaar later in deze geest schrijven over *Verzen*.

Sleutelwoorden in het associatiecomplex dat de term expressionisme op dit moment bij Marsman heeft, zijn: donker, ontwricht, fantastisch, ondergronds-en-overhemels, demonisch. Wat hij zegt aan het slot van het citaat lijkt een parafrase van tekeningen van de door hem zo bewonderde Odilon Redon, wiens werk zeker een impuls aan zijn poëzie heeft gegeven. Een soortgelijke opvatting van het expressionisme lijkt Houwink te hebben, die er de al bekende en vaak op deze stroming toegepaste terminologie slavisch-germaans op toepast. Uitgerekend in een artikel over Marsman in *De nieuwe kroniek* van 24 augustus 1922 schrijft hij: 'Twee ras-elementen beheerschen zijn œuvre: het Slavische en het Germaansche. Het eerste maakt zijn verzen donker en dubbel bezeten:

van de vrouw en nacht, het tweede doet ze mild zijn en verijlen naar den open dag.' Marsman zoekt en waardeert deze kwaliteiten van de 'nachtzijde' in andere expressionisten. Dat viel al te constateren in zijn waardering van Trakl, en ook bij Heym is dat het geval. Het artikel over hem in *De nieuwe kroniek* van 22 maart 1923 eindigt:

> Ook hij werd gegrepen door de duisternis en verging aan de zwarte stranden. Dèze de werelden, die hem doordrongen en die hij doordrong; waaruit: duistere gezichten en gestalten, opgezweept soms tot barokke monsters en groteske figuren, in ontzetting, ontbinding en somnambuul-vergroote verwrongenheid, deze verzen opstonden, immer betogen door bittere, verholen teederheid geweven: daar is de daemonische pracht van de wereldstad: vurige treinen, die naar den avond rennen; stampende scheepsrompen in de duistere contouren van nachtelijke kaden, gevangenissen, blinde muren, begrafenisstoeten.
>
> daar is de ontzetting van hospitalen, het tastende geheim van blinden, krankzinnigen en schijndooden, de macht der ontbinding, van vergif, van de Styx. daar is de spelonk van den herfstnacht, en de gele schrik van een wanstaltige maan.
>
> daar zijn de radelooze tochten der zwervende schepen....
>
> daar is de blauwe vrede van avondlijke geheimen: meer en bosch, de zegen van peinzende wimpers, de groote dood....

De receptie van August Stramm, die hij in deze jaren zo hoog stelt dat hij hem het predikaat geniaal, dat hij Rilke en George in dezelfde tijd meende te moeten onthouden, toekent, is navenant. De poëzie van Stramm is voor Marsman het bewijs dat deze dichter 'van de liefde, die de samenslag is van het bloed en den geest van den éen met het bloed en den geest van den ander [...] voornamelijk de éene zijde wist, die van het duister en van het verraad: de schaduwzijde, zoo ge wilt. Den onderkant van geest en bloed.' Dat wat de inhoud betreft. 'Zijn dichterlijke vorm hiervoor werd hard. In klemmende concentratie werd alle atmosfeer en alle zweving (zoo die al schemerden in zijn emotie) saamgebald tot stalen kernen: woorden in dynamische geleding, slag op slag, of motorisch, stoot op stoot. [...] Alle vertakking, alle bloesem werd afgesneden: het deed schade, docht hem, aan de kracht en grootheid van zijn werk. Zoo won hij zeer aan steilte, aan ongeschonden drift, aan soberheid en verloor aan rijkdom, die de vrucht van ontplooiing is.' Duidelijk is dat Marsman dit betreurt, naast de waardering voor de inhoudelijke elementen die hij heeft. Een adequate vorm om aan het sentiment uiting te geven, dat is wat Marsman op dit moment verlangt.

Maar indien iemand opstond in Europa, in Holland bijvoorbeeld, of in Engeland, waar deze twee lijnen elkaar wellicht ontmoeten, die de werelden van Stramm en Apollinaire, ondeelbaar-vermengd, als element veeleer, in zijn gewelven overboog, en zoodoende het volledige moderne levensgevoel in zich vervat droeg, zouden wij van hem niet mogen zeggen, als zijn vlam uitsloeg, dat hij de dichter was van het ontwakend heden, die oneindige teederheden zeide met kristallen mond....
  Dat hij snel kome.

Sentiment en helderheid, Stramm en Apollinaire: Marsman heeft hier het oog op een synthese van Berlijn en Parijs, het donkere en diepe van Duitsland versmolten met het lichte maar 'vlakke' van Frankrijk. Als we dan nog bedenken dat hij in het expressionisme het persoonlijke waardeerde en in het kubisme het onpersoonlijke (men denke aan zijn discussie met Van Doesburg) laakte, is de cirkel rond. Tijdens zijn kortstondige verblijf in Parijs, eind september 1922, heeft hij die synthese gezocht. Aan Van Klinkenberg schrijft hij vanuit de Franse hoofdstad: 'ik maak nieuw werk: door de schering van het 'germaansch-slavische' een inslag van modern europeesch pan-psychistische...' En tezelfdertijd, in de lange brief aan Houwink, heeft hij het over 'het europeesche gedicht, dat zonder Parijs niet mogelijk was geweest, geef ik, volgaarne! toe. De inzet, een regel of 6, 8 is gereed – Ik "vrees" dat het lang wordt, en duizend divagaties, brieven etcetera overbodig maakt –'
  Hoewel hij even verder over dit gedicht, dat onder de titel 'Gertrude' als eerste van een serie 'Seinen' in *De nieuwe kroniek* van 22 maart 1923 werd geplaatst, spreekt als het 'poème sans fil, sans fin et (dieu soit loué) sans sens', wat iets van dadaïsme lijkt te suggereren, heeft Marsman voor het slotgedeelte van dit driedelige gedicht een voorbeeld gezocht bij de als kubistisch geldende *19 poèmes elastiques* van Blaise Cendrars, die hij vermoedelijk pas in Parijs leerde kennen.

        o! Gertrude,
        je nek is schooner dan de torso van Archipenko –
        maar achter de grondelooze viaducten van je oogen,
        – hoor! het dreunen: – Warschau – Ostende –
        wapp'ren de lichten van een nieuw wingewest:
        o! Montmartre. –

De aantekeningen 'Over Franz Marc' bevatten naast een korte karakteristiek van het futurisme, dat Marsman voorbij acht, en een geijkte veroordeling van het expressionisme ('haar spanning en massaliteit ontwricht zijn dragers. Op enkele na'), een vrij uitvoerige formulering van zijn opinie over het kubisme, waarbij Cendrars centraal staat.

> Het cubisme veronderstelt een totaal gewijzigde gesteldheid van den geest en van het oog (en eerst in de tweede plaats, door terugwerking, als het ware, van het sentiment.) Het geeft het wezen der dingen in veelal volkomen van de verschijning onafhankelijken vorm; in sober-overwogen orde: strak, klaar, beheerscht. Naakt, nieuw, totaal (Blaise Cendrars, in: La tête, éen der Dix-neuf poèmes elastiques).

> Na deze zeer korte aanduiding van het karakter (niet van het wezen!) van het cubisme, wil ik enkele opmerkingen inlasschen omtrent zijn waarde: het komt mij voor, dat het cubisme spoedig doodloopt (liep alreeds?) in eigen consequenties. [...] Omdat het niet ontsprong aan een (veranderde) bewogenheid van het sentiment, maar aan een omzetting van den geest. Het is ternauwernood aannemelijk en aanvaardbaar, dat Blaise Cendrars, om bij de dichtkunst te blijven, in den jare negentien honderd negentien de dronken balladen van Li-Tai-Po, de oden van Sappho, het sonnet van Pétrarca, het lied van Hölderlin, dat langs de randen van den goddelijken waanzin tast, tuimelend.... plotseling en radicaal te niet zou kunnen doen door zijn, overigens voortreffelijke, nuchter fantastische poèmes elastiques. Dat de lyriek, het dichterlijkste aller dichten met een uitgebloeid verleden vergaan zou zijn. Dat wij nu tot dien hoogen (?) geestes-staat zouden gestegen (?) zijn, waarin het humaan sentiment overwonnen is, en niet meer de onverdroogbare bron onzer driften en daden springende tot in het eeuwige leven. Het is alles nauwelijks aanvaardbaar.
> Het cubisme heeft geen geheim, het lost de dingen restloos op; het is doorzichtig; het laat, binnen zijn eigen grenzen, vrijwel niets te zeggen over; het eindigt, over Mondriaan, rechtstreeks in een punt. Maar –: wij hebben er helderheden aan ontleend, en orde; open beheersching en strakke zakelijkheid; het heeft ons van troebele sentimentaliteiten gezuiverd, van broeikasneigingen en fluweelen zwevingen. Het heeft ons vuren zekerheid geleerd, stalen tred en harde regelmaat. De adel van den koelen vorm is onver-

vreemdbaar in ons merg gehecht. Indien West-Europa – hache-
lijke kans – een tijdperk van hernieuwden cultureelen bloei tegemoet gaat, zullen deze stempels zijn kern en zijn verschijning merken.

En – trillende betreklijkheid, die de dingen, of onze voorstellingen daarvan en onze meeningen daaromtrent zich ziet of doet wij-
zigen, in of door het denken –: wellicht verhult het cubisme meer
sentiment, dan wij ontdekken kunnen; wellicht bergt het dieper,
donkerder geheim, dan ook zijn dragers willen; misschien zijn
geest en sentiment steeds hechter vervlochten dan wij meenen en
mogelijk komt het op één aan noch op het ander. In kunst beslist,
in dat onwaarschijnlijke geval, de intensiteit der expressie.

Opnieuw reserve ten aanzien van het modernisme, enkele weken
slechts nadat hij onder druk van Gertrude bijna overstag was gegaan.
Het stuk 'Over Franz Marc', dat sterk het karakter draagt van een afrekening met het kubisme, wordt tegelijk met een aantal 'Seinen', door
hem zelf als kubistisch beschouwd, eind oktober, begin november
geschreven. Maar eerder had hij zich naar aanleiding van Hendrik de
Vries in soortgelijke bewoordingen uitgelaten. In *De gids* van juni en
augustus 1922 besprak hij achtereenvolgens de bundels *De nacht* en
Vlamrood. In het eerste stuk valt op dat hij De Vries, zonder de termen
expliciet te gebruiken, plaatst als kubist, met in zijn thematische voorkeuren een expressionistische inslag. Dat doet denken aan zijn kwalificatie van Stramm, al moet ik het met Martien de Jong eens zijn dat Marsman nooit voldoende oog gehad heeft voor Stramms zeer 'kubistische'
vormgeving, omdat hij deze dichter te veel zijn eigen, zeer persoonlijke
visie op expressionisme binnentrok. Marsman zelf heeft die vergelijking
De Vries-Stramm ook gezien, want in een noot bij het artikel over
Stramm merkt hij op: 'Hendrik de Vries bewijst, dat kracht noch hecht-
heid noodzakelijk worden ingeboet bij veelvormigheid. Hij is grooter
taal (her)scheppend kunstenaar dan Stramm, die nauwelijks: het nieuwe
woord hervond, maar (slechts): de kreet.'

De naar mijn mening meest saillante passage in het artikel over *De
nacht* luidt als volgt:

Hij heeft een hang naar kosmische, chaotische gegevens, centra van
rotting, walm, verval. Hij ziet die dingen in hoofdzaak zonder ze
aan te doen met menschelijke sentimenten; ik zou deze verzen
(type: Vervallen woning) nuchtere vizioenen willen noemen. Hier

openbaart zich één zijner kern-eigenschappen: hij is niet ego-centrisch, en bijgevolg geen lyricus. Het is gewaagd, het standpunt vast te leggen, van waar uit hij opereeren zou: het wisselt steeds. Geocentrisch is hij stellig niet. Men heeft vaak het gevoel of hij zich opstelt ergens aan den achteronderkant van het heelal. Zijn wijze van componeeren dezer verzen (de epische dus) is noch plastisch, noch muzikaal. Architectonisch eer; gehàkt, als het ware. Zijn visie echter is niet anatomisch; zij vangt chaotische objecten binnen éénen starren omtrek: zoo worden deze dingen, samengesteld uit scherven en fragmenten, zeer hechte blokken toch.

Maar in dit deel van zijn werk, het beschrijvende, heerscht nog een tweede zijner hoofdzakelijke geaardheden: hij schreef het met een minimum van sentiment: het is, of achter deze schors niet die open humaniteit beweegt die wij gevoel noemen.

In enkele dezer verzen bespeurt men, dat bij hem kosmisch en menschelijk lot elkaar doordringen; in Ramp dreigt de obsessie der moderne stad; deze elementen, verhit, en in een atmosfeer van purperen zwoelte en pracht, bepalen zijn latere werk; 'Vlamrood'.

Het is niet eens nodig te refereren aan wat hij later schrijven zal: 'het cubisme is van de stad, maar het beheerscht haar' om hier onmiddellijk te zien dat Marsman aan de hand van De Vries' stijl een omschrijving van het kubisme geeft. De recensie, twee maanden later, van *Vlamrood*, opent met een alinea waarin de term voorkomt: 'Meesterlijk werd nu zijn vormbesef: schier spelend beheerscht hij de waarde der klankrelaties, trillend woog hij geledingen aan elkaar af. Zijn styleeren werd ijzeren soberheid: in die verstrakking leeft schoonheid van het constructieve, waardoor men cubisme vermoedt.'

Eveneens verwant aan de manier waarop hij in de latere aantekeningen reserves uit zal spreken over expressionisme, en in elk geval van het kubisme de vormbeheersing zal prijzen, is deze passage over *Vlamrood*:

De stad bekoort hem zoo: chaotisch spel van kracht en tegenkracht, kolommen van massaliteiten, branding van rhythmen en kleuren; doch, in verheugende tegenstelling tot expressionisten, als hij geboeid door deze motieven, beperkt hij zich: snijdt uit den chaos een begrensd fragment, doordringt dat met de orde van den eigen blik, transformeert en styleert het object.

Al is dit laatste ongetwijfeld positief bedoeld (met de term transformeren zijn we aangeland bij de kern van Marsmans poëtica en de kritische praktijk die daaruit voortvloeit), toch staat hij min of meer afwijzend tegenover De Vries' gedichten, omdat ze 'humaniteit' missen, omdat 'zijn duizelend dieplood peilt in waat'ren, die m.i. geen essentieele levensbeteekenis hebben.' Opvallend in de bespreking van *De nacht* is nog de argumentatie die Marsman geeft van zijn voorkeur voor 'Mijn broer': 'Het is een nachtbloem aan den rand der Styx. Somnambule complexen wàren hier, daemonische schimmen, die Freud onmiddellijk als ongesublimeerde erotiek zou signaleeren. Niemand weet waar het zijn oorsprong nam. Het besluipt u, worgend, als een onzichtbare hand.' Met dezelfde bewoordingen kenschetst hij later Heym (zie pag. 114).

Het zal duidelijk zijn dat Marsman ook in De Vries de synthese van kubisme en expressionisme niet ziet; evenmin heeft hij ergens anders de dichter die tederheden zegt met kristallen mond gevonden. Wel zag hij zijn ideaal belichaamd in de schilder Franz Marc, naar wie hij zijn aantekeningen over de moderne kunst had genoemd. Hij gold als 'de cubist van het sentiment'.

Zijn richting naar het abstracte heeft hij met alle modernen gemeen, en met de meesten een hang naar het: onpersoonlijke. Hij wil het wezen der dingen zoo on-middellijk mogelijk laten spreken. Als hij een paard schildert (paarden en herten, alle dieren wel, hadden zijn bizondere liefde), gaat het niet om zijn visie van het paard, maar om de visie die het paard van de natuur heeft. [...] hij heeft inderdaad den droom der dieren (diep) gedroomd. Doch droomen was geen tastenden staat voor hem: het was gespannen klaarheid. Hij sprak, of had kunnen spreken van de droom der sterren, waarin hij het geheim der wereld in heldere spanningen zag. Het is deze volkomen vermenging van geheim en klaarheid, van ondergrondsche duisterheden en open vorm, die het werk van Franz Marc een eigenaardig karakter, een boeiende kracht verleent. Hij lijkt mij de rijkste (ik zeg niet de grootste) schilder van het nieuwe Europa.

En tot slot merkt hij dan over Marcs schilderij Die gelbe Kuh (absusievelijk 'weisse Kuh' genoemd) op, dat daarin 'het wonder volbracht is; waarin hij warme tederheden, en: "goede rust" in groote, klare vlakken ving.' Een uitspraak waarin het ideaal van de 'cubist van het sentiment' nogmaals is geformuleerd. In een brief van begin november 1922 aan Lehning schrijft Marsman over een bundel waarin hij zijn poëzie van de afgelopen drie jaar denkt op te nemen. Als titel heeft hij *Droomkristal* in zijn hoofd: 'synthese tusschen het fransche en het duitsche, dag en nacht, droom en helderheid'. Later zou hij, nadat hij zijn in 1923 verschenen bundel gewoon *Verzen* heeft gedoopt, die naam geven aan de tweede afdeling van *Paradise regained*, die nagenoeg overeenkomt met de tweede afdeling van *Verzen*. Daarin had hij de gedichten ondergebracht, die gedurende de zomer en winter van 1921 waren ontstaan na zijn reis naar Hiddensoe en Berlijn en de diepgaande kennismaking met de expressionisten, waarvan Trakl de grootste indruk op hem had gemaakt. Daarmee was *Droomkristal*, intermezzo tussen de hyperindividualistische en duistere poëzie van 'Ruimteschemer' en de strakke plastiek van 'Seinen', niet de nagestreefde synthese tussen Duits expressionisme en Frans kubisme. Overigens beschouwde hij zelf 'Ruimteschemer' als expressionistisch, en 'Seinen' als kubistisch, ook al stond hij tegenover dat laatstgenoemde met gemengde gevoelens, zoals blijkt uit de al genoemde brief aan Lehning.

> Zie er is dit: ik bevocht in de 'Seinen' een nieuwe vorm (cubistisch soit – er is werkelijk veel overeenkomstigs met Cendrars) en vreesde de tweesprong: 'Potsdam'-Madonna – ik hield dat voor onvereenbaar. Ik vergat dat Franz Marc het verbond. [...] de meeste der 'Seinen' waren zonder hart, prachtig maar leeg.

Zijn reserve tegenover de nieuwgevonden en door hemzelf als kubistisch ervaren vorm, verhinderde hem niet zich er in de komende maanden van te blijven bedienen. Daarmee sluiten de 'Seinen' zich aan bij zijn voorgaand werk, waarin indrukken en invloeden pas lange tijd na dato werden verwerkt. De datering bij publicatie van 'Stralsund', 'Freiburg i.B.', 'Milow a.d. Havel' en 'Dordrecht' in *De nieuwe kroniek* van 22 maart 1923 geeft aan dat deze gedichten werden geschreven in de maanden november en december van het voorgaande jaar, dus na bovenstaande mededeling aan Lehning. Blijkens dezelfde brief van 3/4 november moest hij 'Bazel' nog schrijven, en stuurde hij zijn vriend pas op 6 december 'Scheveningen', 'Delft' en 'Dordrecht'.

Lehning was inmiddels met het zetten van de nieuwe bundel begonnen in de drukkerij van het uitgeversbedrijf *Die Schmiede* waar hij, naast zijn studie aan de Berlijnse Friedrich Wilhelmuniversiteit, werkte. Het boek zou worden uitgegeven bij Ploegsma te Zeist. Tot deze werkwijze was besloten, omdat drukken in Duitsland zeer goedkoop was vanwege de voortdurende daling van de mark, die pas in 1923 tot staan zou worden gebracht. Behalve *Verzen* produceerde Lehning ook Slauerhoffs *Archipel* op die manier.

Omdat Marsman inhoud en volgorde van wat later, om de kleur van het omslag, als het rode boekje bekend zou worden, voortdurend wijzigde, en er bovendien complicaties ontstonden toen Erich Wichmann aanbood de bundel met litho's te illustreren (wat jammerlijk mislukte), zou het nog tot de herfst duren voordat *Verzen* het publiek bereikte. De regelmatige oekazes naar Berlijn om de samenstelling van de bundel weer helemaal om te gooien spreken voor de 'ongehoorde onevenwichtigheid' waaraan hij in deze maanden leed. Slauerhoff en Hendrik de Vries, die hij inmiddels had leren kennen, en die hem bij de compositie van *Verzen* terzijde stonden, kwalificeerden zijn nieuwste poëzie als dadaïstisch, en in zijn onzekerheid vroeg Marsman aan Lehning of zij daarmee gelijk hadden. Op hetzelfde moment, in februari 1923 maakten Kurt Schwitters en Theo van Doesburg een propagandatournee voor het dadaïsme door Nederland. Of Marsman een van hun geruchtmakende voorstellingen heeft bezocht is niet bekend, maar hij had zich bij die gelegenheid ervan kunnen overtuigen dat zijn werk met dadaïsme niets had uit te staan, voor zover hem dat bij zijn laatste bezoek aan Parijs uit het werk van Picabia, waarover hij aan Houwink had bericht, nog niet duidelijk was geworden.

Hij mocht dan de persoonlijke affiniteit met de 'Seinen' verloren hebben, de uitgave ervan werd door hem duidelijk gezien als een wapen in een literaire revolutie. In dezelfde brief aan Lehning, waarin hij zijn gedichten 'prachtig, maar leeg' noemt, schrijft hij: 'Het is mij veel waard de 'Seinen' dadelijk gedrukt te hebben, en te koop: het moet een stoot geven – wie weet.' Een dergelijke uitlating is een van de eerste manifestaties van het geambieerde leiderschap in de literatuur. Men zou haast menen dat hij zich daarmee aan het directief van Gertrude Bergwitz had onderworpen, maar dat was slechts in theorie zo, want in het werkelijke leven waren Slawa en de zee weer aan de winnende hand. In oktober 1922, toen hij al weer terug in Noordwijk was, zocht Slawa Weyna hem op, en met haar maakte hij een korte rondreis door Holland, die hem de inspiratie voor de laatste stedengedichten verschafte.

Wij waren Maandagmorgen op de Maas: o! de vijf sprongen van de ijzeren Brug, de kruistocht van water, de vechtende schepen, de eeuwige kreet der meeuwen, het zwarte geweld der stoomers, de mastwouden –; [...] Dordrecht is sterk, open, niet zeer gebonden, maar vrij en helder, ik zag 't voor 't eerst (wat zag en leefde ik niet voor het eerst door S. deze weken!!). Delft schemerde reeds toen we kwamen, het leven droomt onder de bruggen, maar de toren staat edelmachtig op het eenige plein van dit land. [...] [Over Scheveningen:] op het eind van de strandweg, aan 't havenhoofd, ving mij de zee op, mijn onsterflijke geliefde, de eenige die mij niet verraden zal, en die ik niet zal verraden; de oneindigheid der wilde wateren sloeg mij, schildknaap nog, tot stalen ridder. O, onze gang langs de gladde straat aan het water. Mijn haar is hard en droog geworden, mijn oogen stelden zich om, aan de weerklank mijner schreeden verpulverden de steden. De zee is het laatste. – Toen Leiden even, toen Noordwijk. – Daar sliepen wij. In Haarlem vonden wij de voortreffelijke gezuiverde Halsen, en 's avonds stortten wij ons op de eenige stad van dit land, van nu.

Met de polariteit Gertrude-Slawa, de stad en de zee, zijn we terechtgekomen bij A. Roland Holst, wiens schaduw al sinds lang over Marsman gevallen was, zonder dat deze zich dat zelf goed bewust was. Hannemieke Postma heeft er in haar analyse van *Verzen* al op gewezen dat het typisch Holstiaanse woord *schemer* al in de eerste afdeling van die bundel voorkomt, en dat gedichten als 'Wacht' en 'Madonna' sterk door de oudere dichter beïnvloed zijn. Het was juist in de eerste jaren van Marsmans dichterschap dat de typische levensvisie van Roland Holst uitdrukking kreeg in zijn poëzie. In 1913 was *De belijdenis van de stilte* verschenen, waarin de idee van het overzeese Elysium als de positieve tegenhanger van de verfoeide stadscultuur zijn intree doet. In 1920 volgde *Voorbij de wegen*, dat een grote indruk op Marsman heeft gemaakt. Zijn bespreking in *De nieuwe kroniek* van 28 januari 1922 legt daar ondubbelzinnig getuigenis van af.

De kennismaking met Roland Holst heeft vermoedelijk plaats gehad in de loop van 1922; de oudste brieven van Roland Holst aan Marsman dateren althans uit dat jaar. Mogelijk is de aanleiding tot het contact Marsmans kritische medewerking aan *De gids* geweest, waarvan Roland Holst redacteur was. In die functie heeft hij geijverd om publicatiemogelijkheden voor de jongere generatie te krijgen, zeker toen na een 'paleisrevolutie' van Ernst Groenevelt binnen *Het getij* Van Wessem, Van den Bergh e.a. zonder podium kwamen. Om zijn zin door te zetten bij de overige redacteuren, waaronder de hoogleraren Colenbrander en Huizinga, die voor een dergelijke koerswijziging van hun blad zeker niets voelden, stelde Roland Holst zelfs de portefeuillekwestie, maar tot een werkelijke botsing binnen de leiding van *De gids* kwam het niet, omdat in 1923 *De vrije bladen* de plaats van *Het getij* kwam innemen. Marsmans stukken over Georg Heym, August Stramm, en zijn aantekeningen over Franz Marc werden geweigerd, nadat ze, met wel opgenomen artikelen over Hendrik de Vries en Georg Trakl, ter publicatie aan *De gids* waren gestuurd.

Typerend voor de verhouding waarin Marsman zich ten tijde van het schrijven van zijn stedengedichten tot Roland Holst voelde staan, is de brief die hij begin november aan hem schreef. Sterker dan hij tezelfdertijd tegenover Lehning doet, afficheert hij zijn modernisme; zo is er van de scepsis ten opzichte van de 'Seinen' die hij tegenover Lehning laat doorschemeren, ditmaal geen sprake. In zijn oordeel over vroeger werk – de gedichten 'Invocatio' en 'Madonna' en het stuk over 'Novalis', alle ontstaan tijdens de voorafgaande zomer, vóór de tweede reis naar Duitsland – is hij tegenover beiden van dezelfde mening: het is onder Roland Holsts invloed tot stand gekomen. Maar: 'Jany is voorbij (prachtig, maar voorbij), zoo "Invocatio", zoo "Madonna"', schrijft hij aan Lehning, en hij voegt er enige tijd later aan toe dat hij het artikel over Novalis zelf sentimenteel vindt, ondanks de gunstige mening die Roland Holst erover heeft.

De positie van vaste poëziekritikus van *De gids* bood Marsman de gelegenheid tot het ventileren van zijn literaire en maatschappelijke ideeën, waarvoor de te bespreken dichters vaak niet meer dan kapstokken waren. Juist met deze stukken in het tijdschrift dat na het verdwijnen van *De beweging* ook voor de letterkunde weer zeer gezaghebbend was geworden zou Marsman zijn dictatoriale reputatie vestigen. Een goede indruk van zijn onverhulde behoefte om leiding te geven toont zijn bespreking van *De keten* van Jan Dideriksz.

Ik kan, hier noch daar [in Holland en Vlaanderen, J.G.], centrale principes de mentaliteiten der jongere dichters zien binden en beheerschen. Ik kan geen leidende ideeën ontwaren noch kernen, waaruit en waarrond zich massaas groepeerend kristalliseeren. Sommigen onder ons meenen, dat groepen meestentijds in negaties één zijn, samenrotten enkel tot verweer; dat, zoodra de gemeene weerstand is gebroken, het verband zich oplost in de enkelingen; en de beweging der tachtigers zou hiervan het zeer sprekend bewijs leveren. Anderen zeggen dat ook hier en in Vlaanderen de jongeren wel degelijk positief-, innerlijk-gebonden groepen vormen. Ik meen echter dat, behoudens één enkele restrictie, de (rederijkerige) groepjes te bijkomstig en weinig-omvattend zijn, hier bij ons, om uit deze gegevens zwaarwichtige cultureele onderscheidingen te induceeren. Deze uitzondering geldt *De Stem*. Haar mentaliteit, die niet de mijne is, werkt in deze landen door in ruimen kring, sijpelt uit in veler harten, is hier zeer en vogue.'

Volgt een karakteristiek van *De stem*, die Dideriksz onder haar vaste en representatieve medewerkers rekende, eindigend met de boutade: 'De beste bijdragen hebben met eenige gesteldheid van den 'nieuwen Mensch', dezen deugdzamen homunculus, ternauwernood een gram gemeenzaamheid.' Enkele maanden later zal Marsman duidelijker en uitgebreider op zijn bezwaren tegen de mentaliteit van het door Dirk Coster en Just Havelaar geleide tijdschrift terugkomen, wanneer hij in februari 1923, op uitnodiging van de redactie van *De stem*, zijn mening geeft over 'den stand onzer moderne poëzie en De Stem'. In dit – geweigerde – stuk betoogt hij 1. dat de modernistische beweging verre van homogeen is, en bepaald niet aan 'één, positieve, leidende idee' ontspringt; het concept van de 'nieuwe mens' is gebaseerd op een fictie. 2. Zeker in Holland ontbreekt een leidinggevende, groepsvormende idee. 3. Aan het criterium 'intensiteit van bevinding' waarmee de Stemredactie de waarde van het literaire werk bepaalt, wordt niet als noodzakelijk complement 'diepte van vorm, rhythmische spanning, stijl' toegevoegd; daarmee bedrijft men een eenzijdig-humanistische literaire politiek, die leidt tot het stimuleren van inhoudelijk 'menschelijke', maar technisch zwakke poëzie.

Het laatste bezwaar is, zoals de lezer al heeft kunnen vaststellen, al jarenlang een van Marsmans stokpaarden, het eerste zal hij in toenemende mate herhalen in de aanloop naar en de uitoefening van het leiderschap van zijn generatie middels het redacteurschap van *De vrije bladen*. Een belangrijk element daarbij is zijn cultuurpessimisme. De aanhef van het stuk over *De keten* is gesteld in die toon, de polemiek met *De stem* is ervan doortrokken. En als zo vaak stuiten we ook in dit geval al snel op de geestelijke vader van deze nieuwe tendens in Marsmans kritische geschriften. De eerste de beste bijdrage in *De gids*, een neersabelende recensie van de humanitair-expressionistische poëzie van de Belgische dichter Geert Pijnenburg, begint met de zin: 'De ondergang van het avondland gaat (onder meer) met een radelooze cultuurschuwheid gepaard.' Oswald Spengler doemt op als Marsmans mentor voor de komende periode; in zijn gezelschap bevindt zich Roland Holst.

± *1923*

HOOFDSTUK 4

LEIDERSCHAP IN EEN ONDERGAANDE WERELD

Op 15 februari 1923 schreef Marsman aan Lehning:

> na de schoone werkzame weken van November en December liep mijn lichaam af, en mijn geest desgelijks [...] ik heb geen spoor van kracht, alles is dof en ontzettend moe. Ik sterf dagelijks. En dan blijkt opnieuw dat mijn vrienden geen mannen zijn, en – erger – mijn vriendinnen geen vrouwen, dan helpt geen wind, want ik kan niet loopen met sterke schreden, en geen Hamsun, geen Rimbaud helpt dan. Dan hebben eeuwige nachten de overhand.

En twee weken later, op 2 maart, toen hij zich nog zieker voelde en zijn intrek genomen had in het ouderlijk huis, voegde hij er aan toe:

> Ik ben weer naar huis gegaan. Ik zou anders op een nacht niet meer terugkeeren van zee – en ik weet niet, of doodgaan beter is dan niet-doodgaan. Zie, nu alle 'sensaties': steden, wijn, vrouwen, werk, de schoonheid – nu alles vaal werd, nu blijft enkel – wat ik soms wel vreesde, de vreeselijke treurigheid, om alles. Ik vond altijd alles zonder zin, maar leefde uit vitaliteit – nu wijkt die roes, en enkel het donkere blijft. Het is beter, dieper dan wat men vreugde noemt, maar het is toch zinloos. Nu blijkt dit, mijn atheïstisch nihilisme, nu de roes voorbij is, zonder steun. Nu erken ik, dat alleen religieuse menschen het harden – maar ik kan nu toch niet, als noodrem, naar 'religie' grijpen – dat is te grof. Zoo blijft wat zachte treurigheid. En toch: ik begrijp Iwan Karamazow.
>   Nu laten vrienden en vrouwen mij alleen. Ik heb die buiten jullie en Cor en Claartje, en (in Berlijn) een paar, nooit gehad, maar dat merkte ik niet, toen ik vroolijk was. Men speculeert erop, dat ik alleen kan zijn. Zelfs jij Annie zegt: 'Je bent een sterke jongen' – goed, er zouden nieuwe middelen, nieuwe vreugden te vinden zijn, maar nu ik ze doorzie als bedwelmend enkel, verwerp ik dat minderwaardig 'geluk' tot 'het toeval' me er weer in sleept – als ik dan nog leef, althans. Als jullie geen luide stedelingen zijn gewor-

den, maar òf diep-geloovigen, òf pessimisten, en geen dazende oppervlakkige romantici, geen moraal-stichters, geen geluk-zoekers, dan hoop ik nog op vele avonden van rustig samenzijn, met wat zacht genoegen, en wijn. De rest is onzin. [...] Ik ben nu bij de dokter, die zal kijken of ik nog lang leef.

Als men deze ontboezeming zuivert van de nodige 'dazende romantiek' (Marsman toonde nooit eerder of later in zijn leven neiging tot suicide), dan blijven er nog voldoende aanwijzingen over om te concluderen tot een psychische crisis zoals hij die voordien nog niet had meegemaakt. De creatieve spanning waaronder de 'Seinen' waren geschreven was te hoog geweest, en bovendien: te geforceerd. Niet toevallig gebruikt Marsman, waar hij spreekt van zijn werk en de inspiratie daartoe, termen als 'sensaties' en 'middelen' die 'bedwelmend' zijn. Er worden associaties gewekt met wat hij later in 'Dichten over den dood' schreef over 'het schuiven van poëzie'. Zijn vitalisme (dat straks nog ter sprake komt) komt daarmee in een eigenaardig licht te staan: het blijkt een hardnekkig pogen om een eenmaal beleefde geestelijke staat terug te roepen.

In hoeverre een slechte fysieke toestand voorafging aan een psychische depressie of omgekeerd, is moeilijk vast te stellen aan de hand van het beschikbare materiaal, en bovendien komt de vraag me als niet relevant voor, aangezien het duidelijk is dat lichaam en geest bij Marsman zo nauw naar elkaar luisterden dat ze zich als communicerende vaten tot elkaar verhielden. Hoe diep de crisis wel was, blijkt uit het feit dat zijn werk in deze periode geheel stil lag. Ook vroeger had hij wel depressies gekend, maar daaruit was soms poëzie voortgekomen. Zo schrijft hij drie jaar later, in de lente van 1926, wanneer een nieuwe krachtige crisis hem getroffen heeft, dat hij vroeger in dergelijke uren gedichten als 'Gang' en 'Schaduw' schreef. De aanhef van het laatste gedicht is dan ook representatief voor zijn stemming van deze dagen:

> Vreugde is zwartgebrand;
> asch en omwalming

Er is nog een passage uit de hierboven aangehaalde brief aan Lehning die significant is voor de toestand waarin hij zich bevond: 'Misschien ga ik spoedig naar Jany. Wij willen den ondergang der wereld vieren, voordat hij vertrekt naar Elysium, en ik naar de Hades'. In april logeerde hij inderdaad bij Roland Holst in Bergen, na hersteld te zijn van de bof. Tijdens dat verblijf ontmoette hij Herman Gorter, een ontmoeting waarvan hij zich later zou herinneren:

nooit, sinds ik hem zag,
zag ik een man
wiens wezen zoo bezielend overkwam
tot in zijn blik, zijn praten en zijn gang.
een rechte beuk

Of het is geweest tijdens zijn verblijf te Bergen, of kort daarvoor, dat hij het korte prozastuk 'Praeludium mortis' schreef, is niet goed uit te maken, maar zeker is dat het ontstond in de geestelijke nabijheid van Roland Holst, en in de stemming die uit het bovenstaande briefcitaat blijkt. Het stuk is zo Holstiaans dat het begrijpelijk wordt dat Marsman het bij de samenstelling van zijn *Verzameld werk*, veertien jaar later, supprimeerde.

Opvallend is ook dat de oorzaak van de persoonlijke crisis gezocht wordt in de tijdsomstandigheden. Niet alleen Holst is aanwezig in 'Praeludium mortis', maar ook Oswald Spengler, wiens *Der Untergang des Abendlandes* in die jaren het handboek geworden was van veel Westeuropese intellectuelen en kunstenaars, die na de catastrofe van de Eerste Wereldoorlog onmogelijk konden geloven in de voortzetting, laat staan in de kracht van de oude cultuur. Spengler had met zijn idee van een cyclisch verloop (opkomst, bloeitijd, ondergang) van beschavingen weliswaar geen nieuwe gedachte geïntroduceerd, want deze visie op de cultuur is al zo oud als het fenomeen zelf. Maar het moment waarop hij zijn denkbeelden lanceerde, aan het eind van de oorlog, en de positie vanwaaruit hij dat deed, behorend tot de verslagen natie, droegen in niet geringe mate bij aan hun weerklank en succes. Overigens was een dergelijk effect, dat mede was bewerkstelligd door het extra suggestieve van de titel na de voor Duitsland catastrofale afloop van de oorlog, in het geheel niet door de auteur voorzien, en allerminst door hem bedoeld. Het werkelijk einde van de Westerse beschaving had Spengler enige eeuwen na 1918 voorspeld; vóór die tijd had hij zich een Imperium Germanicum gedacht dat met een Duitse overwinning zijn beslag zou krijgen, en dat naar analogie van het Romeinse keizerrijk het hoogtepunt en de afsluiting van een tweeduizendjarige periode zou zijn. Het eerste deel van zijn boek verscheen geheel volgens zijn wens aan het eind van de oorlog, waarvan de afloop echter niet met zijn prognoses overeenkwam. Zijn faam als cultuurpessimist was door de samenloop van omstandigheden definitief gevestigd, en al zijn pogingen dat etiket van zich af te weken waren tevergeefs.

Juist in de hoedanigheid van profeet van een naderend einde had Marsman Spengler leren kennen en waarderen.

Daarnaast oefenden persoon en werk van Arthur Moeller van den Bruck invloed op zijn maatschappelijk en politiek denken uit. Moeller van den Bruck mocht dan als conservatief en monarchist veel overeenkomsten met Spengler hebben, hij was zeker minder reactionair dan deze, en in zijn denkbeelden valt veel te bespeuren dat later bij Marsman doorklinkt. Marsman ontmoette hem toen hij in de zomer van 1921 voor de eerste maal in Berlijn was, een verblijf dat in zijn dichterlijke ontwikkeling een zeer belangrijke rol speelt, maar dat hem ook in politiek opzicht heeft gevormd. In de kringen die hij te Berlijn frequenteerde werd, naar mededeling van Lehning, Moeller van den Bruck als theoreticus vereerd. In zijn hoofdwerk *Das dritte Reich* (1923) zette hij zijn visie op het Duitse staatsbestel uiteen. Parlementarisme en liberalisme achtte hij funest; naar zijn mening zou er een strakke hiërarchische bestuursvorm dienen te komen met de volksgemeenschap als organische basis. Partijvorming was uit den boze, klassen en standen moesten worden gehandhaafd. Het zal geen verbazing wekken dat deze aanhanger van de corporatistische idee Mussolini's mars op Rome met enthousiasme begroette. Minder geestdriftig was hij over Hitler die hem in 1922 uitnodigde ideoloog van de jonge nationaal-socialistische partij te worden. Hij vond hem vulgair en plebeïsch. Overigens had Moeller van den Bruck wel enige bewondering voor wat het regiem van Lenin binnen enkele jaren in Rusland tot stand had gebracht, en streefde hij naar wat hij 'nationaal-bolsjewisme' noemde. Een medestander zou hij vinden in Otto Strasser, lid van de door hem als politiek debatinggezelschap opgerichte Juniclub, die later een van Hitlers medewerkers zou worden, maar in 1930 de NSDAP verliet omdat hij er geen ruimte zag tot realisering van zijn radicale denkbeelden.

Het lijkt me onaannemelijk dat Marsman het Spengleriaans cultuurpessimisme als een pose heeft gebruikt. Daarvoor sloot het te veel aan bij zijn eigen geestelijke gesteldheid, die er een was van een 'rampzaligen hang naar verwikkelde radicaliteit' zoals hij schrijft in een eerdere versie van het *Zelfportret*. En op deze kwalificatie laat hij volgen: 'een onmiskenbaar teeken van ondergaande cultuur'. Zijn uitlating in 'Praeludium mortis' dat zijn 'neigen naar vreugde of weemoed met het lot onzer wereld verwant' is, moet waarschijnlijk zo worden verstaan dat hij zich in zijn stemmingen liet beïnvloeden door de contemporaine maatschappelijke en politieke gebeurtenissen, maar daarnaast zijn stemmingen vooral projecteerde op de buitenwereld. Het komt me voor dat er geen direct of zelfs maar indirect oorzakelijk verband valt te leggen tussen de poëzie uit 1919 en 1920, en de optimistische toekomstverwachtingen die de wereld na de oorlog korte tijd beheersten, verwachtingen die de bodem werd ingeslagen door de toenemende internationale spanning als gevolg van de uitkomsten van de vredesconferentie te Versailles. De 'vitalistische' jaren die Marsman vervolgens doormaakte, met als hoogtepunten de beide reizen naar Duitsland, waar hij economische ellende, inflatie en mislukte revolutiepogingen van nabij kon meemaken, vinden evenmin hun parallel in de algemenere situatie van die tijd.

Het gevoel dat hij het kind was van een beschaving die in haar laatste fase verkeerde, werd overigens niet door Spengler alleen geïnstigeerd; ik hoef maar te herinneren aan de door Hofmannsthal en Van de Woestijne beïnvloede levenshouding van zijn zeventiende jaar.

Zomer en najaar van 1923 waren voor Marsman in creatief opzicht een weinig productieve tijd, ook al omdat hij al zijn tijd nodig had om zich voor te bereiden op het kandidaatsexamen rechten. Op 10 juli schreef hij Binnendijk (die hij sinds kort kende) dat hij zijn poëtisch non-actief nog wel tot begin 1924 zag duren.

Medio oktober verscheen zijn eerste officiële bundel *Verzen*. Als we mogen afgaan op de getuigenissen, jaren na dato, van Jan Engelman en Beb Vuyk, had deze publicatie binnen een kleine kring van leeftijdgenoten een enorme weerklank. Toen Marsman in 1936 met de Van der Hoogtprijs werd bekroond voor zijn bundel *Porta nigra*, schreef een anonymus, waarachter we Jan Engelman kunnen vermoeden, in *De tijd* van 19 juni 1936:

De verschijning van Marsmans eerste dichtbundel 'Verzen' is een datum geweest in de Jong Hollandsche literatuur. Geen jongere zal dezen datum vergeten. Het roode boekje, dik zwart bedrukt, ging van hand tot hand. Iedereen kende het van buiten. Het deed een nieuwe verstechniek, een nieuwe 'levenstechniek' – als men dat zeggen mag – ontstaan. Het legde verband tusschen de Hollandsche jongeren-beweging en de poëzie der beste Duitschers: Rilke, Trakl, de nieuw-ontdekte Hölderlin en het maakte, na de actie van 'Het Getij', die voorbereidend was geweest, ruim baan voor de groep van 'De Vrije Bladen'. Ook op de katholieke letteren had het zijn weerslag. Het verscheen één jaar voor De Gemeenschap, tot wier vriendengroep Marsman sedert de oprichting van het maandblad, waaraan hij ook meermalen medewerkte, behoort. In de z.g. aesthetische zuiverings-acties van De Gemeenschap waren de inzichten van Marsman soms beslissend. Er ontstond, typisch kenmerk eener nieuwe beweging, een nieuwe waardeeringsschaal.

Deze mededelingen achteraf worden wat gerelativeerd wanneer we letten op de stemmen in de literaire kritiek, kort na verschijning van *Verzen*. Die stelde zich, tot in de reacties van geestverwanten van Marsman als Hendrik de Vries, Nijhoff en Van Ostaijen, gereserveerd op, al was de eerste bespreking, van Israël Querido in het *Algemeen handelsblad* van 15 december 1923, zonder meer gunstig. Querido begon zijn stuk, geschreven in de van hem bekende hyperbolische stijl, met het citeren van 'Vlam', waarna hij vervolgde:

> Dat is waarlijk prachtig. Dat is geheel naar beeld en taal grijpen, en naar de verpersoonlijking van het geziene, dat niet gezien is. In een vertaling, zou dit gedicht één schittervlam blijken. In zulke beelding is alles nieuw: gevoel, gewaarwording, aandoening, visie, rhytme, maat, rijmslag. Ach, neen, geen theorie. Vindt ge het niet heerlijk van zegmoed: een lach van vuur, van louter vuur! – Jammer, doodjammer, dat hij het te lange begripswoord 'ontzaggelijke' schalen noodig heeft. Iet of wat duf, dit woord, in expressionistisch verband met het expressionistisch geheel!

Over 'Bloei' merkte hij op:

> Zeer schoon van klank, van beeld, van rhytmische werking. Doch vooral het zien, het onzienlijk zien van het geziene, en het zienlijk zien van het ongeziene. Dit is de beeldspraak van een nieuwen tijd. Baudelaire had stamelende verlangens er naar, en nu en dan Verlaine, en hier Gorter, en... doch waarom namen, nog meer namen noemen? In deze 'Verzen' van H. Marsman is gebroken met al het oude, oud-duffe, oud-rimpelige, oud-kletserige, en oud-rhetorische. Ach, kon ik ruimte ergens in Holland vinden, om ieder woord, iederen klank van zulk een stout en visioenair woordkunstvermogen te doen gevoelen. Gij, in uw waanwijze schoolmeesterij, noemt het broddelen, frequentativum van brodden, dat zooveel als knoeien beteekent. Ay, aartslapper, aartsknoeier, omdat ge niet het hoogste in u hebt; het hoogste gehoor voor rhytme, en het zuiverste oor voor maat en rijm. Doch dit eerste in dichtkunst, al het andere er naast is walmend, wrak, burgerlijk, afgesleten, uitgeleefd. Hier hoort ge klanktonen, hier hoort ge melos, hier staan en bloeien en verwelken gedachten, die ontstellen. Deze poëzie is van uit het Grenzenlooze gevoeld.... Precies zoo dichtte Shakespeare, doch... heel anders. Hier is een vermenging van mensche-

lijke aandoeningen met dichterlijke, die in louterheid en zuiverheid alles overtreft wat ons op dit gebied reeds geschonken werd.

Toch mag betwijfeld worden of Querido de poëzie van Marsman wel voldoende op eigen merites heeft beoordeeld; het vermoeden ligt voor de hand dat hij er slechts het aspect 'woordkunst' in herkend en geapprecieerd heeft, een late echo misschien van zijn eigen *Verzen*, waarin de woordkunst van Van Deyssel c.s. tot retorisch gebral was overgegaan.

> Eng'len-pâle-valse
> Warrelen-draai
> Panieke-pruilingswaan
> Hoog-uit
> Kleur-begrip verbijsterd
> Toorn-wereld-lach

luidt een fragment uit een van zijn gedichten, dat 'Klankenhaat' heet.

Heel wat minder positief was de mening van Carel Scharten in *De telegraaf* van 5 januari 1924. Zijn kritiek opende met de opmerking dat de verwachtingen van de lezer hooggespannen zouden zijn als deze op de hoogte was van de poëziebesprekingen die Marsman in *De gids* had gepubliceerd, en geschreven 'vanuit een hoogte, van welker bestaan nu zal moeten blijken.' Wie zijn recensie zo begint, is er op uit een negatief oordeel te vellen. Scharten veroordeelt deze gedichten dan ook, niet vanwege een geringe literaire kwaliteit, maar omdat hij ze voor het grootste deel 'zoo goed als onvatbaar' vindt. Toch gaat hij niet zo ver 'den dichter voor een farceur of een bedrieger te houden', want in sommige gedichten – hij noemt 'Smaragd', 'Vrouw', 'Einde', 'Virgo', 'Bloesem', 'Robijn', 'De blauwe tocht', 'Invocatio' en 'Madonna' – ziet hij toch kwaliteiten. Bijna een derde van de bundel vindt dus genade in zijn ogen, en alleen de 'Seinen' vallen duidelijk in hun geheel af.

Schartens mening is, zeker beschouwd in relatie tot het feit dat *De telegraaf* toen al neigde in de richting van het massablad van nu, waarschijnlijk representatief voor de reactie van de gemiddelde Nederlandse lezer, die de eerste gedichten van Marsman slechts als experimentele nonsens beschouwd zal hebben. Vanuit een dergelijke houding van onwennigheid wordt *Verzen* besproken in het nummer van augustus 1925 van *Stemmen des tijds*, 'maandschrift voor Christendom en cultuur'. Recensent dr. C. Tazelaar herkent de bundel als een uiting van het expressionisme, dat hij karakteriseert als de richting, die zich in 't minst er niet over bekommert, of iemand den indruk, dien de kunstenaar ontving, navoelen kan of zijn eigen impressies er in zal terugvinden. Volkomen onafhankelijkheid, zoowel wat betreft inhoud als vorm der poëzie, is haar parool; het buitengewone is het gewone grenzen en normen bestaan niet meer.

Na het in hun geheel citeren van 'Vlam', 'Gang', 'Scheveningen' en 'Amsterdam', concludeert Tazelaar tot volkomen onverstaanbaarheid, al toont hij in zijn slotwoord enig begrip voor de mogelijkheid dat deze poëzie conventie-doorbrekend en 'Epoche-machend' kan zijn.

Wij leven [...] in een tijd van overgang, 't geen beteekent, dat men zoekende is naar nieuwe vormen voor groeiende denkbeelden. Uiteraard volgt daaruit, dat iets vreemdsoortigs, zelfs revolutionairs kan ontstaan, zonder dat daaraan eenige andere waarde behoeft gehecht te worden, dan een probeersel heeft. Wellicht is de poëzie als Marsman hier brengt niet anders, dan een grijpen naar het nieuwe, zooals dat in de moderne Duitsche dichtkunst veelvuldig is [...], maar dat toch niet verder komt dan de poging zelf.

Van een zelfde attitude geeft Alb. J. Luikinga in *De socialistische gids* van mei 1926 blijk. Ook hij begint met het aanhalen van 'Vlam', gevolgd door 'Scheveningen', om dan de suggestieve mededelingen te doen: 'Dit is een vers, lezers.' En hij vervolgt:

Wij, menschen van den nieuwen tijd, zullen in de laatste plaats prijzen het oude, omdat het oud, laken het nieuwe, wijl het nieuw is. Ook nemen wij in aanmerking, dat dikwijls wie den moed hadden, nieuwe wegen in te slaan, die later goed zouden blijken, bespot werden door wie hen niet begrepen. Maar dit!... Wanneer Marsman 'gedichten' wil maken, zoo subjektief, dat alleen hijzelf ze misschien kan begrijpen, zal niemand hem dit behoeven te beletten. Ieder diertje heeft zijn pleiziertje. Doch wanneer hij ze gaat publiceeren, wordt het anders. Het schijnt niet volkomen korrekt, iemand een raadselboek als 'Verzen' te verkoopen.

Alle gekheid op een stokje. Laat ons aannemen, dat Marsman geen aansteller is en geen snaak, die aanstellers erin wil laten loopen, maar dat het hem erom te doen is, in uiterst-samengedrongen vorm de pakkendste effekten te verkrijgen. De Fransche letterkunde heeft een soortgelijke verschijning, Jean Cocteau. Zij kunnen voor zichzelven meenen, op deze wijze het hoogste te bereiken, geen mensch zal hen kunnen volgen, niet omdat anderen niet zouden kunnen stijgen, maar omdat een mensch niet bij machte is, te denken door eens anders hersens, en hij dit zou moeten doen, wilde hij uiterlijk-onsamenhangende klanken kunnen verstaan.

Op het moment dat deze – wat late – recensie geschreven werd, was Marsmans tweede bundel *Penthesileia* verschenen, die Luikinga minder onbegrijpelijk voorkwam, al vond hij de hierin opgenomen gedichten gekenmerkt door 'een matheid, die waarschijnlijk voor aristokratisch-volmaakte beschaving moet doorgaan, maar die, naar te vreezen valt, een gevolg is van bloedeloosheid en gebrek aan levenskracht.'

Een andere kritikus van conservatief stempel, Jan Walch, wees in *Groot Nederland* van juli 1925 eveneens op de moeilijke verstaanbaarheid, maar bleek gevoelig genoeg voor poëzie om te erkennen dat hij hier met een groot talent te maken had. Hij komt ook tot de scherpe observatie (waarin hij alleen bleef staan, tot Marsman er in het *Zelfportret* een bevestiging van gaf) dat een gedicht als 'Vrouw' 'een Odilon Redon-vizioen in woorden' was. Maar met de 'Seinen' had ook Walch grote moeite. Een gedicht als 'Scheveningen' was voor hem volkomen onduidelijk, en hij vroeg zich af:

in hoe groote mate kan men het conventioneele, het mededeelings-element in de taal verwaarloozen, zonder onverstaanbaar te worden; d.i. zonder het contact met zijn tijd te verliezen?

Dat is een quaestie van subtiele aanvoeling. Van beide kanten. De jonge dichter Marsman is wellicht ook in een gedicht als 'Scheveningen' volkomen duidelijk voor zijn tijdgenooten. Ik voor mij kan alleen zeggen, dat ik in hem geloof, omdat véle verzen van zijn bundeltje mij een wijd-en-gevoelig waarnemingsvermogen en een suggestieve beeldkracht doen ondergaan.

Hoe luidde dan wel de mening van de leeftijdgenoten? Martien Beversluis, wiens eerste bundel, toevallig ook *Verzen* geheten, twee jaar tevoren door Marsman in één van de Gidskronieken was afgewezen, was weinig welwillend.

Het komt mij voor als ik den bundel van den heer Marsman lees, alsof ik te doen heb met een jongen man die wel litterairen aanleg heeft, maar door overspannenheid en exaltatie tot een zekeren geestigen overmoed komt. Zijn opmerkingsvermogen is niet onintelligent, zelfs wat merkwaardig, maar wat zijn uiting echter tot poësie moet maken ontbreekt hem.

Overigens betrok Beversluis, die zich een buitengeslotene voelde ten opzichte van het modernistische literaire milieu, de dichters van *Het getij* in zijn kritiek. Vooral Hendrik de Vries moest het ontgelden.

De Vries zelf besprak *Verzen* in *Het getij* van januari en februari 1924. Samen met Slauerhoff was hij nauw betrokken geweest bij de scrupuleuze samenstelling van de bundel, een betrokkenheid die later wederkerig zou worden toen Marsman voor De Vries *Silenen*, en voor Slauerhoff *Clair-obscur* en *Oost-Azië* arrangeerde. De Vries' stuk getuigt dan ook van voeling met Marsmans poësie, al wordt die nooit zo groot dat er van echte affiniteit sprake is; daarvoor waren beide dichters, ook in zuiver-literair opzicht, te uiteenlopende karakters. Het heldere inzicht van De Vries blijkt waar hij spreekt over de invloeden die mede aan *Verzen* ten grondslag hebben gelegen. Hij noemt Van den Bergh, Roland Holst en Van de Woestijne, van wie vooral de eerste twee zullen terugkeren in vrijwel alle beschouwingen die daarna aan Marsmans poësie gewijd zullen worden. Van de Woestijne's aandeel acht hij niet zozeer van belang in formeel opzicht, alswel waar het de mentaliteit betreft. Er van afgezien dat De Vries kennelijk niet opmerkt dat sommige regels (bv. in 'Einde') en het gedragen ritme (bv. van van 'Invocatio') een echo van *Het vaderhuis* vormen, doelt hij met die 'mentaliteit' ongetwijfeld op de individualistisch-aristocratische fin-de-siècle vermoeidheid, waarvan – alweer – 'Einde' zo'n markant voorbeeld is.

De Vries is ook de eerste die over invloed van Stramm op de 'Seinen' spreekt, al zwakt hij diens werking af met de opmerking dat de rol van deze dichter in het tot stand komen van Marsmans gedichten bescheiden is. 'Immers daar [Stramm] zijn werkingen door woordopeenvolging teweegbrengt, veeleer dan door het zinsverband, zijn deze uiterlijk expressionistisch-cubistische schilderingen de meest beginselvaste doorvoering zijner werkwijze. Tevens echter de verstarring, daar, volgens het harde woord van Luther, alle consequentie naar den duivel voert.' Naast een juist begrip voor het eigene van Stramms poësie (juister dan dat van Marsman) valt de afwijzing van de 'Seinen' op, mogelijk om dezelfde redenen die de dichter er zelf voor aanvoerde toen hij sprak van 'prachtig, maar leeg'. Nog opvallender is dat De Vries, die door Marsman zelf als kubist en modern dichter werd beschouwd, en in die hoedanigheid werd uitgespeeld tegen Stramm, de *Verzen* een 'bekoorlijk stuk onkruid' noemt, en vindt dat met de stedengedichten op nauwelijks toelaatbare manier een grens overschreden wordt. Het is ook niet goed te begrijpen hoe Marsman De Vries met zijn voorkeur voor archaïserende poëzie zo'n vooraanstaande plaats in de literaire avantgarde van Nederland heeft kunnen geven. Heel anders zou Paul van Ostaijen tegenover de 'Seinen' staan; we zullen dat zo dadelijk zien.

Toch: een scherp en bijna profetisch inzicht in het wezen van Marsmans werk en persoonlijkheid kan De Vries in dit stuk niet worden ontzegd. Zo stelt hij vast: 'Dat een ziel als deze zich liet vergiftigen door Spenglers ondergangsprediking, zal niemand verwonderen. De vraag of hij hart genoeg zal hebben om tegen dergelijke dwangvoorstellingen te worstelen (om te begrijpen, dat hij er tegen worstelen moet), is beslissend voor zijn toekomst als dichter.' En:

> Tegenover de rococo-ziel, welke, wanneer zij zich opzettelijk verliest in bijkomstigheden, geheel verbrokkelt, vertegenwoordigt hij (naar mijn besliste doch onbewijsbare overtuiging) nog steeds de Gothiek: een stijl die elke willekeurige hoeveelheid onderdeelen tot eenheid vermag te brengen, krachtens eigen ordescheppend wezen. Ontworteld wel is waar van de Middeleeuwsche verzekerdheid, geenszins echter van haar eigenlijken voedingsbodem, het – bewust of onbewust – heidendom.

Nog ruim een jaar, en Marsman zelf zal de ontworteling en verbrokkeling van zijn tijd wijten aan de Renaissance, en als oplossing verwijzen naar de Middeleeuwen.

M. Nijhoffs stuk over *Verzen*, in de NRC van 22 november 1924, wordt voor de helft in beslag genomen door de uiteenzetting van een theorie over het oerwoord, dat de kern van de poëzie vormt, afkomstig 'uit ons psychisch onderbewustzijn'.

> Men zou het zich voor kunnen stellen, als een kreet, als een ontlading van een emotioneele stroom, zoo groot en zoo diep als de ether zelf. Het is als een vuur en moet eens door een Prometheus van de hemel naar de aarde gebracht zijn, om daar in nuttige verbastering dienstbaar te blijven. Het is het hoogste geluk van den mensch, en alleen de groote dichters, wier volmaakte en tot dit eenig doel beheerschte techniek de taal ontsluiert en de oorspronkelijke woord-organismen oproept, en in wier werk deze

organismen een ver boven hun persoonlijk en menschelijk vermogen uitgaande kracht van zelfstandige activiteit ontwikkelen, wekken de herinnering op aan dit woord, nauwelijks vleesch geworden, en steeds naar zijn goddelijke natuur weder opstijgend. Maar hier ligt, onder het zaak-aanwijzende, onder het zaak-zijnde, de creatieve functie van het woord, het geheim van alle poëtische eeuwigheid, een verbeeldings-heimwee van al het stoffelijke naar de eerste en heilige geest.

We zullen een dergelijke theorie van de poëzie, als het 'overspringen van vonken tussen hemel en aarde' binnenkort ook aantreffen bij Marsman. Overigens vond Nijhoff zijn desiderata maar ten dele in *Verzen* gerealiseerd. Hij sprak van 'te zeer afgekoelde noteeringen' en meende dat het meeste 'vlak blijft en het kenmerk van abrupte pooging behoudt'.

> [*Verzen*] mist [...] een uitdrukkingskracht van de sensatie die zijn middel zoekt in een luisterend en teeder taalgevoel, het volgt niet, bijna als een toeschouwer, het bewegen der aandoeningen met een zoo veel mogelijk overeenstemmend bewegen van woorden –, neen, terwijl het hiertegenover machteloos staat, zoo machteloos dat men geneigd zou zijn van een psychische epilepsie te spreken, dringt het met de kracht der sensatie, waarvan het verder geen rekenschap geeft, door tot enkele vergelegen visies, die voor hemzelf van overweldigende scherpte moeten geweest zijn, en legt, als een ontwakende terugkeerende, de uitgangspunten van deze opvaart in zoo weinig mogelijk suggestieve woorden vast.

De korte bespreking die Paul van Ostaijen in de zomer van 1924 in *Vlaamsche arbeid* over *Verzen* schreef, zou drie jaar later, na het verschijnen van *Paradise regained*, waarin Marsmans debuutbundel met enige wijzigingen werd herdrukt, worden uitgewerkt; het enthousiasme was hier echter al aanwezig. Weliswaar wees Van Ostaijen op een gebrek aan homogeniteit tussen de drie afdelingen, waarin hij een ontwikkeling van drie jaren weerspiegeld zag, maar deze eigenschap raakte naar zijn idee niet de dichter. Van de 'Seinen' schreef hij dat ze behoorden 'tot het beste wat wij in Noord- en Zuid-Nederland aan expressionistiese dichtkunst bezitten, tot de technies meest volmaakte en tot de om het doel meest bewuste.'

F. Berckelaers, later beter bekend als Michel Seuphor, schreef in de januari-aflevering van jaargang 1924 van *Het overzicht*, een in België verschijnend modernistisch periodiek, waarmee Van Ostaijen nauwe relaties onderhield:

> Marsman weet nog niet goed wat hij wil. Als poète en herbe doet hij graag gewichtig, maar hij gelukt noch in Woestijniaanse serebraliteit noch in somber Duits ekspressionisme, – al heeft hij van dit laatste beter de toon gevat. De reis naar Berlijn kan gevaarlijk zijn voor een jong dichter die Parijs niet kent.

Naast de juiste observatie van Van de Woestijne's invloed, bevat dit artikel een duidelijke, door voorkeur voor Frans modernisme bepaalde antipathie tegen het Duitse expressionisme, een afkeer die ook al bij Van Doesburg te bespeuren viel, en die in constructivistische kringen, waarin Seuphor-Berckelaers op dat moment verkeerde, algemeen was. Het antidotum 'Parijs' dat Marsman aanbevolen wordt, spreekt boekdelen; alleen hebben wij inmiddels al kunnen zien dat Marsman zelf ook al een synthese tussen het Duitse expressionisme en het Franse kubisme gezocht had, zodat het slot van het citaat achterhaald was door de feiten, zij het dat Berckelaers daar niet van op de hoogte kon zijn.

Op dezelfde lijn als Berckelaers zat Marsmans bewonderde voorbeeld Van den Bergh, die in zijn bespreking van Slauerhoffs *Archipel*, gepubliceerd in *De vrije bladen* van maart 1924 had geschreven over Marsmans gedichten als 'de krampachtige prussianismen van een enkelen onzer meest-vitale maar onelegantste dichters die ons vers aan het naoorlogsche Berlijn tracht vast te binden'. Die opmerking werd geplaatst in het kader van een pleidooi voor een 'nationale' poëzie, maar aan de basis ervan liggen eerder Van den Berghs Franse voorkeuren dan zijn chauvinistische sympathieën.

Het germaanse element was weer wel naar de smaak van Henri Bruning die in alle drie nummers van het door hem en zijn broer Gerard geleide tijdschrift *De valbijl* (april, mei en juni 1924) 'Over en naar aanleiding van Marsman's verzen' schreef. Pas in het laatste nummer kwam hij toe aan een eigenlijke bespreking. Hij vond *Verzen* 'buitengewoon sterk werk', noemde de taal ervan 'van een somtijds-bijna-somptueuze pracht', 'vol warme glanzingen als de brand van amarant' en vond de klank van de gedichten 'een vol en krachtig violonselgeluid.'

Als weinig anderen ontdekte Bruning in het individueel-expressionistisch karakter van Marsmans lyriek de breuk met het verleden.

Marsman sluit zich buiten het leven, hij is 'n individualist die zich alleen bezig houdt met zich-zelf, niet met de mensheid ('terzij de horde'), maar omdat hij diep leeft en zich niet bezighoudt met lieve impressies, met vervagende stemmingen, maar dirèkt boort naar het alleressentieelste Zèlf, heft hij het persoonlike op tot het universele, geeft hij, niet alleen zichzelf, maar de moderne mens, de levenssfeer van de moderne intellektueel en kunstenaar (die, het moderne leven belevend, zich eruit terugtrok) en dàt scheidt hem van individualisten die zich verliezen in lieftallige futiliteiten en verziekelikte zelf-analiezen waar geen mens zich om bekreunt of bekreunen kan en maakt hem boven hen belàngrijk.

Het slotwoord van deze modernistisch angehauchte, maar in levens-overtuiging zeer star-dogmatische katholiek, is een eerste teken van de bekeringsijver die op Marsman van jong-katholieke zijde gericht zal worden, en die in het volgende hoofdstuk uitvoerig aan de orde komt. Met name Henri Brunings broer Gerard zou daarbij voorop gaan, en het volgende citaat ademt sterk zijn geest.

Marsman is een prachtig talent: een van die zeer talentvolle jonge-ren die zich geschaard hebben rond 'de Vrije Bladen'; maar 'n talent dat verloren dreigt te gaan, dat waardeloos dreigt te worden indien hij voortschrijden blijft in de vervallen dekadente geest waarvan het einde dezer bundel de beginsimptomen vertoont. Want dàn wordt het leven een krachteloos resienjeren: En waar het worste-len ophoudt – en hield het niet reeds op? – daar is het oneindig-heidsritme, het oer-ritme van de menselike ziel vernield en rest niets dan 'n hulpeloos-geforseerde levenspoze: poze die uiting is van 's mensen traagheid. En dáárin stellen we geen belang.

De belangrijkste kritiek op *Verzen* verscheen in *De gids* van juni 1924 en was van de hand van P. N. van Eyck, uitgerekend Marsmans opvolger als poëziechroniqueur van dit blad. Marsman zelf zou naar aanleiding van dit stuk aan Van Eyck schrijven: 'Niemand heeft zoo volkomen en nauwkeurig mijn werk begrepen, niemand de positieve en negatieve qualiteiten zoo scherp gezien, geloof ik –; met name verheugde het mij, dat U de quaestie der "moderniteit" negeerde en rechtstreeks op het werk afging.' De pendelbeweging van Marsmans verhouding tot het modernisme was op dit moment weer naar de andere kant doorgeslagen.
Het waren juist de 'negatieve qualiteiten' die van Van Eyck de meeste

aandacht kregen. Hij stelde vast dat de eerste beide afdelingen een aantal goede gedichten bevatten, maar dat de laatste zijns inziens mislukt was, een mening waarvan alleen van Van Ostaijen afweek. Aan het slot van zijn bespreking vatte hij zijn interpretatie van de bundel aldus samen.

Marsman is van zijn subjectiviteit uitgegaan, om tot het inzicht te komen dat haar eenzame machtsdroom een begoocheling is. Toen hij, verslagen, in dienst zijn heil dacht, gaf hij zich over aan wat van de werkelijkheid slechts zijn eigen subjectieve belichaming was. Nadat ook deze versubjectiveering der natuur een mislukking gebleken was, zocht hij het begeerde wezen door de wereld te verobjectiveeren.

In zijn bezwaren tegen de 'Seinen' raakte Van Eyck, net als Hendrik de Vries, aan die van Marsman zelf, toen hij opmerkte dat deze gedichten prachtig, maar leeg waren. Van Eyck heeft die leegte vooral gezien in een ontbreken van de door hem noodzakelijk geachte dichterlijke ver- beelding. 'Dat kennen aanschouwen en een vorm van zelfherkenning is, dat aanschouwing alleen door verbeelding mogelijk is, en dat verbeel- ding binnen het taalgebied in de volzin haar eigen uitdrukkingsmiddel bezit, ontging hem'. Hij raadde Marsman dan ook aan

eindelijk het objectieve van zich zelf te zoeken en in dat objectieve zijn eigen wezen zoo goed als dat der geheele wereld aanschou- wend te erkennen. Een terugkeer dus naar zijn zelf, dat hij altijd zonder meer als vanzelfsprekende realiteit aanvaard heeft. Daarin zal hij de goddelijke Verborgenheid vinden, zonder welke voor hem als mensch noch als dichter uitkomst mogelijk is. In Mars- man's kritieken vinden wij hier en daar zinsneden waaruit wij kunnen afleiden dat hij tot de erkenning van deze waarheid lang- zaam wordt heengedreven. Zulke uitspraken echter zijn onper- soonlijk, dichterlijk gesproken waardeloos gemeengoed der menschheid, zoolang de mensch die hen neerschreef hen niet ver- werklijkt. Beschouwen wij Marsman's eerste bundel, dan blijken deze uitspraken uitsluitend en ten hoogste formuleeringen van tas- tende voorgevoelens die nog geen realiteit zijn. Zullen zij realiteit wórden? Zal Marsman in het dienaarschap der Verbeelding zijn eigenlijke en eenige functie vinden? Hij legge alles af wat enkel literatuur is en verlieze zich zelf nog op andere wijze dan waarnaar hij in zijn tweede en vruchtbaarste fase soms getracht heeft. Dat geen andere weg voor hem openstaat geeft mij hoop.

Deze analyse, en het oordeel en advies die er uit voortvloeien zijn, zoals vaak bij Van Eyck, niet zozeer gebaseerd op een letterlijk-textueel lezen, als wel op een psychologisch contact met de persoon van de dichter via de poëzie. Zo merkte hij over de gedichten uit de eerste afdeling van *Verzen* op dat het 'naar almacht droomend ego' gebukt gaat onder een 'intrinsieke' onmacht. 'De droom wil daden, maar de wil is grooter dan de macht.'

Waarschijnlijk omdat Marsman door Van Eycks oordeel gefrappeerd was, en omdat hij diens conclusie, dat hij de weg van *De beweging* in diende te slaan, op dat moment juist achtte, nam hij persoonlijk contact op. Spoedig daarna zond hij Van Eyck de gedichten die hij gedurende de laatste maanden geschreven had ter beoordeling toe. Het ging om een belangrijk deel van de bundel *Penthesileia*, waarover Verwey, de voormalige leider van *De beweging*, en mentor van de generatie van 1910 waartoe ook Van Eyck behoorde, na verschijnen aan Marsman zou schrijven dat deze poëzie 'geheel naar zijn stem' was.

De nieuwe fase in de dichterlijke productie was begonnen in januari 1924, nadat hij sinds de voltooiing van de 'Seinen', op enkele nooit gepubliceerde uitzonderingen na, geen enkel gedicht meer op papier had gezet. Tijdens deze periode van onvrijwillige rust bleek hij zich volledig van zijn avantgardistische verleden te hebben losgemaakt. In februari schreef hij Lehning:

> Ik zelf schreef (schrik niet!) dezer weken een 20-tal nieuwe verzen, waaronder enkele verdomd-mooie eigenlijk –; een of 2 ervan kan ik misschien copieeren voor je. Je zult dan zien, dat ook ik de moderniteit (grof-genomen) overwonnen (idem) heb – doch niet ten koste van essentieeler dingen, dunkt me. Vreemd: verder dan (Rilke) Trakl (Stramm?) kan niemand komen, nog, zonder stapelgek te worden.

In dezelfde tijd was hij bezig van zijn oude poëzie te schiften met het oog op een herdruk, uit te breiden met de nieuwe gedichten, onder de titel *De nachtorchis*. Van de 'Seinen' zou maar weinig behouden blijven, schreef hij Binnendijk.

De wending naar Roland Holst (zelf nogal ingenomen met Marsmans nieuwe poëzie), die blijkt uit gedichten als 'De vreemdeling', 'Afscheid', 'De vrouw van de zon' en 'De vrouw met de spiegel' is opvallend. Maar bij alle terugkeer naar de traditie bleef Marsmans thematiek in essentie ongewijzigd. Het zichzelf genoeg zijn van het individu, dat zich van de gemeenschap, van elk contact met de ander zelfs, afwendt, zoals dat al tot uitdrukking gekomen was in 'Heerscher', 'Einde' en 'Virgo', werd nu uitgewerkt in het zesdelige gedicht 'Penthesileia', en 'De vrouw met de spiegel'. Ik geloof zeker, met Martien de Jong, dat Marsman in deze solipsistische vrouwenfiguren zijn eigen persoon heeft geprojecteerd, maar van een blijvende identificatie is zeker geen sprake geweest, zoals hij zelf aangeeft in een vraaggesprek met Den Doolaard uit 1927; naar aanleiding van *Penthesileia* merkt hij daar op dat in die bundel het subject zijn object nog niet gevonden had. Ook in verstechnisch opzicht voelde hij al spoedig dat hij een te grote stap achterwaarts had gemaakt, want al een jaar later schreef hij Binnendijk dat hij niet door kon gaan op de weg van het 'Palladium-classicisme'.

De bundel werd bij verschijning in 1925 een stuk gunstiger ontvangen dan *Verzen*, en de enige wiens oordeel daar tegen afstak was – hoe zou het ook anders kunnen – Van Ostaijen. Terecht uitte hij zijn twijfels 'aan de natuurlikheid, de onopzettelikheid van deze evolutie.' Minder dan de verwante gedichten van 'Droomkristal' vond hij *Penthesileia* de uitdrukking van een innerlijke realiteit, waarmee hij zich zonder het te weten bij Marsman zelf aansloot.

± *1924*

142

In dezelfde brief aan Lehning van februari 1924 waarin hij van zijn nieuwe gedichten gewag maakte, deelde Marsman ook mee dat het eerste nummer van *De vrije bladen* verschenen was, een onderneming waarbij hij van meet af aan ten nauwste betrokken is geweest. We hebben al kunnen zien dat hij een groepvormend literair orgaan voor de Nederlandse jongeren van het grootste belang vond, en ook, dat hij *Het getij* niet als zodanig beschouwde. Hij had na de bewondering van zijn achttiende jaar die op de gedichten en opstellen van Van den Bergh gebaseerd geweest was een gloeiende hekel aan dat blad gekregen, waarbij zijn persoonlijke ervaringen een rol gespeeld zullen hebben, maar vooral zijn afkeer van oprichter-redacteur Ernst Groenevelt. Toen deze in het voorjaar van 1923, uit ongenoegen met de koers van *Het getij*, en met een beroep op zijn eigendomsrechten, al zijn mederedacteuren van hun taak onthief, en slechts enkele vroegere medewerkers, waaronder Hendrik de Vries en Slauerhoff, behield, staken de uitgestotenen de koppen bij elkaar om een nieuw blad van de grond te krijgen.

Aan de beraadslagingen zou weldra deelgenomen worden door een drietal Amsterdamse studenten, die elkaar kenden uit de redactie van *Propria cures*, en waarvan de eerste twee al hadden gepubliceerd in *De stijl* of *Het getij*: D. A. M. Binnendijk, Henrik Scholte en Menno ter Braak. Scholte en Binnendijk hadden plannen voor een eigen tijdschrift dat ze *Prisma* wilden noemen. Toen ze Marsman in juni 1923 inviteerden als medewerker, stelde hij voor hen in contact te brengen met de groep ex-Getijers. Daarmee was de kring waaruit *De vrije bladen* zou voortkomen geformeerd. De Amsterdammers verenigden zich eind 1924 onder voorzitterschap van Jan Campert en met Scholte als secretaris tot het genootschap 'De Distelvinck', 'vriendenkring van *De vrije bladen*', waarvan alle medewerkers, tevens de kern van het abonneebestand dat de 100 niet te boven ging, lid waren. Al na een jaar zou deze 'kletsclub' worden opgeheven. Een belangrijk winstpunt uit het korte bestaan van 'De Distelvinck' voor Marsman persoonlijk was de vriendschap met Ter Braak, en vooral met Binnendijk, die tot aan zijn dood intimus in persoonlijke en literaire kwesties zou zijn.

De verschijning van het eerste nummer van het nieuwe tijdschrift, gepland voor september 1923, werd zeer vertraagd, en pas in januari 1924 was het zo ver. De redactie bestond uit Herman van den Bergh, J. W. F. Werumeus Buning en Constant van Wessem, en als medewerkers werden genoemd: Frederik Chasalle (ps. van Van Wessem), J. M. Hondius, Roel Houwink, C. J. Kelk, Marsman, Slauerhoff en Hendrik de Vries. Voorlopig verscheen het blad slechts eenmaal in de twee maanden.

Op Vlieland (juni 1924)

In het redactionele voorwoord onthield men zich van een programmatische verklaring.

> De Vrije Bladen willen door zich open te stellen voor wat in de hedendaagsche stroomingen werkt en leeft, den jongeren gelegenheid bieden zich nader te groepeeren en naar voren te komen. Wat de publicatie van jong werk betreft, stelt zich de Redactie ook dienovereenkomstig op het standpunt dat eventueel de uiterlijke onvolmaaktheid over het hoofd mag worden gezien, indien daaronder maar de een of andere kern van belofte schuilt.

Dat klinkt voor een beginnend literair tijdschrift weinig principieel. Overigens had men binnenskamers wel de afspraak gemaakt dat er niet meegewerkt zou worden aan *De stem*. Dirk Coster had sedert de oprichting in 1921 van dit door hem en Just Havelaar geleide periodiek geprobeerd de jongeren daaromheen te concentreren; een streven waarvan het samenstellen van de bloemlezing *Nieuwe geluiden* als uitvloeisel moet worden gezien. Maar met enkele uitzonderingen als de Vlaamse humanitair-expressionisten Wies Moens en Marnix Gijsen – gezien de humanistische koers van het blad begrijpelijk – en minder getalenteerde Nederlandse dichters als Dop Bles en Ine van Dillen, waren deze toenaderingspogingen op niets uitgelopen. In tegenstelling tot Vlaanderen bloeide het humanitair-expressionisme in Nederland in het geheel niet, een omstandigheid die wel in verband gebracht wordt met het feit dat ons land niet in de oorlog betrokken was geweest.

Juist Wies Moens was voor Marsman aanleiding zijn kritische opvattingen voor de eerste maal in *De vrije bladen* te ventileren. In dat stuk, een bespreking van de dichtbundel *Landing* in het tweede nummer, bepaalt hij zijn houding tegenover de actuele kwesties van het moment: humanisme, individualisme en modernisme, en laat hij zijn eigen literatuuropvatting uit zijn bezwaren voortvloeien. Na de uitspraak dat het humanisme van vlak voor, tijdens en na de wereldoorlog een reactie op het fin-de-siècle individualisme was, en als zodanig eigenlijk overbodig, want zich richtend op een uitwas, vervolgt hij:

> het individualisme staat of valt niet met het fin-de-siècle: het valt überhaupt niet: er kunnen duizend reacties op komen, daartegen, maar het blijft staan; het kan zich voortdurend vernieuwen, en doet dat ook. Het leeft momenteel, hier in Holland, groot en diep, in A. Roland Holst, het zal, in ruimen zin, als de individualist zich

verdiept tot persoonlijkheid, aan elk kunstwerk karakter, ruggegraat, hoogheid verleenen. De humanist doet moeite zich te vervlakken: hij wordt kleiner van gedrag, houdingloozer van allure dan eenig ivoren-tooren-dichter: de moed ontbreekt hem eenzaam te zijn; leg de Ars Poetica uit Landing naast Het Gebed van den Harpspeler uit Voorbij de Wegen (vergeeft me!): de harp en het zwaard werden geruild voor een harmonica en een proppenschieter; als Pallieter-de-Humanist wil dichten, kan de Muze niet ver genoeg vluchten.

Stellig: zijn pantheïstisch saamhoorigheidsgevoel neemt alles en alles gelijkelijk in zich op; doch deze sympathie erkent de eigenwaarde, het karakter der dingen niet meer: het ziet geen verhoudingen, ze is vlak geworden en vervlakt.

Daarnaast: de moderniteit; die bestaat niet, in uniformen zin: er zijn vernieuwingen (meervoud): die van Van den Bergh, de universalistische, zoo ge wilt, tegenover de humanistische, is er òok eèn! Er is, bijgevolg, ook geen 'modern rhythme'. Rhythme is tijdeloos. Er is een modern tempo. Moet ge, in eenigen vorm, 'modern' zijn? Moet ge dat tempo gebruiken in uw werk? Mitsgaders de modern-associatieve beeldspraak, die springt langs de moderne attributen: radiotelegrammen, vijf-kleurige licht-reclames, donderende express-treinen? Neèn! ge kùnt ze gebruiken, ge mòogt 'modern' zijn. Ge moogt desnoods alles zijn, en alles gebruiken, mits ge er een gedicht aan en in realiseert; maar ik geloof, dat geen tijd zoo ver van de essentieele dingen af-stond als de onze, en dat ge dus iedere winst aan 'moderniteit' zult ervaren als een verlies aan 'eeuwigheid'.

Het zijn opvattingen die Marsman ook al verdedigd had in 'Over den stand onzer moderne poëzie en De Stem', maar in dat stuk wendde hij zich nog niet zo demonstratief van het modernisme af als nu. Daarmee stond hij in De vrije bladen tegenover de mening van redacteur Van Wessem, die in het voetspoor van Fransen als Jean Cocteau, en in een sterk op Marinetti geïnspireerde terminologie, de 'moderne gevoeligheid' voorstond. Het zou dan achteraf ook Van Wessem zijn die in zijn herinneringen Marsman er een verwijt van maakte dat hij de zaak van het modernisme al spoedig in de steek gelaten had.

Maar het standpunt dat Marsman bij zijn eerste optreden in De vrije bladen had ingenomen was representatief voor zijn verdere houding als medewerker, en later als redacteur. Na het kandidaatsexamen rechten, dat hij in juni 1924 aflegde, wist hij meer tijd voor zijn bemoeienissen met het blad vrij te maken. Mentaal verkeerde hij in een toestand dat hij zich geroepen voelde om daden te stellen. In juli was hij met Slauerhoff op Vlieland, en daarna reisde hij 'met een nieuwe Poolsche muze' die in brieven aan Lehning als 'Zottl' voorkomt, en met Joris Ivens door Nederland. Aan Binnendijk schreef hij dat hij misschien wel in de vitaalste tijd van zijn leven was. Eind september 1924 besloot de redactieraad, waartoe behalve de driekoppige kernredactie ook vaste medewerkers als Kelk en Slauerhoff behoorden, de leiding van *De vrije bladen* met ingang van 1 januari 1925 aan Marsman op te dragen, en op diens voorstel werd Houwink, die de afgelopen jaren de meeste affiniteit met zijn kritisch standpunt had gehad, en door zijn Zeister nabijheid bovendien een literair intimus geworden was, als mederedacteur aangewezen.

Als een 'Vliegende Hollander' trok Marsman door het land om *De vrije bladen* zakelijk en artistiek een zo breed mogelijke basis te geven. Het lag o.m. in de bedoeling buiten Amsterdam soortgelijke steunverenigingen als 'De Distelvinck' in het leven te roepen, om zo een achterban van betrokken medewerkers en abonnees te creëren, maar van dit voornemen is niets tot stand gebracht. Een door Marsman opgestelde prospectus bevatte zijn eerste strijdkreet:

De Vrije Bladen ondergaan bij den ingang van den tweeden jaargang een verandering, in vorm en karakter. Het tijdschrift wordt *Maandblad*, minder omvangrijk, meer agressief. De leiding verplaatst zich naar jongere elementen (Houwink en Marsman), maar het contact met hen, die den eersten jaargang leidden, blijft in den vorm van een redactie-raad nauw bewaard. Want De Vrije Bladen zijn een geheel: zij waren, in aanleg, in kern, het orgaan voor de jongere krachten in onze letteren. De eerste jaargang bewijst dat; bewijst tevens, dat de groep een genuanceerd organisme is van eigen-aardige krachten, een levend verband.

Wij zullen dit verband bestendigen en *verruimen. – Wij doen daarom een beroep op alle jonge litteratoren, in Holland en Vlaanderen, van* **elke** *geaardheid. Wij laten uitsluitend de* **waarde** *van het werk onze keuze bepalen. – Wij zullen ons keeren, blijven keeren tegen de vele bestrijdenswaardigheden, die van onze litteratuur een dorpssocieteit willen maken; tegen alle* **epigonisme** *en alle* **modernisme-a-tort-et-a-travers.**

De Jonge Hollandsche Litteratuur behoeft een eigen centrum, een eigen orgaan. Dat is, voor het consolideeren van krachten, voor het wakker-stooten van talenten, voor het verlevendigen van het geheel en de deelen, onmisbaar. –

Wij doen daarom een beroep op dat deel van het publiek, dat in ons litteraire leven belangstelt, in onze jonge litteratuur vooral. *En onder dat publiek met name op de jonge menschen, op de studenten. Maakt het ons mogelijk onze plannen* **ruim** *te verwerkelijken. Zendt Uw werk! Teekent in!*

In het eerste manifest dat Marsman als tijdschriftleider uitvaardigt, het artikel 'De positie van den jongen Hollandschen schrijver', wordt de brug naar de traditie onmiddellijk geslagen, en valt tevens te beluisteren wat hij zich voorstelt van zijn bestrijding van 'epigonisme en modernisme-à-tort-et-à-travers'.

de geslachten, die òns voorafgaan, vormen geen linies van anti-dichters: een gestèrnte van Dichters, veeleer. Hoe zouden wij hèn bestrijden? Zij hebben de schoonheid groot en voortref'lijk gediend. – De strijd ging en gaat, om de schoonheid.

[...] Men verwacht, in het beste geval, een nieuwe schoonheid; men verwacht, dat de schoonheid zich in een uitsluitend-nieuwen inhoud zal openbaren. Men verwacht iets onmooglijks. De inhoud van vandaag is niet uitsluitend nieuw, de tijd is veelkantig. [...] het moment 1925 wordt beheerscht door het gewordene, het verleden. Dit is merkwaardig; voor zeven jaar bijvoorbeeld, om 1918 domineerde het nieuwe; het explodeerde; het verwoei, daarna. Zeldzamen slechts hebben één oogenblik, in dien tijd, de schoonheid kunnen verwerkelijken in een nieuwen inhoud. Nù domineert, heroverend, het verleden. In den tijd; in den dichter.

[...] Twee machten bedreigen de schoonheid: die, welke men nu het Leven noemt, en de Tijdgeest, de on-geest van dezen tijd, want het moderne leven (nu vat ik ze samen) is een tumult van gevoelens en driften, een brullende chaos. Poëzie daartegen is stilte, en orde.

Men wil de poëzie als onmiddellijke uiting van modern leven. Men wil – om concreet en hollandsch te spreken – een borrel uit de kruik-(des-levens), opgevangen in het glas der:'uiterlijke vorm'. Men vergist zich; het proces is anders: graan wordt omgestookt tot jenever (graan-des-levens tot jenever-der-poëzie).

Vorm is geen omhulsel; maar *organisch bindweefsel.* De andere opvatting is anti-creatief. –

Ge wilt, nochtans, direct verband tusschen leven en kunst? ziet hier: *creëeren is voor den dichter het vervullen der opperste levensfunctie.*

Het is voor het eerst dat Marsman de belangrijkste punten uit zijn poëtica zo samenhangend weergeeft, en ze bovendien in verband brengt met zijn verwerping van het modernistische gedicht (of proza). De tijd wordt gezien als een aan de poëzie, die een uiting van eeuwige schoonheid is (en even later zelfs 'goddelijk' genoemd zal worden), vijandig element. Het humanitair-expressionisme reageert te direct op de feiten van dag en uur, transformeert ze te weinig tot een schepping van hogere orde. 'Poëzie is geen dynamiet, maar diamant', zal hij later naar aanleiding van *Menschheitsdämmerung* schrijven. Vanuit hetzelfde criterium: *gebrek aan vormkracht*, zal hij de geschriften van dadaïsten en surrealisten afwijzen.

Het moet om stukken als 'De positie van den jongen Hollandschen schrijver' geweest zijn, dat Van Wessem later in *Mijn broeders in Apollo* schreef dat Slauerhoff als 'heftig strijder voor vernieuwing' zich tegen Marsmans behoudzucht kantte. Zelf voegde hij daar aan toe:

> Toen hij, na wat voor hem persoonlijke winst was van 1918: de onderstrooming van het oude fond door het vloeiende, lenige en bewegelijke – waardoor hij zich ook later ondanks zijn toenemende neiging tot het 'neo-klassieke' het sterkst in het min of meer 'vrije' vers is blijven kenmerken –, aan zijn 'terugkeer tot de ééne Poëzie' begon, met theorieën van een 'binding binnen den vorm', heeft hij, met de beste bedoelingen, een rem op de beweging gezet, en de Poëzie recht in dat 'drijfzand van creatief falen' gestuurd, waarvoor hij haar juist behoeden wilde. Voor hemzelf was dit gevaar ondanks zijn met emphase aangekondigde 'sprong in het duister' niet wezenlijk, omdat hij *voor zichzelf* gehoorzaamde aan een reactie, die logisch voortvloeide uit het besef, dat zijn ware dichterlijk wezen veel meer verwant was aan de generatie van 1910 dan aan de 'modernen', met wie hij eerst mee had gedaan, zooals ook zijn theorieën van 1925 in feite allesbehalve een modernisme waren en gebaseerd bleven op de door hem bewonderde poëzie van vóór 1918, die hem voorzweefde bij het vaststellen der poëtische normen.

Als men afziet van de tegenspraak die er bestaat tussen de blijvende voorkeur voor het vrije vers, en de theorie van 'binding binnen den vorm', die Van Wessem aan Marsman toeschrijft (alleen het eerste lijkt me juist, het tweede standpunt van de generatie van 1910 – Gossaert, Bloem e.a. – was nooit dat van Marsman, die veel meer een adequate, organische vorm nastreefde), kan men in grote lijnen met dit oordeel instemmen. De kleine zwenkingen die Marsman zich in zijn koersbepaling tussen traditie en vernieuwing naar de linkerzijde veroorloofde, betroffen inderdaad 'de winst van 1918'. Was zijn eerste manifest in *De vrije bladen* een pleidooi voor de traditie, het tweede, met de strijdbaar-vitalistische titel 'De sprong in het duister', is een felle afwijzing van een al te slaafs navolgen van de grote voorbeelden Boutens, Leopold, Van Eyck en Roland Holst. De sterke nadruk waarmee ditmaal opgekomen wordt voor een voortzetting van de verlopen vernieuwingsbeweging die met *Het getij* begon, kan moeilijk los gezien worden van de relativerende toon met betrekking tot het moderne die Marsman een maand tevoren aansloeg.

> De dichtkunst is eeuwig en onveranderlijk, maar haar verschijningsvormen wisselen, met den tijd; en er kentert iets (er kentert ook iets terug, ik weet het), en mógelijk is het, de dichtkunst een nieuwe gedaante te geven; een nieuwe substantie en een nieuw aspect; en ze móet een nieuw aanzijn krijgen; ze krééG dat in aanleg. En nú versaagt ge, nu aarzelt ge man voor man; nu valt ge terug; nu laat ge de aangevangen (her)schepping slordig, onafgewerkt liggen als God destijds de zijne, nu aarzelt ge en resigneert.
>
> Daarmee schaadt ge, per slot, maar zéér tijdlijk de dichtkunst: zij kan wachten; ze heeft vaker gewacht. Maar gij schaadt en smaadt u zelf en het leven. Gij verwijt uw slapheid den tijd, en ik geef het u toe: de tijd is doodlijk vermoeid en vermoeiend; maar ten andre: gij-zélf zijt de tijd. [...]
>
> De nieuwe aandacht zoekt de werkelijkheid; niet om haar verschijning, maar om haar karakter; ze doordringt de concreta tot op hun kern; ze ontsluiert ze van hun (z.g.n. poëtisch) atmosferisch waas; ze ziet ze niet als decoratief motief, als gevoelsornament, als symbool voor eigen gevoel, maar als ding; ze ziet a.h.w. de houding, het gedrag van het ding; ze ziet tusschen de dingen de relaties, de verhoudingen; zoo tusschen de menschen de spanningen; de situatie's. Ze suggereert, daarna, haar bevinding in het beeld; ze expliceert niet. Ze maakt relaties, verhoudingen voelbaar; ze verpsychologiseert ze niet; ze beeldt: ze redeneert niet; ze synthetiseert; ze analyseert niet. – Ze is niet ego-centrisch. –

Zonder de impressionistische en symbolistische dichters en naturalistische romanschrijvers van het voorgeslacht, de Tachtigers en Negentigers, te noemen, polemiseert Marsman duidelijk met hun literatuuropvattingen. 'Atmosferisch waas', 'decoratief motief', 'gevoelsornament': het zijn de depreciërend bedoelde termen waarmee een bepaalde lyriek wordt afgewezen ten gunste van een poëzie die wordt omschreven in termen waarmee hij al eerder het expressionisme definieerde: beelding van het wezen der werkelijkheid. Wat hij zegt over de weergave van de relaties tussen mensen moet gezien worden in het licht van zijn latere bezwaren tegen de psychologisch-realistische romankunst, zoals beoefend door Herman Robbers, Ina Boudier-Bakker en anderen.

In dit artikel staat Marsman weer een stuk dichter bij Van Wessem, die zich in zijn pleidooi voor de 'moderne gevoeligheid' zeer wel zal hebben kunnen vinden in een uitspraak als: 'Begin met te erkennen dat, op dit moment, een harmonica minstens evenveel aandacht verdient als een juublende vrouw.' Typerend genoeg wordt daar onmiddellijk aan toegevoegd: 'Zelfs dáárin is Roland Holst u al voorgegaan.' Ironisch genoeg had hij nog geen jaar eerder de harmonica van Wies Moens uitgespeeld tegen de harp van Roland Holst; maar sinds hij in *De afspraak* een wending naar het aardse had geconstateerd werd het vroeger gesmade instrument als bron van poëtische inspiratie plotseling gesanctioneerd. Eens te meer blijkt uit een dergelijke wending de druk van Roland Holsts mentoraat.

Dat Van Wessems harde woorden uit 1941 zo niet onrechtvaardig, dan toch wel ongenuanceerd zijn, blijkt uit een aantal uitspraken van Marsman, gedaan in andere essays en kritieken die kort voor, tijdens of vlak na zijn *Vrije bladen*-redacteurschap zijn geschreven, en later gebundeld in *De lamp van Diogenes*. In het belangrijke stuk 'Traditie en vernieuwing' dat werd opgenomen in *De vrije bladen* van januari 1926 herhaalt hij nog eens nadrukkelijk dat de 'sensibiliteit varieert, en met haar de vorm', al tekent hij daarbij aan dat hij niet zozeer het oog heeft op de historisch bepaalde prosodische vorm, maar op de 'duizende *vormen*' die binnen dit 'prosodisch *(vorm)-schema*' (bv. het sonnet) mogelijk zijn om 'sensibiliteiten organisch te realiseeren.' Op het hanteren van dergelijk tweeërlei vormbegrip kom ik nog terug bij de bespreking van Marsmans poëtica in engere zin.

De dichter die van de historische en de eigentijdse gevoeligheid de eerste kiest 'wordt op slag en onherroepelijk epigoon en ondichter.'

Wie hier en nu de verdorde conventie kiest, de schijnvorm der levende traditie, de verbruikte, zuurstoflooze atmosfeer der stervende romantiek; wereldvlucht, veege tranen, ruischende droomen, en de rest, die kiest het verkeerde; niet omdat, op zichzelf beschouwd, de tegenkanten van dit alles: realiteitsaanvaarding, weerbaarheid, koelte, soepelheid, snelheid... per se préférabel zijn [...], maar omdat zij op dit moment de atmosfeer gaan vormen, waarin de jeugd leven zal; omdat zij de sensibiliteit helpen weven, waarvan de Poëzie zich bedienen gaat; omdat zij de richting bepalen, waarin de traditie zich alreede beweegt, om niet tot dorre conventie te verschrompelen en te verstarren.

[...] wij willen geen avant-garde, omdat een voorhoede meer waard zou zijn dan de achterhoede.

Als zo'n epigoon van de romantisch-klassicistische traditie beschouwt Marsman de regelmatig als medewerker van *De vrije bladen* optredende J.J. van Geuns, getuige de bespreking van diens bundel *Het uur der sterren* in de NRC van 1 december 1928, waarin hij de traditionele en de moderne lyriek nog eens tegenover elkaar zet in dezelfde termen als waarvan hij zich in 'De sprong in het duister' bediende. Een zelfde waken voor de literaire vernieuwing doet hem betreuren dat Nijhoffs bundel *Vormen* ten opzichte van *De wandelaar* 'een inboeten' betekent 'van een der eigenschappen waardoor Nijhoff eertijds onze poëzie vernieuwde, een element, dat men hem onuitroeibaar ingeschapen dacht, en dat nu evenredig aan het wassen van klassieke kenmerken krimpt: ik bedoel de poëtische inventie, de dichterlijke ontdekkingsreizen, de liefde voor de creatieve-alchemie.'

In een reactie op 'Traditie en vernieuwing' in *De vrije bladen* van maart 1926 wees Werumeus Buning, die natuurlijk goed genoeg op de hoogte was van Marsmans zwenkingen, er op dat de strijd tegen de 'atmosfeer der stervende romantiek' ten onrechte werd gevoerd tegen de oudere generaties alleen, en dat Marsman in werkelijkheid vocht tegen bepaalde neigingen die hij bij zichzelf afkeurde. Daarnaast kan men dan nog de vraag stellen of Marsman het romantische levensgevoel niet zeer eenzijdig weergeeft, wanneer hij spreekt van een vlucht uit de werkelijkheid, 'omdat die de zuiverheid bezoedelen zou.' Als hij schrijft over de romantici als 'knapen, onvolwassen, onbeproefd door het duister, ongegroefd door de ellende, die zij hebben geschuwd en onmachtig gehoond', is er duidelijk sprake van een zelfprojectie, die verwant is aan het heerserstype van zijn kosmische gedichten ('heersend was in ertsen greep/over den werveldans der elementen/d'ivoren glimlach van den stillen knaap'), zijn Penthesileia-gestalte, en zijn visie op 'de smalle knaap onder de Pharaonen/het onaanrandbaar godskind/Ichnaton.' Hij lijkt zijn gedicht 'Penthesileia' te parafraseren, wanneer hij over dergelijke figuren opmerkt:

> Daarom ontkennen en ontvluchten zij de realiteit; zij blijven gehalveerd-hemelsch, onbevlekt virginaal, en voorzoover zij de ellende hebben ontmoet en gekend, is hun geluk verminderd, vermorzeld inderdaad, doordat zij het niet in weerstand hebben gehard en gezuiverd, en het niet hebben volgehouden tot in het eind. Daarom trachten zij achteraf de plekken en litteekens, die de strijd in hen naliet te balsemen en te verbloemen; maar schoongebrand zijn ze niet. De herinnering aan het duister verschrikt hen, nog jaren later, omdat zij inderdaad weerloos waren daarin; en den strijd verloren, en weerloos zullen zijn in een volgend gevecht.

De manier waarop Marsman zich tegen de romantici afzet, doet vermoeden dat hij zich niet bewust was van zijn schatplichtigheid aan hun erfenis. Daar is, in zijn kritische theorie, en in de praktijk van zijn dichterschap, wel degelijk sprake van. Er nog van afgezien dat het expressionisme begrepen kan worden als een uitloper van de door de romantische lyriek geïnstitutionaliseerde sensibiliteit, waarin naast wereldvlucht ook mystieke verbondenheid met de kosmos, intense beleving van de individualiteit en een priesterlijke opvatting van het dichterschap als – soms strijdige – elementen aanwezig zijn, is het uit hoofdstuk 2 duidelijk geworden dat Marsman zich bij de beleving van het dichterschap mede baseerde op romantische opvattingen. Novalis, Hölderlin, Jean Paul, George en Hofmannsthal: ze waren niet alleen om hun werk, maar ook als figuren een voorbeeld.

De 'liefde voor de creatieve alchemie' die hij bij Nijhoff constateerde en waardeerde, is een terminologie die duidelijk afstamt van Rimbauds 'alchemie du verbe', maar via Rimbaud teruggaat op de eerste romantici. Novalis spreekt over de dichters als 'divinatorische, magische Menschen'. Nog aan het einde van zijn leven zal Marsman Novalis noemen als 'verreweg de boeiendste figuur der duitsche romantiek', die 'geloofde aan een verbond tusschen intellect, magie en mystiek'. De waardering voor het intellect is wat Marsman betreft een verrijking van zijn literatuuropvatting die hij aan het contact met Ter Braak en Du Perron te danken heeft; in zijn pre-Forumiaanse periode ligt de nadruk op mystiek en magie. In zijn vitalistische poëtica, (die ik straks aan de orde zal stellen), ontwikkeld tussen 1925 en 1927 en tot ongeveer 1932 in praktijk gebracht, wordt de scheppende faculteit van de dichter als transformerende vormkracht omschreven, een Marsmaniaanse vertaling van het romantische begrip verbeelding of imaginatie, door de romantici zelf als een goddelijke kracht ervaren. Marsman zal dan ook spreken over scheppen als vergoddelijken. Pas in 1932 keert hij terug tot het geijkte begrip verbeelding. In het tegen de nieuwe zakelijkheid gerichte essay 'De aesthetiek der reporters', gepubliceerd in een van de eerste nummers van *Forum*, en later bij wijze van inleiding opgenomen in het verzamelde kritisch proza, legt hij zijn opvatting over het schrijven voorgoed vast. Opvallend is dat hij, zonder de termen 'goddelijk', 'magisch' of 'mystiek' te noemen, vasthoudt aan de romantische traditie. Na het bezwaar te hebben uitgesproken dat de nieuwe zakelijkheid in het proza zich te uitsluitend richt op de uiterlijkheid en te weinig op het hart van de mens, vervolgt hij:

> Wat is ertegen, vraagt men, dat de werkelijkheid, van binnen of van buiten, scherp wordt doorzien en scherp wordt gebeeld? [...] Daar is zeker alles voor voor den reporter, daar is alles tegen voor den artiest, als de methode wordt verheven tot norm. Daar is alles tegen, als men niet meer zegt: men màg streng en koel observeeren en beelden, maar: dit moet. Daar is alles tegen als men zegt: de rest is frase, franje, vervalsching, literatuur en romantiek. De rest is inderdaad literatuur. De rest is, dat een kunstenaar vrij is, niet gebonden door het gegeven dat hij ontleent aan een interne of externe werkelijkheid, maar dat hij het recht heeft en zelfs de taak dit gegeven te vervormen naar zijn scheppenden wil. Hij kan met de natuur, met den mensch, met de uiterlijke gegevens doen wat hij wil, als hij hen, aangegrepen door dit scheppend vermogen, laat leven naar de wet der verbeelding. De kunstenaar is niet de slaaf, de volger, de reporter van zijn object, maar de volstrekt autonome heerscher over al wat hij aanvat. Hij verwerkt levens, moderne tijden, goden en revoluties tot één brandend visioen, hij kent geen andere wetten dan die van het nimmer te demaskeeren artikel: de schoonheid. Hij kent den droom die meer dan het ding is. Hij zoekt den vorm die onzichtbaar is. Hij zoekt het geheim dat dieper ligt dan het hart, hij volgt de werkelijkheid als hij meent dat zij niet misleidt.

Op deze wijze is de positie ten opzichte van Ter Braak, wiens *Démasqué der schoonheid* op hetzelfde moment in *Forum* wordt gepubliceerd, bepaald. Bovendien valt er van dit opstel en de daarin verkondigde opvatting een duidelijke lijn te trekken naar de poëtica van Verwey, die het als de taak van de dichter zag de Idee gestalte te geven in zijn werk. De 'droom die meer dan het ding is', 'de vorm die onzichtbaar is': het is Marsmans parafrasering van de esthetiek van *De beweging*. Wat Marsman met Verwey, en via Verwey met de romantici verbindt is in één citaat van Van Eyck, die in deze jaren de rol van mentor voor Marsman speelde, geformuleerd: 'Wat in God schepping heet, in de mens heet het Verbeelding.'

Dat Marsman in zijn periode als redacteur van *De vrije bladen* weinig besef heeft gehad van zijn persoonlijke binding met de traditie, bewijzen zijn weinig doordachte uitlatingen over wat modern en wat verouderd is. Onzeker manoeuvreerde hij tussen traditie en vernieuwing, al moet worden erkend dat hij zich moeite heeft gegeven voor het vinden van een genuanceerd standpunt. Ook de keuze van zijn creatieve bijdragen aan het blad wijst erop dat hij zich zeker niet bewust als behoudzuchtig heeft willen opstellen.

Het is opvallend dat de enige twee gedichten die in de door hem geredigeerde jaargang van *De vrije bladen* zijn gepubliceerd, 'moderner' zijn dan de verzen die in datzelfde jaar 1925 in *Penthesileia* verschenen. 'Sneeuwstorm' en 'Paradise regained' lijken de onderstreping van wat hij op 18 februari schreef aan Jozef Peeters, in antwoord op de uitnodiging mee te werken aan diens avantgardistische blad *De driehoek*: '(ik sta) weer aan het begin van een nieuwe periode waaraan alle romantisch classicisme vreemd zal zijn.' Overigens liet hij deze mededeling voorafgaan door een andere waarin hij Peeters lijkt te waarschuwen dat hij na *Verzen* 'radicaal' van alle modernisme is teruggekomen. Maar dat de afrekening met *Penthesileia* hem ernst was, kan mede afgeleid worden uit wat hij eerder, op 8 januari 1925, al aan Binnendijk had geschreven: 'ik kan toch ook niet doorgaan met dat 'Palladium' classicisme. Ik zit, nu voor de 4e maal, op een dood punt. Ik zal àlles moeten vergeten, om dat vijfde land in te gaan, zingend en zonder herinnering.'

'Sneeuwstorm' en 'Paradise regained' zijn de resultaten van de slingerbeweging naar links die – om de terminologie die Van Ostaijen op Marsman toepaste even aan te houden – volgden als reactie op de rukken naar rechts. Tot en met *Penthesileia* was die ontwikkeling per reeks gedichten gegaan: van 'Ruimteschemer' naar 'Seinen' via 'Droomkristal' verliep de evolutie in steeds moderner richting, om radicaal te worden afgekapt met *Penthesileia*. Maar na 1925 volgden de reacties elkaar steeds sneller op. In de reeksen 'De zwarte engel' en 'Paradise regained', die in de bundel *Paradise regained* van 1927 volgen op de herdruk van

Verzen en *Penthesileia* staan naast een gedicht als 'Salto mortale' traditioneler verzen als 'De overtocht', 'Heimwee' en 'Crucifix'. Marsman kan het oordeel van Van Ostaijen, dat uit het najaar van 1927 dateert, nog niet gekend hebben toen hij in april 1927 voor *Den gulden winckel* door Den Doolaard werd geïnterviewd, maar opvallend is dat hij zich de veranderingen in zijn poëzie goed bewust is. Zo merkt hij op dat hij '100 maal moderner en dan opeens weer 100 maal ouderwetscher' is dan Slauerhoff, en de 'slingerbeweging' doormaakt die de positie van Slauerhoff als middelpunt heeft.

Het is ook bij deze gelegenheid dat hij nog eens zijn positie ten opzichte van zijn voorgangers bepaalt.

> Men mag dan beweren, dat de oorlog en de geestelijke omkeer in Europa ons niet direct geraakt hebben, maar toch is er zoo iets als een scheur ontstaan, die doorgeschoten is, ook bij ons; en de ouderen, achter die scheur, kunnen niet verder voortdringen; en wat aan den eenen kant onze voorsprong is, is anderzijds onze armoede, ons losgeslagen zijn. [...] Ten tweede: de generatie van '10 heeft de litteratuur bedorven juist doordat zij, op hun slechtst, litterair deden. Een schoon boord en een schoon gebaar, Zondagsdichters. Neem zoo iemand als Geerten Gossaert. Dat is een voorbeeld van iemand, die niet-dichter is. Het onberekenbaar avontuur, dat een vers is, want je stort je erin, erop of eronder!, verlaagt hij tot een zorgvuldig vooruit berekende reeks stooten. Hij wil, wat de biljarters noemen, fijn 'overhouden', een 'mooie' serie maken. Dat is sjacheren met gevoel, dat is echt-slecht-Hollandsch. Dat is de heele 'Beweging', in doorsnee. [...] En dat is ook onze voorliefde voor Gorter, meer dan voor welken 80er dan ook: het directe, het niet litterair doen. En ten derde, wij zenden onze stamelingen niet meer naar den overkant toe, maar zwemmen er heen en grijpen er weerbaar op in.

De duidelijkste markering ten opzichte van de dichters van *De beweging* is te vinden in het essay 'Coster en wij', geschreven naar aanleiding van *Nieuwe geluiden*, en sterk gericht op een groepvormend effect, zoals Marsman dat op grond van een analyse van zijn eigen positie voor ogen stond. Want zoals zo vaak, beschouwde hij ook in dit geval zijn eigen situatie als de maat aller dingen.

> Ik geloof, dat een deel onzer jongere dichters, ondanks allerlei vor-

men van reactie, van het onmiddellijk verleden, de poëzie van Boutens, en een stuk van 1910, zoo los is-en-raakt, dat, ondanks – opnieuw – de eeuwige samenhang aller dingen, het onderscheid dat omstreeks 1918 ontstond, grooter zal en mòet worden, en het onderscheid tusschen Leopold c.s. en die daar onmiddellijk op volgden, voortdurend kleiner. De laatste werkelijke strijd, dien dichters hebben te voeren, is echter geen generatie-gevecht, als een oudere generatie een jongere niet verbant, maar, juist wanneer iets ouderen jongeren accepteeren en encourageeren, een voortdurend gevecht in zichzelf, een voortdurende waakzaamheid. Want voorzoover traditie conventie werd, en litteratuur cliché, moeten lateren het verworven inzicht en het gevestigd begin bestendigen en versterken, en de schoone, grieksche, renaissancistische atavismen, die de taal, en met haar de poëzie hebben verijdeld, vervluchtigd en uitgehold, ontoegeeflijk weren uit hun werk. De moderne poëzie moet elke renaissancistische en praerafaelitische schijn-schoonheid, en wezenlooze schijn-geheimzinnigheid verliezen voor een onmiddellijke on-schoonheid, een onversierde directheid, die haar waarde ontleent aan een ornamentlooze zuiverheid, aan de volwaardigheid van haar middelen. Noem deze waarde mijnentwege nog: schoonheid, als ge wilt, maar onderscheid haar scherp van de bedriegelijke en bedrogen schoonheid der ijle verhevenheid.

Later, bij het schrijven van de inleiding van *De lamp van Diogenes*, waarin zijn strijdbare stukken uit *De vrije bladen* verzameld waren, zou hij iets van de polemische afstand tot zijn voorgangers wegnemen door te stellen dat de scherpte van het verschil tussen de generatie van 1910 en die van 1918 weliswaar niet door hem was overschat, maar dat hij aan dat verschil te veel belang had gehecht.

Toch zou hij later furieus reageren toen hij in het openbaar door Van Vriesland verantwoordelijk werd gesteld voor de reactie in de Nederlandse poëzie na de jaren van *Het getij*. Van Vriesland had hem dit ook al persoonlijk geschreven, en meende dat hij door zijn verkeerde voorbeeld de jongeren had aangemoedigd via hem terug te grijpen op het klassicisme van *De beweging*. Op 5 november 1930 antwoordde Marsman:

Je inleiding over Dick heeft mij geweldig in het harnas gejaagd, vooral tegen je opvatting van de rol die ik in de poëzie, en critiek de laatste jaren zou hebben gespeeld. – Ik tart je één uitspraak van mij te citeeren, waarin ik jonge dichters het recept-1910 zou hebben voorgehouden. Het feit dat v.d. Bergh niet, en ik wel met Jany, Jacques etc. bevriend was, moet je op een dwaling hebben gebracht. Ik ben er een moment woedend over geweest: je schuift mij, die mij altijd verzet heb tegen de bezadigde verouderingsdrang van de latere jongeren, God betert in mijn schoenen juist aan dat seniel worden te hebben meegewerkt! Het is ook niet waar, dat wij alle poëzie zouden meten naar den norm van 1910 – maar die quaestie voert mij te ver.

Deze tegenwerpingen ten spijt, bleef Van Vriesland bij zijn mening toen hij een maand later in de NRC de bundel *Witte vrouwen* besprak, en na Marsmans dood in 1940 vatte hij die opinie nog eens definitief samen in het herdenkingsnummer van *Criterium*. Zoals we al zagen viel Van Wessem hem daarin bij. Deze verbindt er zelfs de conclusie aan dat Marsman, geschrokken van het epigonisme dat hij in de hand had gewerkt, van zijn leiderspost gevlucht zou zijn, omdat hij de verantwoordelijkheid voor de consequenties van zijn optreden niet meer wenste te dragen. Van Wessem maakt deze opmerking na de dood van Marsman, Du Perron zal het nog bij zijn leven doen, al richt hij zich dan ook niet direct tot hem, maar tot zijn 'schildknaap' Binnendijk. Maar wanneer Marsman nolens volens in het *Prisma*-debat betrokken wordt, en Du Perron verwijt dat hij een futiliteit tot discussiepunt heeft gemaakt, antwoordt deze:

> Ik vindt het alleen grappig dat u nu, zoo maar, als futiliteiten terzijde schuift wat u ons jaren lang als een *in hoc signo vinces* heeft voorgehouden.

Daarmee refereert hij aan wat Marsman had geschreven in 'Over de verhouding van leven en kunst':

> Daarom is de dichter voor alles de intens- en overvloedig-levende. Daarom haten wij misschien niets ter wereld onverzoenlijker dan de epigonen; niet in de eerste plaats, omdat ze slechte gedichten schrijven, maar omdat zij vegeteeren en parasiteeren: ze zijn antivitaal, en anti-créatief. De critiek heeft haar taak tegenover hen slecht gedaan. Want als ze hen werkelijk had verdelgd onder de terreur van haar veto, zouden de twee of drie, die mooglijk ontsnap-

ten, geen pen meer durven hanteeren. Ik geloof dat Slauerhoff gelijk heeft: wij moeten niet tegen hen schrijven, we moeten ze doodslaan.

In zijn exemplaar van *De anatomische les* tekent Du Perron bij deze passage aan: 'Bravo! Waarom hebben we gepolemiseerd?' Overigens nam Marsman ook wel genuanceerder standpunten in wat de kwestie van epigonisme en oorspronkelijkheid betreft. Zo schrijft hij in de NRC van 10 september 1927:

Oorspronkelijkheid ligt in de wijze, waarop men het aanwezige materiaal vormt en herschept, en in het nieuwe surplus, dat bij een persoonlijke schikking, verhouding, doseering der oeroude elementen, ontstaat. [...] Ik geef toe: epigonisme en volgelingschap liggen vlak naast elkaar, maar ik voor mij prefereer een goed voorbeeld, persoonlijk gevolgd, boven de zoogenaamde oorspronkelijkheid van iemand die noch op zichzelf noch op een ander kan lijken.

Ook in de periode dat hij als aankomend kritikus de poëziekroniek van *De gids* schreef, had Marsman al gefulmineerd tegen het epigonisme, maar toen had hij, in het voetspoor van Van den Bergh en andere Getijers, nog het oog op de navolgers van de Tachtigers en na-Tachtigers. Nog voordat zijn eerste bundel poëzie verschenen was, kon hij de invloed van zijn eigen kosmische poëzie al constateren, bv. in de verzen die zijn vriend en plaatsgenoot Van Klinkenberg hem in de loop van 1922 voorlegde. Van Klinkenberg was zo verstandig deze gedichten niet te publiceren, anderen vroegen het advies van hun voorbeeld niet. Een van de vroege Marsman-bewonderaars was D. A. M. Binnendijk, die later een neo-klassicistische poëzie zou gaan schrijven, maar in *Het getij*, jaargang 1922 nog een dergelijk vers publiceerde:

Profeet

Langs alle horizonten lag het kaal gebaar
van zijner handen binnenwaartsche boog –
lichamen vielen, vóór en laag, bijzij
zijn hoofd tot spitse pijlen op het taaie
koord der strak-gezette oogen.
Eén woord: in blauwe hal van leegte

159

zwijgende zon, die brandde rónd ineen
elke gedachte (gruis, waaruit hij voegde
de bouw van witte kernen).
......Vielen bezielde vingers vroom,
Suisden de harten zonder klop, waar
door het voorhoofd harder lichten wrongen

En aan den hemel kaatste een laatste stap.

Het is niet onmogelijk dat Van Wessem zich bij zijn analyse gebaseerd heeft op ontmoedigde uitlatingen van Marsman zelf in het november-nummer van de zo hoopvol door hem begonnen jaargang van *De vrije bladen*. Hij schreef daar: 'Tijdschriften schaden de dichtkunst, in het slechtste geval; leiden af naar het secundaire: critiek, polemiek, essay, literair leven... kweeken bij- en na-loopers.' En: 'De epigonen zijn de doodsvijanden der poëzie: [...] zwak-geteelde na-kinderen; veege, merglooze telgen. [...] [Zij] zijn de parasiteerende verwanten, de klap-loopers onder de discipelen, de erfelijk-belasten eener cultuur, maar wie een door vorigen schoon en krachtig verbeelde wezensstaat, op *persoonlijke* wijze met hen gedeeld, *persoonlijk schoon en krachtig* verbeeldt, is dichter.'

Het ironische is, dat in hetzelfde nummer waarin hij deze apodictische thesen lanceert, twee dichters figureren die als Marsman-epigonen, althans op dat moment van hun ontwikkeling, te beschouwen zijn. Zo is er van A. den Doolaard een tweetal gedichten opgenomen, 'Hyperion' en 'Zonnebloem', waarin de Marsmaniaanse kosmiek onverminderd aanwezig is. Er is een vers van Halbo Kool, 'De elfenkoningin', dat twee verschillende invloeden, die van *Verzen* en *Penthesileia*, combineert. Het meest doet dit gedicht nog aan 'Madonna' denken.

Zij draagt een blank en onbewogen kleed
dat haar niet slanker maakt maar rustig;
en toch – hoe breed is zij, onaardsch en vluchtig
en staat – stervende heilge – scheef.

Zij heft haar hand en slaat de sterren dicht
en van de maan eischt zij haar overgave;
binnen haar roerloosheid sidderen vlagen
van nacht en waanzin als een lamp in mist.

Zij maakt ons leven in de nachten vlot
op droomen, die als meteoren-bliksem
ons stuipig schrikken doen: wat blaêren ritselen:
wij laten tijd en tastbaarheid huiverig los

wij dwalen in haar schut over de grenzen
veilig in ijlte en sneeuw, zeker als gemzen.

De hierboven al geciteerde defaitistische opmerkingen van Marsman over het functioneren van tijdschriften vormden natuurlijk zijn onverhulde kritiek op *De vrije bladen*. Binnenskamers was zijn ongenoegen al lang tot uiting gekomen. Uit een brief van 14 juni 1925 aan zijn mederedacteur Houwink blijkt dat hij in de zesde maand van zijn literair leiderschap er de brui aan wilde geven, omdat hij niet die bijdragen van zijn generatiegenoten had losgemaakt waarop hij had gerekend, en omdat hij bovendien vond dat *De vrije bladen* te weinig het principe 'reactie op 1910' dat hij in 'De sprong in het duister' als eis had gesteld, verwezenlijkte. Ook had Marsman bij de redactieraad zijn zin niet door kunnen zetten, politieke onderwerpen in het blad te laten behandelen. Het is niet moeilijk te raden, welke richting hij daarbij voorstond: zo móest hij noodgedwongen een stuk van Wichmann weigeren.
   In juli nam hij het definitieve besluit de leiding van een tijdschrift dat niet langer aan zijn normen beantwoordde, neer te leggen. 'De Distelvinck', de periferie van *De vrije bladen*, had toen het hoogtepunt in zijn bestaan al gehad in de vorm van een 'midzomernachtfeest' van 4 op 5 juli; een gelegenheid waarbij Marsman, evenals het merendeel van de aanwezigen, zeer door de alcohol bedwelmd is geweest, maar die hem ook moet hebben vervuld met afkeer van wat hij als een voos en snobistisch gezelschap beschouwde. 'Het is een lamlendige, snobistische sectarische rotzooi, die het leven wil knechten in een binnenrijm', schreef hij Binnendijk. 'Maar het leven verdomt dat gelukkig nog. En heel concreet: wees kieskeurig met je "vrienden". Ze géven àf.' Kort nadat hij op 5 oktober 1925 voor het lidmaatschap had bedankt, besloten de overgebleven bestuursleden Scholte en Binnendijk de vriendenkring op te heffen. Voorzitter Jan Campert was inmiddels plotseling verdwenen naar Brussel, en in de door hem opengelaten vacature kon niet worden voorzien, toen Marsman, die voor de opvolging was benaderd, had geweigerd.
   In het laatste nummer van 1925 werd Marsmans 'afscheidsrede' 'De tweesprong' gepubliceerd, een stuk dat door een deel van de redactie-

1924

raad, in het bijzonder door Van Wessem, om tactische redenen onverstandig werd geacht: gaf men hiermee geen blijk van moedeloosheid? Toch zette Marsman publicatie door. Had hij in het begin van zijn redacteurschap opgeroepen om in te gaan tegen de tegenwerkende tijdsomstandigheden, nu weet hij zijn eigen mislukking aan die factor.

De eenheid ontbrak; erger: het leven ontbrak. Want zelfs indien ik, voor het gemak, even toegeven zou – wat ik niet doe – dat voor een tijdschrift niet noodig is: richting, groepseenheid, groepseigenheid minstens, karakter niet, kleur niet – dan zal ik toch onverzwakt blijven volhouden, dat er tenminste twee dingen wèl noodig zijn: talent en leven. De talenten zijn schaarsch en het leven is schraal.

Ik vraag mij af: wat wilt ge verder nog met een jeugd (naar de jaren althans), die, in deze tijden nog wel, nu ondanks of door de totale ontreddering van het geheel, voor den enkeling ongekende, onvermoede kansen opspringen, niet anders leeft dan naar het toeval des bloeds? –; die behalve talent, alle krachten mist, die haar recht zouden geven op den magischen, prachtigsten naam dezer aarde, de toover- en machtspreuk: Jeugd! Want daartoe is dansende veerkracht noodig, lachende helderheid, durf, glans, teederheid, vuur.

[...] Ik geloof, ten slotte, dat er één ding is, waar alles voor wijkt, voor dient te wijken, althans: het eigen, scheppende werk. Hoe gering dit ook zij, het is altijd te goed om verloren te gaan in een dreunend en vluchtig tumult. Ik ben ervan overtuigd, dat in dezen tijd, in dit land, elke collectieve beweging doodloopen moet; dat iedere groep uiteen spatten zal en vergaan. Nooit was, zeer tègen den schijn, het leven zoo eng en armelijk hier, zoo van God-en-Duivel-verlaten als nu. Daarom werkt ieder deelnemen ook aan de plannen en daden van meer dan één, niet aanvurend, bevruchtend, verhelderend meer, maar afmàttend en ondermijnend. De tijd werpt hen, die van samen-gaan droomden, in zichzelven terug.

Binnen een jaar werd zo de keerzijde zichtbaar van de levenshouding, die hij later als 'vitalisme' zou omschrijven, een houding waaraan hij zich had vastgeklampt, toen de ware vitaliteit en scheppingskracht hem in de steek lieten, en hij niet naar de religie wilde grijpen, omdat hij dat te 'grof' vond; zijn falen als tijdschriftleider zou hem toch die laatste uitweg doen zoeken, zoals we weldra zullen zien. Het vitalisme als ideologie bleek een wrakke constructie die instortte toen de verwachte steun van de omgeving uitbleef. Een stuk als 'De tweesprong' toont aan hoe Marsman bij een deceptie naar de andere kant door kon slaan. Toen het groepsverband niet in het gewenste effect had geresulteerd, werd het als afmattend en ondermijnend afgedaan. Hij deed zelfs een poging *De vrije bladen* te liquideren als een voor hem (en dus voor zijn omgeving) waardeloos geworden vehikel, om zodoende het teken van zijn persoonlijke mislukking uit te wissen. Die eigenschap, radicaal te willen afrekenen met alles wat tot het verleden behoorde, en te vernietigen wat hij verwierp, kenmerkt hem in hoge mate; in dat licht moet ook zijn opdracht aan Binnendijk en Thelen worden gezien dat na zijn dood niets buiten zijn *Verzameld werk* mocht worden herdrukt.

De angst voor stilstand en onveranderlijkheid als het leven vijandige elementen, is een kernpunt van Marsmans vitalisme. 'Wat blijft wordt molm', is een aforisme dat men in velerlei variaties in zijn werk tegenkomt, en de obsessie die er uit spreekt wordt bestreden met het streven naar de dynamiek van een fel en intens leven, dat de basis is voor een fel en bewogen werk. Zij die menen dat er een antagonisme bestaat tussen de mens en de dichter Marsman hebben ongelijk, omdat leven en dichten voor hem één waren: scheppen was voor hem de opperste levensfunctie, en poëzie de enige kracht ter wereld 'die als stimulans tot vernieuwd en verhelderd leven nooit, maar dan ook nooit heeft gefaald.' De tegenstrijdigheden zitten meer in de schijnbare onverenigbaarheid van enkele essentiële uitspraken dan in een splitsing van zijn persoonlijkheid. Zo lijkt het hameren op het eeuwigheidskarakter van de poëzie, de eis van een vorm die het leven bedwingt in een schone, kosmische orde in strijd met de dynamiek van een intense poëzie die daarnaast verlangd wordt. Die tegenstrijdigheid vloeit rechtstreeks voort uit Marsmans ambivalentie tussen traditie en vernieuwing, waarvan ik al vele voorbeelden gaf: hij is, inhoudelijk, voor de moderne gevoeligheid, maar formeel hanteert hij een poëtica die op die van *De beweging* is geënt.

Het lijkt alsof hij zelf die tegenspraak in zijn terminologie heeft willen ondervangen, want het centrale begrip van zijn poëzietheorie, en tevens van zijn vitalisme, is de vormkracht (soms wel, en duidelijker, 'vorm-als-kracht' genoemd), waarin beheersing en intensiteit als connotaties zijn opgenomen. Het is de moeite waard de etymologie van deze term in Marsmans kritisch werk na te gaan, omdat de ontwikkeling ervan samengaat met de groei van zijn vitalisme als ideologisch houvast. Opvallend is dat in de kronieken die tussen 1921 en 1923 in *De gids* worden gepubliceerd 'vormkracht' ontbreekt in het kritisch vocabulaire. Pas tijdens zijn eerste redacteurschap van *De vrije bladen* wordt de theorie, die op de formulering ervan uitloopt, ontwikkeld. Het stuk waarmee jaargang 1925 van *De vrije bladen* opent, bevat zowel de stelling van creëren als de opperste levensfunctie als de uitspraak: '*Vorm is geen omhulsel; maar organisch bindweefsel.*' De these dat menselijke materie wordt getransformeerd tot poëzie is hier geformuleerd in het bekende graan-jenever beeld. Daarmee zijn alle elementen van de theorie al aanwezig, maar pas eind 1927, begin 1928 komt Marsman tot zijn bekende terminologie. Zo schrijft hij in de NRC van 21 februari 1928: 'vorm is de kracht die de materie scheppend transformeert tot een nieuwe substantie, in dit geval: poëzie'. Voorafgaand aan de formulering van deze 'drie thesen' heeft hij in een lang betoog duidelijk gemaakt dat hij met vorm 'nooit het omhulsel, nooit den gepolijsten buitenkant, nooit de matrijs, nooit – om het eenigszins technisch te zeggen – de gestolde, statische periferie, maar altijd, altijd en uitsluitend: de vormkracht, de dynamische functie' bedoelt. Een maand eerder heeft hij in *De vrije bladen* gesteld:

Vorm als *contour* is de uiterlijk waarneembare omgrenzing van het organisme, dat zijn ontstaan dankt aan de scheppende werking van vorm als *kracht*. – De verwarring ontstaat doordat één term twee begrippen moet dekken.

De inhoud zoekt vorm als contour: hij krijgt dien vorm, doordat de vormkracht een inhoud tot begrensd organisme omvormt.

De eenige norm zoowel voor leven als poëzie is: creativiteit. In levenszaken heet dat: vitaliteit, in poëtische mijnentwege ook: vitaliteit, *poëtische* straalkracht.

Creativiteit als norm sluit *alle* andere, lagere, hiërarchisch-geordende normen in.

Vooral het laatste zinnetje ziet er zeer 'paganistisch' uit, maar de poëziekritieken die Marsman tezelfdertijd in de NRC publiceerde tonen aan dat de theorie die er achter stond een metafysische basis had; ik kom daar in het volgende hoofdstuk uitgebreid op terug.

Dat de theorie pas twee à drie jaar na het *Vrije bladen*-redacteurschap volgroeid is, blijkt uit een – vrij willekeurige – aanhaling uit een bespreking uit 1925. Marsman gebruikt voor het transformerende vermogen van de dichter nog niet de term *vormkracht*, maar de traditionelere aanduiding 'scheppende verbeelding'. Naar aanleiding van *De bloei* van Albert Besnard merkt hij op:

het besef der vergankelijkheid [...] doortrekt de geheele totaliteit van zijn wezen; en zijn scheppende verbeelding, zijn dichterlijk vermogen bant deze ervaring in den vorm van een heldergebouwd geconcentreerd gedicht.

En hij vervolgt:

De essentie der poëzie is iets achter-menschelijks. Ze kan zich op duizend wijzen realiseeren, ze kàn dat doen in de onmiddellijk-ontroerende taal van het hart, in algemeene, allen-gemeene symbolen. Ze hòeft dat niet, per-sé. Er bestaat in dezen opzichte veelal heillooze verwarring: men eischt menschelijkheid, men beperkt deze humaniteit tot open-hartige aandoenlijkheid, men sluit het daemonische, het perversche, het onmenschelijk-duivelsche uit, men eischt bovendien, dat dit menschelijk sentiment een kunstwerk zin-voor-zin doorsnikt. Dit complex van postulaten en restricties beduidt een aanslag op de vrije, volledige ontwikkeling der persoonlijkheid, en op het wezen-zelf der poëzie. Want [...] al is het sentiment een onmisbaar fluïdum, dat geheel het gedicht te doortrekken heeft, het kan zich, in hooge voornaamheid, stilgeserreerd van schier-ongenaakbaar-koele symbolen bedienen, het kan zich op evenveel wijzen verschuilen (als bloot-geven), het kan zich beheerschen tot een strakke zakelijkheid, het hoeft niet te stroomen, over te vloeien, te snikken. Het zal zich zelfs, wil het vòrm worden, totaal moeten kristalliseeren.

Dat is allemaal nogal voorzichtig gesteld, en pas aan het slot van het citaat zien we de ware Marsman opdoemen: menselijkheid moet zich tot vorm kristalliseren.

Een belangrijke tussenfase in de theorievorming vertegenwoordigt het uit een lezing ontstane essay 'Over de verhouding van leven en kunst', gepubliceerd in De stem van juni 1926. Het vitalistisch karakter van de poëzietheorie krijgt hier sterk de nadruk doordat Marsman met kracht opkomt tegen de opvatting dat leven en kunst te scheiden zouden zijn. 'Kunst en leven zijn [...] ongescheiden-onderscheiden één. Leven en kunst van elkander scheiden, zegt Kelk, eindigt met beider dood.' Poëzie is echter niet de onmiddellijke uiting van leven, maar: 'het leven wordt in het scheppingsproces ómgezet, omgevormd.' Werkelijkheid, scheppingsproces en gedicht zijn als verschillende graden van 'leven' met elkaar verbonden: 'De poëzie-zelf [...] uìt en doòr het leven geformeerd, is ín zichzelf een levend organisme.' Die opmerking brengt Marsman bij Nijhoff, wiens opvatting over het eigen-leven van het gedicht hij met instemming releveert, daarbij meteen een kritische kanttekening makend. Het is van belang dit te stipuleren omdat Marsmans poëtica door eigentijdse voor- en tegenstanders en latere beschouwers nog wel eens met die van Nijhoff in verband is gebracht.

In zijn eerste *Vrije bladen*-manifest citeerde Marsman nog met kennelijke instemming Nijhoffs stelling van het verschil tussen de 'wereld der poëzie' en de werkelijkheid. Nu schrijft hij:

> zijn beschouwingswijze is paedagogisch-gevaarlijk, want door eenzijdig de aandacht te vragen voor wat hij zelf heeft genoemd: de geestkracht der kunst, en de zelf-werkzaamheid van de vorm, kan zij – met name bij tallooze jongere dichters – zich steriliseerend daarop gaan concentreeren, en afgeleid worden van de oorsprong en de draagkracht der kunst.
>
> Ik zeg niet, dat Nijhoff kunst en leven, die niet te scheiden zijn, werkelijk scheidt, maar hij legt zoo overwegend den nadruk op het kunstwerk-zelf, dat hij den oorsprong ervan [...] er vaak om verwaarloost. Zoo kan, in haar uitwerking, zijn aesthetiek, zijn critische methode, die juist het leven van een gedicht wil doorgronden, omslaan in haar volkomen tegendeel: een sectarisch, dor formalisme; en de verstarde stelling kan eruit worden gelezen – en wordt eruit gelezen – dat een kunstwerk niet alleen in-zichzelf, maar ook uit- en om-zichzelf zou bestaan.
>
> Ik deel Nijhoff's inzichten over het interne eigen-leven van het gedicht volkomen. Ik heb er veel van geleerd, maar ik heb ze tevens over hun eigen grenzen gejaagd, door het leven, den oorsprong, denigreerend de enkele aanleiding, het voorwendsel tot het gedicht te noemen. 'n Woedende reactie tegen hen, die durfden beweren, dat een dichter een parasiet op het leven zou zijn, heeft die charge natuurlijk bevorderd. Maar ik herroep die uitspraak bij dezen. Een kunstwerk is een andere aggregatie-toestand van leven, en draagt in zichzelf [...] zijn eigen levenskracht.

Volgt de tirade tegen de epigonen, die ik hiervoor al citeerde, en die duidelijk maakt dat Marsman het oog gehad moet hebben op een bepaald soort dichters onder de *Vrije bladen*-medewerkers, die zich eerder door een formalistische concentratie op de Nijhoviaanse theorie onderscheiden dan door vormkracht. Ik heb al vermeld dat Marsman in Nijhoffs eigen bundel *Vormen* de teruggang naar klassieke elementen laakte. Zo veroordeelde hij in de epigonen van zijn generatie wat hij in het voorgaande geslacht veroordeelde. Naar aanleiding van Theun de Vries merkt hij op: 'Ik geloof in de vruchtbaarheid van het onvolmaakte, ik haat de steriliteit der doodelijk begaafden, ik vervloek de talenten, en ik smeek om dichters'; een tirade die, behalve door bovenstaand fragment uit 'Over de verhouding van leven en kunst', ook reliëf krijgt door de bespreking van Den Doolaards bundel *De verliefde betonwerker* in *De vrije bladen* van juli 1927.

Talent? maar dat is juist de kwestie: te veel. In den loop der zes jaar ongeveer, dat hij schrijft, is den Doolaard's talent zeer snel gegroeid, ten koste van zijn poëzie, en als hij 'De laatste Viking' niet had geschreven, en 'Pooltocht' en de 'Voorzang van Cuchulainn', en de 'Ballade van den Onbekenden Soldaat', dat zonder restrictie prachtige vers, dan was hij, blijkens zijn bundel-alleen: een talent, geen dichter.

De verhouding ligt zoo: het dichterschap in engeren zin levert materieele poëzie – men herinnert zich Nijhoff's terminologie? – talent transformeert haar, door zijn formeele functie tot volledige poëzie. Een compleet dichterschap (ik blijf voortdurend op *aesthetisch* terrein) bestaat in het evenwicht dier 2 krachten: materieele en formeele dichtkunst, dichterschap i.e.z. en talent. Dit evenwicht is zeer schaarsch, begrijplijkerwijs, maar een onevenredigheid waarin materieele poëzie overheerscht ten koste van de formeele (voorbeelden: Buning, Engelman, Henri Bruning) is natuurlijk verreweg préferabel boven het omgekeerde (Beversluis, Gossaert, den Doolaard).

In het algemeen heeft 1910 het talent mateloos gecultiveerd: literatuur werd overwegend formeel, formalistisch, een esoterisch jargon: de schrijftaal werd niet meer gevoed door de spreektaal. Men kan zeggen: ook functioneel waren de dichters vlak vóór ons romantisch: gesublimeerd. Linguistisch beschouwd – het is vaker gedaan, maar nog altijd niet vaak genoeg, naar het schijnt – moet de poëtische taal zich vernieuwen en verrijken aan de gesproken, anders verdort, verijlt, verstart ze.

Naast het verwerpen van epigonisme en '1910' in hun combinatie, treft hier een facet waar Oversteegen al eerder de aandacht op vestigde: 'deze opmerking zou in Forum niet misstaan hebben, wat het standpunt betreft...' Die observatie wordt geformuleerd als een terzijde bij de plaatsbepaling van Marsman als kritikus, die nogal 'autonomistisch' en dicht in de buurt van Nijhoff uitvalt, terwijl er op grond van een enigszins andere selectie en ordening van het materiaal geconcludeerd zou kunnen worden tot een positie die ligt tussen Nijhoff en Binnendijk enerzijds, en de later optredende Forumianen anderzijds. Marsmans begrip vormkracht heeft dan ook niets te maken – ook Oversteegen moet dat toegeven – met Nijhoffs creatieve zelfwerkzaamheid van de vorm, maar is zijn formule voor de scheppende, omvormende activiteit van de dichter, die weliswaar als een bovennatuurlijke, maar ook als een persoonlijk te hanteren gave wordt gezien. Dat standpunt wordt nog eens duidelijk herhaald in de inleiding van *De lamp van Diogenes*, de verzameling kritieken waarin de term vormkracht een sleutelrol vervult: 'De zaak is nu niet, dat ik, in poëticis, alleen den mensch in den dichter zoek; ik zoek evenzeer den dichter in den mensch, maar én onder menschen (in biologischen zin) én onder dichters allereerst of uitsluitend *menschen*, gestuwden door scheppingskracht.' En in *Kort geding*, dat nauw bij de voorgaande bundel aansluit stelt hij: 'En de mensch-zelf? zooals men dat noemt, alsof de dichter al niet de mensch-zelf was.' Begrijpelijk is het dat Binnendijk moest polemiseren met die opvattingen, en dat Marsman zich niet geroepen voelde Binnendijk tot het uiterste te verdedigen, toen die met zijn poëzietheorie door Ter Braak en Du Perron in het nauw zou worden gebracht; begrijpelijk ook dat Du Perron later bij sommige van de door mij hierboven aangehaalde passages van zijn instemming getuigde.

Van verschillende kanten, te beginnen door Marsman zelf, is duidelijk gemaakt dat zijn vitalisme, 'als *theorie* van de vitaliteit, als ideaal van een krachtige jeugd' ontstaan was in hem zelf, 'omdat in werkelijkheid die vitaliteit er niet was'. Dat verklaart ten dele het geforceerde karakter van zijn manifesten en de snelle teleurstelling toen de verwachte effecten uitbleven. (Twee van de drie gedichten die hij aan jaargang 1927 van *De vrije bladen* bijdraagt hebben hetzelfde geforceerde karakter: een overspannen wil tot leven moet de doodsangst beteugelen in 'Doodsstrijd' en 'Lex barbarorum'. Over het laatste gedicht schrijft hij in een branieachtig commentaar aan Binnendijk, dat tekenend is: 'Lex barbarorum moet je lezen met je handen in je zak, anders sla je de ramen kapot.') Daarnaast kan men vaststellen dat de theorie van het vitalisme berustte op introspectief gevonden inzichten met betrekking tot het schrijven en lezen van poëzie, een bezigheid die zo'n alles overheersende plaats in

Marsmans leven innam, dat deze inzichten voor hem het karakter kregen van een laatste waarheid.

In een in 1937 gehouden lezing verklaart hij 'dat, toen hij de vitalisten niet kende, hij "vitalist" was, maar dat hij, nu hij ze wel kende, het niet meer was', waarmee hij, volgens een oorgetuige, wilde zeggen 'dat men misschien kan meenen dat hij de vitalisten goed kende, maar dat in waarheid slechts Nietzsche hem eenigermate bekend was.' In aantekeningen die Marsman voor deze lezing opstelde is te lezen dat hij met deze andere vitalisten Bergson, Driesch en Klages bedoelde; alleen over de eerste had hij als jongeman wel eens een artikel gelezen.

Nietzsche las hij inderdaad sinds zijn achttiende, negentiende jaar, waarschijnlijk door bemiddeling van Lehning; en hij zou deze lectuur tot zijn dood blijven volhouden. Men zou willekeurige citaten kunnen geven om de parallellen tussen veel van Marsmans ideeën en die van Nietzsche aan te tonen, maar ik wil voor het moment met enkele aanhalingen volstaan.

Bij het tot stand komen van zijn vitalistische poëtica heeft Nietzsche onmiskenbaar een grote rol gespeeld.

Die Kunst erinnert uns an Zustände des animalischen *vigor*; sie ist einmal ein Überschuss und Ausströmen von blühender Leiblichkeit in die Welt der Bilder und Wünsche; andererseits eine Anreizung der animalischen Funktionen durch Bilder und Wünsche des gesteigerten Lebens – eine Erhöhung des Lebensgefühls, eine Stimulans desselben.

Ook in het geval van het anti-estheticistische bezwaar dat Marsman tegen de scheiding van leven en kunst maakte, mag men de ruggesteun van Nietzsche veronderstellen.

Die Kunst ist das grosse Stimulans zum Leben: wie könnte man sie als zwecklos, als ziellos, als *l'art pour l'art* verstehen? Eine Frage bleibt zurück: die Kunst bringt auch vieles Hässliche, Harte, Fragwürdige des Lebens zur Erscheinung, – scheint sie nicht damit vom Leben zu entleiden?

Het antwoord op die laatste vraag luidt: 'wer Leid gewohnt ist, wer Leid aufsucht, der *heroische* Mensch preist mit der Tragödie sein Dasein.' Marsman zag de katharsis-functie van de kunst op dit moment niet zozeer in het tot uitdrukking brengen van de *amor fati*, als wel in de transformerende werking die 'de zwartste, de meest ongoddelijke, duivelsche materie' kon adelen: maar met Nietzsche beschouwde hij de kunst 'als die höchste Aufgabe und die eigentlich metafysische Tätigkeit dieses Lebens', en als zodanig 'als organische Funktion'.

Een psychologische verklaring voor Marsmans vitalisme is, behalve in de richting van zijn behoefte aan een ideologisch houvast, en zijn bezwering van de angst voor dood en verstening, te vinden in zijn zwakke lichamelijke constitutie, die hij op deze wijze trachtte te compenseren. 'De lust om het leven met al mijn poriën te ondergaan' ontstond gedurende de maanden van 1918 die hij met een zware longontsteking op bed door moest brengen.

Het is ook dat vitalisme à outrance dat hem wantrouwend deed staan tegenover het fixeren van het gedicht in een vorm, en hem de voorkeur deed geven aan een intens leven boven het dichten. Op 22 oktober 1921, toen hij de gedichten uit de tweede afdeling van *Verzen* schreef, liet hij vanuit Noordwijk aan Van Klinkenberg weten:

> Kunst is mij zoo heel secundair geworden, steeds meer. Leef, wees een man van zwaai en durf, wees, positief of negatief (!) vitaal op éen van duizend wijzen. Laat alles schieten voor éen uur dronkenschap, voor een storm aan zee (als vanavond), voor een vrouw, voor een bloem.

Later, in een interview met Den Doolaard uit 1927, zou hij zich in vergelijkbare bewoordingen uitlaten. Dat wantrouwen zou hem in 'Naamloos en ongekend' het publiceren doen afwijzen, en sceptisch doen staan tegenover het schrijven. De negatieve zijde van de vitale, scheppende vormkracht was de schriftelijke neerslag van het gedicht als een versteend, en derhalve levenloos beeld; 'want het beeld dat leeft als gedicht voor wie kan lezen, is dood voor den man die het schreef, een deel van zijn dood en een deel van zijn opstanding, maar het meest van zijn dood.' In een lezing uit 1937 herhaalt hij deze mening, en voegt er aan toe dat wanneer bij hernieuwde lectuur het eigen werk weer gaat leven, de lust ontstaat om er in te gaan werken. Iets dergelijks schrijft Marsmans alter ego Jacques Fontein in zijn dagboek:

> Zichzelf herlezen? Wie zichzelf herleest, leest een grafschrift. Daarom is het verbeteren en herschrijven van vroeger werk vaak zoo moeilijk. Buiten den muur van het kerkhof roept het leven, dat op zijn beurt beeld en grafsteen wil zijn.

En even later herhaalt dit personage:

> de versteening is eeuwig; nauwelijks voltooid, zal het sfinxachtig schrikbeeld van mijn verstarring mij weer aanstaren met haar doode bedrieglijke oogen en het zal mij tarten het te vernielen in duizend scherven, want vervluchtigen laat het zich niet.

Aan de andere kant stelt diezelfde Fontein met nadruk, wanneer hij spreekt over de eeuwige, levenbrengende kracht van de poëzie:

> Haar dood in het teeken der taal is een schijndood, zij is eeuwig voorzoover de taal eeuwig is, zij kan werken tot in nu nog ondenkbaar ver verwijderde tijden en zij bezielt ook dan weer de menschen die haar lezen.

Het treffendste beeld voor het hele complex van zijn vitalisme: levensdrift en doodsangst, met als complementen doodsdrift en levensangst, de wil om blindelings daden te stellen, en de wens in het niets te vergaan, vond Marsman in het thema van de Vliegende Hollander, dat hem al vanaf zijn jeugd had gefascineerd.

> Dat was geheel mijn gevecht – en als ik mij ooit in dien tijd met mijn land en den geest van zijn calvinisme verwant en zelfs vereenzelvigd heb gevoeld, dan op den avond waarop ik dit verhaal voor de eerste maal las. Want het conflict dat in het calvinisme verborgen ligt, wordt er met onverwrikbare fataliteit in gesteld. Ik dacht er toen nog niet over of dit gevecht niet volkomen vruchteloos was en veel minder vrije keuze dan het mij leek – want als alles voorbeschikt was had de daad van den schipper objectief geen rebelsche beteekenis meer en was ook de straf die hem trof een onontkoombaar gevolg – het eenige wat mij aanging, was het feit dat van der Decken, een hollandsch zeekapitein, den strijd tegen God had aanvaard, in het volle bewustzijn van zijn vrijheid, in het volle besef van zijn verantwoordelijkheid en van zijn kans op verdoemenis. Een man naar mijn hart; hij voerde een strijd die mij weliswaar bovenmenschelijk leek, maar die ook ik zelf moest voeren, met den vollen inzet van mijn bestaan.

'God zijn om niet te vergaan', zou hij later in *Tempel en kruis* schrijven; het is het motief dat al zijn verbeeldingen van de Vliegende Hollander beheerst. Naast bovenstaand fragment uit het *Zelfportret* laat zich bv. het in dezelfde tijd geschreven gedicht 'Lezend in mijn boot' leggen. Dit gegeven heeft Marsman gedurende zijn hele leven bezig gehouden. Een van de laatste plannen waar hij voor zijn dood nog aan werkte was een roman over Van der Decken, en daarmee continueerde hij een project dat als een rode draad door zijn œuvre loopt. Zo schreef hij op 2 december 1923 aan Binnendijk de prozabewerking van *De vliegende Hollander* te hebben voltooid, wat lijkt te impliceren dat er ook een versie in dichtvorm van heeft bestaan; overigens ontbreekt daarvan elk spoor. De tekst waarvan tegenover Binnendijk sprake is betreft het korte stuk dat later als prozagedicht werd opgenomen in het *Verzameld werk*, na eerst te zijn gepubliceerd in *De vrije bladen* en naderhand in boekvorm. De fragmentarische vorm ervan doet vermoeden dat het stamt uit een groter geheel, en er valt aan te nemen dat het later gepubliceerde stuk 'De zwarte vloot' en het eerder verschenen fragment 'Laatste groet van Den Vliegenden Hollander' eveneens deel uitmaken van dit groter geheel. Dat geldt ook voor een onuitgegeven stuk in de nalatenschap dat kennelijk als inleiding is bedoeld. Opvallend is namelijk in deze beide laatste stukken de grote overeenkomst op het punt van het motief 'vitalistische doodsdrift', die spreekt uit zinnen als:

> Maar het zwart en bloedend verbond van dood en donker wapende zich: de vloot, die eenmaal rondzwierf, doelloos en gelukzalig, is uitgezeild ter volkomen verdelging van het leven, een smaldeel der wraak, onder de piraten der eeuwigheid. Onder het harde bewind van den dood zal zij het leven bevechten tot den ondergang van de laatste ster. Dan zal de oceaan van het niet ongebroken hervloeien door de ruimten der leegte, in den eentonigen golfslag der eeuwigheid.

> Ik wilde alle dingen ervaren, die des menschen zijn; volledig. Daarom waagde ik, op elken tweesprong, hart en lijf, roekeloos en onvoorwaardelijk. Alsof elke tweesprong, trillend, de laatste was, tusschen leven en dood....

Ook is er sprake geweest van een scenario dat Marsman zou schrijven voor een door Joris Ivens te regisseren verfilming van deze sage.

Voordat Marsman zijn redacteurschap neergelegd had, was hij inmiddels teruggekomen van de mening dat zijn vertrek als redacteur moest

Met Joris Ivens (± 1925)

leiden tot de opheffing van *De vrije bladen*. Hij wist zelfs nog te bereiken dat zijn vriend Binnendijk hem in de redactie opvolgde naast het eveneens nieuwe driemanschap Kelk, Werumeus Buning en Van Wessem, om zo een 'breed germaansch tegenwicht tegen hun gallisch eclecticisme' te garanderen, en bovendien het 'element Marsman' te continueren.

Houwink wilde aanvankelijk Marsman niet volgen in diens uittreden, maar weldra, al na één nummer, nam hij alsnog zijn ontslag uit de redactie, omdat hij, enige Zeistenaar in het gezelschap van Amsterdammers, te veel naar zijn zin buiten de beraadslagingen werd gehouden; daarnaast bestonden er nog andere persoonlijke wrijfpunten tussen hem en de andere *Vrije bladen*-medewerkers.

Daar kwam nog bij dat Houwink verwijderd raakte van de anderen door een zich wijzigende opvatting over de relatie leven-kunst, die hem weldra zou doen belanden in het protestants-christelijke blad *Opwaartsche wegen*, waarvan hij de belangrijkste theoreticus werd. Tot een conflict, in het bijzonder met Marsman, kwam het naar aanleiding van een door Marsman ondernomen aanval in *De vrije bladen* van november 1925 op Herman Robbers, al jaren lang een protegerend vriend van Houwink. In een open brief aan P. N. van Eyck en Jan Greshoff had Marsman gevraagd om Israël Querido en Robbers 'aan flarden te schieten', en gesuggereerd dat Houwink door zijn relatie met Robbers niet eerlijk over diens werk kon oordelen. Hij zal het oog hebben gehad op enkele lovende besprekingen van Robbers' romans in *De vrije bladen*; zijn eigen depreciatie van dergelijke lectuur was bekend. De zaak liep zo hoog op dat Houwink zich in de dagbladpers openlijk van Marsman distantieerde, en eindigde pas met de excuses van de redactie aan de aangevallene in het nummer van januari 1926, van Marsman in een persoonlijke brief van de twaalfde van diezelfde maand.

Zo eindigde een veelbewogen jaargang met het afscheid van een vriend. Op 12 februari 1926 vroeg Marsman schriftelijk aan Engelman, die een artikel over zijn werk wilde schrijven, geen verband met Houwink te leggen, een verlangen dat één à twee jaar eerder ondenkbaar zou zijn geweest. 'Het lijkt mij totaal overbodig', schreef hij, 'en is na het gedonder tusschen hem en mij, onaangenaam. Buitendien kan – als ik "relief" moet krijgen – dat ook gebeuren tegen een "achtergrond" die niet bezoedeld wordt door zijn lijk.'

Hij zou nog meer vriendschappen in gevaar brengen door zich te oriënteren op een levensbeschouwing die van Houwinks geloof niet zo ver verwijderd was. Marsmans contact met het katholicisme, was tot stand gekomen via twee nieuwe vrienden die hij zich intussen had gemaakt: Jan Engelman en Gerard Bruning.

HOOFDSTUK 5

HEMELS HEIMWEE

Marsmans eerste officiële contact met het kamp van de jonge katholieke literatoren was een vuurcontact. Op 19 en 26 maart 1925 had Bernard Verhoeven, letterkundig medewerker van het voor katholieke begrippen progressieve weekblad *De nieuwe eeuw*, een tweetal artikelen gepubliceerd, waarin hij de standpunten aanviel van *De vrije bladen* en *De stem*, door hem als 'paganistische' bladen over één kam geschoren. Eerder had Verhoeven in een korte aankondiging van de eerste twee nummers van jaargang twee van *De vrije bladen* opgemerkt dat hij niet inzag op welk punt dit nieuwe tijdschrift nu wel afweek van *De nieuwe gids* in zijn beginperiode. Beide organen predikten immers individualisme en schoonheidscultus, en juist Marsman hield in zijn programmatisch openingsartikel van de door hem geleide jaargang zijn generatiegenoten het lichtend voorbeeld van Tachtigers, Negentigers en het geslacht van 1910 voor.

In een persoonlijk schrijven aan Verhoeven had Marsman zijn manifesten 'De positie van den jongen Hollandschen schrijver' en 'De sprong in het duister' verduidelijkt, en verlof gegeven om er in het openbaar uit te citeren, wat Verhoeven ook zou doen. Marsman verdedigde zich door er op te wijzen dat hij onder schoonheid niet 'de Fransche decadente Mooïgheid' verstond, maar 'de materieele afstraling van alle kunstwerken waarin het Leven zich tot Vorm gekristalliseerd en bestendigd heeft.' Tot zover herhaalt hij in beknopte vorm zijn vitalistische poëtica. Hij voegt er een nieuw element aan toe wanneer hij meedeelt dat hij zich zeer wel kan vinden in de formulering van zijn opponent dat de schoonheid 'een attribuut van God' is. Die stap was al voorbereid toen hij in 'De positie van den jongen Hollandschen schrijver' zonder commentaar, maar met kennelijke instemming Nijhoff citeerde: 'Wij houden van de poëzie, die de Ouden niet ten onrechte als goddelijk beschouwen.' Verhoeven wees deze verdediging van de hand, omdat ze hem, komend van een 'heiden', niet voldeed; niet-katholieken verstonden immers onder de term God 'een onbestemdheid die misschien Leven heet.'

Het verschil tussen de katholieke en de vitalistische schoonheidsaan-

Met Jan (links) en Kees Greshoff (Arnhem, mei 1925)

bidder is hier nog evident, maar er was een trait d'union mogelijk. Die brug werd gevormd door de kunsttheorie van de neo-thomistische denker Jacques Maritain, op wie Verhoeven zich in de discussie al had beroepen. In *Art et scolastique* (1919) had Maritain een katholieke esthetica ontworpen waarin wereldlijke kunst en kerkelijke dogma's met elkaar werden verzoend. Kunst hoefde niet meer uitgesproken religie-gebonden te zijn, omdat het scheppen op zich al een goddelijke activiteit betekende. Zo kon Verhoeven schrijven: 'De Eeuwige Schoonheid weerspiegelt zich in de ziel van den kunstenaar, die in herinneringen en voorgevoelens het Aardsche Paradijs kortstondig herstelt en den Hemel projecteert.' Maar in het dispuut met Marsman accentueerde hij het offer van de individualiteit dat de kunstenaar brengen moest. De persoonlijkheid die in zichzelf besloten was, en niet als doorgang van het aardse naar het hemelse wilde dienen, achtte hij 'veroordeeld tot perversie'. 'Met de daad van onderwerping en overgave – niet tegenover de menschheid, maar tegenover God – wordt het individualisme herroepen.'

Marsman antwoordde Verhoeven daarop dat, waar hij 'de duizenden vormen van buiten-Katholieke schoonheid niet aanvaarden' kon, hij ook niet in staat was die fenomenen te beoordelen, waarmee hij zich als kritikus een testimonium paupertatis gaf. Waarschijnlijk zonder het zelf te weten, was Marsman hier al dichter dan Verhoeven het standpunt van Maritain genaderd, die stelde dat God geen katholieke kunst verlangt, maar simpelweg kunst. Of Marsman het werk van de Franse filosoof al kende, valt te betwijfelen. Hij zal er waarschijnlijk pas mee in contact gekomen zijn na zijn kennismaking, in mei 1925, met Jan Engelman, die Maritain goed kende en zich als belangrijkste woordvoerder van het juist opgerichte katholieke literaire blad *De gemeenschap* vaak op diens geschriften beriep. Zodra Marsman Maritain gelezen had, onderging zijn poëtica al snel een uitbreiding in 'katholiserende' zin, zoals we nog zullen zien. Eerst moet ik nog wijzen op een passage uit het antwoord aan Verhoeven.

Individualisme? Goed. Maar: dat werd niet met '80 geboren, dat werd in de Renaissance geboren. En zoolang u en ik en de heele wereld met ons over het cultuurprobleem *spreken*, bestaat de *cultuur* niet; en al is in velen de wil geboren naar een gemeenschap, maar de Gemeenschap, zij *is* er niet. En willens of onwillens is alle werk, nà de Moederkerkelijke cultuur der Middeleeuwen, individualistisch: heidensch of protestant. Zoolang de herleving van het Katholicisme, die wij nu beleven, niet zich cultureel (d.i. *geestelijk en maatschappelijk*) verwerkelijkt tot een katholieke *samenleving*, zoolang blijft de Katholieke kunst, malgré soi (min of meer) individualistisch. Pas als de *naam* verdwijnt, het teeken van het individu, zullen de gemeenschappelijk-voelenden, de *Nameloozen*, de nieuwe Kathedralen mogen bouwen.

Deze passage bevat de kern van een serie min of meer samenhangende aantekeningen over zijn literaire en maatschappelijke opvattingen die Marsman onder de apodictische titel 'Thesen' publiceerde in *De vrije bladen* van november 1925. De opening van het artikel liet zien dat hij in ruim een half jaar tijd nog verder was geëvolueerd in de richting van Verhoeven en de zijnen.

De oorsprong van den ondergang dezer beschaving is het individualisme. De Renaissance rukte den enkeling los uit het toen reeds sterk verworden cultureel verband der Middeleeuwen. De persoonlijkheid derft de persoonlijke zaligheid.

De zwakzinnigen keeren zich tegen het individualisme met halve, zelfs theoretisch-halve middelen: de (verbreede) individualist wordt, her-wordt: persoonlijkheid. De consequente individualist wordt: anarchist. Theoretisch-volledige anti-individualismen: communisme (materialistisch) en katholicisme (spiritualistisch). Moscou begint verkeerd: van de materie uit, amerikaansch. Rusland en Amerika zullen Europa verpletteren. [...] Rome *begon* goed, *ging* uit van den geest: de cultuur was slechts emanatie daarvan. De huidige herleving van het katholicisme is angstsymptoom: de radeloozen, de ontwrichten vallen terug naar een nu doode waarheid. De eerste de beste: want waarom niet naar Aegypte, naar... maar inderdaad, men valt reeds terug en uiteen en dood naar: Indië, China, ... Alle oriëntalisme, alle terugkeer, alle poging daartoe (neo-classicisme, neo-spinozisme, neo-impressionisme, neo-dadaïsme!) is lafheid, gebrek aan scheppende oorspronkelijkheid.

Alle pogingen om oude culturen te doen herleven, om nieuwe voor te bereiden, zijn anorganisch en vergeefsch. Cultuur groeit, onbewust. Een *nieuwe, oorspronkelijke religie* alleen kan de wereld herstellen.

De heldhaftigen aanvaarden den ondergang, en leven.

Blind vitalisme en een Spengleriaans ondergangsbesef zijn hier nog in combinatie aanwezig, zoals ook al het geval was in het tweeënhalf jaar eerder geschreven 'Praeludium mortis'; maar het zwaarste accent ligt, met cursivering en al, op de uitgesproken behoefte aan een nieuwe religie.

De eerste die op het stuk reageerde was Marsmans oudste vriend Arthur Lehning. Niet ten onrechte las hij in deze 'Thesen' een toenadering tot de kerk van Rome, en een principieel anti-democratische houding, en mede omdat hij zich door de zinsnede over de consequente individualist die anarchist wordt, persoonlijk aangesproken voelde, achtte hij zich geroepen tot een weerwoord. De openlijke botsing, die met de publicatie van Lehnings 'Anti-thesen' in *De stem* van februari 1926 een feit werd, betekende het zichtbaar worden van een verwijdering die al enige jaren aan de gang was. Ik maakte al melding van Marsmans aristocratisch-individualistische levenshouding die hij vanaf zijn puberteit cultiveerde, en Lehnings ontwikkeling naar links die hem tenslotte bij het Bakoeniaanse anarchisme zou brengen. Op 12 december 1921, toen hun vriendschap nog niets van zijn intensiteit verloren had, schreef Marsman: 'Laat antagonisme van beschouwing tusschen ons groeien – wat schaadt ons dat: naar de andere zijde, die des harten, ben en blijf ik je onveranderlijke vriend.' Overigens toonde hij af en toe de bereidheid de kant van Lehning te kiezen, en zwenkte hij in politiek opzicht al even vaag tussen links en rechts als hij het in artistiek opzicht tussen modernisme en traditie deed. Zijn eigen karakteristiek 'anarchistisch-aesthetisch-vitalisme' geeft die onbepaaldheid al aan. Zo had hij, ongetwijfeld op instigatie van Lehning, enige tijd belangstelling voor het werk van de christen-anarchiste Clara Wichmann, zuster van Erich en één van Lehnings mentoren, die hij 'de schoonste zijde' noemde van het muntstuk waarvan de keerzijde de sociaal-democratie was. In het socialisme kon hij niets zien dan gerichtheid op materieel voordeel en de daaruit voortvloeiende geestelijke en culturele vervlakking. Meestal stond hij echter afwijzend ten opzichte van de houding van zijn vriend. In april 1924 schreef hij geprikkeld: 'Kun jij eigenlijk die sociale aspiraties niet laten schieten; de tijd is voorbij; dan heb ik ook meer aan je.'

Lehning bespeurde de onmiskenbare katholieke invloed in de 'Thesen', en toen Marsman hem tijdens de Kerstdagen in Parijs bezocht en het antwoord met hem besprak, heeft hij waarschijnlijk van de gelegenheid gebruik gemaakt zijn vermoedens te verifiëren; in zijn brieven had Marsman namelijk niets over zijn contacten met de jonge katholieken meegedeeld. Het resultaat was een zeer anti-papistische toon in de 'Antithesen'.

'Individualisme' is de philosophie van het kapitalisme. Maar het is niet zonder het 'katholicisme'. Dit is zijn komplement. Ze zijn wezenlijk één. ('ieder voor zich en God voor ons allen.')

Het anti-individualisme in het katholicisme uit zich niet op de wijze van het socialisme maar op die van het militarisme. Het bevordert daarom niet de ontwikkeling der persoonlijkheid, maar betekent: ont-persoonlijking.

[...]

Rome 'begint verkeerd'. Het kent alleen de vrijheid van den brandstapel of van de biechtstoel. En de broederlijkheid slechts in het hiernamaals.

En met instemming citeerde Lehning Jean Paul: 'Diejenigen, welche die Dummheit des Volkes am meisten gefördert und genährt haben, haben den meisten Nutzen von derselben gezogen. Es ist nicht gewiss, dass die Dummheit den Himmel im anderen Leben verschafft; aber es ist gewiss, dass sie denen, die dies gesagt haben, den Himmel in diesem Leben verschafft hat.'

In zijn herinneringen aan Marsman zou Lehning schrijven dat hij achter de 'Thesen' de invloed vermoedde van Gerard Bruning, de katholieke essayist en kritikus uit Nijmegen, die sinds enige tijd in nauw contact stond met Marsman. Ik geloof dat het, zo gesteld, niet geheel juist is. Weliswaar had Marsman al in het voorjaar van 1924 kennis gemaakt met Bruning, maar het contact was toen tamelijk stroef verlopen. Bruning vond Marsman te trots, schreef hij twee jaar later aan Pieter van der Meer de Walcheren. Een tweede ontmoeting vond dan ook pas plaats in het voorjaar van 1925, toen Marsman een lezing hield voor 'De Ploeg', een kring van in en om Nijmegen wonende jong-katholieke literatoren waarvan Gerard Bruning en zijn broer Henri de drijvende krachten waren. Dergelijke 'gastlezingen' over en weer waren gewoon tussen 'De Distelvinck', 'De Ploeg' en de Utrechtse kring rond *De gemeenschap*. Daarbij was men er niet zozeer op uit een eenheidsfront van jonge schrijvers tot stand te brengen, als wel elkaars strijdbaarheid te verhogen en in de discussies de standpunten te profileren. Af en toe kwam het dan wel eens tot een incidenteel samenwerkingsverband, bv. toen men vanuit *De vrije bladen* en *De gemeenschap* de 'aNti-schUnd'-brochure tegen het tijdschrift *Nu* lanceerde.

Een werkelijk intensieve relatie tussen Bruning en Marsman kwam pas op gang na de jaarwisseling 1925–1926. Bruning was toen al ongeneeslijk ziek en had geen jaar meer te leven.

Voor een katholieke invloed op Marsman tijdens het schrijven van zijn 'Thesen' moet wellicht nog eerder aan Jan Engelman dan aan Bruning gedacht worden. Met hem maakte hij kennis in het voorjaar van 1925. Engelman heeft aan dat moment een scherpe herinnering bewaard, en in het vastleggen ervan geeft hij een treffende karakteristiek van Marsman.

> Op een dag in de maand mei van het jaar 1925 werd ik, kijkend naar een schilderij in de etalage van een sinds lang verdwenen kunsthandel op het Oudkerkhof te Utrecht, op mijn schouder getikt door een magere, blonde man, met miniscuul kleine handjes en een vinnige stem, die de dichter van 'Het rooje boekje' bleek te zijn. Die zelfde dag raakten wij in het Zeister bos bevriend. Wanneer men tussen de twintig en dertig is, gaat dit zoveel vlotter in zijn werk dan later. Marsman had de eerste afleveringen van 'De Gemeenschap' gelezen en vertelde, dat hij getroffen was door het gedicht 'De Geboorte', door mij in dat tijdschrift gepubliceerd. Hij ging als een ronselaar rond, had allerlei denkbeelden over het 'vitaliseren' van 'het jonge intellect', vertelde van teleurstellingen bij 'De Vrije Bladen' en was verwonderd toen ik zei, dat ik mij over 'het figuur' ener generatie niet zoveel zorgen kon maken als hij en dat de kunstenaar op moet passen voor een teveel aan voluntarisme, dat het belangrijker was zich instrument te weten.

Dit is, wanneer men het confronteert met andere getuigenissen over de Marsman van voor 1930, een heel gelijkend portret, dat met een stukje zelfportret van de auteur gecompleteerd wordt. Tegenover de snel enthousiaste en actieve, maar vaak ook blind voorthollende Marsman staat de rustige, 'angelieke' Engelman, die zich, haast flegmatiek, een instrument van God weet, en dat besef blijmoedig uitdraagt. Marsman moet wel onder de indruk van de geloofszekerheid van zijn nieuwe vriend gekomen zijn, en zich hebben afgevraagd of er in de katholieke levensovertuiging niet iets stak dat zijn vitalistische theorieën over de verhouding tussen leven en kunst van een steviger ideologische basis zou kunnen voorzien, te meer waar zijn poëtica een mogelijkheid tot uitbouw in die richting bevatte. In ieder geval zou deze vriendschap resulteren in een geregeld meewerken aan *De gemeenschap*, waarvan Engelman de centrale figuur was. Het opvallende is dat Marsman zich in zijn keuze van gedichten voor dat tijdschrift aanpaste aan de levensbeschouwelijke richting die erin werd voorgestaan (zoals hij zich in *De vrije bladen* onthield van katholiek-aandoende uitspraken). 'De ondergang', 'Heimwee' en 'Hart zonder land', gepubliceerd in *De gemeenschap*, vertonen duidelijk katholiserende tendensen.

Zoals ik in het begin van dit hoofdstuk al aangaf, is de polemiek met Bernard Verhoeven zeker van belang geweest voor de beginnende oriëntatie op de katholieke ideeënwereld, die in het contact met Engelman werd voortgezet. Overigens zou Marsman nog enige tijd blijven bij het in *De nieuwe eeuw* verdedigde standpunt. Zo schreef hij in *De stem* van juni 1926, terugkomend op het debat met Verhoeven: 'De waarde van een kunstwerk zal [...] worden bepaald door de mate waarin intens leven in intense poëzie is omgezet, maar de áard van het leven, vóor en ná de kunstdaad, is indifferent. De intensiteit beslist, en niet het gehalte.' Maar toch deed hij bij deze gelegenheid, in het stuk 'Over de verhouding van leven en kunst', een stapje terug: 'De levens-intensiteit wordt gericht en verdicht, geef ik toe, en misschien zelfs bepaald, door den strijd tusschen goed en kwaad.'

Het is juist deze laatste opmerking die vermoedelijk door Gerard Bruning is geïnspireerd, met wie Marsman op dit moment, in het voorjaar van 1926, in een intensieve briefwisseling stond. Ook het gedicht 'Heimwee', gepubliceerd in *De gemeenschap* van mei 1926, draagt duidelijk de sporen van het contact met Bruning, al valt er ook een lijn te trekken naar het citaat uit de open brief aan Verhoeven dat ik op pag. 178–179 aanhaalde. Op 8 april 1926 schreef Bruning aan Marsman:

> Wereldvrede, ontwapening, anti-militarisme, Volkenbond, Esperanto, Drankbestrijding, democratie etc. etc. allemaal moderne idealen, die voor mij geen aantrekkingskracht hebben. Voor mij is dat allemaal bleekzuchtig en niets daarvan (althans niet zóó) zul je vinden bij de Merovingen en Karolingers. En dáár vind je (althans vind ik) in het Katholicisme een machtige harmonie van religieuze, maatschappelijke en staatkundige waarheden, waarden, beginselen etc. Wat er *toen* in de kerk was en 'creatief' naar alle zijden werkzaam kon zijn, is er *nu* ook nog maar (neem me niet kwalijk!) *jullie* hebt de verwarring gesticht. Na Wittenberg is alle verrotting mogelijk geworden. En die heeft zich dan ook voltrokken en voltrekt zich elken dag nog. Er is maar één herstel: terug naar vóór de Reformatie, terug naar de Karolingers, althans daarheen moeten *wij* ons oriënteeren, wat niet uitsluit een gevoeligheid voor datgene wat er rondom ons gebeurt. Het komt er maar op aan hoe en waarop die gevoeligheid zich richt.

Begin 1926

Uit een opinie als deze, verwoord in bovenstaand brieffragment, zal duidelijk zijn dat Bruning, en met hem veel andere katholieke jongeren die in *Roeping* of *De gemeenschap* publiceerden, er uitgesproken antidemocratische standpunten op na hielden. Hij verkondigde ze bovendien in zeer extreme vorm, daarbij geïnspireerd door het integralistisch katholicisme van de Franse apologeet en pamflettist Léon Bloy (1846–1917), wiens werk vooral door adept Pieter van der Meer de Walcheren in Nederland was geïntroduceerd. In de enige drie nummers van het strijd- en schotschrift *De valbijl* (1924), dat mede onder leiding stond van de gebroeders Bruning, kwam deze geestesgesteldheid fel tot uiting. Onder het pseudoniem Jan Scheerder publiceerde Gerard Bruning een serie artikelen 'Over democratie', waarin hij met klem en onder veel schimpscheuten herhaalde wat hij een jaar eerder in beknopter en parlementairder vorm had opgemerkt toen hij in het serieuzer, maar niet minder reactionaire blad *Katholieke staatkunde* over 'De waanzin der demokratie' had geschreven. Naast de stelling dat de samenleving terug moest naar de Middeleeuwse standenmaatschappij om niet reddeloos onder te gaan, was zijn betoog vooral gebouwd op de these die in *De valbijl* tot refrein werd.

Het fundament der moderne demokratie ligt in de Renaissance: wedergeboorte in hoogmoed, aanvang van het individualisme, dat in den loop der eeuwen zich voltrokken heeft tot het 'voraussetzungslose' denken van den modernen tijd, – het geestelijk anarchisme.

Of Marsman dit artikel heeft gekend is mij niet bekend, maar naar alle waarschijnlijkheid heeft hij Brunings stukken in *De valbijl* gelezen; de zinsneden over de Renaissance als het begin van de ondergang van de Westerse beschaving in de 'Thesen' wijzen daarop. In zoverre heeft Lehning dus gelijk. Maar het betreft hier toch meer de ontlening van een formule, dan het overnemen van een hele mentaliteit. Het laatste hoefde al niet meer, omdat Marsman, zoals ik heb laten zien, al sinds lang overtuigd anti-democraat was. Een terugkeer naar de Middeleeuwen vond hij op het moment dat hij zijn 'Thesen' schreef, in de herfst van 1925, nog dwaasheid; pas na het intensiever worden van het contact met Gerard Bruning, in 1926, lijkt hij van dat idee enigszins terug te komen, en de katholieke kerk wat dichter te naderen. Dat blijkt bv. uit de volgende ronde van de polemiek met Lehning, uitgevochten in *De stem* van mei 1926.

Onnaspeurlijk blijft het verband door Müller Lehning gelegd tus-schen (de practische moraal van) het Katholicisme en individua-lisme, kapitalisme en militarisme; maar onaanvaardbaar, fel-ver-werpelijk is zijn critièk op Rome, met name in het citaat uit Jean Pauls schandelijke en goedkoope platitudes, die het Katholicisme be- en veroordeelen op grond van het wangedrag van Katholieke individuen. Zou de Kerk dat gedrag niet met meer recht en begrip verwerpen dan een in dezen kennelijk-stomme leek? Zou Müller Lehning den laffen moed hebben de aegyptische cultuur te smalen, indien het hem bleek, dat zelfs de Pharao's stuk voor stuk onver-valschte ploerten waren geweest? Ik weet van niet: ik weet, dat hij ideeën pleegt te meten naar hun machtigste verwerkelijking, niet naar de aberraties van hun a.h.w.-toevallige naam-dragers. – De cri-tiek van Müller Lehning is dubbel-bevreemdend, daar hij leeft in de schaduw der Notre-Dame, in het bovenwereldsch regenboog-licht der Sainte-Chapelle.

[...] Essentieel is voor mij de verhouding van den mensch tot God. Daarom kan een positieve philosophie nooit een positieve religie vervangen. Daarom is de redelijke welstand van allen onverschillig naast de geestelijke welstand, die de primaire is. Daarom raken de maatschappelijke verhoudingen ons pas in tweede, of tiende instantie.

In die laatste boutade markeert Marsman wel heel sterk het ideologisch meningsverschil tussen hem en Lehning. Alleen uit trouw aan een ge-meenschappelijk verleden zou het niet tot een volledige breuk komen. Marsman liet er geen twijfel over bestaan hoe zeer hij deze – onvermij-delijke – verwijdering betreurde. Op 6 maart 1926 schreef hij: 'Ik wou dat we beiden onze stukken konden inslikken. Ik wou wel meer inslik-ken! – maar goddank ben ik aan verzen bezig. Als ze af en goed zijn stuur ik ze.'

Een van die gedichten was het kort daarop in *De vrije bladen* gepubliceerde 'Twee vrienden' dat getuige een brief van 26 november 1926 duidelijk refereert aan de relatie met Lehning.

met het scheiden onzer wegen, scheurt toch de vriendschap niet, al moet ze van herinnering gaan leven, al wòrdt ze – ja: het einde is weemoed, veel weemoed – zelve bijna herinnering. Maar ons beider 2e hart – het andere, bij beiden, blijft thuis – is immers op reis? en God weet of, waar en wanneer en hoe ze elkaar eens ontmoeten?! zou die plek niet terstond, door dat weerzien een der kleine Paradijzen worden, terwille waarvan wij beiden leven op zoek naar het Groote, dat we, vrees ik, nooit zullen vinden? – het kàn niet anders.

De positie die Marsman op dit moment, in mei 1926, tegenover het katholicisme innam, wordt het duidelijkst gekenschetst door wat hij schreef aan het slot van zijn antwoord aan Lehning:

> Natuurlijk: de straalkracht van het Katholicisme is zwak, anders wàs de wereld eenvoudig nog Katholiek; dan zou het Katholicisme zelfs den schijn niet hebben van een enkel-historische waarheid. Dé vraag, voor den enkeling, en de wereld blijft intusschen: de aanvaarding of de verwerping van het Katholicisme.

Speciaal aan het adres van Menno ter Braak, die in zijn bijdrage aan de discussie in *De vrije bladen* van februari 1926 met betrekking tot de roep om een 'nieuwe oorspronkelijke religie' spottend over Marsmans predikantenambitie had geschreven, was de volgende passage gericht:

> Dat beteekent niet: een leege, en vage religiositeit; dat beteekent: een nieuwe God, nieuwe Goden, een eeredienst, een zgn. bijgeloof, mythologie. Dat beteekent, cultureel, de vestiging van een nieuw hiërarchisch gezag, dat bij de gelijkheid der zielen de ongelijkheid der persoonlijkheden erkent, en daarop haar wereld bouwt. Zoolang men het Katholicisme verwerpt, blijft dat (die nieuwe religie) de eenige reddende mogelijkheid: zij moèt ontstaan, hier, of in Labrador, of op Saturnus.

Hij eindigde zijn stuk op een manier die doet vermoeden dat hij zijn verleden als kosmisch dichter zag als een aanloop voor zijn zoeken naar een nieuwe religie.

> Het individualisme als noodlot erkennen, is niet het verheerlijken: wie deze dagen en nachten leeft in een duizelingwekkend vergeten en twee, driemaal in dien dans de toppen der ruimte vermeestert, zal door de schedelbreuk van den hemel het late weerlicht zien stormen van het ontluisterd Eden; hij wordt verblind en verteerd door het onuitroeibaar heimwee. Hij voelt een somberen deernis met hen, die levend als hij, de eendre rampzaligheid roemen als een

krachtige vreugde; en die wanend, dat de eenzame mensch den gemeenzamen God kon verslaan, niet met hem hunkeren naar tijden, achter of vóor ons, van kruistochten en kathedralen.

Min of meer in tegenspraak met wat hij even tevoren heeft gezegd over het aanvaarden van het noodlot, 'en den alomtegenwoordigen schrik bezweren door een dionysisch leven', erkent Marsman hier de nederlaag van zijn 'anarchistisch-aesthetisch-vitalisme'. Korte tijd later toont hij zich met het gedicht 'Heimwee' een van hen die hunkeren naar de tijd van kruistochten en kathedralen.

Dat het verlangen naar een nieuwe Middeleeuwen in letterkundige kringen van jong-katholieken vrij algemeen was, blijkt uit verschillende andere bronnen. Zo stelt Albert Kuyle in een stuk over Henri Ford in *De gemeenschap* van november 1925 zijn ideaal tegenover het 'amerikanisme', de modern-zakelijke en 'vitalistische' mentaliteit waarvoor de Nieuwe Wereld als afschrikwekkend, en soms ook als verleidelijk symbool gold. Althans, Kuyle's houding wordt door die ambivalentie zeker gekenmerkt. In het bedoelde artikel wijst hij, als Ter Braak in dezelfde tijd, Amerika af, later zoekt hij in de sfeer 'van krantenjongen tot miljonair' de inspiratie voor het verhaal 'Sjooks'. Marsman zou in 'Bill' trouwens hetzelfde doen. 'Henri Ford' besluit aldus:

In deze morgen kon Walt Whitman dartelen, en we hebben, plots wakker, naar deze nieuwe stem geluisterd, en onze handen gerekt naar dit lichtende, juichende dat niets dan *leven* was.

Maar voor ons al te fundamentloos Amerikanisme komt de debacle, als de Geest waait, en de ziel zijn leven vraagt. De gezichten worden ouder, de oogen liggen dieper, het zelfvertrouwen slinkt; er wordt een cultuur geboren.

Misschien bouwt eens, in een nieuwe begeestering, dit volk zijn nieuwe Kathedraal.

Jaren later nog voegt de vooraanstaande katholieke kritikus Van Heugten, uitgerekend in een bespreking van Marsmans *Porta nigra*, aan de kathedraal de kruistochten toe.

De kruistochten waren zuivere exponenten van den grandioozen avontuurzin van het Christendom en dat zij een paar eeuwen konden voortbestaan, bewijst dat ze niet uit een toevallige psychose, maar uit het hart van het Christendom gegroeid zijn. Was er hedendaags nog een kruistocht mogelijk, dan zou dit misschien de redding van Europa wezen.

Het is niet onwaarschijnlijk dat Van Heugten zich in zijn vitalistische optiek op het katholicisme heeft laten inspireren door Marsmans gedicht 'Heimwee', dat toen al zo'n acht jaar eerder verschenen was. Lehning benadrukte in de polemiek met zijn vriend een heel ander aspect van het christendom. In zijn dupliek, tevens het laatste woord in de discussie, merkte hij op dat de Sainte Chapelle, die Marsman hem als fetisch had voorgehouden, uit een verdieping voor aanzienlijken en één voor het gewone volk bestond, en dat deze kerk bovendien getooid was met nationalistische en militaristische symbolen. Aan die opmerkingen stootte Gerard Bruning zich, zoals blijkt uit het artikel 'Thesen en antithesen' dat hij in *De morgen* van 17 juni 1926 aan de polemiek wijdde. Tussen de regels van dit stuk is duidelijk te lezen hoezeer Bruning zich intussen om Marsmans zieleheil was gaan bekommeren. Hij benadrukte sterk 'onze angstwekkende verantwoordelijkheid, de gesteldheid dergenen die buiten de Kerk zijn, hun bevrijdenis en ons aandeel in de betaling dier bevrijden'; en hij noemde Marsman 'een dergenen, wiens verre herinnering aan het Doopsel en het Kindschap Gods hem werpt "vers un absolu".'

De brieven van Bruning aan Marsman, en de schaarse antwoordbrieven die in 1959 met commentaar door Piet Calis in *De gids* zijn gepubliceerd, maken duidelijk dat Bruning zeer goed op de hoogte was van de ideologische crisis waarin zijn vriend verkeerde; daarbij kwam dan in het voorjaar van 1926 nog de ongelukkige afloop van de relatie met Elisabeth de Roos, die sinds eind 1925 bestond. Bruning was geneigd de toenadering tot hem die Marsman juist in deze crisis toonde, toe te schrijven aan een goddelijke voorbeschikking jegens deze man, die zich tegenover hem paganist, immoralist en individualist had genoemd, feller strijdend tegen een katholieke invloed naarmate hij een bekering dichterbij wist.

Eind 1925 was Marsmans bundel *Penthesileia* uitgekomen, en de bespreking die Bruning er in *De morgen* van 7 januari 1926 aan wijdde, kort na het verschijnen van de 'Thesen', valt te beschouwen als een uiting van bekommernis om Marsmans geestelijk welzijn.

Marsman bevindt zich strijdbaar en strijdend tegenover de wereld, het leven, begin en einde, goed en kwaad en hij bevindt zich nóg in de staat van een rücksichtlos zich rekenschap geven: als hij grijpt

grijpt hij, als hij erkent erkent hij. Met 'De Wilde Kim' van A. Roland Holst scheelt hij naar de geest een generatie en meer dan dat: het naakte werkelijke besef (maar à rebours) tegen het al verijlde – o verslappende en uitwissende werkloosheid – en àl vervluchtigend besef; conciese sprong en actieve agressiviteit tegen terugschouwen en werkloze meditatie.

Hij ziet – voorhands nog: de dingen zonder zelfmisleiding. Marsman: méér léven, minder literatuur.

Roland Holst: méér literatuur, minder léven (leven bedoeld als spanning op verovering, literatuur als vormbeheersing).

Want er is een kern van verwoede zakelijkheid in deze dichter, welke hem voorlopig voor zelfmisleiding heeft behoed en dadelijk in een rechte lijn naar beneden dreef. Een snelle afrekening heeft zich onbevreesd voltrokken: het is een schot in de roos, het is één hamerslag, het is een sprong maar het is géén tijdpassering, geen île joyeuse, géén verschemeren: en dit (behalve zijn poëtische potenties nog) scheidt hem volkomen van allen, die zich in 'De Vrije Bladen' geuit hebben: hij heeft zichzelf niet – als v. Elro – naar de vergetelheid gezongen.

Twee elementen vallen op: Bruning probeert Marsman los te maken van Roland Holst, als vertegenwoordiger van de oudere generatie en een verkeerde literatuuropvatting, èn uit het milieu van *De vrije bladen*, waarvan de medewerkers al evenzeer afglijden naar het moeras waarin Roland Holst en de zijnen verzonken zijn, en dat wordt aangeduid met de pejoratieve termen verijling, verslapping en vergetelheid. Het doet denken aan de bewoordingen waarmee Marsman gepolemiseerd heeft tegen de romantische gevoeligheid die zijn tijd heeft gehad, en het is dan ook duidelijk dat Bruning de vitalistische zakelijkheid in Marsman sterk waardeert. Bevreemdend is dat hij in *Penthesilea* niet de concessie aan die verworpen romantiek heeft gezien; begrijpelijk is wel dat hij het gedicht 'De laatste nacht', met de regels

De nacht staat tusschen ons in
en de duisternis wordt een gericht:

o! de engel wiens wrekende hand
ons roept naar het laatste gericht.

aangrijpt voor het trekken van zijn levensbeschouwelijke moraal.

In het afscheid voltrekt het zich: dit heeft zichzelf omgebracht; het leven heeft zich gericht maar met *het besef van dit gericht* zit een mens over zichzelf ten gericht. [...]
Wie – rug aan de aarde, ogen naar 't licht – dit besef redt, redde de làâtste weerstand – nog. Maar de grenzen zijn geraakt: nog eens, nog eens, nog eens en verrotten óf leven.
Vóór die grenzen is het besef van goed en kwaad.
Vóór die grenzen redt ons het *willen* en *durven*.
Voor die grenzen zullen wij dàn het leven bezitten.
Maar het is uit de diepten, dat wij roepen om verhoring: de profundis clamavi, – niet op kantelen; om literatuur, schone verzen en aesthetica gaat het nu niet meer.
Het alarm sloeg.

De expliciete raadgevingen aan Marsman om zijn vitalisme in Gode welgevallige banen te leiden, volgden enige maanden later per brief. Marsman had geschreven dat hij een fatalistische, op de ondergang gerichte gemoedsgesteldheid als die van Roland Holst niet kon keren en dikwijls ook niet wilde keren. Bruning antwoordde hem op 8 mei 1926:

Zou je dit accent niet moeten verleggen: ik *wil* het, vrees ik, niet keeren en dikwijls kàn ik het niet keeren. Begrijp me goed: ik màg je geen verwijt maken want dat zou (schoon anders) met de volle zwaarte ook mij treffen. M'n eigen ellendigheid heeft me echter geleerd, dat meestal waar we een onmacht belijden een onwil verborgen wordt gehouden. Het is een ijzeren wet: je zult jezelf alleen maar bevrijden *kunnen* naar de mate waarin je jezelf bevrijden *wilt*; de *wil* duldt niets dan zakelijkheid. (De wil duldt misschien ook geen kunst). Ik begrijp de noodlottige vervoering, welke voor jou van Holst moet uitgaan, – maar je kijkt in een afgrond, waarvan jij, juist jij je bevrijden *moet* (moet *willen*) want God heeft je al die prachtige gaven gegeven niet om het vuur van een zichzelf verterend vitalisme brandend te houden maar het vuur van den H. Geest: een der 'Phares' waarvan Baudelaire spreekt. Als ik denk aan Wichman en wat hij nù in dit land had kunnen *zijn*: welk een machtige stem en hoe hij alleen nog maar *is* een puinhoop, een puinhoop van een bastion, dan *weet* ik ook waarom dat zoo moest worden: hij heeft zichzelf roekeloos verbruikt. Maar bedenk: je kunt je ook verzuipen aan de ondergangsgedachte, je kunt je ook aan Holst verzuipen. Bid tot God of: bid in 't blinde weg, om een *wil* en begin dan stap voor stap je weg af te breken en op te bouwen. Ik hoef je niet te zeggen, hoe machteloos ik me voel, dat ik je *direkt* niet meer kan geven dan deze woorden. En wees ook niet boos, dat ik je dit schrijf, want ik schrijf je dit om dezelfde eerbied en liefde voor het Leven die jij bezit maar zonder het dak, zonder het tegen-wicht ook, dat de wanorde afweert. Was het niet in je eerste vers, dat meen ik dit stond: Hemel o hemel, ik ben geboren; aarde heb dank. *Ik* heb intusschen *geleerd*, dat deze orde gekeerd moet wor-den: Aarde o aarde ik ben geboren, Hemel heb dank, en ik hóóp op de *kracht* het te *leven*. Dat zet je in de groote vreugde van aarde èn hemel, van menschen èn God en in het geweldig Vitalisme (ja toch!) van ons Geloof, maar ditmaal dan een compleet *Vitalisme*. –

Niet alleen Bruning richtte zich met een dergelijke bekeringsijver tot Marsman, maar ook medewerkers van *De gemeenschap* die Marsman inmiddels via Engelman had leren kennen. Zo schreef Lou Lichtveld op 22 april 1926:

Met Lou Lichtveld (± 1926)

Ik geloof niet dat de dingen van Onze lieve Heer in hun oorsprong en diepste beteekenis langs verstandelijke weg te benaderen zijn – Wel in zooverre ze formuleerbaar zijn, natuurlijk. Maar ik geloof niet dat iemand 'geloof' kan krijgen door redeneerend intellect. Weet je wat je eens zou moeten doen? Denk eens bij jezelf: God of geen god, waarheid of geen waarheid, vanavond ga ik eens voor m'n bed knielen en *wil* ik bidden, naar dat onbekende dat er mogelijk is, en om de waarheid die bestaan *moet*. [...]

Toch is 't niet zoo makkelijk te doen wat ik je voorstel, want knielen en bidden beteekent: het offer brengen van je eigen persoonlijkheid en inzicht als waarheidsnorm – (de norm bij protestanten!) Het is een vernedering a-priori aan den éénen waarachtigen God geofferd. Maar wat krijg je er niet voor terug! Hij geeft je de genade van plotseling te kunnen zien, en te *kunnen* bidden –

Frappant is ook wat Engelman zelf op 25 januari 1927 schrijft aan Pieter van der Meer de Walcheren, de mentor van de jong-katholieke kunstenaars op dat ogenblik.

Ik geloof, dat u adressen heeft, waar men bijzonder goed kan bidden. Wees toch zoo goed en vraag eens, of ze iets willen doen voor een jongen die het meer dan anderen noodig heeft. *Onder ons*, en ik vertrouw dat hij er nooit iets van merkt: het gaat om Marsman, voor wien ik zeer bezorgd ben.

Andere, paganistischer denkende vrienden begonnen zich ongerust te maken toen ze merkten dat Marsman zich in zijn kritische en creatieve publicaties steeds dichter bewoog naar de schoot van de moederkerk. In alle ernst sprak Nijhoff hem toe:

Je bent nu op den leeftijd gekomen om te kiezen – of het een of het ander – Of een pseudo-catholicisme met een Jany-inslag, – of je eigen gevoelsleven als eenige norm aannemen met de mogelijkheid van verzoening door werkelijkheidsaanvaarding – Of jezelf buiten, of in en door de wereld verwerkelijken. Of God, of Christus. (Want zij zijn in zeker opzicht vijanden, sinds God Christus aan het kruis verliet. 'Vader, waarom hebt ge mij verlaten') –

Ironischer was Ter Braak, die negen dagen na Nijhoff, op 21 oktober 1926 aan Marsman schreef:

Je kunt nu voor je latere biografen niets anders meer doen dan ten spoedigste zitting nemen in de Heilige Vesting, waarvan je je tegenwoordig openlijk als Verdediger, Apostel etc., opwerpt. [...] Mijn paganistisch hart treurt en hoopt, dat je als wijlen Radboud je voet nog op het laatste moment uit het doopvont terug zult trekken. *Bedenk toch in Godsnaam wat het botte complex Ecclesia is en keer tot ons terug!* Maar doe jedenfalls één van tweeën nu absoluut en laat je niet door het publiek als een vertederde onbekeerde bekeerling aangapen. Wat mij betreft: nog steeds liever Turks dan Paap; maar nog liever Paap dan deze halve adoratie, deze reclame voor een zaak, waar je geen aandelen in hebt!

Korte tijd later, zou Ter Braak in zijn essay 'Het opium der vormen', opgenomen in *De vrije bladen* van januari 1927, naar aanleiding van de bekering van Jean Cocteau, maar met een duidelijke verwijzing naar Marsman, schrijven: 'De tijden zijn gunstig voor deze zwakheid; ook in Nederland heeft zij haar analogieën...' Scherp was zijn aanval op het soort katholicisme dat was verstard tot een estheticistische levenshouding, en dat onder het mom van een reveilbeweging een wereldvreemd ideaal najoeg.

De oude vorm gaat voort zich als vorm te overschatten en onder het cultureele masker der Brom's, der Engelman's, de kerngedachte, die anti-cultureel is, te propageeren. Gevaarlijk is niet de naïeve, die ons terug wil slepen naar het romaansch; maar levensgevaarlijk is het katholicisme, dat slechts daarom nog katholiek is... omdat het katholiek is, dat geen katholieken vorm meer heeft, maar alleen een katholiek bezit.

[...] Kruistochten en kathedralen, heiligen en martelaars, zij waren het leven van een gansche schare, zij zijn haar hartstochtelijk beleden vorm en zij zijn voorbij. Zij spreken alleen dan nog, wanneer wij ons anders-zijn weten... als beelden, als droomen, opgenomen in den vorm, die de onze is.

In zijn bespreking van Ter Braaks literatuuropvattingen heeft Oversteegen er al terecht op gewezen dat een essay als 'Opium der vormen' naar twee kanten polemiseert: met de groep rond *De gemeenschap* die in Ter Braaks visie balanceerde op het slappe koord, gespannen tussen de kerkelijke dogma's en de estheticistische poëtica; en met een sterker wordende fractie in *De vrije bladen*-groep, die steeds meer aan ging leunen tegen een estheticistisch formalisme, uitlopend op het pleidooi voor de autonomie van het gedicht, dat Binnendijk met zijn *Prisma*-inleiding van 1930 zou houden. Op Ter Braaks functie als splijtzwam van *De vrije bladen* zal ik in hoofdstuk 6 nog terugkomen. Voor dit moment is het nodig vast te stellen dat Marsman in deze jaren door zijn positie in *De vrije bladen* èn in *De gemeenschap* wel het object van polemische touwtrekkerij moest worden. Ondanks zijn mislukt redacteurschap van het eerste tijdschrift gold hij in die kring als de belangrijkste dichter en theoreticus. In de kring rond *De gemeenschap* genoot hij een prestige dat gebaseerd was op een bijna als charismatisch ervaren dichterschap. Via de vriendschap met Engelman had hij toegang tot de redactievergaderingen, zijn medewerking aan het blad, vaak van 'katholiserende' aard, werd buitengewoon geapprecieerd, en in een interview met Albert Kuyle kreeg hij alle ruimte zijn maatschappelijke ideeën te ventileren. Er was Engelman en de zijnen zeker veel aan gelegen Marsman als paradepaard *De gemeenschap* binnen te halen. Er kleven aspecten aan de permanente discussie tussen *De vrije bladen* en *De gemeenschap*, met Ter Braak, Engelman en Van Duinkerken als belangrijkste woordvoerders, die begrepen kunnen worden als een literair-politiek schaakspel waarbij Marsman inzet was. Het is zeker niet alleen om de vriendschap met Marsman dat Engelman diens bundel *Paradise regained* gebruikt om er een van zijn meest programmatische essays aan te wijden.

Hij begint het stuk, 'De school des levens', met de nadrukkelijke vaststelling, dat hij geen kritiek schrijft, waarmee hij zich zou moeten beperken tot het 'kunstwerk op zich-zelf', maar de legende van een 'stuk jeugd' dat door Marsmans dichterschap belichaamd wordt. Engelman is zich het gevaar bewust dat hij met de optiek waarin de aanleiding van het gedicht zo nadrukkelijk in het centrum wordt geplaatst, 'het beeld van een figuur, of een geslacht dat mij zeer nabij is' vergroot wordt buiten de eigenlijke proporties. Hij neemt dat risico, daarvoor als argument aanvoerend: 'mij is de kunst dierbaar omdat zij, bij haar beste mogelijkheden, in den snellen doortocht van ons leven, de verhelderende droom blijft van een toekomstigen geluksstaat, omdat zij "verre stukken van den hemel rukt".' Met die aanhaling beroept Engelman zich direct op Marsman zelf, wiens vitalistische poëzietheorie dan al de nodige impulsen van Maritain heeft gekregen, waarbij Engelman – de cirkel is rond – een bemiddelende rol heeft gespeeld.

Engelman benadert echter vanuit dit theoretisch standpunt de kunst, die in Marsmans opvatting de herschepping is van een ongezuiverde levensmaterie, om er de persoonlijkheid in terug te vinden. Daarmee geeft hij aan Marsmans poëtica een uitleg die bij Marsman zelf slechts bij uitzondering zo expliciet te vinden is. De belangrijkste uitzondering is het essay 'Over de verhouding van leven en kunst' waarin hij zich min of meer gereserveerd tegen Nijhoffs opvatting van het autonome gedicht uitlaat, en zich keert tegen het misbruik dat van die opvatting wordt gemaakt. Engelman haakt duidelijk op dit stuk in, wanneer hij zich direct tegen Marsmans 'kameraden van De Vrije Bladen' richt die hij 'als besluitelooze eclectici en mandarijnen van het schoone woord' verwijt dat ze aan de wezenlijke betekenis van Marsman niet zijn toegekomen, wat o.m. het gevolg is van 'de sceptiek van Nijhoff' die zich te veel heeft bezig gehouden met 'het zoogenaamde eigen-leven van zijn vers.' Daartegenover stelt Engelman op een voor hem ongewoon heftige manier: 'De kunst is er voor de menschen en den mensch willen wij in haar herkennen: verhuld, vermaskerd, aan duizend schoone toevalligheden en onpersoonlijkheden overgeleverd, – maar tenslotte zich naakt en waarachtig voor ons bloot gevend.' Daarom, schrijft Engelman, 'is dit geen critiek, doch een legende.'

> Het is de legende van den prins die als piraat uitvoer naar het wilde eiland van het aardsche paradijs – en wien het stigma werd ingebrand van hen, die achter een grooter zee een meter dorren grond willen veroveren voor het Heilig Graf.
>
> Het is niet de legende, helaas, nòg niet de legende der vernieuwing van het aanschijn der aarde... [...]
>
> Daarom betreur ik het zoozeer, dat hij ons in de laatste afdeling van zijn boek in het onzekere laat over den afloop van het levenbeheerschend avontuur dat hij in dit stuk jeugd, in dit stuk poëzie heeft geopenbaard. [...] De doodsgedachte nam van hem bezit, niet met de verwachting van een onontkoombaren vrede, van een opvaart in licht en harmonie, maar als de sombere angst voor een kil en onverwinbaar grensgebergte waarachter eeuwige koude heerscht. [...] Men verwisselt niet ongestraft de staten van de ontzaglijke deugd die wij liefde noemen, nergens wordt zoveel gezondigd als op dit stuk, en hier ook ligt de zwakke kant van den 'inhoud' van Marsmans verzen. Blijft voor den dichter de meest beklemmende vraag niet immer, of hij, met de diepste armoe-vangeest die hij zich voor zijn kunst heeft getroost, toegang vindt tot de hemelpoort? Voor mij draagt gansch de afdeeling *De Zwarte Engel* het caïnsteeken van vermindering der zielskracht en bovendien van vermindering der poëtische intensiteit.

Engelman had hier het oog op gedichten als 'De voortekenen', 'De stervende' en 'De overtocht' die, zoals Marsman later schreef, voortkwamen uit de 'dubbele houding van driekwart vrees en één kwart verlangen tegenover den dood.' *Penthesileia*, met een gedicht als 'De laatste nacht' dat de doodsthematiek ondubbelzinnig introduceert, was een afscheid van de levensverheerlijkende poëzie geweest, en een vers als 'Paradise regained' van 1925 is op te vatten als een geforceerde terugkeer naar de tijd waarin het vitalisme, blijkens de getuigenissen van de kosmische verzen, een werkelijk doorleefd gevoel representeerde, en nog niet verstard was tot een voluntaristische ideologie. Pas retrospectief was Marsman zichzelf deze discrepantie bewust.

Achteraf is het teekenend en een eenigszins pijnlijke ironie van het leven, dat juist die periode (1926–1936) in het begin werd gekenmerkt door het zoogenaamd vitalisme. Meer dan ooit werd ik gekweld door de vrees voor den dood – en zonder mij nu te begeven in een op dit oogenblik ongetwijfeld onbillijk oordeel over dien tijd, is het duidelijk, dat voor één deel de levensverheerlijking en de daaruit voortvloeiende levenscritiek in haar vitalistische nuance een uiting van noodweer is geweest.

En dan had hij nog de meest geforceerde gedichten uit deze periode, 'Lex barbarorum' en 'Doodsstrijd', waarin een vitalistisch noodweer tegen de dreigende doodsangst als nergens elders in Marsmans œuvre aanwezig is, weggelaten bij de samenstelling van de laatste cyclus van *Paradise regained*, 'Tusschen twee paradijzen', waarin het gevaarlijke leven verheerlijkende gedichten als 'Sneeuwstorm' en 'Salto mortale' waren opgenomen naast getuigenissen van noodweer ('Les soldats de Dieu') en berusting ('Crucifix'). Maar dat juist de op één na geforceerdste poëtische uiting van deze jaren, het gedicht 'Paradise regained', de gelijknamige bundel besloot, bracht Engelman tot de mening dat de laatste afdeling te heterogeen was geworden en een vals perspectief opende dat niet in overeenstemming was met de te verwachten ontwikkeling van Marsmans dichterschap. Voor hem betekende dat 'een verschuiling van menschelijkheid', 'die met den opzet van het geheel, en met de eigen mogelijkheden van den dichter, niet strookt'. Dit slot maakte daarom 'den indruk van diabolische hoovaardigheid en een baldadig paganisme. Wij zijn aardsch, wij zijn kinderen van Eva in een dal van tranen – hemelsch wordt niemand die niet uit de diepste diepten riep om het verlangen der eeuwige heuvelen.'

Marsman betuigde Engelman per brief van 4 februari 1928 zijn dankbaarheid voor dit oordeel, dat hij 'woord voor woord juist' vond. 'Ik begrijp dat de samenstelling van de bundel je *dwong* de *persoonlijkheid* in het geding te brengen; en dwong, tenslotte, de laatste afd. zoo te zien en te verwerpen.' Een paar maanden later antwoordde hij in het vraaggesprek met Kuyle op diens suggestieve, want van bekeerdersstandpunt komende opmerking dat het slotgedicht niet in overeenstemming was met de geestelijke ontwikkelingsgang van de dichter:

> Het zou nog meer bedriegelijk zijn geweest als het vers 'Crucifix' aan het eind had gestaan. Dit zou het uitzicht op een bepaalde geestelijke ontwikkelingsgang hebben geopend waaraan de realiteit niet beantwoordde. Maar heel de titel van dit boek en het slotvers is verkeerd geweest. Het Paradijs werd niet gevonden...

Deze overweging bracht hem er ook toe in 1930 aan de derde druk van zijn bundel een nawoord toe te voegen waarin hij zijn kritici gelijk gaf. Hij had met de verzamelbundel een elliptische geslotenheid gesuggereerd die zijn dichterschap in feite niet bezat, daarbij bewust de hand lichtend met de chronologie die hij verder aangehouden had. Het slotgedicht dateerde immers uit 1925! Daarom liet hij nu 'Les soldats de Dieu' het boek besluiten, daarmee ondubbelzinnig te kennen gevend dat zijn strijd tegen de dood en tegen God nog niet geëindigd was. *Tusschen twee paradijzen*, nu de titel van de laatste afdeling, zou een betere benaming zijn geweest dan *Paradise regained*, meende hij.

Want juist de angst voor de dood die een obsessie werd toen het vitalisme faalde, deed Marsman ambivalent staan tegenover het geloof. Omdat hij zijn sterfelijkheid als een tekort en een bezoedeling van de door hem nagestreefde zuiverheid ervoer, wilde hij 'God zijn om niet te vergaan'. Dat bracht hem a priori al in conflict met de god die voor hem met de dood samenviel. De angst 'dat de dood het einde niet is' en dat de ziel 'in het vuur' wordt gezet, hangt duidelijk samen met de weigering de eigen individualiteit prijs te geven. Ideologisch losgeslagen zijn en behoefte aan een hiërarchische structuur die de maatschappij tot een nieuwe gemeenschap zou kunnen hervormen dreven Marsman naar de kerk; persoonlijke angst en verzet hielden hem tegen. Zo bleef hij lange tijd twijfelen, en leidde zijn contact met de Utrechtse priester Ramselaar, die met verschillende van de Gemeenschapsfiguren vriendschappelijke betrekkingen onderhield, niet tot de verwachte bekering. Er waren vrienden die maar al te goed begrepen wat er tussen Mars-

± *1926*

man en het katholicisme bleef staan, getuige o.m. dit grapje in *De vrije bladen*:

A.D.: Jij wordt nooit katholiek! –
H.M.: (tegenstribbelend) En waarom niet?
A.D.: Het zou te lang duren voor je paus was!

In al die jaren van twijfel zou Marsman juist de noodzaak van een nieuwe religie, met een nieuwe mythologie en nieuwe beelden blijven benadrukken. In de 'Thesen' had hij het verlangen daarnaar al tot uitdrukking gebracht, en in het stuk 'Les deux Rilke', opgenomen in de als hommage bedoelde bundel *Reconnaissance à Rilke* van 1926 zijn enkele opmerkingen te vinden die aangeven dat hij met die nieuwe religie niet een vage religiositeit op het oog had.

Het is overigens niet Rilke's schuld, dat hij gefaald heeft in zijn pogen poëzie en mystiek te verzoenen, maar de schuld van de Renaissance. Zijn fout is alleen, dat hij geloofd heeft aan een modérne mystiek, die niet bestaat en niet bestaan kàn, omdat echte mystieken alleen kunnen leven in tijden die volkomen doordrenkt zijn door een universeele religie. Die tijden zijn misschien voor altijd voorbij. Het is dan ook, heden ten dage, reeds uiterst moeilijk om ook maar zwak mystisch te zijn, en het is volslagen onmogelijk modérn mystisch te zijn, een mysticus van dezen tijd.
Deze tijd, deze duistere tijd, staat vijandig tegenover den godsdienst en niet minder tegenover God. Hij wil geen religie, hij wil slechts religiositeit; hij wil God niet zooals hij is; hij wil hem, misschien, onder duizenderlei dubbelzinnig voorbehoud, aangepast aan het eigen subtiel clair-obscur, hij wil hem vaag, bedroefd, mistig, hij wil hem modern. – Er is echter niets te moderniseeren, omdat moderniseeren verzwakken is; en vooral aan God valt niets te moderniseeren; het is vrijwel een loochenen. Er valt niets te herscheppen naar de beginselen der évolution créatrice. God evolueert niet, hij is.

Twee jaar na dit stuk zou hij zich explicieter uitspreken over het nieuwe, ordescheppende religieuze systeem, dat hij voorstond. Het ontbreken daarvan was naar zijn mening 'rechtstreeksch en onverbiddelijk' oorzaak van de maatschappelijke ontreddering van het moment. Maar in tegenstelling tot zijn uitspraken in 'Thesen' en 'Les deux Rilke', en om te stipuleren dat hij niet een vage religiositeit bedoelde, duidde hij zijn desideratum ditmaal aan met de term 'godsdienst': 'een lichaam, een kerk', met 'een heteronome moraal' en 'geobjectiveerde dogma's en normen'.

Men denkt daarbij toch weer onmiddellijk aan het katholicisme, maar omdat Marsman bij deze gelegenheid zorgvuldig vermijdt dit stelsel te noemen, kan men zich afvragen of hij het in aanmerking vindt komen voor de verwezenlijking van zijn ideaal, te meer daar hij in de 'Thesen' sprak van een nieuwe religie, en het katholicisme daarbij uitsloot. Overigens is nu, eind 1928, dat 'nieuwe' weer verdwenen, en wordt er gesproken van een 'universeele godsdienst'.

Omdat Marsman nooit een duidelijke omlijning van zijn concept heeft gegeven, kunnen we alleen maar gissen naar wat hem nu werkelijk voor ogen stond bij zijn godsdienst. Op grond van enige spaarzame uitlatingen zouden we kunnen menen dat hij heeft gedacht aan een tot cultus verheven, metafysisch verankerde schoonheidsleer, die aansloot bij de met katholieke en vitalistische elementen doorspekte esthetica die hij na 1926 ontwikkeld had.

Zo merkt hij in een in 1932 geschreven, maar nooit tijdens zijn leven gepubliceerd stuk op omtrent zijn vijfentwintigste jaar in kritieken en manifesten te hebben gesproken over de schoonheid als een 'eeredienst, een geloof en over gedichten als van paradijzen.' Maar met die terminologie gaat hij achteraf verder in de door mij aangeduide richting dan in de bedoelde kritieken en manifesten. Merkwaardig genoeg is het niet Marsman zelf die de helderste formulering van de op deze esthetica gebaseerde vitalistische kritiek heeft gegeven, maar zijn vriend G. A. van Klinkenberg, die in *De vrije bladen* van februari 1931 het artikel 'De levende schoonheid' publiceerde. Het stuk knoopte aan bij een polemiek die Marsman en P. H. Ritter jr. anderhalf jaar tevoren in hetzelfde blad hadden gevoerd over de wenselijkheid van een objectief oordeel in de kritiek. Ritter verdedigde dat standpunt, Marsman bestreed het met het argument dat iedere kritikus de maat van zijn eigen oordeel is: 'wij leven en oordeelen over het leven, van het oogenblik allereerst omdat het ons leven is en omdat ons leven oordeelen is.' Van Klinkenberg gaf dit kritisch credo een pragmatisch tintje: 'De vitalistische kritiek [...] ziet slechts naar wat het leven, wat den-stroom-des-levens bevordert of belemmert. Leven is, voor ieder, oordeelen over een waarde en al onze waarde-oordeelen berusten niet op een verstandelijke formule, maar op een gevoelszekerheid.' Het slot van zijn artikel heeft een bijna apostolisch accoord:

Het is uit de diepten van schoonheid of geloof, dat de wetenschappelijke onjuistheid, de immoreele daad, de praktische onbruikbaarheid kunnen worden 'gelouterd' of 'geheiligd', zooals de gebruikelijke termen luiden; het is ook naar die diepten, dat wij moeten duiken voor een waarachtige vernieuwing van onze vitaliteit, voor een oogenblik, temidden der cultureele beslommeringen, waarin wij het leven opnieuw leeren waardeeren om het leven zelf, om de vreugde van zich te voelen leven, van zich te voelen opgenomen in het gigantisch Avontuur, waarvan ons persoonlijk bestaan een klein, doch niettemin een werkelijk deel uitmaakt.

Schoonheid *of* geloof; een kleine verschuiving en we zijn bij schoonheid *als* geloof. Een opvatting die verwant is aan Marsmans theorieën, in het bijzonder zijn uitspraak dat creëren de opperste levensfunctie is, kan worden aangetroffen bij Gottfried Benn, die als expressionistisch dichter zeer door Marsman werd bewonderd, en als nihilistisch vitalist het leven uitsluitend als biologisch fenomeen beschouwde en waardeerde. In het voorwoord van zijn essaybundel *Kunst und Macht* van 1934 omschrijft hij het probleem van de artistieke vormgeving 'als die erkämpfte Erkenntnis von der Möglichkeit einer neuen Ritualität. Es ist der fast religiöse Versuch, die Kunst aus dem Ästhetischem zum Antropologischen zu überführen, ihre Ausrufung zum anthropologischen Prinzip.' Merkwaardige woorden voor een nihilist, die duidelijk maken dat de ideeën van Marsman niet op zichzelf stonden, maar behoorden tot de geestelijke achtergrond van de Europese intellectuelen die na 1918 in een ideologisch vacuum terecht waren gekomen en verwoed naar vaste bodem zochten. Benn zou een tijdelijk houvast vinden in het nationaal-socialisme dat hij na Hitlers machtsovername in 1933 begroette als een mogelijkheid om het Westen van zelfdestructie te redden. Zo ver is Marsman nooit gegaan, al heeft hij in het fascisme van Mussolini lang een mogelijkheid gezien om aan alle maatschappelijke verwarring een einde te maken.

De structuur van het italiaansche fascisme heeft psychologisch, oeconomisch, politiek, staatsrechtelijk en moreel alvast één ding voor op alle nivelleerend-individualistische democratie, en wel dit: dat zij niet alleen rekening houdt met de veelsoortige ongelijkheid der menschen, maar dat zij zich op deze ongelijkheid, hiërarchisch opstijgend, grondvest.

Maar naast de appreciatie van dit ongelijkheidsbeginsel was er in Marsmans houding ten opzichte van het fascisme, en later tegenover het nationaal-socialisme, een constant element van verzet: hij verwierp het 'angstvallig en geborneerd nationalisme' dat hij, die later zou pleiten voor een verenigd Europa, als een essentiële fout beschouwde. Er is natuurlijk een duidelijke samenhang tussen de aristocratische levenshouding, die Marsman als jongeman al eigen was, en zijn poëtica. Immers, wie op het standpunt staat dat de poëzie metafysisch verankerd is, dat het dichten een goddelijke gave is, die zal er ook van uitgaan dat niet ieder gelijkelijk daarin kan delen, en dat de kunst derhalve een aristocratische aangelegenheid is.

Zoals ik al vermeldde, werd die poëtica na 1926 diepgaand beïnvloed door het werk van de neo-thomistische filosoof Jacques Maritain, zelf een bekeerling. Maritain had een groot gezag bij de voormannen van *De gemeenschap* Engelman en Van Duinkerken, en lezing van zijn werk bracht Gerard Bruning er kort voor zijn dood toe de starre, integralistische visie op de verhouding tussen geloof en kunst te laten varen, en te kiezen voor een standpunt dat het accent verlegde van de ethiek naar de esthetiek. Maritains hoofdwerk op het gebied van de kunstleer was *Art et scolastique* van 1919, maar Marsman zal met de meeste vrucht voor eigen denkbeelden gebruik gemaakt hebben van de in 1926 verschenen brochure *Réponse à Jean Cocteau*, die in beknopte vorm de essentie van dat hoofdwerk weergeeft. Marsman moet door Engelman en Bruning op deze publicatie geattendeerd zijn; getuige een brief aan Engelman las hij het boekje in mei 1926. En op 11 juni schrijft hij aan Gerard Bruning: 'Maritains antwoord is een openbaring'; en hij voegt eraan toe: 'laat Henri [Bruning, die nog jaren in een streng integralisme zou volharden, J.G.] het uit z'n hoofd leren.'

Uit een vergelijking van enkele citaten springt de beïnvloeding in het oog. Maritain:

La poésie, dans sa pure essence spirituelle, transcende ainsi toute technique, transcende l'art lui-même, on peut être poète, et ne produire encore aucune œuvre, comme un enfant baptisé a la grâce sanctifiante sans agir encore moralement. Proportion métaphysique: la poésie est à l'art comme la grâce à la vie morale.
Elle est donc une image de la divine grâce. Et elle-même, parce qu'elle décèle les allusions répandues dans la nature, et parce que la nature est une allusion au royaume de Dieu, elle nous donne, sans le savoir, un pressentiment, un désir obscur de la vie surnaturelle.

Marsman:

> De trek naar het overzeesch paradijs wordt in mij niet gewekt of
> gesterkt door het contrasteeren daarmee van een duistere aardsche
> werkelijkheid, maar veelmeer door die vormen van menschelijk
> leven en scheppingsvermogen, en door sommige stukken natuur,
> die op aardsche, gebroken wijze na- en voorspiegelingen zijn van
> den hemelschen Tuin.

Diverse malen vinden we in Marsmans kritieken deze apodictische aanhaling uit Maritains brochure, waarin zijn hele poëtica is geconcentreerd: 'L'art restitue le paradis en figure: non dans la vie, non dans
l'homme, mais dans l'œvre faite.' Deze uitspraak wordt zelfs het motto
van de essaybundel *De anatomische les*.

Naast het onmiskenbare aandeel van Maritain, moet natuurlijk ook
worden gedacht aan het romantisch ideeënerfgoed, waarin de dichter
wordt gezien als de *vates*, de ziener, die het goddelijke meedeelt in de taal
van de mensen. Via de symbolisten komen dergelijke op het neo-pla-
tonisme gebaseerde gedachten terecht bij Marsman; men zou bv. kunnen denken aan Albert Verwey's opvatting over de poëzie als uitdrukking van de eeuwige, goddelijke Idee. Zo schreef Baudelaire over 'cet
immortel instinct du Beau qui nous fait considérer la Terre et ses spec-
tacles comme un aperçu, comme une *correspondance* du Ciel. La soif insa-
tiable de tout ce qui est au delà, et que révèle la vie, est la preuve la plus
vivante de notre immortalité'; en Gerard Bruning citeert deze uitspraak
met veel instemming.

Opvallend zijn de nuanceverschuivingen die zich door deze ontwikkeling naar een metafysische grondslag in Marsmans poëzietheorie
voordoen. Zo heet in het opstel 'Traditie en vernieuwing' van eind 1925,
begin 1926, de dichtkunst nog eeuwig; in de loop van 1927 wordt ze
'goddelijk'. Vormkracht, het centrale begrip in zijn poëtica krijgt naast
een vitalistische, ook een metafysische connotatie.

> Vormkracht is scheppende energie; creatieve potentie, die de
> ruwe materie van sentimenten en driften, voorstellingen en
> ideeën, associaties en gedachten formeert en ordent; die haar trans-
> formeert, in een smeltkroes; die haar spant en opvoert tot hoogere
> spanning, tot een ondenkbaar, duizelend, goddelijk evenwicht; de
> materie der kunst is menschelijk, zij bestaat uit gevoelens en beel-
> den, uit wilde en teedere visioenen, uit lachen en schreeuwen, uit

een vreemd verdriet, uit een stormachtig lachen; maar vormkracht ordent dien chaos, zooals God den chaos geordend heeft, en het niets met zijn handen, hoort ge het, met zijn hánden gekneed en gesmeed. Voelt ge nu, dat de vorm energie moet zijn, en het creëeren geen uiten is [...]; dat juist het formeele (niet het formalisme van den aesthetisch-geciseleerden buitenkant) de interne, goddelijke drijfveer is, de uit duizend vruchtelooze uren werken, mislukken, radeloos worden, verrukt zijn eindelijk ontsprongen vonk van inspiratie. Dan, indien het gelukt dezen levenschaos te bezielen en te formeeren, weerspiegelt hij, juist in zijn vorm, zijn onzichtbare verhouding van krachten de goddelijke orde. Daarom zegt Maritain: l'œuvre d'art restitue le paradis en figure. Niet: en matière, want juist de materie is menschelijk, de vorm niet. De vorm is een imitatio Dei, een weerschijn van den oppersten Vorm. Ik wilde dat ik deze drie thesen: vorm is de kracht, die de humane materie scheppend transformeert tot een nieuwe substantie, in dit geval: poëzie in zooveel hoofden en harten hameren kon, dat in dit land, in dit werelddeel, het besef van de goddelijkheid van den vorm een gemeen en levend bezit werd. Ik geloof, dat daarmee het besef zou ontstaan, dat het vormprincipe het wereldbeginsel is; dat God de eerste Dichter geweest is, en nòg is; dan zouden wellicht sommigen onder ons het verloren of verminkte gevoel herwinnen voor de verticaliteit: een beest kruipt horizontaal langs de aarde, een mensch gaat rechtop, met zijn voet op den grond, met zijn kop in de lucht. Dan zouden wellicht sommigen in hun loop die snelle, helle veerkracht verkrijgen, die men den zorgeloos dansenden goden toedicht; dan zou misschien het – letterlijk – gelijk-vloersche althans één verdieping worden opgetild. Want bij God, wat vandaag huist in het parterre, zakt morgen voorgoed in het sousterrain; en onweerhoudbaar gaat alles, alles hier naar den kelder.

Het is duidelijk, dat Marsman het gebrek aan besef voor het goddelijke zag als oorzaak van nivellering en verval. Ook in dit opzicht sloot hij nauw aan bij zijn katholieke vrienden, bij wie hij ongetwijfeld weerklank en steun heeft gevonden voor zijn maatschappijvisie. Er is meermalen op gewezen dat de katholieke jongeren, en in het bijzonder zij die studeerden aan de Nijmeegse universiteit, zeer gevoelig waren voor de aantrekkingskracht van anti-democratische stromingen, waarvan met name het fascisme voorzag in hun behoefte aan een eenheidscheppend en sterk gezag. Ik wees al op het geprononceerde standpunt van Gerard Bruning en zijn mederedacteuren van *De valbijl*. Maar ook Engelman, Albert Kuyle en Lou Lichtveld lieten zich in *De gemeenschap* en *De vrije bladen* allerminst welwillend uit over het parlementaire stelsel. Zo meende Engelman in 1930 dat een goed gezag alle hangende kwesties op zou lossen door het herscheppen van 'een zuivere hiërarchie', een begrip dat in deze jaren tussen de wereldoorlogen werd gehanteerd als pasmunt, en dat zowel in Marsmans literaire en maatschappelijke opinies geregeld voorkomt. Levensbeschouwelijke meningen liggen in het verlengde van de literaire kritiek. Zo loopt in het stuk 'Over de verhouding van leven en kunst' het overzicht van de contemporaine Nederlandse literatuur uit op een protest tegen de tijd.

Drama en epiek zijn in diep verval, en het overwicht der lyriek binnen de creatieve productie is een hachelijk symptoom, zelfs in een land als het onze, waar dit altijd min of meer het geval was. Want lyriek die geen volkslied is, is het werk van den eenling, den geïsoleerde. In cultureel-sterke tijden leeft het drama, het epos. De huidige verhouding, of wanverhouding van lyriek tegenover epiek en dramatiek, is het onmiskenbaar symptoom van een vervalperiode, van een laat-individualistisch tijdperk.

Het is in dit stuk, dat Marsman, terugkomend op het debat met Bernard Verhoeven, uitdrukkelijk stelt dat hij niet de meta-esthetische en metavitalistische norm van goed en kwaad stelt bij de beoordeling van een gedicht, maar tegelijk toe moet geven dat de 'levens-intensiteit' waarschijnlijk door de strijd tussen goed en kwaad bepaald wordt. Die kleine concessie is dan voor Gerard Bruning na lezing van het essay al voldoende om zich aan Marsmans kant op te stellen, weliswaar tot verbazing van Marsman zelf, die kennelijk niet goed beseft heeft dat hij bezig was met een zwenking in zijn standpunt. Deze onbewustheid valt alleen maar te verklaren wanneer men in het oog houdt dat zijn literatuuropvatting van meet af aan al aansluitmogelijkheden met de katholieke esthetica vertoonde. Een jaar later schrijft hij in een artikel, dat saillant genoeg over de oppositie Dirk Coster-Gerard Bruning handelt:

Dáárom kan de zwartste, de meest ongoddelijke, duivelse materie in de transformatie tot kunstwerk geadeld worden, gezuiverd; dáárin kan de katharsis bestaan, die de Ouden reeds als de goddelijkste uitwerking der schoonheid beschouwden, en zuiverheid van vorm is geen uiterlijker eisch dan zuiverheid van materie. Ik wilde dat Coster dien dubbelen eisch, of althans de verhouding van haar twee delen, *de spanning tusschen materie en vorm*, die èn aesthetisch, en vitalistisch, en moreel, in laatste instantie beslissend is, voortdurend streng had gesteld.

De stelling van de indifferentie van de stof voor het gedicht is hiermee ontdaan van alle belang; immers de creatie, die een goddelijke daad is, ontdoet die materie van haar negatieve, ongoddelijke aspecten. Het is pikant dat deze, ietwat bijgestelde, vitalistische norm voorgehouden wordt aan die jong-katholieken, die zich bezondigen aan het – ook vroeger al – als vormeloos en chaotisch gebrandmerkte humanitair-expressionisme.

Ik wilde wel dat dit inzicht [dat vormkracht een weerspiegelen van de goddelijke orde is, J.G.] zonder tegenspraak werd gedeeld, met name onder een deel der jongere Katholieken; dan zouden zij inzien, dat zij, als kunstenaar, – nadat zij 'het Koninkrijk Gods en Zijne Gerechtigheid' hebben gezocht – en gevonden – den onverzaakbaren plicht hebben te woekeren met hun talent; dan zouden zij, uit eerbied voor zijn goddelijkheid, den vorm, den innerlijken vorm, die het scheppend beginsel zelf is, niet alleen niet als iets uiterlijks en bijkomstigs veronachtzamen of negeeren, maar met een heilige bezetenheid en beheersching tegelijk trachten te spannen, te bezielen en vervolmaken.

De strijd, dien wij voeren tegen humanisten en andere horizontalen, is niet allereerst of uitsluitend aesthetisch, en zeker niet formalistisch: het is een strijd voor den vorm, voor een scheppend, goddelijk levensbeginsel. [...] Daarom is het ontgoochelend dat een deel juist der jongere Katholieken zich aansloot bij de slechten onder de modernen: de mergloozen, de levenloozen, de vormloozen: zij allereerst hadden, levend uit en naar het Vormend Beginsel, in een gemeenschap van hiërarchische orde, zich met alle macht en concentratie, mediteerend, strijdend en creëerend moeten richten tegen horizontale vervlakking der vormverkrachters; – slechts een enkele heeft dat gedaan.

Overigens: zoals hij in 1920 al tegenover Lehning de poëzie van Franz Werfel verworpen had om diens geëngageerde boodschap, zo maakte hij ook bij de beoordeling van de 'verschillende jongere katholieken die met deze verzen verscheidene vellen in 'Roeping' vulden (maar noch poëtisch, noch sociaal hun roeping vervulden)'bezwaren die verder gaan dan puur-literaire.

Ik vind hun deernis met sociaal-en-innerlijk misdeelden niet alleen sentimenteel, maar vooral oppervlakkig: waarom zien zij de menschelijke ellende alleen als zij ook uiterlijk gehuld gaat in lompen, in uniformen, in livreien, en, als grof en grotesk contrast daartegenover: als zij zich voordoet achter maskers van maatschappelijke welvaart en weelde. Huist de ontreddering der menschelijke natuur alleen òf in krotten, nachtkroegen, bordeelen en onder de bruggen? Is het niet kinderachtig oppervlakkig de sociale wanorde op deze wijze te vereenzelvigen met de psychische? Ik loochen hun samenhang niet, voor een deel; maar in wezen heeft heel de sociale kwestie niets uit te staan met de wezenlijke vragen van den mensch. Stel, dat de maatschappelijke chaos voorgoed te herstellen zou zijn, was men met dezen vooruitgang één essentieelen stap verder? Neen. Ik wil niet, dat men mij misverstaat, op dit punt ageer ik volstrekt niet tegen welke sociale verbeteringen dan ook, integendeel; maar ik herinner eraan, dat zij nooit ten volle het wezen der dingen kunnen raken. Het sociale paradijs, hoe men dat zich ook denkt, blijft een menschelijk paradijs (evenals de sociale hel een menschelijke hel is), of liever: de mensch behoudt zijn onvolkomenheid, afgezien van zijn sociale omgeving. Ik onderschat de sociale kwestie niet, naar ik meen, maar ik identificeer haar met nadruk niet met het tragisch raadsel van den mensch op aarde, zooals het genoemd is. Ik geloof dat deze vereenzelviging, kortzichtig en in wezen onmenschelijk, ondanks haar karakter van (gehalveerde, ruim genomen) menschlievendheid, een der moderne doodzonden is. Deze philantropie is geen liefde, en zeker geen liefde voor den mensch: het is sanitarisme. En voor een dichter is dat dubbel gevaarlijk: hij loopt de kans, wanneer hij zich tot de misdeelden richt, zoo overwegend hun toevallige, en bijkomstige ellende te zien, dat hij tot hun wezen niet doordringt, en doordat hij bevangen blijft in zijn impressionistische deernis, peilt zijn gevoel de kern niet van hun sentiment, en zijn werk wordt gewoonlijk niet meer dan vage sentimenteele propaganda. Kunst is dat nooit: kunst is altijd, van welke gegevens – dus desnóóds ook van dit soort philantropische gegevens – zij zich ook bedient, creatieve propaganda, als men dit zeggen kan. Poëzie is veel méér, veel essentieeler dan sociaal en humaan: zij springt inderdaad uit het hart van den mensch, uit zijn centrum, waarin nog één atoom goddelijkheid ligt. Zij heeft, uit haar aard, een boven-menschelijke natuur, zij verzoent alle breuken, zij versterk en regenereert den mensch; daarom spraken de Grieken reeds van de katharsis, daarom noemt Maritain het kunstwerk un paradis en figure, daarom zullen de helderen zich blijven verzetten tegen de godsliederlijke Gods-lyriek; daarom doet het er weinig of niets toe, of de jongere Katholieken werk maken waarvan de outsiders zeggen, dat het al of niet Katholiek is, al is het opmerkelijk, dat hun katholiciteit als materie slechts zelden in hun werk is te vinden (zij kunnen zeggen, wellicht, dat alle vormkracht daarentegen, ook in on-roomsche werken, in wezen reeds: Katholiek is.): 'L'art qu'il (Dieu) veut pour lui, c'est l'art. Avec toutes ses dents'. (Il ne demande pas d'art religiux, ou d'art catholique). Op Gerard Bruning moet men zich niet meer beroepen. Wanneer wordt zijn nagedachtenis eindelijk met vrede gelaten? Hij was niet onfeilbaar, hij heeft trouwens, theoretisch, een scherp onderscheid aan den dag gelegd voor deze quaesties, en in ieder geval ben ik gaan gelooven, dat hij-zelf – zijn ontwikkeling wijst dat onweersprekelijk aan – op dit oogenblik anders, sterker en ruimer oordeelen zou op dit stuk. Poëzie, zelfs wanneer zij zich uitdrukt in anti-goddelijke symbolen (Rimbaud) is in se goddelijk. Daardoor versterkt zij de levenskracht, dat is niet de bruto vitaliteit, maar onze essentie.

Hierboven viel al te constateren dat Marsman in het ontbreken van een contemporain volkslied in de literatuur een symptoom van maatschappelijke desintegratie en verval zag. Elders schrijft hij dat dit genre een volk veronderstelt,

een vitaal, saamhoorig verbond, een collectief groepsélan; en ongetwijfeld: het volk, dat volk, zóó een volk is onnavolgbaar poëtisch; want de noeste en teedere leefkracht, de gespannen vitaliteit zal, in een creatief tijdperk, zich concretiseeren, samenballen en transformeeren. [...] een volkslied ontstaat niet uit een *horde*, maar uit een volk. Daarin, daaruit, daarvoor, kunnen in gelukkige tijden, ook individuen schrijven. Maar nu niet, nu niet meer, nu nog niet. Nu deunt en dreint dit volk, dat eenmaal de Geuzenliederen zóng, – brandend, opstandig, vroom en kreunend – de lamste dreunen, en een vaal, voos lied. Alleen als het begon, herbegon volk te zijn – anders natuurlijk, dan voor drie, vier eeuwen –, als het, als proletariaat mijnentwege, maar niet als massa, niet als horde, niet als alleen maar materieel mislukte bourgeois, zich opwierp, trotsch en vijandig, als het grootsch en onverzettelijk opstond, bezield door den dubbelen honger naar eeuwige zaligheid en dagelijksch brood – bij God, dan zong het. Dan waren de dichters priesters, dienaars van God, dan gingen de namen te loor in het naamelooze boven en onder de hemel...

Met die laatste zinsnede: dichters als priesters, sluit Marsman zich exact aan bij de romantische traditie van de dichter als ziener, visionair en profeet, een traditie die de door hem bewonderde Stefan George zich zo sterk bewust was, tot de overtuiging toe dat hij de reïncarnatie van Dante, en via deze de erfgenaam van Vergilius en Homerus was. De ironie wil dat die overtuiging, te vinden bij hyperindividualisten, verbonden wordt met gemeenschapszin en anonieme kunst. In Marsman streden de romantische kunstenaar die zich van zichzelf bewust was, en de wereldvreemde idealist die terug wilde naar een Middeleeuwse samenleving. Dat hij zich sterk voelde aangetrokken tot de hiëratische functie van het dichterschap, waarin zijn uitspraken de kracht zouden krijgen van maatschappelijke voorschriften, blijkt uit de grote hoeveelheid 'leidinggevende' kritieken en essays die hij in *De gids* en *De vrije bladen*, en vanaf 1927 in de NRC publiceerde. Zo schrijft hij naar aanleiding van Slauerhoffs *Eldorado*, na het goddelijk karakter van de poëzie weer eens te hebben benadrukt:

> Het lot van een wereld, een cultuur, een volk, een land en een mensch hangt samen, of valt samen met het lot der poëzie in die organismen. Daarom is onze critiek een hardnekkige en hardvochtige defence of poetry, want deze verdediging is de meest essentieele defence of life.

In een artikel over Jan Campert wordt verkondigd dat de poëzie vanwege haar goddelijke oorsprong een onvoorwaardelijke toewijding en een compleet mens-zijn eist.

> Daarom mogen zij, die in haar dienst staan, niet uit toegeeflijke overwegingen ('de tijd werkt tegen, het volk, het land'...) verwachtingen koesteren, die fel-beschouwd schimmen zijn; daarom

mogen de critici hun normen niet verdunnen; daarom juist moet parasitisme worden gevreesd.

Toch verviel Marsman regelmatig in scepticisme aangaande de kracht van zijn kritisch woord, juist omdat de tijdsomstandigheden tegenwerkten. Zo zegt hij in de inleiding van zijn essaybundel *De lamp van Diogenes*, waarin in 1928 de programmatische stukken uit zijn eerste termijn als *Vrije bladen*-redacteur bijeen waren gebracht: 'zij misten hun doel: men stimuleert blijkbaar niet op deze wijze een jeugd. Buitendien zijn al dergelijke pogingen tot vernieuwing onwezenlijk en partieel: alleen in een nieuwe gemeenschap, inderdaad, ontstaat nieuwe kunst.' En ook breekt bij hemzelf wel eens het besef door dat de toon van zijn kritieken te opgeblazen en geforceerd, en daardoor onverdraaglijk is; daarom had hij in de bundel *De anatomische les*, twee jaar eerder dan *De lamp van Diogenes* verschenen, 'de critische fragmenten en orakelspreuken, de apodictische aforismen en thesen, die helaas velen, en geheel onbedoeld! grijsaards en knapen, een ergernis zijn geweest' achterwege gelaten, en er, naast zijn lyrische dichter-portretten, alleen het voor zijn poëtica zo belangrijke stuk 'Over de verhouding van leven en kunst' in opgenomen.

Het ideaal van een hecht levende volksgemeenschap als inspiratiebron voor de poëzie hangt niet samen met nationalistische tendenzen, die, zoals gezegd, voor hem verwerpelijk waren.

Ik ben een vijand van het benepen nationalisme der conservatieven, maar de liefde van Ernest Michel voor zijn en mijn, uw en ons land, is mij zeer sympathiek. Zij doet mij denken aan de liefde van Wichmann voor Holland, die in den grond misschien nog een haat was, en aan zijn haat, die zeer zeker een liefde was. Zij houden van Holland met dien wis'lenden dikwijls wanhopigen hartstocht, waartoe iedereen, die nu nog van dit land houdt, gedoemd wordt: een genegenheid, die zich in dezen tijd op vrijwel geen andere wijze kan uiten dan op die der revolte, der verachting, vervloeking en haat. Want ondanks de uitnemende gedachten en daden van onze geleerden en dichters, piloten en architecten, zeelui en ingenieurs, het tegenwoordige Holland, en het tegenwoordige Hollandsche volk is een vale schim vergeleken bij vroeger, en zelfs geen kracht meer in het rottend Europa.

Met Ernest Michel en Erich Wichmann, die we al ontmoet hebben, zijn we weer bij de anti-democraten onder de katholieke jongeren terecht gekomen. Michel zou zich later met Henri Bruning aansluiten bij het Verbond van Dietsch Nationaal-Socialisten, een Groot-Nederlandse beweging. Wichmann was na zijn verblijf in Italië in 1923 en 1924, waar hij sterk onder de indruk van Mussolini was gekomen, betrokken bij enkele groeperingen die het fascisme, naar Italiaans model, in Nederland wilden introduceren. Een ervan was het Verbond van Actualisten, waarvan hij zich overigens al zeer snel los zou maken om zich met o.a. Michel te verenigen in de radicalere 'Rebelse Patriotten in een Ondergaand Volk'. In de korte tijd dat hij bij de Actualisten aangesloten was, heeft hij plannen gehad voor een verbondsorgaan *Rebellie*, waarvoor hij op 14 september 1924 Marsmans medewerking vroeg. Dat Marsman zich strijdmakker van Wichmann voelde, blijkt o.m. uit een brief aan Lehning waarin hij, na zijn *Vrije bladen*-debacle, aan het einde van 1925 schrijft:

Erich en ik, 'ausgerechnet' hij en ik, zijn weer eens verneukt, wij idealisten: hij had op barrikaden in de Leidsche straat gehoopt; ik op een nieuwe jonge poëzie. We zullen noch het één, noch het ander uit den grond kunnen stampen. Wie hier op den grond stampt, zakt in de modder.

In een interview in *De gemeenschap* van augustus-september 1928 laat Marsman zich van zijn radicaalste kant zien. Dat het uitgerekend de latere Zwart Front-aanhanger Kuyle is, tegenover wie hij zijn forse uitspraken doet, lijkt me geen toeval. Toch zou men er onjuist aan doen deze uitlatingen toe te schrijven aan brooddronkenheid alleen. Wat Kuyle uit Marsmans mond optekende, vloeide rechtstreeks voort uit diens politiek-maatschappelijke bagage van dat moment. Het ligt geheel in de lijn van zijn ontwikkeling, zoals ik die in het voorafgaande heb aangegeven, dat hij over het gebrek aan creatief werk in de contemporaine Nederlandse literatuur opmerkt: 'Het is de algemeene vervlakking. De Evenredige vertegenwoordiging zegt mij heel veel.' Hij spreekt zijn bewondering uit voor Henri de Montherlant om diens Romeinse geestesstructuur, 'een van de krachten die de wereld herstellen kan'. Een zeker boutade-achtig karakter hebben sommige van zijn antwoorden aan Kuyle natuurlijk wel. Zo vindt hij 'de te ver geuniformeerde kleding weer een gevolg van de democratie', en laat hij het schrijven van een roman afhangen van het feit of hij al dan niet zal sneuvelen in een fascistisch front. Deze laatste opmerking is de inleiding om zijn mening over het fascisme te formuleren.

Het fascisme, in zooverre het nationalisme is, is een na-renaissancistische gedachte, en als alle na-renaissancistische gedachten fout. De middeleeuwsche conceptie daarentegen is universalistisch, dat is anti-nationalistisch. De mentaliteit die veronderstelt de hiërarchie van de macht, de plicht van den sterkste, vind ik ónontbeerlijk. Mussolini vind ik niet groot, heelemaal niet groot, misschien het tegendeel van groot, maar sterk.

Op deze overwegingen zal het artikel worden gebaseerd dat drie maanden later in de *Barchem bladen* wordt gepubliceerd, en dat als een pleidooi voor het fascisme te beschouwen valt.

Wereldvreemdheid in politieke kwesties en jongensachtige bravoure gingen bij Marsman samen; dat is een van de conclusies die zich uit het vraaggesprek met Kuyle laten trekken. In dezelfde tijd schreef Wichmann Marsman het volgende briefje, dat laat zien dat het 'fascistische front' niet zo maar uit de vrije verbeelding afkomstig was:

Als je een (voor zoover tot nu te overzien) mooie, mannelijke expeditie *wilt meemaken, kom dan overmorgen (Dinsdag) om* $\frac{1}{2}9$ *des ochtends (precies) aan den Schreyerstoren te Amsterdam, tegenover het Centraal Station!*
Kleeding: kotspak liefst met pet.
Ditmaal is het medenemen van een *geladen revolver* bij uitzondering *toegestaan*. Ploertendooder of gummistok aanbevolen. Ev. boksbeugel. Beenkappen aanbevolen.

Lyriek, doorslaand naar holle retoriek, heroïsme en een romantisch verlangen naar een ver van de werkelijkheid verwijderde maatschappijvorm: deze droom van een groots en meeslepend leven maakte een aanzienlijk bestanddeel uit van Marsmans affiniteit met het fascisme. En wat zich van Marsmans fascistische neigingen zeggen laat, is uit te breiden tot het merendeel van de figuren en beweginkjes die zich tussen 1923 en 1930 als 'fascistisch' of met het fascisme sympathiserend in het Nederlandse openbare leven manifesteerden. Dat betekent overigens weer niet dat er geen bedenkelijke kanten aan die houding zaten. Zo loopt een conflict tussen *De vrije bladen* en *Nu,* dat zich voornamelijk afspeelt tussen Binnendijk aan de ene, en A. M. de Jong aan de andere kant, uit op een regelrechte hetze tegen het laatstgenoemde tijdschrift, wanneer gemeenschappelijk uitgever Em. Querido Binnendijk en zijn mederedacteuren verbiedt verdere aanvallen te richten op *Nu,* waarvan de leiding, naast A. M. de Jong, wordt gevormd door Querido's broer Israël. Medewerkers van *De vrije bladen* en *De gemeenschap* besluiten dan tot de uitgave van een 'aNti-schUnd' brochure, die op 28 januari 1928 door de samenstellers en scribenten van het pamflet in het centrum van Amsterdam wordt verkocht aan passanten. In het februarinummer van *De gemeenschap* onthult de redactie van dat blad waarom zij deze onderneming van haar steun en sympathie wenste te voorzien: 'Omdat wij het socialistische en semitische schrikbewind met gepaste minachting willen behandelen, maar hetzelve inmiddels niet uit het oog verliezen. [...] Omdat wij eens wilden probeeren, of men achter dit literaire relletje ook den grooteren geestelijken strijd van onze dagen herkennen zou.' Die strijd is er ongetwijfeld één geweest waarin Marsman zich herkennen kon: voor de hiërarchische orde die de redding betekent van een aan democratische vervlakking ondergaande samenleving; daarom zal hij zijn medewerking grif hebben verleend, al gaat hij in zijn bijdrage niet zo ver als sommige van zijn mede-contribuanten die onverhuld-antisemitische opmerkingen niet schuwen. In zijn privé-uitlatingen was hij minder fijngevoelig. Zo bericht hij over een logeerpartij bij Jacques Bloem, in het Friese St. Nicolaasga, op 25 november 1928 aan Engelman: 'Erg gezellig. Je begrijpt, hoe verwoed er dikwijls geboomd wordt: vooral de "rooien", en "joden" en "jodengenooten" moeten het ontgelden. En van B.'s kant buitendien nog de "nieuwlichters".' Die laatste toevoeging maakt duidelijk dat Marsman de antipathieën van Bloem, verwoed antisemiet, anti-socialist, en zelfs enige tijd lid van de NSB, op de afkeer van de 'nieuwlichters' na, deelde. In openbare uitspraken zou hij nooit zo ver gaan, al is het opvallend dat hij in zijn literair-kritische beschouwingen het rasverschil tussen joodse en germaanse schrijvers zoveel gewicht toekent. Pas wanneer de nazi's met hun vervolgingen beginnen, zal hij zich onvoorwaardelijk solidair met de joden opstellen.

Het is uiteraard onvruchtbaar speculeren over de vraag hoe Marsman zich ontwikkeld zou hebben wanneer Gerard Bruning in leven gebleven was en fascist geworden was evenals zijn broer Henri. Zou hij zijn aarzelingen tegenover katholicisme en fascisme, die hem beletten zich te laten bekeren tot het geloof en zich bij een politieke organisatie aan te sluiten, overwonnen hebben, en het niet gelaten hebben bij sympathiserende opmerkingen alleen? Eind 1933 schrijft hij nog in zijn autobiografische romanconcept *De twee vrienden* in zijn hart meer fascist te zijn dan honderd fascisten bij elkaar, en pas eind 1934, begin 1935 distantieert hij zich van het Duitse nationaal-socialisme, na zich er eerst grondig in te hebben verdiept.

Voordat Gerard Bruning evenwel de ontwikkeling van het fascisme tot een totalitair systeem dat de Westeuropese beschaving bedreigde kon meemaken, overleed hij op 8 oktober 1926. Marsman herdacht hem met een artikel in *De gemeenschap* van oktober 1926, dat zijn paganistische vrienden er eens te meer van overtuigde dat een bekering niet meer veraf was. Piet Calis deelt mee dat Marsman enkele dagen voor de dood van zijn vriend nog aan diens bed geweest is, en dat het toen gevoerde gesprek, naar informatie van Henri Bruning, hem zeer moet hebben aangegrepen. De inhoud van deze laatste gedachtenwisseling laat hij echter in het duister. Een brief van Marsman aan Binnendijk werpt er iets meer licht op. Hij schrijft op 10 oktober 1926: 'Ik was nog bij Gerard. Die middag was hij helder en krachtig van geest. Hij sprak met mij – ik zal het niet vergeten – over de laatste dingen, op een manier, die aan het bovenmenschelijke grenst. Dinsdag wordt hij begraven. Wij gaan erheen.' Dat voornemen kon hij niet uitvoeren; zijn slechte lichamelijke en geestelijke constitutie hield hem thuis.

Achteraf is het verhaal de wereld ingebracht dat Marsman, toen hij eenmaal was teruggekomen op de affiniteit met het katholicisme, de brieven die hij aan Gerard Bruning had geschreven, van de erven terugvroeg en vervolgens vernietigde. Aan de bron van deze voorstelling van zaken staat Henri Bruning. Weliswaar heeft Calis er op gewezen dat Marsman pas jaren later tot vernietiging overging. Maar deze toevoeging doet de geschiedenis evenmin geheel recht, en verheldert haar zeker niet ondubbelzinnig. Een belangrijke aanvulling is te vinden in een brief die Marsman op 21 februari 1935 schreef aan M. R. Radermacher Schorer, zijn Utrechtse vriend en maecenas, die hem in ruil voor handschriften wel eens financiële ondersteuning gaf.

> hierbij enkele briefjes die ik destijds aan Gerard Bruning schreef, en die ik een paar jaar na zijn dood van zijn broer terug vroeg en kreeg. Ik heb er nog een paar, die ik je binnenkort zal sturen, voor je verzameling.

Nu zijn niet alle brieven van Marsman aan Gerard Bruning aangetroffen in Schorers verzameling, zodat de mogelijkheid van eigenhandige vernietiging door de schrijver open blijft. Maar of het de schaamte over een 'katholiserend' verleden was die hem tot die stap bracht, is de vraag. Het is bv. mogelijk dat hij, geschrokken door de publicatie van de verzameling brieven van en aan Paul van Ostaijen na diens dood, gegevens van strikt persoonlijke aard, die nog in leven zijnde personen betroffen, op die manier uit de openbaarheid heeft willen houden. Het geval Kafka zou hem later als negatief voorbeeld voor ogen staan, en uit opmerkingen van Du Perron valt op te maken dat hij zich in de jaren 1934 en 1935 bekommerde om zijn eventule nalatenschap. Zijn katholieke uitstapjes waren in brede kring echter te bekend om ze te verbergen; bovendien blijkt uit de brieven van Gerard Bruning juist dat Marsman zich in zijn schriftelijke uitingen tegen een bekering bleef verzetten. Op zijn sterfbed was Bruning nog met Marsman overeengekomen dat de laatste een keuze uit zijn creatief en essayistisch werk zou verzorgen. Die taak werd later in zoverre gewijzigd dat Henri Bruning de selectie voor zijn rekening nam, terwijl Marsman zich beperkte tot een inleiding. Geheel naar Marsmans zin was dat niet, omdat hij van mening was dat Henri een verkeerd beeld van zijn broer zou geven, en diens laatste ontwikkelingen, waarmee hij het niet eens geweest was, geen recht zou doen. Marsman had dan ook liever gezien dat Engelman, die de zich naar Maritain oriënterende opvattingen van Gerard met veel instemming had gevolgd, belast zou worden met de feitelijke bloemlezing. Als terloopse bijzonderheid valt nog te vermelden dat Marsman, Gerard Bruning en Engelman de redactie zouden vormen van een nieuw op te richten literair tijdschrift. Programmatisch waren deze drie, die elkaar in Maritain vonden, het al geheel met elkaar eens geworden; alleen had Bruning nog enige bezwaren tegen de medewerking van Slauerhoff. Zakelijk sprong de onderneming evenwel af, bij gebrek aan een uitgever.

Tijdens de laatste levensdagen van Gerard Bruning, en de voorbereidingen van diens *Nagelaten werk* kwam Marsman in contact met de priester Wouter Lutkie, ijveraar voor de jonge katholieke kunst èn het fascisme dat hij tot op hoge leeftijd, weliswaar gemodelleerd naar eigen opvattingen, bleef aanhangen. Op 25 augustus 1928 schreef Marsman in de NRC naar aanleiding van Lutkie's *De man 'n man*:

Ontmoetingen met Wouter Lutkie, op papier of op straat, voeren mijn herinneringen onmiddellijk en zeker terug naar de laatste weken van Gerard Bruning. De man en de schrijver Lutkie zijn daaraan ondeelbaar voor mij verbonden. De man ging rond in het huis zooals ik zou wenschen, dat iedereen ging in het huis van een stervende: rustig, zonder te snelle tranen, helder en kloek; en niemand heeft zeker die houding verheugder gezien en gevoeld dan Gerard Bruning zelf, toen hij stierf. Want hij gedroeg zich, evenals Lutkie, krachtig, open en vast.

De herinnering aan de overleden vriend zelf fixeerde Marsman in de inleiding van het in 1927 verschenen *Nagelaten werk* aldus:

Toen hij gestorven was, heeft iemand gezegd: nu wordt hier geen kathedraal meer gebouwd. – Neen, nu wordt hier geen kathedraal meer gebouwd, en geen kruistocht gewaagd, en geen bres meer gekloofd in den zwarten, eeuwigen muur. Want met hem stierf inderdaad één der laatste telgen van het barbaarsch en heilig Karolingisch geslacht.

Het lijdt geen twijfel dat de relatie tussen hen beiden zeer intiem en persoonlijk is geweest; de door Calis gepubliceerde brieven leggen daar ondubbelzinnig getuigenis van af. Iets daarvan is terug te vinden in het portret dat Marsman van Bruning schetste. Hij benadrukte daarin de zachte kant van diens wezen, door Bruning zelf krampachtig en stug verzwegen,

angstvallig vreezend voor gemeenzaamheid (en angstvallig tastend ernaar: twee schuwe, schroomvallige stilten worden samenstroomend één stilte, en het wilde rood van twee stormen verbrandt tot één bliksemwit vuur...) want van binnen zijn wij zeer kwetsbaar en onze starre weerbarstigheid verheimelijkt nauwelijks het krampachtig zelfverweer, waaruit ze ontstaat, en ons pantser werd veelal gesmeed in een woedende zelftucht: een harde, brandende schaamte om al te zichtbare teederheid harnast en hardt onze jeugd.

Marsman geeft hier even veel over zichzelf te kennen als over de geportretteerde, en over hun beider geslotenheid die ze pas in de laatste maanden van hun relatie prijs gaven.

Onder de indruk van Brunings overlijden schreef hij het gedicht 'Les soldats de Dieu', waarvan de titel was ontleend aan de woorden die de eveneens jonggestorven katholieke schrijver Raymond Radiguet op zijn doodsbed had gesproken in het bijzijn van Jean Cocteau: binnen enkele dagen verwachtte hij te worden gehaald door de soldaten van Christus. Radiguet was ook voor de jonge katholieken in Nederland een idool geworden als Rimbaud eertijds voor de symbolisten. Bruning, Engelman en Marsman deelden gelijkelijk in die bewondering. In regels als

> o! om één uur van de sneeuwwitte tijden
> dat wij op snelle onstuimige paarden
> stormachtig den stralenden morgen doorreden

spreekt Marsman zijn verbondenheid met Bruning in een vitalistisch avontuur uit. Hij trekt hem daarmee geheel in zijn eigen sfeer, en gaat zelfs zo ver dat hij niet alleen zichzelf, maar ook zijn vriend het gevecht met God aan laat gaan. De stervende zegt namelijk tot de schim van Radiguet:

> 'jij Radiguet? jij, die aan mijn zijde
> een zwarte engel, God zoudt bestrijden!'

Het beeld van de zwarte engel, volgens Marsmans toelichting aan Engelman 'een duivelsengel', kwam al eerder voor in het gedicht 'De ondergang' waarmee in december 1925 de medewerking aan *De gemeenschap* was begonnen. Het zou het titelgedicht hebben moeten worden van een poëzieplaquette, die Marsman wilde opdragen aan Gerard Bruning. Al eerder had hij een retrospectieve bundel met oude en nieuwe gedichten *De zwarte engel* willen noemen; in de bundel *Paradise regained*, opgedragen 'aan de nagedachtenis van Gerard Bruning', zou de voorlaatste cyclus die titel krijgen, zonder dat 'De ondergang' erin opgenomen was.

Juist in het *Nagelaten werk* is te zien hoe Gerard Bruning aan Marsman verwant was tot in de stijl van zijn proza. De afgebeten zinnen, de vele interjecties en het nu als opgeschroefd ervaren woordgebruik vormen een schriftuur die sterk van de trant van zijn brieven afwijkt. In hoeverre hier van werkelijke beïnvloeding door Marsman sprake is, of van een gemeenschappelijk 'vitalistisch' klimaat, is niet helemaal duidelijk en ook niet zo relevant.

Ik laat enkele voorbeelden volgen.

> Maar nu – maar nu, o Rue du Faubourg Montmartre, stróómt zilver, zilver en schuimend je asfalt en lek van je vreugdelooze arme huizen wordt een vliegend zeil, een recht roer, een harde boeg.

Het personage Aernout uit de novelle 'Bitumen' schrijft een onvervalst Marsmaniaans proza: '...een zingende paukenslag is het licht dezer morgen. De zilveren stad. De jurken der kleine meisjes.'

De niet in het *Nagelaten werk* opgenomen poëzie, waarvan pas in 1954 een uitgave tot stand kwam, vertoont interessante parallellen met die van Marsman in zijn expressionistische fase. Dat is des te opmerkelijker, omdat Bruning gewoon was zijn verzen te publiceren in *Roeping*, in Nederland het orgaan bij uitstek van de humanitaire- en Godslyriek die Marsman zo verfoeide; een poëzie die in formeel opzicht wordt gekenmerkt door de uitdijende versregels en de beeldopeenhoping, en inhoudelijk door retoriek en sentiment. Een gedicht als het volgende is duidelijk verwant aan Marsmans *Verzen*.

Het hoedenwinkeltje

'...vivre c'est malgré mourir'.

Ravijnen spleten het gedempte leven:

hoorloos gevecht
met dit verdorde huis:

dagronden
derven
het firmament:

ontwrichten wij
het blind gewelf!

O dees verdoolde tuimeling van ongetemde oogen

... en spitse verven
schuiflen naar gevaar.

In kritisch opzicht stond Bruning eveneens dicht bij Marsman. Wat Bruning bv. over Gorter schreef zou niet hebben misstaan in het grote Gorter-essay, dat Marsman eind 1936 zou schrijven.

de poëzie van Herman Gorter wortelt in dit land; zij is *hier* inheemsch; onder deze luchten, aan deze zee, bij deze bloemen – inheemsch in het land, dat ge misschien zult haten omdat de menschen, omdat de gemeenschap dezer menschen nooit één groote gemeenschappelijke vervoering kent, omdat zij nooit in een zelfvergetende edelmoedigheid op-vaart, omdat zij verdort in de traditie van kooplui, sjacheraars en ketters, maar dat ge toch, toch schoon zult vinden om zijn luchten en zijn zee en zijn vlakten en zijn bloemen: een witte, beschroomde, heilige schoonheid soms en soms dreunend en brandend zooals het dreunde en brandde in Vincent van Gogh.

Tegenover een aantal stromingen en figuren in de literatuur stonden de twee vrienden in gedeelde afwijzing naast elkaar. Marsman heeft zich nooit zo uitvoerig als Bruning in zijn laatste grote essay 'Van André Gide tot André Breton' uitgelaten over het surrealisme, maar in het interview met Kuyle zei hij deze richting, als de 'nabloei van Dada en Freud', te verfoeien. Dat past in zijn afkeer van de psychologie, en – hiermee verkeert hij andermaal in bedenkelijk gezelschap – in de weerstand van de fascisten tegen psycho-analyse en bepaalde kunstuitingen die zij als 'entartet' beschouwden.

Bruning hanteert tegenover de surrealisten dezelfde vitalistische norm als Marsman, die vond dat de surrealisten de vitaliteit ondermijnden.

– het Surréalisme [...] bezit niets meer dan modder, het heeft niet eens meer de woedende begeerte te leven; het werd lauw en klam in zijn begeerten, vormeloos in zijn idealen, vegeteerend in zijn levensconceptie en riep een jeugd in het leven, die Boy Hermes' zonde tegen het leven meebedreef: Ce n'est pas qu'il trouvait la vie belle. Il ne la trouvait pas plus belle que laide.

Met deze laatste opmerking richt Bruning zich tot Gide, door hem als de peetvader van het surrealisme beschouwd, en derhalve verantwoordelijk gesteld voor de verwording van de na-oorlogse generatie. Marsman stemt met dat oordeel in, getuige bv. zijn bespreking van het – van katholieke zijde scherp veroordeelde – *Moravagine* van Cendrars, dat hij 'een der meest fascineerende, meest verwerpelijke boeken van dezen tijd' noemt; waarop hij laat volgen: 'maar het is hier niet de plaats voor een critiek op Gide, in dezen den stichter van bijna alle kwaads.'

Afwijzend en gefascineerd: zo zou de psycholoog Ter Braak Brunings houding tegenover het surrealisme omschrijven. Volgens hem moest Bruning het surrealisme wel verwerpen omdat het niet strookte met zijn levensovertuiging; een conclusie die zich uit laat breiden naar de waardering voor andere aspecten van het modernisme. Marsman begreep dat uitstekend, blijkens zijn brief aan Engelman van 5 november 1925.

Ik weet niet, of de constructivisme-afkeer van Bruning niet juist is, van katholiek standpunt (overigens weet jij dat 100× beter dan ik); niet alleen is misschien *op dit moment*, nu er geen katholieke gemeenschap bestaat, alle artisticiteit voor katholieken gevaarlijk en verwerpelijk [...], maar het constructivisme (utilitair, rationalistisch, amerikaansch, laat-europeesch: een nette doodkist –) *dubbel-afkeurenswaardig.*

Marsmans bezwaren hangen natuurlijk samen met zijn opinie over het kubisme, dat hij te onpersoonlijk en gevoelloos vond; want aan zijn eis dat kunst orde en vormbeheersing moest zijn, beantwoordde het constructivisme natuurlijk wel. Het blijven niet zo goed met elkaar te rijmen elementen in zijn literatuur- en kunstopvattingen. Wanneer hij op grond van zijn eis dat in het kunstwerk chaos tot orde bedwongen moet zijn dadaïsme en surrealisme verworpen had, zoals hij met het humanitair expressionisme had gedaan, zou dat begrijpelijker zijn geweest; in werkelijkheid was zijn bezwaar gebaseerd op afkeer van de (Freudiaanse) psychologie, wat hem er zelfs toe bracht het surrealisme te vergelijken met de naturalistische roman. Anderzijds is het vitalisme als de wil tot een stromend leven dat zich niet vastlegt in een verstenende vorm eveneens tegengesteld aan de eis dat poëzie eeuwig en vormgebonden is. Die crux heeft Marsman proberen te overwinnen door de stelling dat het leven door de scheppingsdaad wordt geïntensiveerd en in poëzie omgezet.

In dezelfde weken dat Gerard Bruning op sterven lag, had hij Rina Louisa Barendregt ontmoet, een onderwijzeres, met wie hij op 18 december 1929 in het huwelijk zou treden. Dankzij haar vastberadenheid en doortastendheid van optreden, en haar militante zorgzaamheid werd zij een rustpunt in zijn leven.

In juni 1928 behaalde hij na zes jaar studie, door hem gezien als een hinderlijke remming van wat hij als zijn eigenlijke werk beschouwde, de meestertitel aan de Utrechtse universiteit. Het zoeken naar een werkkring zou enige maanden in beslag nemen. Tenslotte vond hij, nadat pogingen een sinecure in de journalistiek of het bibliotheekwezen te krijgen waren mislukt, een broodwinning door zich met mr. C. den Besten te vestigen als advocaat en procureur te Utrecht.

Het jaar 1928 werd afgesloten met het verlies van een andere vriend dat haast symbolisch was te noemen voor het aflopen van de kracht van het vitalisme als levenshouding waarmee Marsman zich staande hield.

Rina Louisa Barendregt

± *1930*

Erich Wichmann, de enige werkelijke vitalist in Nederland, overleed in de nacht van Oud- op Nieuwjaar, nadat zijn toch al zwakke gezondheid verder was ondermijnd door een longontsteking die hij had opgelopen bij het helpen keren van een dreigende dijkdoorbraak. Met hem verdween ook Marsmans behoefte aan een groots en meeslepend leven, al zou hij de spijt over zijn gemiste kansen tot uitdrukking brengen in 'De grijsaard en de jongeling' en 'De hand van de dichter'. Volgens mededeling van A. C. Bakels in *De telegraaf* van 30 november 1957 waren zowel Lehning als Marsman bij de begrafenis van Wichmann aanwezig. Marsman zou zijn vriend herdenken met een redactionele verklaring in *De vrije bladen* van februari 1929, en later met vier korte gedichten. Een ervan was het enige vers dat hij in 1928 geschreven had, en dat als motto was geplaatst boven zijn artikel in de *Barchem bladen* waarin hij zich voor het fascisme uitgesproken had. Het is een treffende weergave van de crisis waarin hij zich bevond.

Neen, het is nog geen nacht. –
twee of drie staan er nog op wacht,
maar het is verdomd donker. –
en misschien
worden zij afgeslacht
voordat zij den morgen zien.

HOOFDSTUK 6

EEN TIJDELIJKE OPLEVING

Kort nadat hij de invitatie van Binnendijk en Van Wessem, om met ingang van jaargang 1929 weer deel uit te maken van de redactie van *De vrije bladen*, had aanvaard, schreef Marsman aan laatstgenoemde:

En jij zelf, Stanislaus, leeft nu weer op, nietwaar? Trek aan je haren, dan schudden je hersens, lach veel, dan wordt alles lekker los, in je body. En dan is schrijven, zelfs goed schrijven, nog maar een kleine kunst, of heelemaal geen 'kunst' meer. Zoo lijkt het mij soms. – Ik geloof verdomd, dat het in '29 nog aardig kan worden, met de Bladen.

De goede voornemens voor een hernieuwd leiderschap van wat op dat moment nog steeds gold als het belangrijkste literaire tijdschrift van de jongste generatie lijken Marsman te hebben geïnspireerd tot zijn vitalistische woordkeuze, en de rol van stimulator die hij zo graag speelde. Diegenen onder zijn vrienden en leeftijdgenoten van wie hij creatieve prestaties verwachtte, prikkelde hij met een zekere hardnekkigheid tot werk. Van Wessem zou later toegeven dat zonder Marsmans gedurige aansporingen zijn roman *Lessen in charleston* vermoedelijk ongeschreven gebleven zou zijn.

Niet iedereen kon die adviezen, met evenveel dwingende kracht als goede bedoelingen gebracht, op den duur goed velen. Zo zou Theun de Vries, terugblikkend op de tijd dat hij Marsman als 'een meester en een aanvoerder' en als 'de katalysator van mijn artistieke mogelijkheden' beschouwde, schrijven dat hij hem op een zeker moment wel van het voetstuk, waarop hij hem zelf had geplaatst, moest werpen, 'om te bemerken, dat ik zelf sterk genoeg was.' Zo schreef Anthonie Donker op 26 november 1932 aan Marsman, na diens kritiek op zijn essaybundel *Ter zake*, dat hij zich in het verleden vaak geërgerd had aan bedisselarijen die hem altijd het idee hadden gegeven als kleine jongen te worden toegesproken.

Maar al te vaak waren de aan anderen toegediende injecties een indirecte manier om zichzelf te stimuleren. Bij weinig Nederlandse schrijvers is de bemoedigende toespraak tot zichzelf zo sterk tot een motief geworden als juist bij Marsman. Ik denk bv. aan de 'Drie autobiografische stukken', en gedichten als 'Lex barbarorum' en 'Phoenix', waarvan het laatste in deze jaren geschreven werd.

Waarschijnlijk heeft Marsman de uitnodiging opnieuw deel uit te maken van de leiding van *De vrije bladen* aangegrepen om uit de creatieve impasse te komen die hem sinds de afsluiting van *Paradise regained* in het begin van 1927 in de ban hield. Na drie jaar hadden Werumeus Buning en Kelk de redactie verlaten, en Marsman die bij zijn vertrek aan het eind van de tweede jaargang onder meer door hen was opgevolgd, nam zijn oude plaats weer in. Hij begon, getuige zijn brief aan Van Wessem, met nieuwe moed, maar wijs geworden door het afknappen van de hooggespannen verwachtingen waarmee zijn eerste redacteurschap was geëindigd, ging hij ditmaal bedaarder van start.

Binnendijk en Van Wessem zullen veel van Marsmans hernieuwd optreden als redacteur hebben verwacht. Er werd op gerekend dat zijn actieve medewerking een heropleving van het tijdschrift zou veroorzaken, want er werd permanent met kopijnood geworsteld, en Marsman was om het charisma dat hij uitstraalde natuurlijk een prima visitekaartje. Zelf was hij een stuk sceptischer. Aan Engelman liet hij na bijna een half jaar actief redactioneel werk weten:

> Ik ben het 'manifesteeren' moe geworden; al kietelt mij dikwijls het verwijt, dat ik vroeger, in '25, b.v. verkeerd geranseld heb – en dat ik het dus, met enkele anderen, nog éénmaal, maar nu goed, zou moeten probeeren.

Kennelijk moest hij zich zelf toegeven dat hij zich had vergist in de strijdlust, waarvan de brief aan Van Wessem, geschreven op 3 december 1928, dus kort voordat hij als redacteur werkzaam werd, getuigt. Hij was niet meer de enthousiaste leidersfiguur uit het begin van 1925, die met het stampen van zijn voet een nieuwe literatuur op wilde roepen. En zijn afkeer werd alleen maar groter toen hij tot het inzicht kwam dat het beeld, gebaseerd op zijn eerste poëzie en opruiersstukken als 'De sprong in het duister' tot een mythe was geworden waarvan hij zich wilde losmaken omdat hij er zich niet langer mee identificeren kon. De 'legende van een jeugd' waarover Engelman naar aanleiding van *Paradise regained* gesproken had, moet Marsman als een vloek geklonken hebben.

Voorlopig richtte hij zijn aandacht, ook publiekelijk, op een ander genre dan kritiek en polemiek. In de poëzie voelde hij zich op dood spoor zitten. Met *Paradise regained* had hij voor zijn eigen gevoel een periode afgesloten, en de lijn van de daarin bijeengebrachte gedichten wilde hij niet voortzetten uit angst het refrein van zichzelf te worden. 'Ik verkoos de onvruchtbaarheid boven den troost die een kunstmatige voortzetting mij aanvankelijk zou hebben gegeven', schreef hij eind 1933.

Tegelijk was ik gaan begrijpen, dat wat ik voortaan scheppend te zeggen had niet meer alleen in verzen te zeggen zou zijn, ook niet in epische verzen of prozagedichten. Het zou een vorm van proza moeten zijn, maar verder was ik nog in het onzekere. Ik zocht naar een vorm die volkomen bij mijn natuur en vermogen zou passen en ik begreep dat ik mij niet moest binden aan een strengen bouw of aan het ruimtelijk en aanschouwelijk maken van bepaalde figuren. Ik zocht naar een vorm die in toon en beweging innerlijk leven ervaarbaar zou maken, deels bespiegelend, deels schetsmatig vertellend.
Ik moest mij zelf in het te schrijven leven dezelfde plaats laten innemen die ik in werkelijkheid innam en ik moest niet romanceeren om mijzelf onzichtbaar te maken. [...] De vorm die ik koos moest in overeenstemming zijn met mijn lyrische natuur en evenals deze doortrokken van intellectualiteit en het zou een herinnering zijn.

Marsman stelt het voor alsof dit programma in het voorjaar van 1928 door hem opgesteld zou zijn. In werkelijkheid gaat het om een constructie achteraf, waarin hij een inzicht formuleerde, dat was gegroeid tussen 1929 en 1933, jaren die waren gekenmerkt door moeizame pogingen een adequate stijl voor zijn verhalend proza te vinden. De fouten die hij daarbij had gemaakt waren te wijten aan de eisen die hij zich stelde, en die hij pas op het moment dat hij bovenstaande woorden schreef expliciet voor zichzelf verwierp: romanceren, het zichtbaar maken van andere karakters dan het zijne. Pas in 1933, na twee mislukte romans, zag hij in dat hij zijn lyrische natuur als uitgangspunt moest gebruiken.
Het quantum verdichtsel in bovenstaand citaat neemt niet weg, dat Marsman inderdaad aan een roman werkte in de loop van 1928. Zoals hij in het interview met Albert Kuyle zei, moest het *de* roman worden van zijn generatie. Voor het gegeven putte hij – als gewoonlijk bij zijn proeven met verhalend proza – uit zijn directe omgeving. Hij wilde het levensverhaal schrijven van Germaine Krull, die hij in 1922 in Berlijn had ontmoet, en met wie hij, sinds ze de vrouw van zijn vriend Joris Ivens

was, van tijd tot tijd contact had. Tegenover Kuyle beschreef hij haar als 'een vrouw die in 1918 en de jaren daarna de Duitsche, de Hongaarsche en de Russiche revoluties medemaakte.' Van deze romanopzet zijn zelfs geen aantekeningen bewaard gebleven. In dezelfde tijd liep hij rond met plannen voor een leven van Bredero, die tenslotte niets meer zouden opleveren dan het lange gedicht uit 1930 over de Amsterdamse dichter uit de zeventiende eeuw. Veel projecten voor romans die Marsman ontwierp verging het zo. Van *De Vliegende Hollander* werden fragmenten gepubliceerd. *De onderkoning van Canada*, in een brief aan Houwink van 11 maart 1925 een 'reisbeschrijvende autobiografie' genoemd, leverde niet meer op dan een column avant la lettre in *Rijnbende's blijmoedig maandblad* van december 1928.

Het werk aan de roman over Germaine Krull moet al snel opzij geschoven zijn, al heeft Marsman er enige malen verder mee willen gaan, zoals valt op te maken uit toespelingen in de brieven die Du Perron hem in 1931 en 1932 schreef. In de loop van 1929 werd hij evenwel in beslag genomen door een verwante romanopzet met de revolutie als achtergrond: *Vera*, waarvan de hoofdpersoon was geïnspireerd op Slawa Weyna. Het werd een verhaal waarin Marsman volop zijn lyrische natuur en zijn herinneringen aan de twee bezoeken aan Berlijn uit zou storten. Maar juist de lyrische toon voldeed hem niet. Op 4 juni 1929 schreef hij aan Engelman:

Ik had al een, leek het, stevig begin van mijn korten roman af, maar nu kan ik sinds weken niet verder, omdat ik dezen toon, die te rhythmisch en lyrisch lijkt, niet vol wil en kan houden. Maar jij zei destijds, dat je je een verhaal kon denken in den stijl van mijn stuk over Trakl. Ik geloof toch, na deze ondervinding, dat je ongelijk hebt. 6 bladzijs gaat dat – heel goed zelfs. 60 worden stomvervelend in die toon –.

Toch is het Trakliaanse element in *Vera* goed behouden gebleven; ik wees daar in hoofdstuk 3 al op. Op 14 augustus liet Marsman aan Lehning weten twee maal aan *Vera* te zijn begonnen. 'Hoop hem de derde maal een definitieven inzet te geven. Echt proza is voor mij iets ergs moeilijks. (Het boek over Germaine zal er vrees ik bij inschieten.)'

De weerstand tegen lyriek in het proza die Marsman pas later, na de nodige schade en schande zal overwinnen, maar op dit moment nog sterk bezit, heeft te maken met de positie die hij zich bij het ingaan van zijn nieuwe redacteurschap van *De vrije bladen* in literair-kritisch en

Met Wouter Paap (± 1930)

-theoretisch opzicht had gekozen, nl. naast zijn collega Van Wessem. Deze ijverde, a-poëtisch als hij was, al jaren voor een proza dat een adequate vertaling zou zijn van de specifieke sensibiliteit van de moderne tijd, en zou breken met de lyrisch-impressionistische woordkunst zoals geïntroduceerd door de Tachtigers en beoefend door hun epigonen. In de jaargang 1929 zou hij zijn inzichten formuleren in een vijfdelige reeks essays over het moderne proza. In beknopte vorm waren deze ideeën al verkondigd in het korte stuk 'De kansen van ons proza' dat Marsman in het aprilnummer had gepubliceerd. Door de imperatieve toon herinnert het aan de manifesten waarmee hij in jaargang '25 zijn programma had ontvouwd. Hij constateert in de letterkunde van na 1918, die van zijn eigen generatie dus, een gemis aan verhalen en romans; als enige uitzonderingen beschouwt hij Kuyle en Helman, beiden – geen toeval lijkt me – medewerkers van *De gemeenschap*, waarmee Marsman zich tamelijk nauw verbonden wist. Hij bespeurt evenwel aanzetten tot een nieuwe ontwikkeling, waarbij hij ongetwijfeld heeft gedacht aan zijn eigen ambities en die van Van Wessem. Als desiderata formuleert hij:

De essentieele veranderingen, die het proza reeds ondergaat, en voortdurend sterker zal ondergaan, zijn deze: het zal breken met de lyrische bewogenheid, die het neo-romantisch proza, ook bij ons, tot een bastaardsoort heeft gemaakt. [...] De vurigheid en het enthousiasme behoeven volstrekt niet afwezig te zijn in het komende proza (dat waarachtig niet alleen zakelijk is) maar zij zullen de typische hardheid van zuiver proza niet kunnen vervluchtigen. Voorts zal het breken met de explicatieve psychologie, die nog steeds gangbaar is. Die gaat uit van de misschien onbewuste, in ieder geval krankzinnige veronderstelling dat een stuk leven (als men wil: het leven) te begrijpen en dus te verklaren is, en dat is het niet; het is, receptief, te ondergaan, te doorvoelen en te peilen, maar intuïtief; het is nooit te becijferen. Daarom moet de uitbeelding ervan niet expliceerend (essayistisch) zijn (hoewel juist het nieuwe essay sterk beeldend geworden is), maar suggestief, in den strikten zin van het woord. *Deze suggestie zal worden bereikt door de organische* (d.i. rhythmische, mits men juist niet denkt aan: rhythmisch proza) *rangschikking van de concreta.*

Het nieuwe proza zal opnieuw verhalend en feitelijk zijn, en zijn moderniteit onopzettelijk ontleenen aan zijn schrijvers, die door de hardheid en de fantastiek van den tijd zijn bewogen.

Geheel in de lijn van het beleid dat door Marsman en Van Wessem in deze jaargang wordt gevoerd ligt de bijzondere belangstelling voor het moderne proza van over de grenzen, vooral voor het Amerikaanse. In een – negatieve – bespreking van de Nederlandse vertaling van Sherwood Andersons *Poor white*, spreekt Marsman zijn grote bewondering uit voor *Dark laughter* van dezelfde auteur, en voor *Manhattan transfer* van John Dos Passos, waarover hij kort tevoren enthousiast had geschreven in *i 10*. Van Ter Braak is er een lang essay over *Dark laughter* en *An American tragedy* onder de titel 'Twee methoden'. De 'matter of factness' van Dreiser wordt daarin afgezet tegen de verbeelding van Anderson, maar in zijn typische dialectiek acht Ter Braak de begrippen onderling verwisselbaar, al naar gelang het standpunt en de normen van de beschouwer. 'Voor den realist der feiten is Dreiser de realist en Anderson de romanticus; voor de realist der verbeelding is Dreiser's dossier het romantisch voorwendsel voor de realiteit van het fatum, dat bij Anderson als onmiddellijke realiteit spreekt.'

In zijn ambivalente zwenkingen tussen zakelijkheid in de theorie en lyriek in de eigen praktijk van het proza zou Marsman van een genuanceerd standpunt als dat van Ter Braak profijt hebben kunnen trekken. Voor hem had het 'moderne' echter weer tijdelijk de kracht van een criterium, zoals bv. blijkt uit zijn bespreking van Ilja Ehrenburgs *De steeg aan de Moskwa*, dat hem in vergelijking met vorige boeken van deze auteur enigszins teleurstelde: 'het is weer even romantisch, in de zin van on-zakelijk, on-modern, anti-materialistisch; en – weer even ouderwetsch.' Daarentegen prijst hij de positieve kanten van deze roman in bewoordingen die gebaseerd zijn op andere eisen die hij aan het proza stelt: 'hoe scherp suggereert hij [...] de onderlinge verhoudingen van zijn sujetten, en vooral de collectieve en individueele atmospheer, zoowel physisch als psychisch, waarin zij leven, die zij in- en uitademen. Inderdaad: het leven van de steeg aan de Moskwa wordt bijna een organisme, een afzonderlijk, individueel wezen.'

Pas in 1932 bereikte Marsman in 'De aesthetiek der reporters' een synthese: de nieuwe zakelijkheid werd beschouwd als een nuttige reactie op een onvruchtbaar psychologisme, maar diende doordesemd te worden met de persoonlijke verbeeldingskracht van de kunstenaar. De uitspraak van Egon Erwin Kisch, prototype van 'de razende reporter', en een van de gangmakers van de nieuwe zakelijkheid in het proza, dat niets de verbeelding meer stimuleerde dan een loutere presentatie van de feiten, werd zeker niet door Marsman gedeeld. Met dit essay greep hij terug op zijn oude transformatie-theorie, en duidelijker dan voorheen sloot hij zich daarmee bij de school van Verwey aan, waar hij in plaats van termen als transformatie en vormkracht verbeelding en herscheppen gebruikte.

Daarmee bleef hij wortelen in de romantische traditie, volgens welke de scheidslijn tussen kunst en niet-kunst gezien wordt in de werkzaamheid van de scheppende verbeelding. Marsmans verzet tegen de explicatieve psychologie in de literatuur moet dan ook zo begrepen worden dat hij die zag als een niet omgevormd en organisch in het kunstwerk ingepast stuk werkelijkheid, een teveel aan feitelijkheid. In het voorafgaande is al meermalen gebleken dat Marsman niet de artistieke nieuwlichter was, waarvoor men hem wel hield. Zijn vroege poëzie, in het bijzonder de 'Seinen', had zich een tijd lang in modernistisch vaarwater bewogen, zeker toen hij zich had aangepraat dat hij 'van zijn tijd' moest zijn, maar kritisch en theoretisch toonde hij zich aanzienlijk behoudender. Later stelde hij zich ook in de creatieve praktijk gematigder op. Zijn hameren op de moderniteit van het proza, waarmee hij zijn tweede redacteurschap van De vrije bladen begint, is een geforceerde uiting, die niet is los te zien van het feit dat hij zich weer als leider wil waarmaken.

Dat het pleidooi voor een modernistisch proza niet tot dogmatische consequenties leidt, blijkt bv. uit een aantekening in de aflevering van april 1930, waarin Marsman simultaneïteit in het proza een niet te realiseren desideratum acht (saillant genoeg volgt zijn stukje op een artikel van H. van Loon over de ontwikkeling van het Italiaanse futurisme in de schilderkunst, waar het simultanisme zo'n belangrijke plaats inneemt). Hoogstens acht hij de *suggestie* van gelijktijdigheid te verwezenlijken, en noemt *Manhattan transfer*, en in mindere mate, Döblins *Berlin Alexanderplatz* als geslaagde voorbeelden.

Ook in jaargang 1930 staat Marsmans kritische werkzaamheid geheel in het teken van zijn bemoeienissen met het jonge Nederlandse proza. Een bespreking van *Het fregatschip Johanna Maria* besluit hij: 'In 1929 verscheen hier "Klankbord" en "Hart zonder Land", in 1930 "Schuim en Asch" en "Het Fregatschip Johanna Maria". Nildesperandum.' Het meinummer opent met zijn 'Serum tegen kanker', waarin hij zonder zijn tegenstander met name te noemen, polemiseert met Lou Lichtvelds inleiding voor het verhalend proza in de letterkundige almanak *Erts 1930*.

Ik zie met schrik de legende groeien, dat de jongere litteratuur in ons land volmaakt-onbelangrijk zou zijn; en ik vraag mij af waardoor zij ontstaan is, en vooral waardoor zij te stuiten zou zijn.

Na beklemtoond te hebben dat de poëzie en de essayistiek van na 1920 voor die van de Tachtigers niet onder hoeven te doen, geeft hij toe dat het eigentijdse proza 'nog smal en nog schaarsch' is;

maar ik zie tegelijk dat het zich langzaam, d.i. organisch, verbreedt en verrijkt. De eigenschappen, die men er in laakt , zijn anderzijds juist precies weer dezelfde, die de poëzie en de kunst der critiek boeiend en levend hebben gemaakt: snelheid, scherpte en fantastiek.

Marsman had dit stuk op felle toon geschreven, maar toch liet hij nu openlijk merken wat hij een jaar tevoren als zijn privé-mening aan Engelman had meegedeeld: hij was het manifesteren moe, althans, hij leek er, droever en wijzer geworden, het nodige absolutisme voor te missen.

Ik heb dit opstel ten deele à contre cœur moeten schrijven: ik heb het land aan balansen, en zelfs aan het soort injecties met vitamine, dat ik vroeger heb uitgedeeld. Ik houd niet van een oratio pro domo, vooral als dit huis maar voor een klein deel van mij is. Ik geloof dan ook niet, dat de jongere litteratuur hoeft te worden beschermd of verdedigd: dat doet zij zichzelf. Maar wanneer het, hoe dan ook, mogelijk is, haar te versterken en te doen winnen aan leven, kan ik mij daaraan niet onttrekken.

De resignatie en vermoeidheid in dit slotaccoord vallen sterk op. Marsman was zijn tweede termijn als redacteur van *De vrije bladen* met meer reserves over de effectiviteit van zijn optreden begonnen, en daarom zou hij het ditmaal twee jaar langer volhouden dan de eerste keer, maar zijn tegenzin in het leiderschap was er onder de camouflage van welwillendheid niet minder om. Had hij zich vroeger geforceerd in strijdkreten, nu deed hij het in een poging om voorbeelden te geven van het door hem voorgestane proza. Zijn eerste bijdrage die weer onder eigen redactionele verantwoordelijkheid in *De vrije bladen* verscheen, in januari 1929, liet drie maanden voor zijn eerste theoretische uitlatingen op dit stuk zien waar hij heen wilde. Voor het verhaal 'Bill' had hij zich weer geïnspireerd op zijn eigen sfeer. Zijn broer Frits, die enige tijd voordien naar de Verenigde Staten was vertrokken om zich er beroepsmatig met de paardesport, in Nederland zijn hobby, bezig te gaan houden, stond model voor de hoofdpersoon.

Het model dat Marsman zich gekozen had voor de stijl en de aanpak van het verhaal was zonder twijfel Blaise Cendrars, over wie hij in *De lamp van Diogenes* geschreven had dat al zijn bezwaren tegen diens 'internationalisme, americanisme, cosmopolitisme en de rest als rook vervliegen' bij de lectuur van Cendrars' verhalen. Het relaas van de paardeknecht die in Amerika carrière gaat maken als jockey in is echter een flauw aftreksel, wat de dosis avontuurlijkheid betreft, van *L'or* en *Moravagine*. Het is vooral in formeel opzicht dat Marsman dicht bij het bewonderde voorbeeld blijft: de staccato-achtige zinnen, die arm zijn aan sfeerbepalende adjectieven, en in een jachtig journalistiek tempo aan elkaar worden geregen tot hoofdstukjes van één à twee pagina's, het sprongsgewijze vertellen dat snelheid suggereert, het is allemaal duidelijk geleerd van Cendrars, al is er in de overdreven New Yorkse couleur locale ook invloed van Dos Passos' *Manhattan transfer* te bespeuren, en een toegeven aan het elders verfoeide amerikanisme. Overigens sloot Marsman zich met die aandacht voor de nieuwe wereld aan bij een tendens die in de Europese kunstcentra Parijs en Berlijn tussen 1925 en 1930 vrij algemeen was; de belangstelling voor Chaplin, ook van Marsmans zijde, is daarvan een sprekend symptoom.

Omdat niets zo snel veroudert als het modieuze, is 'Bill' nog slechts een curiosum met uitsluitend literair-historische waarde; wat de schrijver zelf kennelijk ook beseft heeft, want hij keurde het verhaal geen plaats waardig in zijn *Verzameld werk*. Dat geldt ook voor 'Campo' eveneens gepubliceerd in *De vrije bladen* van 1929, en al evenzeer een Cendrars-imitatie, ditmaal van diens exotische kant.

Twee buiten *De vrije bladen* gepubliceerde verhalen zijn van heel andere aard. Het tamelijk conventionele 'A.-M.B.' geschreven in 1930, is, ook wat inhoud betreft, een extract van het tegelijkertijd ontstane *Vera*. 'De bezoeker' door Du Perron niet ten onrechte met *De afspraak* van Roland Holst vergeleken, is merkwaardig om het dubbelgangers – en doodsmotief. In het volgende hoofdstuk kom ik daar nog op terug.

Als andere illustraties van het moderne proza dienen in deze jaargangen bijdragen van de door Marsman als voorbeeld genoemde Albert Kuyle: een fragment uit diens roman *Vuur*, en het verhaal 'Sjooks' op het thema 'van krantenjongen tot miljonair' dat sterk aan 'Bill' doet denken. Vergeleken bij deze staaltjes van modern proza doet een ander verhaal van Marsman, het weliswaar ook amerikaans geïnspireerde, maar veel lyrischer 'Virginia' haast weldadig aan. Hij behield het dan ook toen hij in 1937 zijn werk met het oog op herdruk schiftte.

Juist in de poëzie zou hij het masker van vitaliteit en creatieve spankracht, waarvan het proza van deze periode nog geforceerde getuigenissen bevat, laten vallen, en dat merkwaardigerwijs in een golf van dichterlijke productiviteit zoals hij die in jaren niet gekend had. In de laatste maanden van 1929 schreef hij vrijwel alle tien gedichten die in 1930 gebundeld werden in *Witte vrouwen*. Als eerste van die serie verschenen in *De vrije bladen* van december 1929 'De grijsaard en de jongeling' en 'De hand van de dichter', waarin de spijt om de voorbije jeugd en de gemiste kans van een groots en meeslepend leven doorklinken:

> weinig liefde en wijn, veel water,
> soms een racket, een zweep, maar
> stellig nimmer een zwaard...

Duidelijker is dat nog in 'Berusting', met een tweede strofe die Marsman later heeft geschrapt, vermoedelijk vanwege een te grote overeenkomst met 'De hand van de dichter'.

> een dorre monnikshand;
> waaruit de brand des bloeds
> al lang verstroomde;
> aanvaard dit nu,
> en zonder bitterheid:
> de zomer is voorbij,
> voorgoed –

Nu het vitalisme als ideologie en geestelijk steunpunt zijn kracht aan het verliezen was, brak de preoccupatie met de dood, die in het vroege werk een onderstroom was geweest, en in *Paradise regained* een tegenhanger van de uitbundige levensverheerlijking, volledig door. In *Witte vrouwen* zijn de dood en de berusting vervlochten tot de centrale thematiek. Pas daarna gaat Marsman, in zijn angst dat de dood het einde niet is, zich verzetten, vooral wanneer het christelijk geloof als mogelijke uitweg verworpen is. In zijn bespreking van *Witte vrouwen*, eind 1930, zal Victor van Vriesland de mogelijkheid van een bekering nog reëel achten, maar die veronderstelling heeft te duidelijk zijn basis in een verleden dat Marsman definitief achter de rug heeft. Een klein jaar later liet hij Houwink weten dat zijn katholiserende periode afgesloten was.

In de weigering zich te buigen voor de autoriteit van de priester en de vrees voor het laatste oordeel toonde hij zich overigens de door dood en verdoemenisgedachten belaste calvinist die hij van afkomst was. En zijn angst werd aangewakkerd in een periode dat hij meende van het leven niets meer te mogen verwachten. Zij die menen dat de preoccupatie met de dood gezien moet worden als een vitalistisch verweer tegen de verminking en onzuiverheid van het leven, hebben in zoverre gelijk dat het motief een meer dan letterlijke betekenis heeft. Maar de dood is in Marsmans poëzie meer dan alleen maar een symbool. De gedichten die er door worden beheerst zijn de menselijke documenten van een obsessie die sterker werd naarmate hij voelde dat de kracht van zijn jeugd, waarop hij jaren had geteerd, hem ontvallen was.

De berusting is de keerzijde van de angst voor verstening, waarmee de overgang van jeugd naar volwassenheid gepaard ging. De afkeer van duur en rust en de hang naar beweging en dynamiek zijn ook elementen van de preoccupatie met de dood, die de absolute verstarring betekent.

> ik ben bang voor het uur
> dat de dood mijn lichaam ontbinden zal
> en mijn ziel wordt gezet in het vuur.
> ik ben bang dat ik staan zal tegen den muur
> en dat de kogel niet missen zal.
> ik ben bang, dat ik noch in den duur
> noch daarna in de schaduwen van het Dal
> de weg naar het hart des levens
> meer vinden zal –

De gedichten op de gestorven 'witte vrouwen' zijn bloemen op het graf van de eigen jeugd. Een enkele maal, bv. in het tweede van de 'Drie verzen voor een doode' probeert hij in een vlaag van paganisme zijn vitaliteit weer op te wekken, en de hemelse zaligheid van na de dood af te wijzen voor een aards geluk.

> ik ben een prooi der wisselvalligheid:
> soms zoek ik vrede, soms is het zwartst verdoemen
> mij liever dan uw blanke zaligheid.

> zoo nu. – waarom verrijst gij niet? ik kan
> bij zulk een zon den dood niet lang gedenken;
> sta op; opdat ik u een heerlijkheid kan schenken
> heller en lieflijker dan uw onsterflijkheid!

236

Maar in het slotgedicht van deze korte reeks is er weer de angst dat 'de dood het einde niet is.'

misschien ben ik verdoemd; wanneer reeds nu de dood
mij plotseling in den rug zou overvallen
dan zou ik, stervend met de honderdtallen,
neerstorten in de Poelen, heet en rood?

en daar, juist daar, een prooi der helsche koren,
vervolgt mij nog het hemelsche verwijt van uwe stem,
een lieflijk lied, verschrik'lijk om te hooren –
o, klinkende bazuin van 't nieuw Jeruzalem.

In de recensie die Anton van Duinkerken over *Witte vrouwen* schreef, wordt alle nadruk gelegd op het failliet van Marsmans vitalisme, een triomfantelijke constatering die Van Duinkerken uitbreidt tot 'het paganistisch vitalisme' in zijn geheel. Het is een niet mis te verstane zet in het polemisch schaakspel dat in deze jaren tussen *De vrije bladen* en *De gemeenschap* plaats vond, en waarin Ter Braak enerzijds en Van Duinkerken, en in iets mindere mate Engelman anderzijds, de spelers waren. Marsman hield zich daarbij afzijdig; begrijpelijk, want hij nam tussen beide tijdschriften een middelaarspositie in, en bovendien lagen zijn compromitterende zwenkingen tussen katholicisme en paganisme nog in een te nabij verleden om hem een zuivere partij te kunnen laten zijn.

Maar een andere opmerking van Van Duinkerken, in de bespreking van *De vijf vingers*, kon Marsman toch niet onweersproken laten. Daarin was hem een keus voorgelegd, als Barbey d'Aurevilly deed aan Huysmans na het verschijnen van *A rebours*: de voeten van het kruis of de loop van een pistool. Hij reageerde met het volgende gedicht, geplaatst in *De gemeenschap* van februari 1930.

Gij schrijft van mij:
hem blijft geen andere weg
dan zelfmoord of geloof,
(of een verdoft berusten),
maar gij vergeet –
dat men in open zee
ver van de veil'ge kusten
recht als een man op een recht schip kan staan
en onversaagd tot aan de dood toe strijden.

In een volgende aflevering van *De gemeenschap* repliceerde Van Duinkerken met een voor Marsman ongetwijfeld sarrende geloofszekerheid:

Maar ik opnieuw: geen zelfmoord is zo zwart
als de overgaaf aan het respijt der golven;
– en waart gij sterk: wat baat uw kracht, bedolven
onder een overmacht, die gij zo vruchtloos tart?

Al wat gij leven heet is 't ondergaan
van duizendvormig keerende vervoering,
doch dieper dan die leefdrift is de ontroering
van wie zich buigt voor wat wij niet verstaan.

God is Diogenes, die mensen wacht
achter het schijnsel van ontstoken lampen:
streef door de zee en haar gevaarlik dampen
niet aan het licht voorbij, dat Jezus bracht!

Nu Marsman in zijn kritische en creatieve belangstelling voor het proza binnen de redactie van *De vrije bladen* een tandem met Van Wessem vormde, was Binnendijk, toch min of meer Marsmans medestander waar het de poëtica betrof, enigszins geïsoleerd komen te staan. In die constatering ben ik het niet eens met Oversteegen, die schrijft dat in deze laatste jaargangen van *De vrije bladen* Marsman 'een nauw verbond' aangaat met Binnendijk. Daar voegt hij dan nog aan toe dat uit Marsmans bijdragen aan het tijdschrift in deze periode van zijn tweede redacteurschap 'een sterker wordend estheticisme' blijkt. Ook dat lijkt me, gezien de kritieken en beschouwingen die Marsman van 1929 tot 1931 in *De vrije bladen* publiceerde, onhoudbaar. Om te beginnen schrijft hij in deze drie jaargangen slechts drie maal over poëzie en niet eenmaal in theoretiserende zin, zoals wel het geval is bij het (moderne) proza waarop al zijn aandacht gericht is. Daarnaast mag het dan zo zijn dat er een accentverschuiving in Marsmans standpunt te bespeuren valt in het geleidelijk verdwijnen van de zo sterk aan het vitalisme verbonden term vormkracht; dat hoeft allerminst een terugvallen op formalistisch estheticisme te betekenen, maar hangt eerder samen met een nauwere aansluiting bij de poëtica van Verwey, zoals Oversteegen zelf trouwens terecht opmerkt, en zoals ik hiervoor ook al signaleerde. Dat er juist op het punt van de verhouding tussen leven en kunst een vrij essentieel verschil tussen Marsman en Binnendijk bestond zullen we spoedig gewaar worden.

Binnendijks isolement werd op pijnlijke wijze duidelijk toen het tot een principiële discussie kwam over poëzie en poëziekritiek. Zolang er geen conflictstof op dit punt voorhanden was geweest, was Binnendijks positie als redacteur die door de bemoeienissen van zijn collega's met het proza steeds meer 'stond' voor de kwaliteit van de in *De vrije bladen* gepubliceerde poëzie, niet ter sprake geweest. Het valt immers moeilijk te begrijpen dat Marsman, die in 1925 als redacteur zulke strenge maatstaven had aangelegd, de meeste van de in de jaargangen 1929, 1930 en 1931 opgenomen gedichten met zijn verantwoordelijkheid heeft willen dekken. Die vraag klemt des te meer waar het zo duidelijk is, dat zijn eigen werk en dat van Roland Holst nagevolgd werd. De trefwoorden uit deze epigonenpoëzie waren, om Du Perron te citeren: 'de Engelen, de Witte Vlammen, het Voorgoed Verlorene, het Donkere, Opstandige en andere Bloed, de Rozen, het Paradijs, het Andere Land.' Ik geef enkele voorbeelden.

> Saamgekomen aan den rand der tijden (Chr. de Graaff)

Uit een gedicht van Martin Leopold dat in zijn titel 'De voorteekenen' de Marsmaniaanse afkomst al duidelijk verraadt:

> Het huis, het open venster en daarachter
> uw handen, die niet willen dat ik ga.
> ik weet, het leven is bij u veel zachter,
> maar zóó, dat ik het soms niet meer versta.

Van een zeer duidelijke beïnvloeding is sprake bij Gabriël Smit:

> een witte droom? een paradijs? een vrouw?
> wat wilt gij met dit brandend wonder?
> geef mij een grijzen dag – en ik zal onder
> uw goede handen stil zijn; ik vertrouw.
>
> maar ruk nù los: de wolken achter mij.
> ik wil vergaan waar werelden vergingen.
> de zon uw hart? waar is het stroomend dwingen
> van uw vermetel bloed? ik vloog er lang voorbij –

En:

> Hun bloed is reeds te zeer versomberd:
> oogen en monden werden moe en oud.

Holstiaans is deze inzet van Achterberg:

> Wat moest die stad,
> als een voor jaren aan mijn hart vervreemd bericht,
> beteekenen?

Marsmans meest opmerkelijke epigoon is G. A. van Klinkenberg, overigens niet alleen in deze jaren, waarin de laatste twee afdelingen van *Paradise regained* van zoveel belang voor de contemporaine poëzie bleken, maar ook al lang voordien. Van Klinkenberg kende Marsman al van de middelbare school en ging met hem om als vriend. Het feit dat ze beiden in Zeist woonden zal het contact vergemakkelijkt hebben, en de literaire uitwisseling evenzeer; wat dat laatste betreft was Marsman duidelijk de gevende, en Van Klinkenberg de ontvangende partij. Al in december 1921 attendeerde Marsman, die de dichterlijke proeven van zijn jongere vriend kritisch begeleidde, Van Klinkenberg er op dat hij vele regels van zichzelf in diens poëzie ontdekt had. Tot een dergelijke ontdekking gaven de twee nu volgende gedichten die Van Klinkenberg publiceerde in *De vrije bladen* van 1930 ook alle aanleiding.

Nabijheid

> Bergtoppen, onaanrandbaar in den morgen.
> Maar hier, dicht bij mij, zijn uw groote oogen,
> de teedere rondingen van uw gelaat,
> die ik meer liefheb dan mijn hoogste droomen.

> Vergeef mij, zoo ik al te dikwijls nog
> u en mijzelf ontvluchtte in eenzaamheid.
> Nergens dan in het dal van uw omarming,
> binnen de donkere tent van uwe haren,
> vond ik den slaap na veel vergeefsche tochten,
> vond ik den vrede tot een nieuw ontwaken.

240

De duistere tocht

Waarheen voert ons de zwarte Engel,
die ons nam aan Zijn duistere hand?
Langs diepe, gesluierde wegen
naar een naamloos, kleurloos land;
een wereld van asch en zand.

Hoort, aan haar teedere wanden
slaat ons hart nog een zwak alarm.
Ziet en betast uw handen,
nog zijn ze levend en warm.
Sterven wij dan aan de randen
van Uw wereld, onzegbaar arm?
Vrede, o witte vrede,
waar is het paradijs?
Blijven wij eeuwig beneden,
in dit onafzienbaar grijs
bedolven, voor goed verloren,
met ons onstilbaar verlangen,
ingeklemd tusschen dood en dood?

'Die zoo felle tegenstand bood,
die zoo lang om den Vrede riep,
vraag niet langer, wees stil, wees stil.
Wie het diepst van den dood heeft geproefd,
wie het diepst van den nacht heeft doorwaakt,
is het dichtst bij de kentering.'

Ook in theoretisch opzicht vulde Van Klinkenberg zijn leermeester uitstekend aan, zoals ik in hoofdstuk 5 al liet zien aan de hand van zijn essay 'De levende schoonheid', dat de vitalistische poëtica voorziet van een ideologische basis, die bij Marsman zelf steeds impliciet bleef. Het stuk werd overigens pas in februari 1931 in *De vrije bladen* opgenomen. Op dat moment was de discussie over het epigonisme in de poëzie al in alle hevigheid losgebarsten.

De steen des aanstoots vormde Binnendijks inleiding van *Prisma*, zijn bloemlezing uit de Nederlandse poëzie van na de Eerste Wereldoorlog. Daarin had hij de criteria die hem bij zijn selectie hadden geleid aldus geformuleerd:

± *1930*

Niet een bepaalde of onbepaalde liefde voor sommige dichters richtte de keuze, doch de liefde voor de poëzie en de overtuiging, dat deze poëzie een bijzondere kracht moet zijn, die scheppend en niets dan scheppend van karakter is. [...] De aanwezigheid van deze vormkracht nu heeft ook gediend als criterium voor deze bloemlezing. Want in de vormkracht accentueert zich het moderne kunstbewustzijn: poëzie is geen ontroerend spreken, maar een van de aanleiding en den schrijver losgeraakt gewas, een natuurlijk organisme, een bloem. Zoo openbaart zich de scheppende kracht van een artist ook alleen maar in zijn werk, in elk op zichzelf staand gedicht, en de creatieve kracht van een tijdperk in zijn kunst, in casu: in zijn poëzie.

Kort na verschijning van *Prisma* reageerde Ter Braak met een stuk in *De vrije bladen* van januari 1931, waarin hij betoogde dat Binnendijks criteria het starre van een dogma hadden, en dat een dergelijk standpunt, waarbij de persoon van de dichter met zoveel programmatische nadruk buiten beschouwing werd gehouden, en waarbij de gedichten apart van hun context werden gerecipieerd, de mogelijkheid uitsloot onderscheid te maken tussen originele dichters en epigonen. Naar zijn smaak nam de laatste categorie een onevenredig grote plaats in Binnendijks bloemlezing in.

Het volgende nummer van *De vrije bladen*, van februari 1931, bevatte het verweer van Binnendijk. Hij beklemtoonde dat zijn maatstaven niets met het ijzeren keurslijf van een dogma van doen hadden, maar gebaseerd waren op wat hij beschouwde als het wezen van de poëzie. Voor hem was het begrip 'creativiteit' essentieel voor goede poëzie, d.w.z. gedichten waarin levenloze en chaotische stof in een bezielde orde was gebracht. 'De schoonheid is alleen door de 'burgerlijke' orde der stof te vatten; zij versteent niet in die orde, zij leeft erin. *Zonder die orde leeft zij niet als schoonheid.*'

Tot op dit moment had Marsman zich buiten het debat gehouden, tot verbazing van vriend en vijand, die hadden verwacht dat hij zijn vriend en medestander Binnendijk wel te hulp zou snellen; te meer waar deze werkte met een door Marsman zo geliefkoosde term als vormkracht. Het slot van Binnendijks antwoord aan Ter Braak bv. is direct verwant aan het standpunt dat Marsman met zoveel verve sinds jaar en dag had verdedigd: 'Omdat creëeren een essentieëel andere vorm van leven is dan denken of voelen, al zijn alle levensvormen ook menschelijk in diepsten grond.'

Het heeft er alle schijn van dat Marsman, die zoals we al gezien hebben het polemiseren en manifesteren moe was en wiens belangstelling op dit moment naar iets anders uitging dan poëzietheorie, zich liever buiten de discussie hield. Dat werd hem ook mogelijk gemaakt door Ter Braak, die niet Marsman maar Nijhoff beschouwde als auctor intellectualis van Binnendijks opvattingen; met enig recht, want ik herinner er nog maar eens aan hoe Marsman zelf in 1926 al waarschuwde voor een over hun eigen grenzen jagen van 'Nijhoff's inzichten over het interne eigen-leven van het gedicht'. E. du Perron, sinds kort intimus van Ter Braak, en het in alle opzichten eens met diens aanval op de *Prisma*-inleiding, nam echter met het buiten schot blijven van Marsman geen genoegen. Hij beschouwde hem als 'de vriend, de raadsman, ik had haast geschreven de chef, in kwesties als deze, van D. A. M. Binnendijk.' In het voor *De vrije bladen* bedoelde artikel 'Over het "kreatieve" in onze nieuwe poëzie' herhaalde hij Ter Braaks bezwaren en vulde ze aan met zijn eigen bedenkingen tegen het epigonisme. Hij zond het stuk niet aan Van Wessem, die redactiesecretaris was en met wie hij in regelmatige briefwisseling stond, maar rechtstreeks aan Marsman zelf, aan wie hij, als zijn 'beste vijand', het artikel had opgedragen. In zijn cahier schreef hij: 'Ik ben benieuwd of hij nu zal antwoorden, of Achilles ditmaal uit zijn tent wordt gelokt, ware het slechts als wreker van Patroclos.'

Marsman antwoordde dat hij Du Perrons bijdrage aan de polemiek als reprise van Ter Braaks aanval overbodig vond; veelbetekenend voegde hij er aan toe dat hem de lust om persoonlijk te reageren ontbrak.

ik ben het geklets over litteratuur werkelijk hartgrondig zat. Maar inderdaad: ik kan met u, met Ter Braak, met Donker, met wie nog meer?, niet anders zeggen dan dat menschen als Smit, Kamphuis, Binnendijk, Van Klinkenberg, Van Geuns, Campert... in verschillende graden epigonen zijn (als graden hier nog van eenig belang zijn), wat niet uitsluit – hier wijk ik af van uw inzicht – dat sommigen onder hen enkele goede, soms – hoe vreemd het ook mijzelf dikwijls voorkomt – zeer goede gedichten hebben gemaakt. Voor zoover ik mij mede heb schuldig gemaakt aan het in stand houden, misschien zelfs aan het bevorderen van dit epigonisme, doe ik boete. Ik hoop dat u en anderen spoedig zult slagen in het uitroeien ervan. Ik zeg dit geheel zonder spot, maar ik persoonlijk kan mijn kracht in diè richting niet meer aanwenden.

De uitkomst van de pennestrijd tussen Marsman en Du Perron, die aanvankelijk per brief werd gevoerd in aansluiting op Du Perrons artikel, en naderhand door Engelman als aanhangsel van 'Over het "kreatieve" in onze nieuwe poëzie' in *De nieuwe eeuw* van 26 februari 1931 werd gepubliceerd, laat zien dat de twee het minder met elkaar oneens waren dan zij beiden aanvankelijk dachten. Oversteegen heeft er op gewezen dat die overeenstemming mede veroorzaakt werd doordat Marsman en Du Perron onder creativiteit iets anders verstonden dan Nijhoff en Binnendijk, die creativiteit en vormkracht dikwijls gebruikten in de zin van zelf scheppende vorm. Ik wees er al eerder op dat Marsman met die termen vrijwel uitsluitend doelt op de specifieke werkzaamheid van de dichter. Voor hem bleef te allen tijde gelden: 'voor mij is een krachtige menschelijkheid voorwaarde om te komen tot krachtige poëzie; maar die ontstaat pas wanneer 'een dichter' die menschelijkheid transformeert tot dichtkunst.' Terecht kon Du Perron dan ook vaststellen: 'U erkent èn vorm èn menschelijkheid (ik zeg in dit geval misschien liever nog: persoonlijkheid; maar we begrijpen waar het om gaat)'. En hij stelde daar voor alle duidelijkheid nogmaals zijn en Ter Braaks mening tegenover: 'onze aanval geldt den vorm zonder menschelijkheid; vandaar het noemen van al die epigonen, die toch zulke 'creatieve' gedichten hebben geschreven. Déze eigenaardige creativiteit loochenen wij; d.w.z. wij vragen vóór alles "een vent", om dan nader uit te maken of hij ook dichter is.'

Het enige essentiële punt van verschil betrof de aard van de dichterlijke werkzaamheid. Ter Braak en Du Perron hadden gesproken over 'uiten' en 'uitdrukken'; volgens Marsman hadden deze begrippen geen zier te maken met het poëtisch creëren, waarvan het wezenlijke lag in het her-scheppen, transformeren. Du Perron zou dit verschil van mening reduceren tot een verschil van twee categorieën poëzie en derhalve tot een verschil van smaak: Marsman en de zijnen waardeerden een ander soort gedichten, de meer 'esthetische' en 'lyrische', terwijl Ter Braak en hij de voorkeur gaven aan gedichten als mededeling. Hij staat hier op een standpunt waarover Ter Braak en Marsman bijna vier jaar later verder zullen debatteren: dichters bij wie transformatie zo'n belangrijke rol speelt, bv. Valéry en Van Ostaijen, proberen 'hun menschelijken inhoud te vermommen of terug te dringen'. Het is een standpunt dat geen recht doet aan Marsmans poëtica, die juist ruimte biedt voor een kritiek gericht op de persoon van de dichter. In een dergelijke kritische praktijk wordt via het werk de dichterlijke persoonlijkheid gereconstrueerd, zoals dat ook het geval is bij de door Marsman bewonderde Van Eyck. Oversteegen heeft de positie van Van Eyck als kritikus niet onjuist gelocaliseerd als zich bevindend tussen Ter Braak en Binnendijk, onder meer argumenterend met deze uitspraak van Van Eyck: 'Hij is de zuivere dichter, de dichter van waarachtige poëzie, wanneer zijn persoonlijkheid waardevol is, en wanneer hij haar volledig doet leven in zijn werk, dat zelf organische eenheid is.' Marsmans kritische theorie daarentegen karakteriseert hij als autonomistisch, en onmiddellijk in de nabijheid van Nijhoff en Binnendijk te situeren. Een nauwkeurige beschouwing van Marsmans kritisch proza, zoals ik die hiervoor al ondernam, leert echter dat Marsman mèt Van Eyck een middenpositie inneemt. Juist aan de hand van zijn bespreking van Van Eycks bundel *Inkeer* is dat duidelijk te maken.

Zoals Van Eycks kritisch credo in één citaat geformuleerd kan worden, zo is dat ook bij Marsman mogelijk. In het stuk over Georg Büchner, te vinden in de nota bene door hem zelf als 'esthetische' bundel beschouwde *De anatomische les*, staat: 'Ge vindt, in zijn karakter en stijl, die de omzetting van zijn karakter is, begrijplijkerwijs trekken terug, die den aard van zijn tijd hielpen vormen.' De grens met Ter Braak en Du Perron wordt hier gevormd door het woord 'omzetting', dat synoniem is met 'transformatie'. Vrijwel op de grens ligt de inleiding van de 'vitalistische' bundel *De lamp van Diogenes*, waarin Marsman zijn opvatting over de relatie tussen het literaire werk en de maker daarvan schetst.

De zaak is nu niet, dat ik, in poëticis, alleen den mensch in den dichter zoek; ik zoek evenzeer den dichter in den mensch, maar én onder mensen (in biologischen zin) én onder dichters allereerst of uitsluitend *menschen*, gestuwden door scheppingskracht.

Het was juist deze passage waarover Binnendijk in zijn bespreking van *De lamp van Diogenes* struikelde; iets waar Marsman Du Perron nadrukkelijk op attendeerde om aan te geven dat er tussen hem en Binnendijk wel degelijk een theoretisch verschil bestond, en dat het dus ondoordacht was Binnendijk als een sous-Marsman in de kritiek te beschouwen. De crux lag voor Binnendijk in het motto van Nietzsche dat Marsman aan zijn bundel had meegegeven: 'Man ist um den Preis Künstler, dass man das, was alle Nichtkünstler 'Form' nennen, als *Inhalt*, als 'die Sache selbst' empfindet. Damit gehört man freilich in eine *verkehrte Welt*: denn nunmehr wird einem der Inhalt zu etwas bloss Formalem, – unser Leben eingerechnet.' Binnendijk merkt dan op:

Ried men dus, afgaande op Nietzsche's, met instemming geciteerde, woord, dat de schrijver zich uitsluitend bij zijn critischen arbeid zou bekommeren om het *kunstenaarschap* en niet om de 'menschelijkheid', die (blijkbaar) te verloochenen is ten bate van het aesthetisch saldo, – het voorwoord leidt ons een anderen weg op, namelijk dien der humaniteit of der vitaliteit. Want 'gestuwden door scheppingskracht' zegt nog niets omtrent het aesthetisch resultaat; zegt zelfs eer iets omtrent het gestuwd-zijn, dus over het *passieve* der menschelijke werkzaamheid, dan over het *actieve* der scheppende levensoverwinning. Onder deze 'gestuwden', mogen wij met een gerust geweten ook rekenen die 'Nicht-künstler', welke hun werk verrichten met bezieldheid en het – volgens Verwey's theorie – volvoeren in het besef hunner eeuwige taak. Zoodat Marsman in zijn Inleiding niets, maar dan ook niets, aangaande het wezenlijke kunstenaarschap heeft gezegd, laat staan zijn opvatting van dit kunstenaarschap, op heldere en hechte *aesthetische* overwegingen gegrond, geformuleerd.

Het komt mij voor, dat 'De Lamp van Diogenes' en daarmede de heele critisch-essayistische bezigheid van Marsman op een aesthetisch tweeslachtigen en derhalve onzuiveren en onjuisten grondslag rust: hij halveert den dichter, en hij leest de 'scheppingskracht' niet slechts uit de aesthetische vormkracht, die de eenige duider daarvan mag zijn. Wezen en effect der scheppingskracht zijn bij den kunstenaar nu eenmaal volkomen identiek en de criticus heeft de plicht zich om het primaire leven van den mensch geenszins te bekommeren, doch zich met het secundaire leven van het werk des te intensiever bezig te houden. Krachtens het citaat van Nietzsche had Marsman zich ronduit tot de Vormwaarde der besproken schrijvers moeten bepalen en hij zou daarmede tegelijkertijd het beslissende woord over hun scheppingskracht hebben gezegd.

Wat Binnendijk van Marsman scheidt is duidelijk: hij zag het beslissende punt niet in de vitaliteit (voor Marsman min of meer samenvallend met scheppingskracht), maar in de esthetische vormkracht (die voor hem samenviel met scheppingskracht). Terecht zou Marsman dan ook tegenover Du Perron benadrukken dat Binnendijk 'vrijwel nooit werkt met de term vitaliteit, waarvan mijn critiek vrijwel stijf staat.' Het ligt dan ook in de lijn te veronderstellen dat de verstarring van *De vrije bladen* tot een orgaan voor estheten en epigonen, althans in de poëzie, voor een belangrijk deel aan Binnendijks houding in deze tijd te wijten is, al gaat Marsman door zijn inertie zeker niet vrijuit. Maar dat hij moeilijk de partij van Binnendijk trekken kon, wordt bv. duidelijk uit het 'Gesprek in een tuin' tussen twee dubbelgangers van hemzelf, een stuk dat een half jaar na het *Prisma*-debat in *De nieuwe eeuw* verscheen: 'Ik wed dat je weer – en weer geheel ten onrechte – meent dat de opvattingen over poésie pure (een leerstuk dat ik nooit heb aangehangen, en nog minder verkondigd) als *de* poëzie noodzakelijk voortvloeien uit mijn denkbeelden over de vormkracht.'

Voor zijn ontmoeting met Du Perron had de kritische aanpak van Marsman al personalistische trekjes. Zo schrijft hij over Anthonie Donker: 'de man, die vooral "Grenzen" geschreven heeft, ligt mij na aan het hart. En de mensch-zelf? zooals men dat noemt, alsof de dichter niet de mensch-zelf was.' Via het – intensieve – contact met Du Perron, dat begint tijdens de polemiek, wordt de drang naar een ontmoeting met de mens in (niet: achter) het werk sterker, en in de verwoording van dat streven wordt een Du Perroniaanse inslag in Marsmans kritisch vocabulaire zichtbaar. In *Critisch bulletin* van juni 1936 zal hij over Löwith opmerken: 'De vraag of hij tot de totaliteit Nietzsche in eenige verhouding staat, die een *vruchtbaar* zich inleven en overdenken mogelijk maakt, een vriendschaps- of vijandsverhouding (maar ook deze op de basis van een zekere homogeniteit), beantwoord ik ontkennend.' En over *Verworpen Christendom* van Henri Bruning heet het : 'De gloed, de felheid, de durf en scherpte van Brunings betoog maken de lectuur van zijn boek tot een ontmoeting waarbij men zich ondanks alles ten volle betrokken voelt.' Uitgerekend het artikel over een Forumiaans dichter als Greshoff draagt dit personalistisch stempel.

Overigens wil het overhellen naar een dergelijk standpunt nu ook weer niet zeggen dat Marsman zijn oude opinies verloochende; dat was ook niet nodig omdat er voldoende aanknopingspunten te vinden waren voor een benadering waarbij de dichter centraal staat. De belangrijkste verschuiving in Marsmans kritisch proza post-*Forum* is, zoals Oversteegen heeft opgemerkt, dat hij zich meer gaat richten op het te bespreken object zelf, in plaats van het te gebruiken als kapstok om zijn theorie aan op te hangen. Overigens zal Marsman juist in *Forum* zijn essay 'De aesthetiek der reporters' publiceren, waarmee hij zijn oude standpunt, maar dan minder vitalistisch geformuleerd, handhaaft, en zich op die manier profileert tegenover Ter Braak en Du Perron. Dat is zeker geen toeval, evenmin als het toeval is dat dit stuk later als inleiding tot het verzameld *Critisch proza* dienst doet.

Dat Du Perron van zijn kant voldoende herkenningspunten in Marsmans literatuuropvatting vinden kon, blijkt uit de tussen hen gevoerde correspondentie naar aanleiding van de samenstelling van het *Verzameld werk*, en de kanttekeningen die Du Perron met het oog daarop in Marsmans essaybundels maakte. Op 13 juli 1936 schreef Du Perron: 'Bij het lezen van je slotopstel in de *Anat. Les* vroeg ik mij bv. af waarom wij nog moesten polemiseeren en waarom jij eenzijdig terug moest worden, terwijl je het hier al niet was? Misschien gewoon om vrienden te worden.' Het is waarschijnlijk mede op instigatie van Du Perron geweest dat het metafysisch aspect in Marsmans poëtica bij de herschrijving van de kopij voor het *Verzameld werk* aanzienlijk werd afgezwakt.

De *Prisma*-polemiek was intussen de splijtzwam van *De vrije bladen* geworden. Misschien geldt voor Marsman wat Du Perron vijf jaar later in zijn zojuist aangehaalde brief stelde: in de strijd der meningen moest hij zich het verschil tussen zijn vitalistische en Binnendijks esthetische kritiek scherp bewust worden, en op grond daarvan voor een deel toegeven aan de bezwaren van Ter Braak en Du Perron. Door het tot stand komen van laatstgenoemd tweemanschap, en hun gezamenlijk optrekken tegen het *Vrije bladen*-estheticisme, was Ter Braaks tot dan toe zeer frequente medewerking binnen de toenmalige constellatie van het tijdschrift vrijwel een onmogelijkheid geworden. Binnen de redactie zelf realiseerde men zich ook dat het blad op een doodlopende weg was geraakt, en dat een reorganisatie dringend noodzakelijk was. Zoals vaker in het verleden werd gehoopt op een verbetering via een wisseling van uitgever, de vierde in de geschiedenis van het blad.

De grote animator bij deze plannen was Everard Bouws, die als kennis van Slauerhoff en later ook van Ter Braak het literaire milieu was binnengekomen. Uit de Rotterdamse vrijmetselaarsloge kende hij de directeur van Nijgh & Van Ditmar, Zijlstra, die zijn fonds wilde uitbreiden met moderne Nederlandse letterkunde, en het bezit van een eigen tijdschrift zag als een aardige opstap naar het contracteren van een aantal door hem representatief geachte jonge auteurs als Slauerhoff, Ter Braak, Marsman en later ook Vestdijk. Op 7 juni 1931 werd ten huize van Binnendijk een vergadering gehouden van de driekoppige oude redactie met Ter Braak, waarbij Binnendijk aankondigde zich uit de literatuur te willen terugtrekken; 'hij gaf werkelijk allersympathiekste bewijzen van juist begrip t.o.v. zijn positie', schreef Ter Braak aan Du Perron. Als nieuwe redactie werd gedacht: Marsman, Du Perron, Van Wessem, Ter Braak en Van Vriesland; later zou de naam van Slauerhoff nog opduiken. Marsman stelde een rubriek van korte polemische stukken voor,

'Panopticum' te noemen, en vol te schrijven door Ter Braak en Du Perron, die hij nu al in zo'n sterke mate als tweeëenheid beschouwde, dat hij Ter Braak aankondigde een studie over hem te zullen gaan schrijven waarin de ontmoeting met Du Perron als een markante wending in zijn ontwikkeling zou worden beschreven. Verwerkelijking van dit plan zou overigens nog een zevental jaren op zich laten wachten. De kern van wat binnen een half jaar *Forum* zou worden is op die zevende juni ontstaan. Dat er een nieuw tijdschrift kwam, en niet een gerorganiseerde *Vrije bladen* op bredere basis, moet voornamelijk worden geweten aan persoonlijke animositeiten tussen Van Wessem, die redactiesecretaris wilde worden, en Bouws, die ook een dergelijke functie ambieerde, en zich als de motor van de hele onderneming beschouwde. De laatste stond sterk omdat hij Zijlstra aan zijn kant wist, en vooral toen Van Wessem en Marsman halsstarrig bleven verbrak Zijlstra het contact met de oude redactie, om vervolgens via Bouws met Ter Braak en Du Perron in zee te gaan. Dit alles speelde zich in enkele maanden tijd, tussen juni en augustus 1931, af. Achtereenvolgens verbleven Van Wessem, Bouws, Ter Braak en Marsman op Gistoux, waar Du Perron woonde. Zo werd het kasteeltje het toneel waarop de geboorte van *Forum* en de teloorgang van *De vrije bladen* zich voltrokken. Marsman, die zich tijdens zijn optreden in het laatste bedrijf achter de plannen van Ter Braak en Du Perron had geschaard, wilde uit solidariteit met zijn oude makkers geen zitting in de redactie van *Forum* nemen, hoewel daar sterk op aangedrongen werd; Marsman was immers een 'vent', hooguit wat te lyrisch ingesteld, maar toch van 'het goede soort'. In een voortzetting van *De vrije bladen* had hij geen enkele fiducie meer, omdat hij vond dat het blad zich had overleefd. Eind augustus schreef hij aan Van Wessem:

Dick heeft je denk ik bericht, dat de zaak met Zijlstra niet doorgaat. D.w.z.: *onze* zaak. Want een andere zaak met Zijlstra gaat n.l. wel door: Ter Braak en Eddie richten nu naast de Vr.Bl. met Bouws (en misschien Roelants) een tijdschrift op. Dit is geen plan meer, maar een vaststaande zaak. Jouw correspondentie met Bouws, die goed moest maken wat ik bedorven scheen te hebben, heeft aan alles zeker geen goed gedaan. – Ik zal je mondeling trouwens nog wel eens zeggen, hoe ik over een en ander denk. –
Maar nu dit: Eddie en Ter Br. willen mij in hun redactie. Ik zal dit weigeren, hoewel het mij spijt; ik blijf dus met jou in de Vr. Bladen. Hoezeer ik het land heb gekregen aan de V. Bl. in zijn tegen-

woordige vorm. Doe mij althans één genoegen, en stel je in verbinding met v. Vriesland en misschien via hem met de Haan; en doe alles *buiten* mij om. Ik blijf dus nog, ook als we in '32 bij de Spieghel moeten blijven, wat ik erg vervelend zou vinden. Maar als in het volgend jaar de zaak niet verandert, ga ik weg.

Twee dagen later berichtte Marsman aan Van Wessem dat Van Vriesland, die ook in onderhandeling was over een nieuw tijdschrift, en met wie een combinatie van plannen mogelijk was geweest, geslaagd was.

Daar Schotman zijn mederedacteur is voel ik niets voor samengaan met hem, als dat nog kon. Maar ik voel ook niets meer voor al of niet uitgebreid doorgaan v.d. Vr. Bl. Naast het tijdschrift van v. Vr. en dat van du P. en ter Br. is de V. Bl. totaal overbodig. Ik ben er dus absoluut voor het op te doeken. In deze geest schreef ik ook Dick. Hoe denk jij hierover? Ik kan mij haast niet voorstellen dat voortzetten voor jou eenige zin zou hebben. Ik denk dat het ook voor jou een opluchting zal zijn de zaak op te doeken, nu zij naast de twee andere, zooveel kapitaalkrachtiger periodieken een kwijnend bestaan zal gaan lijden. Of gaat het je aan het hart? Wees dan niet sentimenteel en conservatief, en vooral: denk aan je *eigen werk*. Concentreer daar al je aandacht en kracht op.

Blijkens de volgende brief die Marsman aan Van Wessem schreef, was deze het met hem eens wat de liquidatie van *De vrije bladen* betrof. Later zou Van Wessem echter weer van die gedachte terugkomen terwille van een voortzetting van het blad in cahiervorm, onder leiding van hemzelf, Gerard Walschap en Van Vriesland, wiens plannen toch mislukten. Marsman bleef tot het laatst weifelen over het hem aangeboden redacteurschap van *Forum*, dat hij op een zeker moment nog afhankelijk stelde van Bouws' aanwezigheid in de redactie. Meer dan secretaris zonder stemrecht wilde hij hem niet laten worden. Waarom hij uiteindelijk de invitatie van Du Perron en Ter Braak niet aanvaard heeft ondanks het feit dat aan zijn voorwaarde voldaan werd, blijft enigszins in het duister. Er zijn redenen om aan te nemen dat hij het leiden van een blad te veel energie vond kosten die hij liever in eigen werk stak. Dezelfde overweging zou hem twee jaar later zijn advocatuur doen opgeven. Marsmans argumentatie voor de definitieve weigering kan worden afgeleid uit wat Ter Braak hem op 2 september 1931 schreef:

Wat doe je? Voor mij is de vraag nu van secundair belang, omdat we je als medewerker hebben. Misschien ben ik over eenigen tijd al weer even moe (als redacteur) als jij nu.

En een dag na de oprichtingsvergadering, op 10 september:

Wij betreuren het beide, dat je niet in de redactie wilt, maar vinden je besluit zeer begrijpelijk. De poëzie-rubriek is voor je gemonopoliseerd, zoodat over poëzie alleen door anderen zal worden geschreven, als jij het niet doet, in een bepaald geval.

Marsmans wens *De vrije bladen* op te heffen werd zeer gestimuleerd door Ter Braak, die *Forum* als jongerentijdschrift een monopoliepositie wilde laten innemen, wat valt op te maken uit zijn brief van 25 augustus aan Du Perron. Daarin wordt ook de kracht van het desideratum, Marsman als derde redacteur, wat gerelativeerd. 'Zelfs als hij buiten de redactie wilde blijven, zou ik het op prijs stellen dat hij de *V. Bl.* de nek omdraaide, aan het eind van *dit jaar*. Ik weet uit ervaring alles van versnippering in dit land. En wij hebben hem noodig, als één der eerste medewerkers nog meer misschien dan als redacteur.'

Binnendijk was, hoewel hij na zijn aankondiging dat hij zich voorlopig als actief kritikus terug zou trekken op de achtergrond van alle plannen en onderhandelingen was gebleven, zeer verbolgen over de afloop. Hij beschuldigde Ter Braak, een van zijn beste vrienden, van kwade trouw en verraad, in de mening dat deze de onderhandelingen met Zijlstra had laten afketsen. Op 27 augustus probeerde Marsman hem met een opening van zaken te sussen.

Beste Dirk,

Ik hoop niet dat je in je woede Menno een gegriefden en grievenden brief hebt geschreven, want hem treft tenslotte, geloof ik, geen enkel verwijt. Ook mij heeft zijn houding een oogenblik pijnlijk verbaasd, maar nu ik de werkelijke toedracht weet, geloof ik dat hij heel behoorlijk is geweest. Ik zal dus trachten deze geschiedenis voor je te exposeeren, in de hoop dat je grief tegen Menno vervallen zal. –

Kijk eens, beste kerel: In de tijd dat Zijlstra met vacantie was, en het onderhoud, waarvan Menno mij had geschreven, dat het nog kon plaats hebben, werd uitgesteld – heeft v.W. een correspondentie gevoerd met Bouws, die voor het vriendenpaar B.-Zijlstra alle deuren heeft dichtgedaan. v. Wessem heeft daarin geschreven, dat hij mijn handelwijze in deze zaak verkeerd vond, dat hij zelf heel geschikt was voor secretaris, dat hij samen met Bouws secretaris zou willen zijn, etc – enfin, ik heb die brieven niet gelezen, maar Bouws, nauw gelieerd met Zijlstra, had erge bezwaren, steeds grooter, tegen v.W. – en Zijlstra dito-dito. – In dien tijd heeft Z. besloten de fusie (fusie is niet juist: de overname –) niet te willen. Bouws en Menno zagen elkaar pas weer eenige weken later bij du Perron. Dus: Menno was toen nog in de waan dat *ik* (dat *jij* dit overnam wist hij niet, meen ik) met Z. zou gaan praten.

Du Perron heeft toen in Menno's bij zijn aan B. gevraagd: weet jij nu hoe die zaak er eigenlijk voorstaat? waarop B. – ingelicht natuurlijk door Z.: die is geheel van de baan. De correspondentie met v. W. (dus tusschen mij, B., en v. W.) heeft voor Z. de deur dichtgedaan, hoewel Z. in zekeren zin v. W. tactvoller, soepeler, etc vindt dan Marsman, wiens optreden in Utr. hem erg gehinderd heeft –

Toen hebben én Menno én du P. Bouws ondubbelzinnig gezegd, dat in eerste instantie zijn persoonlijke eerzucht, en in laatste instantie die van v. W. de fusie (overname) verijdeld heeft. Ik ben dit geheel met hun eens.

Maar: omdat zij coûte que coûte een zakelijk sterk staand jong tijdschrift wenschen – hun *oude* plan – hebben zij gezegd: Bouws, tracht om alles in zoover goed te maken, dat je Zijlstra beweegt met ons in zee te gaan, nu de fusie (overname) niet doorgaat. Dat is toen gebeurd. Ik vind dit een geheel behoorlijke gang van zaken, en ik ben blij dat er nu een tijdschrift komt, dat het zakelijk-kwijnende Spiegel-kind zal vervangen.

Nu iets zeer persoonlijks: ik geloof dat je pest aan du P. en je verkoeling tegenover Menno je in deze zaak zoo kwaad heeft gemaakt (plus je aversie van B.) en natuurlijk: je wist deze toedracht niet. – Ik kan me tenslotte je reactie begrijpen, maar ik deel ze niet. Buitendien wat je persoonlijke houding tot Menno betreft: ik héb voor een maand of zes bij jullie beiden iets van een verkoeling gemerkt. Bij Menno is die voor mijn gevoel weer geheel verdwenen: voor zoover 'dit ontwakend hart' *warmte* ontwikkelt, spreekt óók hij – zegt ook du Perron – met de grootste warmte over jou.

en wat du P. betreft: ik kan te goed begrijpen uit mijn eigen ervaring: hoe'n rotvent je hem *moet* vinden – maar enfin – misschien verandert dit eens –

Tenslotte blijft Menno sterk aandringen dat ik redacteur zal worden: maar ook Zijlstra heeft erge bezwaren tegen mij. Bouws als secr. vond en vind ik geen bezwaar. dat weet je – al ben ik allerminst dol op hem. Ik geloof trouwens dat de brief, die ik hem destijds geschreven heb en de veel vinniger brief, die du P. hem zond in dit verband, hem genezen heeft van zijn redactionele ambities: in een concept contract dat hij maakte stelde hij op, dat alleen literatoren redactie-lid zouden moeten zijn.

Neen, voor mijn gevoel heeft alles zich bevredigend geregeld; maar ik houd een tegenzin om weer redacteur te worden, niet omdat ik Menno's handelwijze (of: zwijgen) in deze laf zou vinden, maar om de redenen die ik je schreef. Maar ik beken: ik ben vaker gezwicht voor de aandrang die zegt: dat ik erbij hoor. – IJdel ben ik op dit punt niet meer, maar ik slinger ook nu weer tusschen een steeds toenemend innerlijk defaitisme tegenover het tijdschriftleven, met al zijn beslommering en verlang naar eenzaamheid, om mijn werk –

De kennismaking met Du Perron had Marsman ook een intimus meer bezorgd aan wie hij advies kon vragen over zijn proefnemingen in het verhalend proza. De eerste brief die Du Perron hem schreef, nadat de twee elkaar op 22 februari ten huize van Ter Braak in Rotterdam hadden ontmoet, is geheel gewijd aan Marsmans *Vera*, sinds januari in *De vrije bladen* verschijnend. Evenmin als Du Perron was Marsman zelf tevreden over deze roman, zoals valt af te leiden uit Du Perrons brief van 5 maart 1931, geschreven op het moment dat er nog maar drie afleveringen gepubliceerd waren.

Du Perrons voornaamste bezwaar was het ontbreken van psychologie (door Marsman zelf geweten aan de – lyrische – schrijfwijze), en, wanneer daar toch sprake van was, het traditionele en 'Hollandsche' ervan. Wat het boek zijns inziens van een totaal fiasco redde waren de 'spitse, lyrische aanteekeningen', waar echter weer passages tegenover stonden die zich kenmerkten door would-be kosmopolitisme en snobistisch vertoon van eruditie, zoals het portret van Ilse von Kehrling. 'Als jij het boek niet geschreven had, was het een lor geweest, dat is wel het grootste compliment dat ik je maken kan', besloot hij zijn oordeel.

Door de uitgave van *Vijf versies van Vera* is het mogelijk geworden na te gaan hoe Du Perron tot in details over de roman dacht, en wat Marsman zich bij latere bewerkingen van dat commentaar heeft aangetrokken. De historische afstand die de lezer van 1980 tot *Vera* heeft, bekrachtigt Du Perrons oordeel alleen maar. De aanwezigheid van de schrijver in de vele zelfprojecties maken het nog wel een interessante bijdrage tot onze kennis omtrent Marsman, maar ze redden het verhaal niet, evenmin als de – vaak voortreffelijke – lyrische fragmenten. Op veel plaatsen hebben we te maken met een draak, en dat is vrijwel overal waar emoties worden beschreven of in dialogen element van de actie worden. Ongeloofwaardig is het toedichten van de enorme eruditie aan de boerendochter Vera (een beter bewijs hoe zeer Marsman zelf zich in deze figuur spiegelde is er niet). Zij en Ilse von Kehrling worden voor een belangrijk deel gekarakteriseerd door een uitstalling van belezenheid en kennis van de moderne film, terwijl ze ook menigmaal hun politieke opinies ten beste geven.

Hauser is het type van de vitalist à la Cendrars, een vlotte, harde Amerikaan, globetrotter en vooraanstaand chemicus, en als zodanig een karikatuur. Zijn maatschappijvisie is zeer verwant aan wat Marsman er zelf er als ideologie op na hield. Onderstaand citaat sluit geheel aan bij het beeld dat ik in het vorige hoofdstuk schetste.

Hauser was een van de tallooze mannen, die de oorlog niet had ontwricht of verweekt, maar gehard en gezuiverd van overtollige sentimenten, idealen en filosofieën. Toen Europa haar tijd ging verspillen met de lafhartige transacties die men vredesbewegingen noemde (na de meest weerzinwekkende moordcampagnes, die den naam van oorlog niet meer verdienen) was hij haastig geëmigreerd. Het Amerika dat hij vond ergerde hem weliswaar door zijn sentimenteele hypocrisie, door zijn barbaarsche onnoozelheid en democratie, maar het verheugde hem tegelijkertijd door zijn ontzaglijke werkkracht, zijn optimisme, zijn vitaliteit. Hauser, uit een oud, krachtig koopmansgeslacht uit Hamburg, miste wel sterk de hiërarchische orde die hij adoreerde en liefhad in de kerk en het kapitalisme, maar nu het moederland een deel van haar krachten verknoeide aan Aufbau, Internationalisierung, Geneve, Versailles, inplaats van zonder phrase, te heerschen, te leven, te zijn, leek het hem beter te gaan werken in een jong land, dat (– desnoods ook onder phrases, dat was blijkbaar op heel de aardbol onvermijdelijk geworden –) leefde en schiep zonder inmenging van cultuurphilosophische bespiegeling, zonder relativisme, forsch, bruut, snel. Niets haatte hij feller dan het humanitair anarchisme, niets bewonderde hij ongeremder dan het fascistisch Italië. Rome of Moskou, de rest is lapwerk. Maar zijns inziens vergiftigde Rome zijn krachtige geest met den kanker der bureaucratische tyrannie, en hèm zat de hanseatische vrijheid te diep in het bloed om zich daadwerkelijk in Italië te vestigen.

Merkwaardig is ook het tijdsaspect van de roman. Het verhaal speelt onmiskenbaar in de eerste jaren na de Eerste Wereldoorlog (verdrag van Versailles, inflatie van de mark etc.). Toch komen er Rilke's dood (1928), het optreden van Mussolini en de fascistische staat (vanaf 1922), en de films *Metropolis* (1925) en *De moeder* (1926) in voor. Voor een *tijdsroman* zijn dat duidelijke fouten.

Marsman nam al snel zo veel afstand tot het verhaal, dat hij ondanks enkele pogingen het om te werken, en ondanks alle moeite van Du Perron hem daarbij met raad en daad terzijde te staan, het nooit in boekvorm uit wilde geven. Aan zijn uitgever Querido schreef hij eind 1933, toen deze hem had herinnerd aan de inleverdatum van de kopij van *Vera*, dat hij liever een andere roman schreef; in deze culmineerden al zijn slechte eigenschappen: overdreven lyriek, neiging tot sentimentaliteit en kitsch. Op dat moment lag er al een tweede roman in achter hem. In *De dood van Angèle Degroux*, waaraan hij in de zomer van 1931 begonnen was, had hij nagenoeg dezelfde fouten gemaakt als in *Vera*, en alleen met hulp van Du Perron had hij de gevolgen ervan nog enigszins binnen de perken van het aanvaardbare kunnen houden.

Al kort na de voltooiing van *Vera* moest hij toegeven dat hij zich op het proza had verkeken. Begin 1931 schreef hij aan Theun de Vries, die als hij in de overgang van poëzie naar proza zat:

Romans schrijven is voor mij zoo iets, denk ik, als dammen voor een schaker (of heeft dat niets met elkaar te maken?); iets waarvan ik ben gaan denken: dat kan ik (misschien) ook wel (vooropgesteld natuurlijk: het trok mij èrg aan, het trekt mij nog), maar lieve God, wat is dàt moeilijk!

Ongetwijfeld is voor een groot deel de schrijversambitie te willen uitblinken in alle genres de motivatie geweest achter de hardnekkige pogingen verhalend proza te schrijven. De vraag aan Du Perron naar voorbeelden van auteurs die even goede dichters als romanciers waren, is wat dat betreft onthullend. Zelf 'veredelt' Marsman dit motief in het 'Gesprek in een tuin', dat op 3 september 1931 in *De nieuwe eeuw* werd opgenomen. Daarin vraagt Bertie (die naast veel van Marsman zelf, ook wel wat van Du Perron heeft) aan Hans, waarom deze zich toch zo kwelt met de opgave een moderne roman te schrijven. Het antwoord luidt:

Je verwijt is volkomen juist, helaas; volkomen – ik ga dan ook werkelijk geen romans schrijven, al of niet modern, omdat ik het zoo
prettig vind, maar omdat mijn lyriek, als uitsluitende werkzaamheid, mij niet meer bevredigt. Critiek schakel ik natuurlijk al heelemaal uit. Ik word voortdurend meer gekweld door de behoefte
menschen te scheppen, niet alleen liederen of visioenen.
[...] het is juist de vormkracht in mij, die, groeiende, verlangt naar
een sterker materie om zich in te realiseeren. Je ziet: het verlangen
naar het romanschrijven is au fond een zuiver formeel verlangen.
De vormkracht wil een grootere, sterkere, menschelijke materie
overmannen en transformeeren dan ze tot nu toe kon doen.

Ongeveer twee jaar later schrijft hij:

wat mijn werk betreft, ben ik in een overgang. Misschien zelfs in
een overgang van poëzie naar proza, al hoop ik niet dat het laatste
het eerste geheel gaat uitsluiten. Dat 'Vera' geen *roman* is, geef ik
onmiddellijk toe. Ik heb het omgewerkt tot een lyrisch verhaal, en
overweeg een geheel andere bewerking, toch weer tot roman, –
van mij dan natuurlijk, waarover de romanciers, de echte, 3-dimen-
sionale mogen glimlachen, zooals ik de vrijheid neem over de
hunne te gapen. In de *stof* van Vera zit iets wat mij nog fascineert,
al is het in eerste lezing al van 1930. Ik vind het zeer goed geschreven. [...]
  Ik heb het gevoel dat ik nog tientallen van jaren en van jaren-
werken voor den boeg heb – een groote opgaaf: een taak van
voortdurende verdieping en verbreding van mijn menschelijken
inhoud, van zuivering, nuanceering en versterking van mijn vorm.
Eigenlijk is mijn proces een proces van voortdurend *natuurlijker*
worden, van rijpen, van verliezen van 'litteratuur' – een ontdooi-
ingsproces, of om het 'beeld' te herhalen en geheel concreet te
maken: van hard blinkend ijs tot zacht, levend water...

De inbreng van Du Perron is onmiskenbaar. In het streven naar groter
natuurlijkheid en minder literatuur was deze adviseur hem in zijn brieven en aantekeningen bij *Vera* voorgegaan. Ook het onderscheid tussen
'3-dimensionale' romans, met personages 'van vlees en bloed', en de
schematischer romans van Europees peil, waarbij Antoon Coolen werd

uitgespeeld tegen Du Perron, Van Wessem, Slauerhoff en Helman, was door Du Perron geïnspireerd. Het artikel dat Marsman daarover in *De nieuwe eeuw* van 9 juni 1932 publiceerde sluit een campagne van vier jaar voor de vernieuwing van het proza af. Tegelijkertijd keert hij zich echter in 'De aesthetiek der reporters' af van de nieuwe zakelijkheid als norm, die hij in 'De kansen van ons proza' impliciet had verdedigd. Daarmee had hij de weg vrij gemaakt voor eigen proza, dat beter dan 'Bill' en 'Campo' aansloot bij zijn lyrische natuur.

HOOFDSTUK 7

DOOD TIJ

De gedichten die Marsman in de laatste twee jaargangen, waarin *De vrije bladen* als tijdschrift verscheen, had gepubliceerd, hadden zonder uitzondering de dood als thema, al was het dan ook enige malen geobjectiveerd in verzen voor een overleden geliefde, ter herinnering aan maarschalk Joffre, of om Erich Wichmann te eren. En wanneer hij met zijn poëzie het lyrisch portret van een andere dichter tekende, zoals hij dat van Leopold, Gorter of Kloos had gedaan of nog zou doen, projecteerde hij zijn eigen levensmoeheid en doodangst in die figuur. Het lange gedicht 'Breeroo' is daarvan wel een van de indrukwekkendste voorbeelden. Slechts enkele gegevens uit de levensgeschiedenis van Bredero – zijn al dan niet vermeende liefde voor Tesselschade, dochter van Roemer Visscher, en de manier waarop hij de dood vond – zijn verwerkt; verder heeft Marsman de trekken van zijn personage opgeroepen naar eigen beeld en gelijkenis. Begrijpelijk is dat hij het voorgenomen boek over deze figuur nooit voltooid heeft. In een feitelijke biografie, of zelfs maar in een verhalende en psychologiserende biographie romancée lag zijn sterkste zijde bepaald niet. Hij was lyricus tot in zijn vingertoppen, en al de door hem geschapen figuren – Vera, Angèle Degroux en Charles de Blécourt, zijn alter ego Jacques Fontein – zijn geen psychologisch geobjectiveerde personages, maar afsplitsingen van hemzelf, geëvoceerd met louter lyrische middelen.

In de hallucinerende ervaring met een incubusachtige verschijning geeft Marsman zijn eigen angst voor de dood gestalte.

Hij viel terug tusschen de doode puinen
van zijn bekommernis en angst, zijn vale angst.
avond aan avond kwam die hem verzoeken
als hij op bed lag en niet slapen kon;
hij lag dan achterover, langgestrekt en
staarde wachtend in het koude donker
dat langzaam vorm zou worden, en de gedaante
aannemen van een lang, smal lichaam
dat aan het voeteneinde van het bed ging staan.

zwijgend en onverbiddelijk
– terwijl hij biddend smeekte
dat het voorbij zou gaan, en met gesperde oogen
en gestrekte handen het weren wilde –
boog het zich langzaam sluipend naar hem over
en het betastte, schuivend langs het dek,
zijn voeten en zijn knieëen en zijn buik;
dan stortte het zich – maar hij kon niet gillen –
in zijn gestrekte volle lengte op zijn lengte
en boven zijn gezicht zag hij het staren
van doode oogen die zijn oogen zochten
en van den mond het dreigend bederf
dat zijn mond naderde;
en als hij, haast bezwijmend, het zwarte gif
tusschen zijn tanden proefde, en dan de tong nog
die het teveel aan gif
spaarzaam en gulzig weer terugzoog
voelde hij zich,
gezwollen en beschonken als een drenkeling
langzaam wegvallen naar onpeilbre gronden –
en plots'ling, schokkend, maar zoo uitgeput
alsof hij weer zal vallen, ligt hij alleen, ontzet,
rillend tot in zijn beendren, in het donker,
veeg en nat van doodszweet, maar toch alleen,
zonder dat andre, zonder den vijand,
die hem langzaam afmat, en die hem eenmaal
zonder slag of stoot,
met een onmerkbaar duwen over den rand zal schuiven,
den vollen langen val langs deze laatste steilte
en als een rotsblok-zelf te pletter slaan
tegen den rotsgrond van den doodenkuil.
dat zal het eind zijn, nu vannacht of later –
dan liever nog vannacht: niet nog eens deze angst.
o, als ik eens temidden van Uw engelen zal staan
laat mij dan nu vannacht van hier weg mogen gaan.

Met betrekking tot de talrijke doodsgedichten in Marsmans poëzie heeft men soms gereageerd als op zijn katholiserende uitingen. Die moesten niet verstaan worden als de uitdrukking van het verlangen te worden opgenomen in een geloofsgemeenschap, maar als het heimwee naar een strak geordende, hiërarchische samenleving. In hoofdstuk 5 heb ik duidelijk proberen te maken dat beide verlangens bij Marsman aanwezig waren, en dat zijn poëzie er tussen 1925 en 1928 door bepaald werd.

Een soortgelijke eenzijdigheid doet zich voor bij de interpretatie en evaluatie van de ideeën waaraan Marsman in zijn mortalistische poëzie vorm gegeven heeft. Binnendijk en anderen staan op het standpunt dat de lijfelijke angst voor de dood het symbool is voor de gedachte dat de verminking, het te kort doen van het leven, de dood in het leven betekent. Die veronderstelling zou te adstrueren zijn met gedichten als 'Lex barbarorum' en 'Doodsstrijd'. Nu zijn dat echter allebei gedichten uit de vitalistische periode, waarin de angst voor de dood nog niet de kracht van een obsessie gekregen had, en waarin nog sprake was van een – geforceerde – levensverheerlijking. Maar na 1927 laat Marsman deze houding gaandeweg los, om eerst terug te vallen in berusting, en vervolgens in werkelijke doodsangst.

Er zijn uitlatingen van hem zelf, die er op wijzen dat de letterlijke en de symbolische verklaringswijze van zijn doodspoëzie in hun onderlinge combinatie geldig zijn. Hij heeft ze gedaan in geschriften die in wisselende mate als autobiografisch te beschouwen zijn. Ik begin bij het in deze studie al vaak aangehaalde *Zelfportret van J.F.* Zelfs voor een lezer die maar oppervlakkig met Marsmans œuvre bekend is, zal het zonneklaar zijn dat met Jacques Fontein niemand anders beschreven is dan de auteur zelf. Ook al zijn de *feiten* in dit relaas menigmaal anders dan in het werkelijk leven van Marsman en de zijnen, in de meer beschouwelijke gedeelten, die het karakter van het boek bepalen, herkent men het spiegelbeeld van de auteur. Ik denk vooral aan de hoofdstukken 'De demon van de poëzie' en 'De vrees voor den dood' waarin ervaringen, nauw aansluitend bij Marsmans eigen poëzie, worden beschreven. Nu hoeft dat natuurlijk nog geen dwingend argument te zijn om te besluiten tot een nauwe relatie tussen leven en werk, want ook de poëzie zou wel eens op fictie kunnen berusten; in theorie althans, want in werkelijkheid was Marsmans poëzie de registratie van essentiële levensmomenten.

Om het autobiografisch karakter van het *Zelfportret* aan te tonen valt er te wijzen op de 'Drie autobiografische stukken' en de 'Proeve van zelfcritiek', die met deze biografische roman zeer sterke overeenkomsten hebben. Gelet op alle vertekening, meen ik dat de term 'spiegelbeeld' vrij goed aangeeft tot op welke hoogte de genoemde hoofdstukken uit het *Zelfportret* een betrouwbare bron vormen: niet minder betrouwbaar dan een dagboek of andere vormen van memoriale literatuur.

In het hoofdstuk 'De vrees voor den dood', dat voor de helft uit dagboekfragmenten bestaat, en daarmee het meest authentieke gedeelte van het *Zelfportret* is, staan een aantal opmerkingen die Marsmans doodsgedichten in een verhelderend perspectief plaatsen. Schrijvend over het uitblijven van zijn kosmische dromen, die hij voortaan met zijn wil op moest roepen, herinnert Jacques Fontein, Marsmans dubbel-ik, zich:

Toen is ook die afmattende periode begonnen, waarin ik te kampen had met angst voor den dood – en, omdat ik in dien tijd den dood niet anders kon zien dan als het zekerste en meest hatelijke teeken van de goddelijke almacht en willekeur, was in den grond mijn strijd met den dood, of met den angst voor den dood, een verzet tegen God.

[...] na mijn onherstelbaar verstooten-zijn uit den droom, leek het leven-zélf mij een hel, waar geen hel meer àchter behoefde te liggen en ook de dood, vroeger als een natuurlijk element met het leven verweven, werd nu een eigen, afzonderlijke verschrikking voor mij.

Ik meende dat ik deze verschrikking alleen te boven kon komen door mij te begeven in een gevecht, dat tot het bittere einde uitgestreden moest worden, het gevecht tegen God; de dood was slechts zijn trawant, de eenige vorm bovendien waarin hij voor mij gestalte aannam en ik kon deze strijd niet ontgaan.

[...] Ik had er deze voorstelling van, dat het einde van het gevecht herkenbaar zou zijn aan het einde van mijn angst voor den dood.

De vertekening in dit fragment zit in de onnauwkeurigheid van chronologie, waarvan in het *Zelfportret* wel vaker sprake is. Het einde van het kosmische gevoel betekende nog niet dat de doodsangst in alle hevigheid zijn intrede deed, en ook niet dat de dood als element niet al voordien in de poëzie tot uiting was gekomen. De jaren 1923 tot 1928 zijn eerder die van een geleidelijke overgang, waarin dood, Spengleriaans ondergangsbesef en vitalistisch verweer daartegen één complex vormen zoals bv. duidelijk blijkt uit 'Praeludium mortis' en het al vaak genoemde 'Lex barbarorum'.

Ik wil nog wat langer stilstaan bij de identificatie van God en de dood. In het vitalistisch schoonheidsideaal dat, zoals we hebben gezien in hoofdstuk 5, in Marsmans denken de plaats was gaan innemen van religie, straalde de goddelijke glans van een al dan niet verloren paradijs af op de persoonlijkheid van de dichter. Het is juist dat in de levensverheerlijking die daarmee samenhangt de dood identiek is met alles wat afbreuk aan het leven doet, maar de lijfelijke dood gaat in deze conceptie een steeds satanischer rol spelen. Dat God dan met de dood kan samenvallen moet mede verklaard worden uit het op het Oude Testament geïnspireerde en in orthodox-calvinistische kringen heersende beeld van de wrekende, straffende God die de mens ooit uit het paradijs verdreven heeft, en die hem blijft achtervolgen met

> het knagend en
> sleepend besef
> van een schuld,
> een erflijke zonde,
> bedreven voordat
> wij bestonden
> en waarmee ook
> het vleesch is besmet.

In de gedichten die spreken van het besef dat schoonheidservaring, erotiek of de droom van een groots en meeslepend leven een begoocheling, een tijdelijke ontsnapping bieden, zijn de beelden te vinden van de wrekende goddelijke macht.

> De nacht staat tusschen ons in
> en de duisternis wordt een gezicht:
>
> o! de engel wiens wrekende hand
> ons roept naar het laatste gericht.
> [...]
> De duisternis is een gericht
> en de nacht een tweesnijdend zwaard.

Zes jaar na dit in 1924 ontstane 'De laatste nacht' schrijft Marsman in *Vera*:

> Tot de middag lagen zij rillend, berooid en vijandig in hun groote trooslooze bed. – Tusschen hen in lag het zwaard. De engel, die hen gescheiden had, was onhoorbaar verdwenen.

De strijd met God is het centrale gegeven in de eerste versie van 'Dichten over den dood', één van de 'Drie autobiografische stukken'. Deze versie wijkt sterk af van het stuk dat uiteindelijk voor het eerst in het *Verzameld werk* zou worden gepubliceerd. Waarschijnlijk is de omwerking te danken aan de bemoeienissen van E. du Perron, die na lezing van het manuscript op 13 juli 1932 aan Marsman schreef:

> Wat nu je *Dichten over den Dood* betreft, het begin vind ik de verwardste rotrommel die ik sinds tijden las; het slot daarentegen *goed*, – al ben ik het half en half met Rien eens dat je misschien beter deed, je vijanden niet met déze bekentenissen te plezieren door uitgave ervan. In Holland wordt zooiets met de noodige 'eeuwigheidstermen' natuurlijk in alle bladen geciteerd; en dan met van die commentaren, waar de dichterlijke geesten bij ons ook zoo gul mee zijn! Ik moet er niet aan denken. In ieder geval: blz. 1–3 is voor mij belabberd – en je zult met recht hiermee eerst eenige menschen, 'die men niet bij het gepeupel dorst stellen', doen grijnzen! – terwijl ik blz. 4 en 5 met spanning las. [...]
> Die 'goddelijkheid' van dichters is toch krankjorem; ik vind dat er minstens evenveel 'goddelijkheid' voor noodig is om een boksmatch te winnen – maar in ieder geval zou je er dan nog op een andere manier over moeten spreken dan je het hier deed. En die Onze-Lieve-Heer die je 'leenheer' heet! Neen, ik kan daar alleen maar beroerd van worden; het is me te kras, en te griezelig spiritistisch!

In 1960 heeft Jan Engelman deze oorspronkelijke versie van 'Dichten over den dood', waarvan het manuscript in zijn bezit was, met een inleiding gepubliceerd in *Maatstaf*. Daarin memoreert hij uitvoerig dat de lijfelijke angst voor de dood bij Marsman reëel was; een getuigenis dat mij in een gesprek met Albert Vigoleis Thelen werd bevestigd, toen deze vertelde dat mevrouw Marsman er bij hun eerste ontmoeting in februari 1934 op aandrong nooit met haar echtgenoot over de dood te spreken.

Hoewel 'Dichten over den dood' in 1938 ondergebracht zou worden in een afdeling van het *Verzameld werk* die de nadrukkelijke karakteristiek 'autobiografisch' in zijn titel had, maakte Marsman in deze eerste versie gebruik van de min of meer verhullende vorm van een gefingeerde monoloog waarin hij zelf in de derde persoon aan het woord is. De scherpte van de zelfanalyse en de drang zichzelf niet te willen sparen zijn er niet minder om. Hij beschuldigt zichzelf ervan 'de goddelijkheid van de poëzie en het dichterschap op een zeer ongoddelijke en zelfzuchtige manier' te hebben misbruikt.

Ik heb mij [...] niet alleen tegenover wat ik het gepeupel noem – en ik erken dat weinig daarbuiten valt – op mijn dichterschap verhoovaardigd, maar ook tegenover God zelf. Ik heb mij al dichtend te zeer een god-gelijke gevoeld om mijzelf of mijn dichterschap nog te ervaren als een instrument. Ik had niet het gevoel van leenman tegenover leenheer, ik had het gevoel van sterke onafhankelijkheid; – en de functie die, hoe weinig een dichter dan ook genieten kan van zijn dichterschap en nog minder van zijn eigen gedichten, mij tot onderworpenheid had kunnen bewegen, verhardde mij in mijn opstandigheid. – En het paradijs, het paradijs der gedichten...? Wie er zoo in leeft als ik heb gedaan, vergeet het paradijs waaraan zij herinneren voor het paradijs dat zij zijn. Ik ben aan gedichten verslaafd zooals een ander verslaafd is aan vrouwen of drank.

Men kan zich de reactie van de veel nuchterder Du Perron voorstellen: Marsman leek met een dergelijke biecht het katholicisme nog dichter te naderen dan ooit voorheen. Misschien is het ook niet toevallig dat hij het manuscript van 'Dichten over den dood' aan Jan Engelman toevertrouwde, die zich als dichter zo zeer 'instrument' wist in vergelijking met Marsman. Overigens hoeft er niet aan te worden getwijfeld dat het berouw over het aan God gelijk willen zijn slechts het teken was van een tijdelijke inzinking. Juist in die wil ligt een van de aanknopingspunten die Marsman met de romantische traditie verbonden. De dichter als opstandige Lucifer is een gegeven dat bv. bij Byron en Baudelaire sterk op de voorgrond treedt.

'Dichten over den dood', geschreven op het dieptepunt van de crisis waarin hij zich sinds de afsluiting van *Paradise regained* bevond, laat duidelijk zien dat Marsmans creatieve onvruchtbaarheid van deze jaren niet alleen werd veroorzaakt door een verlammende geobsedeerdheid die uitging van zijn doodsangst, maar ook door een scepsis ten aanzien van de poëzie als toereikend bezweringsmiddel.

Voor mij was het dichten een ook in zijn moeiten zeer boeiend werk, maar tegelijk een bedrog, een narcose, een verzoeking waarvoor ik bezweken ben. En ergens wacht nog mijn dood, jong, frisch, sterk, tot de tanden gewapend, en ik ben nog even bang als ik was als kind in het donker. Ik ben buitendien moe en bedwelmd door het veelvuldig en langdurig opiumschuiven van poëzie; ik ben verzwakt en beneveld. Ik ben onvoorbereid, ongetraind, verwijfd en uitgeput in dienst van de schoonheid. Ik ben geen man meer die zijn man staat, laat staan zijn dood.

Ziedaar het resultaat van tien, twaalf jaren dichten, over leven en dood. Ik ben 32.

Het moet ook vanuit een dergelijke scepsis geweest zijn dat Marsman zich wierp op het 'mannelijker' genre van het verhalend proza, dat aan het begin van zijn tweede *Vrije bladen*-periode gekenmerkt moest zijn door 'de hardheid en de fantastiek' van de tijd. Zijn meest bewustgewilde experimenten in die richting, 'Bill', 'Campo' en grote stukken van *Vera* zijn dan ook 'vitalistischer' dan zijn verzen van kort daarvoor. Maar het leven was sterker dan de leer: in de gedichten van *Witte vrouwen*, en de verhalen 'Virginia' en 'De bezoeker' brak de doodsgedachte toch weer door. De ontsnapping in een ander genre bleek een doodlopende vluchtweg.

Marsman voelde zich in deze jaren vastgelopen; niet alleen in creatief opzicht, en als tijdschriftleider, maar ook wat zijn dagelijkse werkkring betrof. Hoewel hij volgens allen die hem als advocaat hebben meegemaakt zijn werk zeer consciëntieus deed, bevredigde het hem maar half. Iedere zaak die hij te behandelen kreeg behartigde hij met zeer veel zorg. Zijn pleidooien bereidde hij intensief voor, al las hij ze nooit van een tevoren uitgeschreven tekst voor; hij sprak ze improviserend uit. De toenmalige president van de Utrechtse rechtbank, mr. J. E. van der Meulen, met wie hij op vriendschappelijke voet verkeerde, en die naast M. R. Radermacher Schorer wel als zijn maecenas optrad, zei van hem dat 'hij het oor van de rechtbank' had, voor juristen een heel compliment. Maar ondanks, en waarschijnlijk ook wel dankzij die toewijding aan zijn beroep, voelde hij zich er toch te veel door weggezogen van wat hij als zijn eigenlijke werk beschouwde. Tijdens zijn studie had hij, wat hij denigrerend 'de juristerij' noemde, altijd als een nevenactiviteit beschouwd. Des te meer moeite kostte het hem nu zijn gedachten bij de advocatuur te houden. Aan de andere kant had hij bij het schrijven grote weerstanden te overwinnen, die nog werden versterkt door de walging van het telkens weer over de dood te moeten dichten. In de winter van 1931 op 1932 uitte het gevoel van onbehagen zich enkele malen in depressies, zenuwpijnen en psychosomatische griepaanvallen. Uiteindelijk zou de onbevredigende situatie er toe leiden dat hij in de herfst van 1933 zijn praktijk opgaf, en voorlopig naar het buitenland vertrok.

Met dat al voelde Marsman zich zo diep in een moeras van uitzichtloosheid en moedeloosheid weggezakt, dat hij besloot zijn uitputting publiekelijk te erkennen. Zoals hij later, in 1938, zou schrijven in zijn 'Proeve van zelfcritiek' kwam dat besluit voort uit een verlangen naar regeneratie. Kort achter elkaar schreef hij in de zomer van 1932 een drietal 'confessies' zoals hij ze in de brieven aan Du Perron veelbetekenend noemde. Achteraf beschouwde hij ze 'als een treffend bewijs voor de beteekenis van den wil, die – uitgaande van een door zelfonderzoek gewonnen diagnose – ingreep in dat regeneratieproces.'

Uit het feit dat de oorspronkelijke versie van 'Dichten over den dood' veel langer is dan de uiteindelijk gepubliceerde, en uit de frequente opmerkingen in de correspondentie tussen Du Perron en Marsman over dit en de twee andere autobiografische stukken, valt af te leiden dat noch Marsman zelf noch zijn vrienden aanvankelijk erg gelukkig zijn geweest met zijn schriftelijke peccavi's. Er schuilt door de 'larmoyant insisteerende' toon die soms overweegt een zeker quantum zelfmedelijden en geestelijk exhibitionisme in, een gevaar dat de autobiografie überhaupt bedreigt. Dat gevaar heeft Marsman zelf ook ingezien, want alle drie de stukken zijn ingrijpend gewijzigd, eerst in de vorm waarin twee van de drie in *Forum* werden gepubliceerd, en tenslotte nog eens in de definitieve versie van het *Verzameld werk*.

In 'Naamloos en ongekend' treedt een motief op dat het thema vormt van de novelle 'De bezoeker', die een jaar eerder, in 1931, geschreven werd: de verdubbeling van de eigen persoonlijkheid die optreedt als gevolg van vervreemding. Die vervreemding ontstaat dan weer, zoals elders in Marsmans œuvre, uit onzekerheid en angst. In het gedicht 'De vrouw met den spiegel' uit de bundel *Penthesileia* is dit motief van zelfverdubbeling verbeeld in het spiegelmotief, dat zijn historische traditie heeft in het Narcissus-gegeven; op een soortgelijke manier als Marsman doet werd het al eerder aangewend door Mallarmé in *Hérodiade*.

> Gij hebt u-zelf zeer lief,
> en zoozeer houdt uw beeltnis u geboeid,
> dat zij den adem aan uw mond ontrooft
> en uwen bloedklop in haar aad'ren zuigt
> en u verteert, zoozeer,
> dat gij de schim uwer weerkaatsing wordt,
> bezwijmt
> en sterft.

De combinatie met het doodsmotief treedt later ook in 'De bezoeker' op.

Van depersonalisatie is sprake in dit fragment uit *Vera*:

Ik ben hier alleen met Vera. Ja, ik ben zelf Vera, maar dat wil ik vergeten. Ik wil hier niet met mijzelf alleen zijn. Ik wil hier met iemand samen zijn. Met jóu, Vera! Dag Vera, dag lieve Vera. Maar Vera ziet Vera uit den spiegel smeekend en bijna verwijtend aan; – wat wil jij van mij, bijt Vera haar toe, wat wil jij?!... Maar plotseling toomeloos schreiend fluistert zij in den spiegel tot de vrouw, die in snikken is uitgebarsten en haar schreiend beziet: – Ik ben zoo bang, dat ik het langzaam verliezen zal...

Tenslotte wijs ik nog op de 'dialogue intérieur' van Theo Walter in *Vera*.

In 'De bezoeker' is het een 'unheimisch' gevoel dat de ik-figuur, een duidelijk alter ego van Marsman, bekruipt tijdens een kort verblijf in een vreemde stad, dat hem een dubbel-ik doet oproepen om zich minder alleen te voelen. Een vreemde bezoeker, duidelijk te herkennen als voorbode van de dood, elimineert dit dubbel-ik, waardoor de ik-figuur onbeschermd komt te staan. Het is echter niet alleen zo dat de bezoeker de plaats van de dubbelganger inneemt, ze vallen ook samen. De dreiging die van de dood uitgaat maakt op die manier een integrerend bestanddeel van de eigen persoonlijkheid uit. Iets dergelijks valt te constateren in 'Naamloos en ongekend', het eerste van de 'Drie autobiografische stukken', die een sterke onderlinge samenhang vertonen door de verbinding van de motieven dood, angst voor de creatieve verstening en vervreemding van het eigen ik. In 'Naamloos en ongekend' komen die drie elementen samen in een uitgesproken afkeer van de dubbelganger die zich middels de publicatie van het eigen werk heeft vastgelegd in de dichter H. Marsman.

In de eerste versie van 'Dichten over den dood' neemt Marsman het zichzelf kwalijk de status van gevierd literator te hebben nagestreefd. Uit 'Naamloos en ongekend' blijkt dat hij altijd weerzin heeft gehad tegen een dergelijke positie. Op grond van de hiervoor al gereleveerde feiten: het vertrek uit de leiding van *De vrije bladen* na zijn eerste termijn als redacteur, de herhaling daarvan zes jaar later, zijn weigering zich te laten benoemen tot lid van de eerbiedwaardige Maatschappij der Nederlandsche Letterkunde, de weigering concessies te doen aan zijn polemische driften terwille van een literaire prijs, – dient erkend te worden dat hij zich in 'Dichten over den dood' onrecht deed, en dat 'Naamloos en ongekend' meer in overeenstemming met de waarheid was.

Ik wilde dat ik het feit dat ik verzen geschreven heb geheel onge-
daan kon maken. Of liever het feit dat ik verzen heb gepubliceerd.
Ik zou de herinnering daaraan willen uitwisschen uit het geheugen
der menschen. Het is niet dat ik niet bestand zou zijn tegen critiek,
ik ben niet bestand tegen de onzuivere zelfverdubbeling die door
publicatie ontstaat, of liever die al-schrijvend ontstaat en misschien
ontstaan moet, en die door publicatie, door aanraking met menschen versterkt en verwikkeld wordt. Ik geloof dat ik zeer goed
tegen critiek zou kunnen als ik het gevoel had dat de critieken, die
ik over mij zelf lees, ook werkelijk over mij zelf gingen. Maar dit
is helaas nooit het geval. En toch hebben ongetwijfeld sommige
critici zeer intelligent en psychologisch zeer juist over den man, die
voor hen uit mijn werk spreekt, geschreven. Maar die man ben ik
zelf niet of niet meer althans: neen, die man ben ik nooit ten volle
geweest, zelfs niet op het moment dat ik dat werk heb geschreven.
[...]
    Ik zou graag mijzelf willen vereenzelvigen met den man die
spreekt uit mijn verzen, niet alleen omdat dan mijn strijdlust voor
hem in de bres kon springen, maar omdat ik het als een bevrijding
zou ondervinden als ik eindelijk gelijkheid en gelijkvormigheid
kon ervaren tusschen mij en mijn werk. [...]
    Moet men dan niet schrijven? Ik weet het niet, ik ben alleen
geneigd momenteel te zeggen: men moet niet publiceeren. Wat
heeft men aan de geringe weerklank, die men misschien wekt, wat
heeft men als de ijdelheid geluwd is aan den roem? De roem is een
kwelling, zelfs als hij echt is: hij achtervolgt ons met een caricatuur
van onszelf, hij herinnert ons aan het versteende beeld dat wij zijn
in ons werk, aan de vervalschte schim waarmee de menschen ons
vereenzelvigen. Deze bijna-dubbelganger is een parasiet die mij
uitzuigt.
    [...] Het ergste is de literatuurgeschiedenis: te zien hoe een stuk
van mij verleden is geworden, historie, versteening, het ligt in een
museum, een mausoleum, het ligt op een kerkhof en verspreidt lijkenlucht. [...] Ik had vrij kunnen zijn, 'een stil en onopmerkelijk
vreemdeling, naamloos en ongekend', ik had las kunnen zijn van
mijn verleden, onversteend, vloeiend. Ik had mij zelf kunnen zijn.

In die laatste verzuchting, begrijpelijk als ze mag zijn, geeft Marsman
blijk van het gebrek aan zelfinzicht waarmee hij op sommige momenten behept was, en dat schril afsteekt tegen de scherpte van de zelfana-

lyse waarvan hij elders in deze stukken blijk geeft. Immers, hoe zou hij zichzelf niet geweest zijn in zijn drang richting te geven aan de samenleving van zijn tijd? Zijn afkeer van de bekendheid en de roem was op dit moment juist ingegeven door het idee dat hij zonder weerklank gebleven was; daarom wendde hij zich teleurgesteld van de gemeenschap af.

Met de afkeer van de geschiedenis, in dit geval de geschiedenis van de literatuur, ligt het gecompliceerder. Marsmans aversie van de historie, in de zin van fixerende geschiedschrijving, bleek bv. al uit zijn afwijzing van de objectieve kritiek, zoals nagestreefd door P. H. Ritter jr. Zijn eigen behandeling van historische figuren, men leze er *De anatomische les* maar op na, is gebaseerd op een niet met tijdsfactoren, historisch noch contemporain, rekening houdend contact via het werk van de besproken auteur, waaruit de behandelde naar het eigen beeld en gelijkenis van de kritikus, i.c. Marsman, opgeroepen wordt.

Een dergelijke 'vitalistische' benadering van historische figuren werd ook door Ter Braak in praktijk gebracht, getuige bv. een bundel als *In gesprek met de vorigen*, en theoretisch gefundeerd in zijn vroegste opstellen in *De vrije bladen*, en in het *Carnaval der burgers*, dat in zijn geheel een pleidooi tegen verstening is. Marsman zelf zou later naar aanleiding van dit laatste boek schrijven: 'Het *Carnaval* is in wezen een verwoede, volhardende polemiek tegen iederen vorm van stabiliteit. Want stabiliteit is voor den schrijver verstarring en verstarring beteekent dood.'

Een passage als de nu volgende zou men naast het geciteerde stuk uit 'Naamloos en ongekend' kunnen leggen om Marsmans houding tegenover het verleden duidelijk te maken.

Ich hasse nicht nur Ruinen, ich hasse noch mehr die gut-konservierte schönen Gebäude, die hässlich werden vor Langeweile, wenn die Menschen nicht mehr darin leben. Tot und lehr stehen sie da, vom Leben vergessen, traurig und einsam. Warum werden sie nicht einfach weggeräumt? Ein Palast ohne Könige wird bestenfalls ein Museum, eine Fassade wirkt wie ein Gemälde, eine Kirche wird zum Kellerschlupf.

Natuurlijk bestaat er een sterke relatie tussen de angst vóór de dood en de vrees voor de onvermijdelijke verstarring die optreden wanneer het bij uitstek vitale, zelfs goddelijk geachte scheppingsproces is geëindigd in een gevormde creatie, die onherroepelijk wordt met publicatie. In zijn beoordeling van het werk van anderen was Marsman daarom zo gespitst op de vraag: wat is er in de dode letter nog over van de oorspronkelijke vormkracht, van het leven?

De spanning tussen duur en beweging is het onopgelost probleem dat Marsman sinds het begin van zijn schrijverschap naar de crisis had toegestuurd. Door zich op zijn vitalisme te concentreren had hij de ene kant van de polariteit willen ontkennen, totdat hij er niet meer onder uit kon toen die zich in de vorm van de dood aan hem opdrong. In het verhaal 'A.-M.B.', geschreven op het moment dat dit probleem hem scherp bewust werd, laat hij een van zijn personages verzuchten: 'In den grond was het niets dan die angst voor duur, rust en elementaire grootheid die ons allen verwoest; hoe hard wij ook schreeuwen om vitaliteit, spanning, felheid en de rest.' Pas in het stadium van *Tempel en kruis* zal deze spanning worden opgelost.

Ook in 'Drijfzand', een stuk waaraan Marsman al in 1931 heeft gewerkt, blijkens de herhaalde meldingen van de titel 'Herinnering aan Parijs' die dit derde autobiografische stuk in de brieven van Du Perron heeft, wordt het dichterschap ter discussie gesteld.

Ik glimlach zelf om de tegenspraak: aan den eenen kant vind ik het west-europeesche klimaat, vooral cultureel, voortdurend minder bewoonbaar, en tegelijk betrap ik mij in den laatsten tijd herhaaldelijk op een toenemend verlangen naar Parijs, het hart van die west-europeesche cultuur, een doode stad bovendien, waarmee mijn vitaliteit al voor jaren had afgerekend, nietwaar? Hoe zit dat?

Ik heb er in jaren niet naar getaald opnieuw naar Parijs te gaan; ik was het vergeten, het beeld van de stad was in mij ondergedompeld, weggeduwd of weggezonken, en overwoekerd door andere beelden. Waar ligt het dan aan, dat het nu weer omhoogkomt? – Ik denk dat het samenhangt met het vreemd soort verandering waarin ik mij bevind. Ik ben sinds eenigen tijd in een toestand geraakt van onvruchtbaarheid, en in zulke perioden denk ik vaker over mij zelf dan onder het werk. Het is waar, dat ik sterker leef en denk als ik werk, maar dat denken geldt enkel het werk, en misschien was deze toestand van verstilling en schijnbare stilstand noodig om mij zelf te kunnen overzien. Werken houdt mij in een spanning die zoo zeer, zelfs als het zeer subjectieve gedichten betreft, op het ding van het vers en het maken ervan is gericht, dat ik niet aan mij zelf denk; werken, en lezen, is opiumschuiven, vergeten, mijzelf ontgaan. Maar langzamerhand, in dien toestand van werkeloosheid, en de neerslachtigheid die daarmee samenhangt, is de wil weer bovengekomen om mijn leven te overzien, de krachten waarop ik leef te onderzoeken, mij zelf niet langer te ontgaan... en ik ben tot de overtuiging gekomen, dat ik geleefd heb op drijfzand. Strijdend en zingend heb ik mijn angst onderdrukt, en ik ben zwevend gebleven op het zuigende zand.

Ik geloof niet dat de verandering waarin ik mij bevind mij rechtstreeks naar eenig dogmatisch houvast zal drijven. Die verzoeking heb ik nog te kort achter den rug. Maar zij zal mij zeker los of losser maken van verschillende zekerheden, of wat daarvoor doorgaat, van mijn onmiddellijk verleden. Ik zal een ontbinding, een verrotting, een omzetting moeten doormaken, waaruit ik als ik er niet in blijf steken, misschien vernieuwd en gesterkt weer omhoogkom. Ik moet, langzaam, loskomen van mijn verleden, dat ik ten onrechte met mij zelf vereenzelvigd heb. [...]

De tweestrijd waarin ik mij bevind kan niet al te lang duren. In zekeren zin heeft hij reeds mijn heele leven geduurd. Maar pas in den laatsten tijd is hij mij bewust geworden als het gevecht, dat de tegenwoordige phasen van mijn leven beheerscht en dat nu beslist moet worden, wil ik niet wegzinken in de poelen van besluiteloosheid en indifferentie. Het is de strijd tusschen wat ik schematisch de noordelijke en zuidelijke krachten van mijn natuur noem. Ik heb tot nù toe op de noordelijke krachten geleefd, en de zuidelijker krachten nauwelijks als krachten beschouwd. Mijn wezen, dacht ik, was noordsch, mijn natuur donker, hard, steil en weerbarstig – en als ik het Zuiden bezocht, in mijzelf of aan de Middellandsche Zee, was het slechts een ontspanning, een kort verpoozen, een wapenstilstand, een rust. Maar langzamerhand ben ik de ontoereikendheid der noordelijke krachten gaan erkennen, en tegelijk daarmee namen de zuidelijke elementen in kracht en beteekenis toe. Ik ben gaan inzien dat een leven dat gebaseerd is op snelheid, steilte, hardheid en weerbaarheid, niet langer kan duren dan een korten verblindenden tijd, een weerlicht, een jeugd misschien lang. Maar mijn jeugd is voorbij, hoe graag ik het zou willen ontkennen, mijn jeugd is voorbij... de krachten waarop ik geleefd heb zijn verbruikt, ik moet mij regenereeren. Maar tegelijkertijd zijn juist die elementen die nu afgedaan hebben, niet afgedaan, zij zijn vergroeid met mijzelf, ik ben één met mijn noordelijke zelf... en toch moet ik dat deel van mijzelf laten varen, of als dit niet gaat – moet ik het dooden in mij en uitroeien. Ik moet de krachten waarop ik een jeugdlang geleefd heb, maar die nu het manworden in mij zullen verstikken, uitsnijden uit mijzelf... en wat waarborgt mij dat ik levend op wat zich nu aandient als de kracht waarop de naaste toekomst gevestigd zal zijn, zal leven op een manier, op een plan dat mij aanstaat. [...] Maar in ieder geval: ik dien afscheid te nemen van mijn vurige, slanke jongelingstijd, die zich dreigt te herhalen, te versteenen in een krampachtig en steriliseerend refrein. Zich toevertrouwen aan nieuwe, breede, vruchtbare krachten... het klinkt misschien voor anderen uiterst aantrekkelijk, het klinkt voor mij als het begin van het einde, en dat is het in zekeren zin. De afbraak begint... ik ga een dezer dagen naar Parijs... want Parijs beteekent de volslagen ondergang van dat deel van mijn wezen waarop hier jarenlang mijn geheele leven gebouwd was; het zal de krachten waarmee ik mijzelf al die tijd vereenzelvigd heb, onherroepelijk gaan sloopen. Parijs beteekent ditmaal voor mij een afbraak, een ontreddering, een misschien langzame, misschien snelle, maar in elk geval grondige ontwrichting. In Parijs staat het steile fort waartoe ik mijzelf gedisciplineerd heb, op drijfzand.

Toen ik hoofdstuk 3 het eerste bezoek van Marsman aan Parijs aan de orde kwam, heb ik al aangestipt dat hij in deze expressionistische periode voornamelijk Duits georiënteerd was, maar zich al snel vertrouwd maakte met het werk van Franse modernisten als Cendrars en Apollinaire. We hebben ook gezien dat hij op dat moment een synthese tussen Duits expressionisme en Frans kubisme nastreefde. Maar zijn door en door Duitse vorming in cultureel opzicht stond een dergelijke samensmelting in de weg. Marsman werd geen dichter, 'die oneindige teederheden zegt met kristallen mond', geen 'cubist van het sentiment'. Zo beziet hij in 1925 nog met wantrouwen de komst van de 'gallische' Van Wessem en Kelk in de redactie van *De vrije bladen*, en tracht hij voor een 'germaansch' tegenwicht te zorgen door zijn vriend en geestverwant Binnendijk te pousseren.

De kentering van culturele oriëntatie viel samen met een algehele ommekeer in zijn leven. Zelf stipuleert hij als markeringspunt het dertigste levensjaar, het moment waarop je de waarheid omtrent jezelf onder ogen moet zien en afscheid moet nemen van je jeugd. In de 'Drie autobiografische stukken' had hij openlijk met een aantal elementen van zijn oude persoonlijkheid afgerekend; tezelfdertijd nam hij uitdrukkelijk afstand van het vitalisme. In 'De dood van het vitalisme', een quasi-slotmanifest, uitgelokt door de katholieke kritikus Van Heugten, die had gevraagd waar Marsmans zweepslag, klaroenstoot en paardegehinnik gebleven waren, schreef hij dat het zijn oude ik was waarvan hij afstand had gedaan.

> Het vitalisme, als *theorie* van de vitaliteit, als ideaal van een krachtige jeugd, ontstaan in *mij*, omdat in werkelijkheid die vitaliteit er niet was, ja dát vitalisme is dood. Het is een phase van *mijn* leven geweest, een wanhoopskreet, een *leus* van bezieling, een machtspreuk, een tooverwoord – maar het is geheel zonder werking gebleven dan dat het *mij* van mij-zelf heeft vervreemd. Heb *ik* dus het recht om het vitalisme, *uit* vitalisme, uit lijfsbehoud, te laten sterven en dood te verklaren, of niet? En u zegt hoop ik niet: u spreekt te zeer van en over en uit u-zelf, 'Prince Charming', want dan antwoordt de 'prins', aan wiens charme u nu misschien twijfelt: 'inderdaad, le vitalisme c'était moi.'

In een persoonlijke reactie aan Marsmans adres schreef Van Heugten:

> Ik had wellicht beter gedaan Uw naam in mijn Boekenschouwstukje niet te noemen, daar U de Vrije Bladen-periode wel ontgroeid is. Maar ik beschouw U – permitteer mij het te zeggen – als een der helderziendste en zuivervoelendste menschen in Nederland en acht het funest dat Forum op 't oogenblik de leiding heeft.

Met die laatste opmerking werd natuurlijk de kern van de kwestie geraakt. Wat Van Heugten met lede ogen zag, werd door Marsman zelf als realiteit erkend. Mede omdat Ter Braak en Du Perron na 1931 de leiding van hem hadden overgenomen, een wisseling die gepaard was gegaan met de liquidering van *De vrije bladen* als brandpunt van actieve literaire meningsvorming en het opkomen van *Forum* als zodanig, kon hij het vitalisme als de ideologische basis van zijn eigen leiderschap dood verklaren; te meer daar hij door factoren van meer persoonlijke aard de ontoereikendheid van die levenshouding was gaan inzien.

Er zou natuurlijk volgehouden kunnen worden dat de doodverklaring van het vitalisme, als de ideologie van de dubbelganger die men niet meer is, een 'vitalistische' uiting is zoals Marsman zelf ook aangeeft. Ik wees daar al op in de inleiding van deze studie naar aanleiding van het 'vertekende' zelfportret dat Marsman van zichzelf geeft in 'Naamloos en ongekend'. Er valt ook te denken aan invloed van Nietzsche, die in par. 26 van *Die fröhliche Wissenschaft* schrijft:

Leben – das heisst: fortwährend etwas von sich abstossen, das sterben will; Leben – das heisst: grausam und unerbitterlich gegen alles sein, was schwach und alt an uns, und nicht nur an uns, wird.

Naast de inspirerende steun van Nietzsche heeft Marsman in deze voor hem zo moeilijke jaren ook de morele hulp gehad van vrienden. Dat waren niet meer de bentgenoten uit zijn vitalistische jaren. Lehning, Houwink, en zelfs Binnendijk die achtereenvolgens met hem en de ontwikkeling van zijn werk verbonden waren geweest, raakten als stimulerende krachten op de achtergrond. Gerard Bruning en Erich Wichmann, de een vooral katholiek, de ander vooral fascist, waren dood, en met hen een deel van de ideologieën waarvoor zij stonden.

Het waren juist de oprichters van *Forum*, het blad dat was voortgekomen uit de as van *De vrije bladen*, en de leidende positie ervan overgenomen had, die Marsman het intensiefst zouden begeleiden in zijn heroriëntatie. Van Du Perron en Ter Braak stond de laatste, om zijn intellectuele en a-lyrische instelling, Marsman wel het minst na. Maar juist in de eenheid van tegendelen die ze samen vormden ging er van Ter Braak een stimulans uit op Marsmans denken. Marsman bewonderde de wekelijkse kr7onieken die Ter Braak sinds eind 1933 in *Het vaderland* publiceerde, en van de redeneertrant van dit heldere proza is de invloed op zijn eigen kritische geschriften van latere datum evident. Een hoogtepunt wat dat betreft vormt de lange monografie die hij juist aan Ter Braak zou wijden.

Van groter belang was de relatie die Marsman met Du Perron verbond. Nu ligt dat, behalve aan een grotere mate van affiniteit (Du Perron had meer gevoel voor poëzie, zelfs voor poésie pure, dan Ter Braak, en was evenals Marsman extrovert en impulsief van karakter), ook aan de mentorrol die Du Perron in al zijn vriendschappen speelde. Over het actieve aandeel dat hij heeft gehad in de Nederlandse literatuur van het interbellum zou een lijvige studie te schrijven zijn. Van allen die door hem werden bijgestaan, heeft Marsman waarschijnlijk wel het meest van die hulp geprofiteerd. Dat geldt met name voor zijn proefnemingen in het verhalend proza; *De dood van Angèle Degroux* is voor een groot deel Du Perrons geesteskind, al betreft die bemoeienis vooral romantechnische aspecten, want de ideeënwereld achter dit boek is op en top Marsmaniaans.

In de wending die zich voltrok van de noordelijke naar de zuidelijke krachten, heeft Du Perron een grote rol gespeeld. Hij was op dat punt natuurlijk de meest uitgesproken tegenvoeter van Marsman die men zich denken kan. Van de Duitse literatuur had hij zich, ook al vanwege een taalbarrière, maar summier op de hoogte gesteld. Zijn francofilie in cultureel opzicht verhinderde hem in de Duitse literatuur, die van het verleden zo goed als de contemporaine, ook maar iets goeds te zien, een enkele uitzondering als de novellen van Kleist daargelaten. Nietzsche, die hij door toedoen van Ter Braak had leren kennen en was gaan waarderen, las hij in Franse vertalingen. Na hun eerste vriendschappelijke contacten in het voorjaar van 1931 heeft hij Marsman zeker 'gestuurd' in de richting van de Franse letteren. De herwaardering van Gide was er onder meer het gevolg van.

Wat naast de omstandigheid van overeenkomstige karakters het contact tussen deze twee mannen zo heeft doen vlotten, was dat zij elkaar op dit moment ook als nieuwe vrienden nodig hadden. Niet alleen Marsman stond bij de kennismaking vlak voor het keerpunt van zijn leven, ook Du Perron. Juist in de zomer van 1931, toen hij nog maar enkele maanden met Marsman omging, besloot hij zich definitief los te maken van een paar knellende sociale banden: zijn dominerende moeder, een mislukt huwelijk en de verstikkende omgeving van Gistoux. Marsman zou in de zaak van Du Perrons echtscheiding als advocaat optreden.

In het vorige hoofdstuk heb ik al gereleveerd hoe Du Perron, onmiddellijk na de eerste verkennende stappen in het persoonlijk contact met Marsman, begon te sleutelen aan *Vera* met het oog op omwerking. Omdat Marsman deze de roman totaal mislukt vond, kwam het nooit tot een gewijzigde publicatie. Bij de tweede roman die hij schreef, *De dood van Angèle Degroux*, hadden de inspanningen van Du Perron een bevredigender resultaat. In het stadium van het tot stand komen van het manuscript kon hij Marsman al voor verschillende uitglijders behoeden door een vaak onbarmhartig oordeel en vele nuttige aanwijzingen. De brieven die hij in het voorjaar van 1933 schreef geven daarvan een goede indruk.

Nadat Ter Braak Marsman had laten weten dat hij het ter publicatie in *Forum* ingezonden fragment 'Soirée' uit het hoofdstuk 'Pont Caulaincourt' nogal slecht vond, een oordeel waarmee Du Perron instemde, schreef hij de laatste: 'Hij "vreet zich op", geloof ik, ziet zelf te goed zijn zwakheden, maar kan ze toch niet loslaten.' Toen hij enige tijd later de hele roman in eerste versie had doorgenomen, voegde hij er aan toe: 'Het is werkelijk slechter dan ik had vermoed, en ik heb hem dat ook in scherpe bewoordingen geschreven. Het is bepaald slechter dan *Vera*; alle filmsterrensymboliek en holle redeneeringen zijn hierheen verdwaald, terwijl het poëtische nu langzamerhand keukenmeidensentiment begint te worden.' Daarop schreef Du Perron aan Marsman:

De verafschuwing van *Angèle* door Menno ken ik. Het is heel gek; hij was eerst zwak vóór *Soirée*, ik absoluut tegen. Hij vond het niet goed, ik bepaald slecht en wat kinderachtig. Toen de rest kwam, vond hij alles afschuwelik, wilde hij er volstrekt niets van hebben; ik hield mijn hart vast, ook voor jou, want als ik het werkelijk zóó slecht gevonden had, had ik toch niet vóór gestemd. Maar alles viel mij reusachtig mee; ik heb het zeer geboeid achter elkaar uitgelezen. Er zijn heele zwakke stukken in, fouten (misslagen), pathos zonder dat het moet, verouderde langzame dingen – het gesprek tusschen Rutgers en Charles is 5× te lang en te langzaam, is gewichtig en plechtig, alleen omdat je niet *precies* hebt kunnen zijn; de scène van Angèle in de kamer van Charles, met dat 'kinderlijke' wuiven bij de deur is idioot; je hebt verder op een manier omgesprongen met 'mysterieusheden' die een beetje doet denken aan Jeanne Reyneke van Stuwe door Dirk Coster gecorrigeerd. Je ziet dat ik ongemeen 'hard' ben. Maar, ceci dit, heb ik zonder eenige wroeging pertinent vóór alles gestemd. [...] Ik vind geen enkel fragment (behalve *Soirée*) heelemaal slecht; sommige scènes en bladzijden uitstekend, en – *hier* komt het op aan – er is een streven in, een bedoeling, maar ook een 'aanwezigheid', die alles de moeite waard maakt, die er een besliste *waarde* aan geeft.

Drie weken later vervolgt hij:

je commenteert *veel te veel*, op het onbeholpene af; het is soms of je voor de ergste crétins schrijft. Ik heb nòg te veel laten staan, maar dat deed ik om het langzame en aarzelende dat jij erin wou leggen, te behouden. Sommige deelen van het gesprek zijn ook erg 'realistisch'-banaal, iets wat je Menno juist verwijt.
Je denkt dat je de menschen 'beeldt' als je ze telkens weer laat loopen, een cigaret opsteken, in het vuur kijken, enz. Terwijl je het verhaal hierdoor dom maakt, want als je *gesprek* goed is, ziet men 9 van de 10× die bewegingen *erbij*. [...]
Beste Henny, wanneer zal je je personages, Jany of wie ook, met eenvoud terugbrengen tot *jouw* eigen grootte, die meer dan groot genoeg is, òf al je verzen zouden humbug zijn. – Op deze manier heb ik je tegen Menno verdedigd, die beweerde dat jij je grooter

wou voordoen dan je bent, met *literators* middelen. Deze vergissing van Menno komt voort uit een vergissing van jou zelf: je hèbt werkelijk nog een rare eerbied voor literatorsmiddelen. Maar zelf ben je daarom geen literator. Noch Charles, noch Angèle zijn grooter dan jezelf; integendeel. Als je *precies* over hen geschreven had inpl. van 'vergrootend' zou Menno zich niet vergist hebben en je proporties waren goed. Ik heb er met Bep een heelen tijd over gesproken, ofschoon zij niet alles gelezen heeft; volgens haar is Angèle een 'soul-image' van je, ongeveer zooals voor sommige regisseurs en kritici Greta Garbo dat was. Ik geloof dat dit juist is; evenmin als je je personages kleiner moet zien dan jezelf (mijn fout), moet je ze ook grooter zien, tenminste, erover schrijven alsof je ze zooveel boeiender en grooter zag. Geen enkele lezer van de betere soort trapt in de grootheid van een figuur, die alleen bewezen wordt door de verheerlijkte toon waarmee de schrijver over die figuur z'n grootheid fluistert; Stendhal had niets terecht gebracht van Julien Sorel op deze manier, of Balzac van Vautrin; Multatuli slaagt erin, dank zij geweldige prestaties *erbij*, met de Havelaar; het type van de verkeerde methode is Querido over *zijn* Havelaar, de artiest in *Kunstenaarsleven*, die als een soort Uebermensch door hemzelf voortdurend bewonderd wordt en sprekend lijkt op iedere flapdrol uit 'De Kring'. Ik geloof dat ik weet wie *jij* lezen moet om van deze neiging af te komen: Tolstoï. En dan misschien minder *Oorlog en Vrede* dan *Anna Karenina*. Daar heb je de soberheid van den schrijver die zijn personages nooit te kort doet en toch altijd precies weet dat ze nooit een haar grooter zijn dan hijzelf.

Het was met *Vera* indertijd precies zoo: je schreef over haar als iets enorm interessants, en ze bleef maar een worstelend vrouwtje. Als je je personages werkelijk tastbaar groot en interessant wilt maken moet je een hoop details bedenken; eindelooze *voorbeelden* geven van wat Charles en Angèle alzoo uithaalden, en dat dan nog nuchter. Maar *dit* – typisch iets voor den 'geboren romancier' – ligt niet in jouw lijn, vrees ik. Ik zie dus één middel: *precies, sober, waardig* (een rotwoord, maar hier heel goed) schrijven over personages die je als *vanzelfsprekend* op jouw eigen peil behandelt. Als je *overtuiging* er is, moet het slagen.

Anders krijg je dit altijd ietwat bébête spektakel van iemand, die elders toch voldoende zijn waarde bewezen heeft, die daarom hier altijd nog wel iets redt (door zijn eigen aanwezigheid), maar die als een schooljongen opkijkt naar de interessante (mysterieuze) grootheden van zijn personages. *Jij* denkt aan Jany, maar dat Charles Jany niet is, weet je tenslotte beter dan ieder ander.

Het model zelf zou daar enige tijd nadat de roman verschenen was aan toevoegen:

> Voor mijn gevoel valt hij in twee stukken: een wezen geladen door een 'buitenmenschelijke magie' waarin wij maar moeten gelooven maar die niet waargemaakt wordt; en een soort gecultiveerde demonische gentleman, die ik, eerlijkgezegd, een onuitstaanbare kwibus vind – een bedenkelijk ideaal voor een eerstejaarsstudentje.

In de uiterlijke tekening van De Blécourt is de overeenkomst met A. Roland Holst het grootst:

> Tusschen de woelende menigte, die haastig voortkronkelde door de benauwde kokers der gangen, liep hij langzaam en iets te recht-op, langs de trap van de métro omhoog. Links en rechts schoten hem menschen voorbij, als kleine pijlsnelle booten langs een slag-schip op een breede rivier. Hij scheen het nauwelijks te merken en verhaastte zijn passen er niet om. Een berekenend vormgevoel maakte zijn stappen tegelijk elastisch en stroef. Hij had den korten stootenden gang van iemand die ook op den vlakken grond loopt alsof hij licht achterover hellend en remmend langs een helling omlaag gaat.
> [...] het gezicht dat zich vluchtig had omgekeerd was van een opvallenden kracht, zeer onregelmatig maar zeer markant en bezield door grijsgroene oogen die als meren geslepen lagen in de sterke bochten der kassen. Maar de glans en de adel die zij den hoe-kigen kop verleenden werd bedreigd en bijna verwoest door een smalle gulzige mond.

Charles de Blécourt is niet uitsluitend geïnspireerd op A. Roland Holst, van wie hij vooral de uiterlijke en aan een klein publiek bekende trekken heeft. Marsman heeft in dit personage ook zichzelf gespiegeld, zijn ob-sessies de dood en het dichterschap, zijn dilemma tussen individualis-me en gemeenschapszin. De Blécourt houdt er evenals Roland Holst een Elysium-ideaal op na, dat op Nietzscheaanse (en Holstiaanse!) wijze is geprojecteerd in het voor-socratische Griekenland. Hij is – ook daarin lijkt hij op Nietzsche – van mening dat de bestaande Westeuropese cultuur ondergaat, maar mist het positief gerichte amor fati.

Verwant aan de Nietzsche van *Jenseits von Gut und Böse* is De Blécourts opvatting van de liefde.

> Werkelijke menschen [...] die niet te veel femelarij hebben aangehoord en teruggegeven, weten dat men juist in de liefde zichzelf zoekt en een atmosfeer waarin men voluit zichzelf kan zijn. De rest is een troost voor zwakzinnigen.

Bijna karikaturaal Nietzscheaans – op dit punt heeft Roland Holst gelijk – wordt De Blécourt in zijn geloof aan demonische, buitenaardse machten, die de mens maken tot een engelachtige furie, 'een kruising van duivelin en duif'. Bij Nietzsche is het voorbeeld van de demonisch-geniale mens belichaamd in Cesare Borgia, het prototype van zijn Übermensch. In hoeverre Marsman dat concept serieus nam, valt af te leiden uit wat hij in 1937 schreef over zijn beeld van de totale mens, die hij karakteriseerde als 'engel-èn-roofdier'. Door dat beeld te bewaren en te verbeelden in het scheppend werk, kon de hoop op een waardiger toekomst na alle politieke verschrikkingen die hij nog voorzag blijven bestaan.

> Alleen de zekerheid dat ook het heden niet meer dan een golf is, en dat wij, realisten en chiliasten tegelijk, het beeld van den totalen mensch moeten geleiden door eindelooze riolen naar een ver en flauw licht, is in staat ons staande te houden en niet in wanhoop en verwildering onder te doen gaan.

In de bespiegelende gedeelten van *De dood van Angèle Degroux*, die indirect autobiografisch zijn, blijkt dat Marsman zich in Nietzsche's voetspoor tot de zuidelijke krachten in zijn natuur heeft gewend. Tegenover zijn vroegere germaanse gerichtheid zou hij na het keerpunt van zijn leven het idee uitspreken dat in het 'ultramontane' streven naar de latijnse cultuur Duitslands enige kans lag om zich te zuiveren en te ontbarbariseren, en hij herhaalde met instemming Nietzsche's woord: 'Deutsch sein heisst sich entdeutschen.'

De plaatsing van *De dood van Angèle Degroux* in het *Verzameld werk* is in zoverre zeer zinvol dat de roman onmiddellijk volgt op de 'Drie autobiografische stukken' waarmee hij thematisch sterk verbonden is. In het volgende fragment komen twee elementen uit de confessies samen: de ambivalente houding ten opzichte van het belang van het eigen dichterschap voor de samenleving en de angst voor de dood. Bovendien gaat in dit stuk het op Roland Holst geïnspireerde portret over in een zelfportret.

Het was het oude Parijs... De tijd had het opgebouwd en de tijd zou het slechten, tenzij het verging als de aarde verging, in de laatste dagen der wereld... en misschien ook, bedacht hij, was één bom wel genoeg, geworpen door een willekeurig proleet. Alleen hij vermocht niets. Was het dan niet bijna triest van belachelijkheid dat hij dacht dat zijn naam iets beteekenen zou in den op- en neergang der wereld, in den gang der historie, terwijl hij toch wist dat het niets meer dan een naam was, een naam die verwoei in den wind als hij hem hardop zou noemen... De wereld ging aan hem voorbij, het leven ging aan hem voorbij... hij mocht hier staan als hij niet in den weg stond, een bleeke hooghartige schim in het middaglicht, aesthetiseerend bespiegelend, uit de hoogte als toeschouwer neerziend op een ontwortelde wereld, die hij verachtte, maar die hij in werkelijkheid nauwelijks kende en waarin hij zelfs geen atoom mocht zijn, niets. Hij stond er buiten en zij liep hem niet onder den voet. Hij stond hier onschadelijk en veilig achter zijn muurtje, en mocht toezien op die ontluisterde wereld en iets prevelen over Hellas en den armen modernen tijd. Hij mocht meewarig zijn hoogmoedig hoofd schudden over een doode wereld, en de menschen van dezen tijd betreuren met zijn bestudeerd droeven glimlach – in zijn hart was er iets dat hij niet wilde erkennen, maar dat jaloersch was, heftig en machteloos jaloersch van dezen verworden tijd! – en soms betrapte hij zich op het verborgen verlangen om mee te doen met de dooden, en eenig werk te verrichten, desnoods in een hoek van dat knekelhuis... De dooden leefden! en hij, hellenistisch, hoog en beheerscht, was een triestiger doode dan de duizenden van het doode Parijs, die éénmaal voorgoed mochten rusten onder de kruisen van Père Lachaise en het dreunen van Pont Caulaincourt... Hoe heftig benijdde hij soms vooral deze dooden, die na een leven in dienst van de aarde zouden rusten in een aardsch graf...

Geslingerd tusschen onmacht en trotsch liep hij van achter zijn borstwering weg; hij ging langzaam remmend omlaag langs de bouwvallige straten van Montmartre, en naderde nu dien Pont Caulaincourt, die in zijn verbeelding zoo somber en dreigend was begonnen te leven; en met zijn korte veerkrachtige passen liep hij langs het trottoir tusschen het dreunende leven der haastige menschen en donderende camions onzeker over dien Pont Caulaincourt die zonder vrees den dood overschrijdt.

Toen de schemering inviel, liep hij verder den boulevard langs, in de richting van place Clichy. De stad dreunde geweldig, maar de herinnering aan de dooden bleef zoo dicht bij hem dat zij hem van de omringende werkelijkheid scheen te scheiden. [...] Terwijl hij zonder acht te slaan op het snelle en luide verkeer, instinctief zich beveiligend, voortging, kwam de gedachte in hem op, hoe ook hij eenmaal languit zou liggen in een kist en verrotten onder den grond, hij die nu nog sterk en veerkrachtig was... en een beklemming bekroop langzaam zijn lichaam, een lichte vrees overviel hem als het sluipend begin van een ziekte... Ja, eens zou hij liggen onder den grond en vergeten worden door allen. Waar zou hij liggen? – en een oogenblik voelde hij het als iets veiligs dat hij dit zelf kon bepalen, juist als het oogenblik van zijn dood (als hij tenminste niet onverhoeds overvallen werd...) Hij verweerde zich tegen het benauwende van deze gedachte, maar nijpender en met een dikke walging die van zijn maag naar zijn keel kroop doortrok hem de vrees. Hij ging zitten en bestelde een pernod. Alcohol zou hem verkwikken. Maar al na twee teugen sloeg zij de moeheid in hem neer, die nu hing als lood in zijn beenen. De vrees verminderde niet, ze nam wilder en ongrijpbaarder vormen aan. Het sluipend begin van een ziekte dat hem een schimmelig gevoel had gegeven in zijn keel en zijn maag, tastte nu meerdere plekken in zijn lichaam aan, dat er iets weeks van ging krijgen, bijna iets beursch. De voorstelling van zijn ontbinding maakte hem ziek. Hij zette zich schrap om er niet geheel door overmeesterd te worden – en hij dronk door. Maar hoewel de drank zijn angstige gedachten bewogener maakte, minder triestig en vaal, hun kracht nam niet af, zij vermeerderde zelfs. Zij werden wilder en dreigender, de verschrikkingen kregen gestalte en naderden hem. Hij werd voet voor voet achteruit gedrongen in een hoek, en langzaam daalde hij af, achteruit in een kuil. De dieren der angst liepen sluipend en langzaam cirkelend om hem heen. Zouden zij hem bespringen en dooden? Hij voelde zich naakt, vuil, onaanzienlijk, en hij was bang, ontzettend eenzaam en bang.

Het zijn de bekende motieven uit de poëzie die Marsman in deze zelfde jaren schreef: de fascinatie door dood en ontbinding, die herinneren aan de gedichten van de door hem zo bewonderde Georg Heym. Nieuw is het Nietzscheaanse element in De Blécourt, dat een nieuw oriëntatiepunt in Marsmans denken verraadt. In het lange gesprek tussen Rutgers en Charles komt dit het sterkst tot uitdrukking. Maar tevens steekt Marsman via het requisitoir van Rutgers een hand in eigen boezem: hij is zich bewust dat hij er niet in geslaagd is 'één levend wezen te vormen uit zijn verschillende naturen.' Want ondanks al zijn onzekerheid en gehaastheid die hem dikwijls een zuivere kijk op zichzelf en de waarde van zijn werk ontnamen, had hij in een bezonken oordeel, waartoe hij soms zeer wel in staat was, een helder inzicht in zijn eigen aangelegenheden. Dat hij in zijn romans toch zo tekort schiet als psycholoog, dient ongetwijfeld op rekening van zijn overwegend lyrische en intuïtieve instelling geschreven te worden. Hij was nu eenmaal geen objectief analyticus, en zijn autobiografische ontboezemingen in proza zijn dan ook geen ontledingen, maar bespiegelingen, met alle mogelijkheden tot vertekening.

Het gevecht met de dubbelganger op papier is het gevecht dat Marsman met zichzelf moest voeren om tot klaarheid te komen, en dat het een gevecht was, zag hij scherp. *De dood van Angèle Degroux* is dan ook een document van zijn reflectie op het schrijverschap, vooral het hoofdstuk 'De geest zweeft over de wateren'.

De eenige strijd die hem werkelijk zijn leven lang bezighield was de strijd met zijn schrijverschap. Niet alleen omdat dit hem dwong af te zien van zijn gewone wijze van leven, maar omdat hij al schrijvende zich rekenschap gaf van dat deel van zijn wezen dat hij anders meestal verborg. Dit was een inmenging, die hij ook van zichzelf niet verdroeg en die hij vreesde, vooral van zichzelf. Want hoe verhuld, hoe volkomen geobjectiveerd deze tweestrijd ook was in den vorm die hij gaf aan zijn werk, het was hem een spiegel, waarin hij zag als in een heldere rede en die hem deed huiveren van wat hij in wezen was. Hij herkende dit wezen in den loop van zijn stijl, in de structuur van zijn zinnen, in den trek van zijn rhythme; hij zat, al denkend over zijn werk tegenover zichzelf als een rechter en hij wist dat het oordeel niet mild kon zijn.

Juist dergelijke gedeelten maken *De dood van Angèle Degroux*, als een mogelijkheid tot nadere kennismaking met Marsman zelf, nog lezenswaardig en interessant. Als 'liefdesroman' is het boek een mislukking, omdat het conflict tussen Charles en Angèle geheel in het duister blijft. Waarom deze beide mensen ondanks vele pogingen niet tot elkaar kunnen komen, wordt alleen vaag aangeduid in een aantal flashbacks; van een ontwikkeling in het verhaal middels actie is geen sprake, en de psychologie is statisch en ontoereikend.

Ongetwijfeld had Marsman er beter aan gedaan Du Perrons advies op te volgen, en de roman te bekorten tot een 'lyrisch verhaal' in de trant van 'A.-M.B.'. In het geval van *Vera* had Du Perron hetzelfde aangeraden, maar zoals ik al releveerde bleven pogingen tot een dergelijke omwerking zonder resultaat, omdat Marsman die eerste roman uiteindelijk verwierp. *De dood van Angèle Degroux* werd wel besnoeid en verbeterd met het oog op de opname in het *Verzameld werk*. Het voorbereidend werk was alweer door Du Perron gedaan, die na al zijn moeite met het manuscript en de drukproeven zijn corrigerende pen ten derden male door het boek liet gaan. Het verschil tussen de eerste druk van 1933 en de tweede van 1938 is volledig zijn werk, zoals een vergelijking tussen Du Perrons exemplaar en het *Verzameld werk* leert. In een begeleidende brief lichtte hij zijn verbeteringen nog eens toe.

> Gooi het [exemplaar] vooral niet weg; het bewijst in de eerste plaats hoeveel ik au fond voor een groot deel van dit boek voel. Bep vroeg me of ik gek geworden was om nògmaals dat werk te doen. Zij beschouwt het boek als een verhaal met veel goeds erin, maar als 'boek', als roman, totaal mislukt. Overigens gelooft zij dat het in Holland, voor onze heerlijke quasi-intellectuelen die zich graag met dit soort problemen bezighouden een werkelijk succes zou kunnen blijken te zijn, wat ik ook wel met haar eens ben. Zelfs de banaliteit (filmscénario en ouderwetsche English novel) van de verhouding Charles-Antoine gaat misschien regelrecht in het hart van den 'beteren' Hollandschen lezer. Stel je er niet te weinig van voor. Maar voor *jezelf*, àls het later eens tot een herdruk komt – of in je 'volledige werken' misschien (ik zie *Vera* en *Angèle* al in één deel als twee lange verhalen bijeen), gooi Antoine even onverbiddelijk eruit, als uit *Vera* de Gräfin von Kehrling. Verder zie je wel mijn aanteekeningen. Ook een deel van Baedeker's plattegrond voor Parijs kan vervallen, en een paar 'goedkoope restaurants', 'dicht bij de Sorbonne' en elders. Dat alles geeft zoo de wegwijze Hollander – *net* wegwijs – in Parijs, en maakt het boekje telkens een beetje kinderachtig.
> [...] Ik voor mij vind Charles, ook zooals je hem gemaakt hebt, veel 'geslaagder' dan Bep; de voornaamste zwakheid van het boek is werkelijk, net als in *Vera*, de armoede van psychologie; bij ieder conflict van karakters word je eigenlijk (hoewel op een stylistisch superieure manier) breedsprakig, omdat je 10× hetzelfde zegt, bij gebrek aan psychologische feiten. Van een *ontwikkeling* in de

gevoelens tussen Charles en Angèle bv. geen sprake; als Angèle in den trein zit krijg je weer precies hetzelfde wat de scherpzinnige lezer eigenlijk altijd geweten heeft. Vandaar wschl. Bep's idee dat het thema uitstekend zou zijn geweest voor een kort verhaal (40 à 60 blzn.) De oppositie Charles-Rutgers geeft een zijlicht op de verhouding Charles-Angèle en een variatie, maar leeft op zichzelf weer van herhalingen, en volgt precies hetzelfde procédé. Ook Charles en Rutgers hadden in minder dan de helft van de blzn. even compleet kunnen worden afgedaan.

[...] Enfin, soit – nu weet je er wel alles over. Ik ben benieuwd naar je volgende proeve van verhalend proza. Maar als het niet is om geld te verdienen, waarom *wil* je je absuluut toeleggen op een 'roman', terwijl je talent zoo fataal lyrisch-poëtisch is? Is het ook een vorm van (schrijvers) masochisme?

Du Perron verwoordde hier wat vele kritici tussen de regels door suggereerden. Had Marsman tot dan toe op de meeste van zijn boeken gunstige beoordelingen gehad, ditmaal was het gros van de kritieken afwijzend, en in een enkel geval zelfs afbrekend. De meest gehoorde bezwaren kwamen overeen met de door Du Perron al gesignaleerde tekortkomingen: een wrakke, fragmentarische compositie, onvolledige objectivering, gebrekkige psychologie, een vage en daardoor onovertuigende uitwerking van thema en motieven, een kille atmosfeer, ordinaire romantiek. De scherpste afwijzing kwam wel van Anton van Duinkerken, wiens oordeel minder literair-technisch dan wel moralistisch was.

De ontgoocheling die het [boek] ons bereidt, stemt tot harder verbittering dan hetzelfde boek zou veroorzaakt hebben, indien het naamloos ware verschenen. Marsman, de meester van het uitdagende vitalisme, toont zich hier in zijn poverste zwakheid als mens en als auteur. Deze zwakheid had in deze vorm nooit beleden mogen worden, omdat geen enkel deel van het publiek recht kan hebben op de erkenning van zulk een uiterste gebrek aan levensdurf.

Zijn held, met wie wij Marsman natuurlijk niet vereenzelvigen mogen, maar met wie hij toch geestelijk heeft samengeleefd, zolang hij werkte aan deze irriterende roman, is een willoze zwakkeling, van hartstocht naar hartstocht gedreven door een onbeheersbaar geworden temperament. Hij is een lafaard uit hoogmoed om niet te zeggen: een idioot door zelfverdwazing. Alle avontuur van deze man, genaamd Charles de Blécourt, bestaat in de omstandigheid, dat hij een voorgenomen avontuur niet aandurft uit vrees voor de vernedering die het hem zal opbrengen. [...]

Domme trots en onontgonnen liefde komen tot geen akkoord. Wat voor akkoord zou dit geworden kunnen zijn? Marsman geeft er geen flauw idee van. Hij praat langs de levenswerkelijkheid heen om een droomwereld te bevolken met onverantwoordelijke schimmen, waarvoor eenzaamheid het enig mogelijke klimaat schept.

Zulk werk blijft beneden zijn waardigheid, omdat het stijlloos, steriel en onbelangrijk is. Het vernietigt voorlopig ons vertrouwen in zijn vermogen als romanschrijver.

De 'standing' van het boek werd door vrijwel niemand erkend, of het moest Marsmans toeverlaat Engelman in *De nieuwe eeuw* zijn, en Johan van der Woude, een van de weinigen wiens mening zonder meer positief was, in *Critisch bulletin*. Aan Engelman schreef Marsman op 3 maart 1934 vanuit Spanje:

Als er 7 menschen van het goede soort mij hun vertrouwen laten, is het genoeg – en zelfs zonder dat zal ik het wel halen. [...] Ik heb alle hoop dat ik de weinigen die mij nastaan, niet zal teleurstellen, op den duur. Maar voorloopig waag ik mij niet meer aan de krachttoer van een 'roman'. Ik werk aan andere dingen, verhalen en verzen, maar zonder *haast*.

En om de scepsis omtrent zijn romancierskwaliteiten nog aan te scherpen, voegde hij er aan toe: 'Vera verschijnt niet in boekvorm. Ik herlas het hier, en was het *woordelijk* met je bezwaren eens.' De miskenning van *De dood van Angèle Degroux* moet hem toch hebben verbitterd, want kort voordat hij in het najaar van 1933 voor lange tijd naar het buitenland zou vertrekken liet hij zijn uitgever Querido weten: 'Ik wil vooral *geen recensies* nagestuurd krijgen. Als ik eenmaal in het zuiden ben, kan het mij niets meer schelen, wat de nederlandsche 'critiek' en critiek mij aan wierook en gal wenscht te offreeren.' Eenmaal in Spanje schreef hij, duidelijk gekrenkt: 'Een "schim" van mij is altijd nog 3× meer waard dan de 3-dimensionale klei- en sneeuwpoppen uit de Peel, Albanië en Toscane', daarmee refererend aan succesauteurs als Antoon Coolen, A. den Doolaard en het echtpaar Scharten-Antink, die allen z.i. 'europeesch peil' misten.

Wellicht was een van de gedichten waarover hij aan Engelman schreef (de meeste bleven in klad liggen om pas in de herfst van 1936 te worden uitgewerkt) 'Afscheid van het dorp', dat het einde van een periode symboliseert.

ik ga op weg naar onbekend verschiet,
de heuvels over, naar een stroomgebied
dat mijn verlangen stem geeft
en de koorts der poëzie weer in mij aanblaast;
meer begeer ik niet!

Kracht der verbeelding, o, begeef mij niet!
ik roep u aan met de verdorde stem
van wanhoop en ontbering, zonder u
kan ik niet verder gaan,
de weg is lang en mijne kracht gering.

ik heb om u mijn huis in asch gelegd,
ik heb mijn moeder in haar graf gelegd
ik ben op weg gegaan, verlaat mij niet.

in mijn bedroefde keel klopt een nieuw lied.

HOOFDSTUK 8

KEERPUNT

Toen Marsman nog maar enige weken in Spanje vertoefde kreeg hij van zijn vriend Jan Engelman dit advies nagezonden:

> laat Spanje en het Zuiden op je inwerken en leer er, zoo mogelijk, het leven van het individu met iets minder zwaarte beoordeelen, tegelijk, dat je nadert tot de bronnen van de natuur en de harmonie van een levensconceptie, die, nog altijd, de kern van onze cultuur is en *zal* regenereeren als er aan den zeekant van het Westen moedig wordt stand gehouden.

Marsman had in Engelman een medestander, maar ook een mentor, en terwijl in het contact met Du Perron een belangrijke stimulans lag tot een nadere kennismaking met de Franse literatuur, leverde Engelman, die in zijn denken en dichten altijd sterk de nadruk legde op het belang van de klassieke cultuur voor de christelijke beschaving, een belangrijke bijdrage aan het losmaken van de zuidelijke krachten in Marsman. In zijn monografie *Orfeus en het lam* heeft Jan Cartens voor die stelling veel argumenten aangedragen, en hij had zijn materiaal nog kunnen uitbreiden met de tussen Engelman en Marsman gevoerde correspondentie. Engelman vermeldt het niet in zijn opstel 'Vergeelde papieren', een toelichting bij de door hem gepubliceerde eerste versie van 'Dichten over den dood', maar hij heeft bij het keerpunt in Marsmans ontwikkeling omstreeks 1932 een belangrijke rol gespeeld als geestelijk adviseur. Zijn schriftelijke bemoedigingen getuigen daarvan. Zo schreef hij in deze jaren onder meer aan Marsman: 'Op de helft van zijn leven moet een man het roer kunnen omzwaaien, zich totaal vernieuwen.'

Zoals steeds wanneer hij in het buitenland was, genoot Marsman van een gevoel van bevrijding, dat nog euforischer was nu hij wist dat zijn beroepsmatige beslommeringen waren opgeheven. Bovendien was door de voltooiing van *De dood van Angèle Degroux*, in september 1933, nog een andere drukkende last van hem afgevallen. De roman waaraan hij ruim twee jaar had gewerkt, deels met hulp van Du Perron, had ook fysiek zoveel van hem geëist dat zijn gezondheid eronder was gaan lijden.

Eind oktober vertrok hij uit Utrecht. Na een korte lezingentournee in België, schreef hij begin november, op doorreis naar Spanje, vanuit Parijs aan Binnendijk:

Ik ben benieuwd wat Spanje mij brengen zal. Nu die lezingen achter de rug zijn, en ik zonder de gedachte aan een spoedige terugkeer naar Holland (die anders toch nooit *volkomen* onbewust wordt) hier rondloop, heb ik het gevoel van een *immense* bevrijding, van rust al, en het verlangen naar nog meer rust en wijdheid. *Knellend* waren de hollandsche banden (baan, Utr. etc) niet voor mijn gevoel, maar nu ik nog maar een dag of wat weg ben, met die zee van tijd voor me (die, als hij voorbij is, natuurlijk weer heel kort zal gaan lijken), voel ik mij als een ontslagen gevangene – gek.

Via San Sebastian, Burgos en Valladolid reisde hij naar Madrid, waar hij na jaren Lehning terug zag, die daar verbleef in zijn hoedanigheid van secretaris van de syndicalistische internationale. 18 november liet hij Binnendijk weten niet aan werken te kunnen denken: Spanje absorbeerde al zijn aandacht. Hij was zeer onder de indruk van het woeste, naakte landschap, en ook zijn impressies van het Spaanse volk droegen er toe bij dat hij langzaam los kwam van een aantal obsessies die hem in Holland jarenlang hadden gekweld. Wat hij over zijn ervaringen en gewaarwordingen van deze maanden aan zijn vrienden schrijft, vinden we, vaak in dezelfde bewoordingen, terug in de briefroman waaraan hij in deze tijd samen met Vestdijk begon en die twee jaar later als *Heden ik, morgen gij* voltooid zou worden. Zo schrijft hij achter het masker van Rudolf Snellen in april 1934:

[Spanje] is rauw en hard, duister en inderdaad *grootsch*; onbeschrijflijk mooi wat het landschap betreft met die grondtoon en al die nuances van rood die alles en alles beheerscht.
Maar het verfrisschende, het vernieuwende zelfs als je wilt, ligt toch voor mij in die totaal onvervangbare sfeer: van het land, het leven en de menschen. Ondanks iets als een voortdurende druk in de lucht (dit slaat op het levens-klimaat), heeft Spanje mij losgemaakt van mijn verleden. Het is geheel on-europeesch.
Er zijn menschen die zeggen dat alleen *Zuid*-Spanje dat is, maar die maken hun oordeel blijkbaar afhankelijk van de vraag of de huizen wit zijn. Voor mij zijn de Pyreneeën een *grens*, zooals ik er verder geen ken. Bij Irun begint een andere wereld en vandaar naar

In Alcalà de Guadaira (voorjaar 1934)

Jerez en van Alicante naar Kaap Finisterre blijft het een andere wereld. Een groot maar vervallen land, dat plotseling weer aan het gisten is gegaan, zooals je zegt, maar dan ook goed, en dat juist in die gisting veel openbaart van zijn verborgen karakter en tegelijk van de meest sympathieke kanten van zijn natuur. Want wat ik ook tegen Spanjaarden hebben mag, ik heb ook het vaste gevoel dat er, vooral onder het z.g. lagere volk, zeer veel reëele, weerbare, impulsieve en genereuze menschen zijn. [...]

Ze zijn dapper, ze kennen geen vrees. Ik zou bijna zeggen vooral geen vrees voor den dood. Ik vermoed dat de moorsche invloed, die vooral vroeger zoo sterk is geweest, aan hun katholicisme die inslag van fatalisme en onverschilligheid heeft bezorgd en ik denk dat ik dien indruk ook zou hebben als er minder slordig en overvloedig van bommen en revolvers gebruik werd gemaakt, en als ik niet wist dat ze daarvoor niet uit den weg gaan.

Het moet vooral die houding tegenover de dood geweest zijn die Marsman getroffen heeft, en die hem er mede toe heeft gebracht zijn eigen preoccupatie op dit punt te doorbreken. De wil daartoe was al aanwezig voordat hij op reis ging, getuige alweer de 'Drie autobiografische stukken'. Zijn Spaanse impressies weekten zijn gefixeerde geobsedeerdheid met de dood nog verder los. Hij leerde dood en leven te zien als twee onlosmakelijke aspecten van het bestaan, dat zich voortdurend vernieuwt; een opvatting die hij zich in Holland niet eigen had kunnen maken, ook al omdat zijn calvinistische achtergrond hem gevangen hield in een dualistische levensbeschouwing. Had hij in 1933 nog geschreven: 'ik ben bang voor den dood en bemin niet het leven', in Spanje deed hij de inspiratie op voor een vers als 'Kerkhof te Carmona', waarin de omslag naar een harmonieuzer opvatting van leven en dood zeer duidelijk merkbaar is.

> De dooden liggen hier goed.
> [...]
> er heerscht stilte en heldere rust,
> geen treurwilg, geen droefenis;
> een hof met donker kort gras,
> in een hoek een palm en een bron;
> en rondom
> streng, blinkend wit, overstraald
> door de lentezon

de hooge mansdiepe muur
met de dooden erin, rij aan rij,
naast en boven elkaar.
geen kruisen, geen wasbloem,
geen handenwringend misbaar;
op een koperen plaat of in marmer gegrift
enkele woorden, en de dood door die soberheid
hersteld in zijn naakte waarde:
het einde der aarde te zijn,
het vuur aan het eind van den tijd.

Ongeveer tezelfdertijd, op 14 april 1934, liet hij Engelman weten:

> Ik neem, ik zou haast zeggen met den dag, toe in hoop en vertrou-
> wen, en heb een voortdurend stijgend gevoel van vrijheid en
> geluk. Deze reis doet mij goed op een manier die ik zelf niet heb
> kunnen voorzien. Ik *genees* letterlijk – en tegelijk zie ik helderder
> in mijzelf, onverschilliger ten aanzien van mijn verleden en de
> zwakke plekken daarvan, onbezorgder, wat de toekomst betreft. Je
> zult zien, dat ik op den duur een gave versmelting beleef van mijn
> soms zoo antipodische polen.

De tegenstellingen in Marsman horen tot de wezenlijkste trek van zijn
persoonlijkheid. Met voorliefde citeerde hij van Multatuli – die hem
overigens vreemd zou blijven, en die hem af en toe aan een straatventer
deed denken – de uitspraak een 'vat vol tegenstrijdigheden', een kwalificatie die hij op zichzelf van toepassing achtte.

In de 'Drie autobiografische stukken' is vrijwel iedere regel doortrokken van ambiguïteit en innerlijke tegenspraak. Naast de wens nooit
geschreven te hebben (in 'Naamloos en ongekend') staan de drang om
te schrijven als een daad van zelfbevestiging en doodsbezwering ('Dichten over den dood'), en de hoge, bijna sacrale opvatting van het dichterschap. Er zijn de angst voor de dood en de angst voor het leven, de
angst om in de vorm te verstenen en de neiging in de vormkracht, de
creatieve functie, juist de opperste levensvervulling te zien. Afkerig van
terugblikken op een afgelegde weg en van de geschiedenis als de mum-
mificering van wat eens vloeiend leven was, voelde Marsman toch
steeds weer de behoefte op bepaalde punten in zijn leven mijlpalen te
zetten. Een retrospectieve bundel als *Paradise regained*, het driedelig
Verzameld werk, en vooral ook *Tempel en kruis* laten zien dat hij pas verder kon als hij zijn verleden herijkt (en daardoor ook verrijkt) had.

In zijn bijdrage aan het gedenknummer van *Criterium* wijst Cola Debrot op een aantal andere polariteiten: de solipsistische dichter tegenover de literaire leidsman, de tamelijk dogmatische estheet tegenover de vitalist, die bij herhaling het felle, intensieve leven boven het kunstwerk stelde. Aan die laatste pool verbindt Debrot ook de reislust en ongedurigheid van Marsman, wat me juist lijkt.

En toch vormde dat voortdurend vloeiende en beweeglijke in zijn natuur ook een last die Marsman steeds meer ging drukken. In deze jaren van zoeken streefde hij hardnekkig naar een evenwicht. Binnendijk, van wie aangenomen mag worden dat hij Marsman goed heeft gekend, verzekerde mij dat het rusteloze helemaal niet in zijn aard lag, en deze observatie wordt gesteund door Vestdijk. Deze schreef naar aanleiding van *Porta nigra*, de dichtbundel die de poëtische neerslag van deze jaren vormt, dat Marsman door twee polen werd gericht: zijn natuur en zijn temperament, de eerste statisch, het tweede dynamisch. Vestdijk zag in *Porta nigra* als belangrijkste trek een streven naar rust, zelfbezinning, evenwicht en herhaling, en hij herkende daarin een poging om dood en leven, die in dit boek nog zo onverzoenlijk tegenover elkaar staan, in harmonie te brengen. Overigens achtte hij een voortbestaan van die polariteit essentieel voor het voortbestaan van Marsmans dichterschap.

In *Porta nigra* werd de harmonie niet bereikt, maar die bundel was dan ook al in 1933, vóór het vertrek naar Spanje, afgesloten. In het Zuiden bereikte Marsman een zeker evenwicht, en legde hij de basis voor de gedichten die hij twee jaar later in Brussel zou voltooien, na zich definitief van Holland te hebben losgemaakt. Een van die gedichten is 'Baai bij avond'.

> De schemer valt.
> een groote, roode maan
> stijgt langzaam uit de golven
> aan den oosterrand
> der nauwlijks ademende avondzee.
> de droomen komen met de golven mee
> en mijmerend gewordt mij, ongezocht,
> waarvoor ik jaren in vertwijfling vocht,
> denkende dat het geluk omstréden moest zijn
> en dat het leven zonder smeeken niet schenkt.
> o, hoe heerlijk is nu het talmen
> geworden aan deze reede!
> bij het dwalen onder de nacht'lijke palmen
> ben ik van vrede doordrenkt.

De nadruk waarmee Marsman bij eerste publicatie van dit vers, in *Groot Nederland* van juli 1937, de datering 'Alicante 31.1.1934' toevoegde, en later bij bundeling het jaartal liet staan, wijst er ongetwijfeld op dat dit gedicht ook werkelijk een moment van betekenis voor zijn leven vastlegde.

Van eind november 1933 tot eind januari 1934 verbleef Marsman in Alcalá de Guadaira ten huize van C. Huydekoper, een relatie van A. Roland Holst, die als Don Christobaldo in *Heden ik, morgen gij* figureert. Daar kwam Marsman weer tot werken: een aantal ontwerpen voor gedichten, en na 6 december binnen een paar weken vijftig bladzijden van *De twee vrienden*. Aanvankelijk had hij dit boek opgezet als verteld door een naar Arthur Lehning gemodelleerde ik-figuur, en gedeeltelijk spelend in het Spanje van die dagen, maar in de definitieve opzet vertelde hij het verhaal vanuit zijn eigen perspectief, en speelde zijn gefingeerde dubbelganger Hans Vreede een belangrijke rol in het boek. Bovendien beperkte hij zich tot de beschrijving van het door hem en Lehning gemeenschappelijk gedeelde verleden. Door die gewijzigde opzet vielen er verschillende fragmenten, die al geschreven waren, af. Een ervan, een ongepubliceerd gebleven handschrift, is opgenomen in

Aan de Spaanse kust

de documentenverzameling in deel II van deze studie; een ander is omgewerkt tot de novelle 'Drievoudig afscheid', die naar mededeling van Arthur Lehning zelf in het voorwoord van *Vijf versies van Vera* is voortgekomen uit het materiaal waarvan Marsman een roman had willen maken.

Afgaande op de gegevens die de hoofdpersoon en ik-verteller van dit verhaal, een links-revolutionaire intellectueel, over zichzelf verstrekt, komt het mij voor dat het hier gaat om een op Lehning geïnspireerd personage. De roman waarover hij in het voorwoord van *Vijf versies van Vera* spreekt, zou dan de eerste opzet van *De vriend van mijn jeugd* moeten zijn. De datering van 'Drievoudig afscheid' is enigszins problematisch. Lehning meldt dat het verhaal in februari 1934, tijdens Marsmans verblijf te Valldemosa op Mallorca is geschreven, maar in een brief van eind januari 1934 aan Binnendijk spreekt Marsman er zelf van, 'een onbelangrijke novelle' te hebben voltooid. Vermoedelijk gaat het in beide gevallen om dezelfde tekst.

Als Marsman zelf al geen hoge dunk van dit verhaal had, is het bevreemdend dat hij het toch, via Du Perron (die op 24 februari 1934 de ontvangst bevestigde, en en passant zijn kritiek gaf), aan de redactie van *Forum* zond. Misschien wilde hij per se weer eens iets publiceren in het genre verhalend proza, waar hij zich de laatste vier, vijf jaar met zoveel hardnekkigheid in had vastgebeten.

De *Forum*-redactie was nog minder enthousiast over 'Drievoudig afscheid' dan de auteur zelf. Op 4 maart 1934 schreef Ter Braak aan Du Perron:

Allerbelabberdst (helaas!), volgens mijn meening. Jammer, erg jammer. Ik hoopte op iets goeds van hem. De reis in Spanje schijnt hem niet van zijn Angèle-complex af te helpen. Het is nog altijd de metaphysica van den lady-killer, die geen lady-killer is, omdat Jany hem daarbij den preektekst levert. Maar ik hoop erg, dat Vestdijk en Vic er voor zijn. Het zou me spijten, als het niet in Forum kon (voor H.), maar het is toch wel *heel* slecht. Laten we zeggen, dat jouw *Wat Stendhal noemt energie* de 'romantiek' *geeft*, die Henny *zoekt* en absuut verpest door zijn humorlooze, quasi-platonische juffrouwen-mystiek.

Ter Braak had gelijk toen hij de gebreken van deze novelle vergeleek met de zwakke punten van *De dood van Angèle Degroux*, en hij had de vergelijking nog tot *Vera* uit kunnen breiden. En deze manco's werden in 'Drievoudig afscheid' niet gecompenseerd door beschrijvende passages met een lyrischer inslag, waarin Marsman als prozaïst zijn sterkste kant had; integendeel, dit verhaal is zeer droog en kaal verteld. De ik-figuur, wiens vrouw, al sinds lang door hem in de steek gelaten terwille van een andere met wie de relatie inmiddels ook sinds kort is verbroken, stervende is, beleeft een korte verhouding waarvan hij hoopt dat ze zijn vastgelopen leven opnieuw zin zal geven. Tegen de wil van haar familie besluit het meisje, waarop hij zijn hoop heeft gevestigd, hem te volgen, om dan toch onverwacht de relatie te verbreken 'zonder opgaaf van reden'. '"Du weisst schon, wir haben nicht alles gesagt". Dat was de eenige aanduiding die ze mij gaf, en het is mij nog altijd een raadsel.' Daarmee is het drievoudig afscheid compleet. Dat het mysterie voor de lezer minstens even groot, zo niet groter moet zijn dan voor de verteller, schijnt Marsman te zijn ontgaan.

Van vergelijkbare inhoud, stijl en kwaliteit is het grote fragment 'Laura', waarin Marsman een femme fatale laat optreden in de omgeving waarin hij zijn jeugd doorbracht, Zeist en Utrecht. Ook andere gegevens, onder meer de langdurige ziekte van 1918, maken duidelijk dat hij zich zoals altijd heeft geïnspireerd op autobiografische herinneringen

In Alcalà, met C. Huydekoper

en bestaande personen en situaties. Putten uit eigen verbeelding was voor hem een vrijwel onmogelijke opgave. Dat valt ook duidelijk te constateren uit de wordingsgeschiedenis van *Heden ik, morgen gij*, de roman in brieven die hij samen met Vestdijk schreef.

Het initiatief tot deze onderneming was uitgegaan van Marsman toen hij in februari 1934 op Mallorca verbleef, waar hij o.m. heengegaan was om persoonlijk kennis te maken met Albert Vigoleis Thelen. Tot op dat moment had er geen ontmoeting tussen beide schrijvers plaats gehad, want zoals valt op te maken uit Vestdijks mémoires, leerden zij elkaar pas ten huize van wederzijdse vriend Ter Braak kennen, toen Marsman eind 1934 van zijn buitenlandse reis teruggekeerd was. Marsman vond die betrekkelijke onbekendheid en het grote verschil met Vestdijk een voordeel. 'Dat levert allerlei verrassends en stimuleerends op', schreef hij in de brief waarin hij zijn voorstel deed.

Inderdaad was het verschil groot. Vestdijk beschrijft het in een terugblik zo:

> Voor zijn poëzie had ik nooit veel gevoeld, al zag ik het formaat ervan, en al kon ik de latere gedichten al veel beter waarderen; zijn rol van 'dictator' had voor mij altijd iets angstaanjagends gehad; en zijn rijpere, zo doorwrochte essays en kritieken vond ik bij al hun voortreffelijke kwaliteiten wat 'aangeleerd' [...]. Ondanks de moeite, die hij zich gaf, kan hij ook mijn werk over het geheel maar matig geapprecieerd hebben. Tussen ons in stond de 'schoonheid', het 'esthetische'. [...] Dit alles hoeft hier niet nader te worden toegelicht; en ik wil volstaan met te verklaren, dat het vooral de 'noordelijke' steilheid en helderheid waren, niet in zijn persoonlijkheid, doch in zijn poëzie, die mij wel eens konden irriteren, en die, wilde ik ze aanvaarden, eerder een beroep deden op mijn psychologisch begrip dan op mijn artistieke smaak.

In *Heden ik, morgen gij* gaf hij de oppositie als volgt weer:

> je bent éendimensionaal, je valt niet af en toe in afgronden van je zelf (die er misschien wel zijn), je zult nooit raadsels opgeven en wellicht ook geen raadsels oplossen, je bent óf een stijlvol gebouw, tot in je brieven toe, zooals nu al weer blijkt, of een (in laatste instantie niet minder stijlvolle) bergtop; de overgangen daarentegen, de buitenbuurten, de gezellige omwegen, de zelfkant, de zwijnenkotten, in één woord: al het klein en geniepig gedoe daar waar

de mensch op de natuur *botst*, en zich in en door die botsing ontbindend, listig en vuil en brokkelig wordt, dat ontgaat je. [...]

Trouwens, de tegenstelling aarde-lucht is wellicht nóg teekenender voor ons contrast. Jij bent typisch 'luchtig' (in de aloude occulte beteekenis van dit element, zooals die b.v. ook in de astrologie gebruikt wordt [...]; ik meen me zelfs te herinneren dat je onder een 'luchtteeken' geboren bent, eind September): ijle stroomen, kolkende orkanen, maar ook schoone stapelwolken, en ook veel *wind* en poeha, mijn waarde!

Deze karakteristiek is in zoverre juist, dat Marsman onwennig, zelfs afwijzend stond tegenover het psychologisch realisme van Vestdijks romans en het weinig lyrische van diens poëzie. Tekenend voor die houding is bv. zijn oordeel over *Terug tot Ina Damman*.

toch vraag ik mij af, of je niet veel beter had gedaan door die omweg van het realisme te vermijden. Maar misschien is dat *mijn* te groote vrees voor de realiteit: en mijn onmacht om haar te verbeelden. Ik vind het begin en het slot het beste, het 2e deel dikwijls vervelend; daar, waar – om de termen te nemen die ik in een boeiende bespreking van Menno las – het realisme van methode doel is geworden, of waar het *middel* te dictatoriaal optreedt. Zoo blijft het een mengsel van Frans Coenen en Malte Laurids Brigge, en ik zie niet in, waarom je daar Frans Coenen bij noodig hebt. (Dus: waarom je dat mengsel wilt.) In Wevers is dat iets anders; daar versterkt de soms realistische methode dat wat er 'achter' – hier verzwakt het het dikwijls, zoodat ik soms vergeet, dat er iets 'achter' zit.

Toen Marsman dit eind december 1934 schreef, waren de brieven van *Heden ik, morgen gij* in concept gereed. Vooraf was afgesproken een mannelijk personage (Wevers) van twee kanten te 'belichten' en de intrige min of meer organisch uit de correspondentie voort te laten komen. De schrijvers zouden deels zichzelf blijven, deels een rol spelen. Voor Wevers had Marsman aanvankelijk het volgende profiel ontworpen:

Jaap is, dit is één mogelijkheid, politicus, laat ons zeggen linksch en propagandist. Moet van het eene congres naar het andere, komt dan ook in Holland. Of, ingenieur bij de Enka, of Philips, die in Barcelona inderdaad fabrieken hebben. De politiek levert denk ik meer spanning en stof op!

Behalve de oude thematische voorkeur voor de politiek die er ook al was in *Vera* en in de eerste opzet van *De vriend van mijn jeugd*, herkennen we hier, evenals in 'Drievoudig afscheid', weer Arthur Lehning als model. Op voorstel van Vestdijk werd echter voor de mogelijkheid van ingenieur gekozen, wat Marsman, ondanks de aanwijzingen die zijn partner hem voor het portret van Wevers gaf, toch weer dwong op het voor hem zo moeilijke pad van de fantasie. Eind juli 1934 schreef hij Vestdijk:

Toch zou ik je nu willen *spreken*, omdat dat alles toch meer verscherpen zou dan correspondentie. Maar ik weet dat een ontmoeting nu vrij lang (3 maanden) kan duren, tenzij jij meteen komt. De zaak is *vooral* dit. Ik zie Wevers nog niet scherp genoeg. Hoewel ik je onlangs schreef, dat hij ons niet meer ontglippen kan. Ik bedoelde toen: de *rol* die hij spelen zal in het boek is mij duidelijk genoeg, maar zijn *gestalte* heb ik nog niet goed voor mij, en dat belemmert mij wel. Ik merk hoe langer hoe meer, dat ik moet *uitgaan* van bestaande menschen die ik ken. Die kan ik desnoods dan ook innerlijk vervormen, ze behouden dan toch hun 'zielen', en ik hoor en zie ze. De beste passages over de Blécourt, zegt Eddie, zijn die waar hij samenvalt met de werkelijke A.-R.H. Angèle bleef vaag, omdat ik geen concreet voorbeeld nam. Rutgers, die innerlijk, of wat mijn *opvattingen* aangaat D.C. geworden is, had *uiterlijk* een – ander – voorbeeld – en werd m.i. de scherpst geteekende figuur in het boek. De passage Ann-James, die jij goed vondt, berust op het voorbeeld Simone-Gille.

In deze tijd werkte Marsman ook nog regelmatig aan *De vriend van mijn jeugd* dat, zoals gezegd, een steeds autobiografischer inslag kreeg, ook al omdat hij voelde dat daar de beste kansen voor hem als prozaschrijver lagen. Hij had zich het fiasco van zijn romanciersexperimenten en de adviezen van zijn vrienden aangetrokken. Zo schreef Vestdijk hem 'dat juist voor naturen met subjectief-lyrischen inslag de brief-, dagboek-, of memoirevorm buitengewoon heilzaam is, zij 't ook alleen als overgang, als training voor den constructieven romanvorm, die anders te plotseling volgt op de kleinere vormen waaraan men aanvankelijk geofferd had.'

Die overgang naar een min of meer zuivere, of althans klassieke romanvorm met plot, actie, diversiteit van personages en situaties en psychologie, zou Marsman nooit maken. In zijn 'Proeve van zelfcritiek' bekende hij later:

De twee romans die ik schreef ('Vera' en 'Angèle Degroux') zijn allereerst hierdoor mislukt dat zij opgebouwd zijn op een thema – de tweede zelfs op een thema dat in een roman niet te realiseeren is – wat bij mij onverbiddellijk leidt tot een schimmige verstarring. Ik geloof overigens niet dat ik in de toekomst in den geijkten romanvorm zal schrijven, maar dat naast mijn lyriek het proza onmisbaar zal blijven omdat een deel van wat ik te zeggen heb niet in lyrische verzen te verwerkelijken is, dat is voor mij sinds eenige jaren reeds een axioma.

Uit erkenning van het feit dat die gedeelten in *Vera* en *De dood van Angèle Degroux* waarin de 'Selbstaussage' de overhand kreeg tot de geslaagdste gedeelten behoren, trok hij de conclusie dat een op de autobiografische genres geënte vorm het beste bij zijn mogelijkheden paste. De verklaring voor de verandering van de ik-verteller in *De vriend van mijn jeugd* (er zijn zelfs fragmenten die in de hij-vorm geschreven zijn), moet in deze richting gezocht worden. Dat deze roman nooit is voltooid, komt omdat de aantekeningen en voorstudies ervoor contamineerden met de schetsen van het *Zelfportret van J.F.* waaraan Marsman, blijkens een aantekening in de inhoudsopgave van het *Verzameld werk*, sinds 1932 werkte. In de zomer van 1934 had dit boek al zover gestalte gekregen dat hij aan Alice van Nahuys, rechterhand van zijn uitgever Querido, kon schrijven:

> Ik heb alle hoop dat het goed wordt, eenvoudiger, concreter, en aardscher dan Angèle. De bespiegelingen die de jonge man houdt – want het gaat grootendeels over een jeugd – schrap ik *misschien* nog, als ze storend blijken. Ze zijn overigens lang niet slecht... [...] het lijkt op iets als Ducroo en de Afspraak van A. Roland Holst – daar houdt het misschien het midden tusschen.

Op het moment dat hij deze brief schreef, eind juli 1934, bevond Marsman zich al in Soprabolzano, in de Italiaanse Alpen, waar hij heen was gegaan om te werken. Na het verblijf in Mallorca bij Thelen was hij via Barcelona en Toledo teruggekeerd naar Alcalá, waar hij de hele maand maart verbleef. Vervolgens stak hij over naar Noord-Afrika, waar hij Tetuan en Algiers bezocht, om na enkele dagen door te reizen naar Italië. Daar deed hij eerst Napels, Capri, Sorrento en Amalfi aan.

In de vierde druk van *Porta nigra*, die in 1937 verscheen, zou hij het gedicht 'Straatzanger te Amalfi' opnemen, waarin Anton van Duinkerken, niet geheel ten onrechte, een wending naar een nieuwe periode in Marsmans dichterschap aangekondigd zag. In de weelderige toon, en in 'de spontaan zingende viervoeters, die meestal op hoge klanken rijmen' zag hij 'een zang van hervonden geluk'. Die ontwikkeling was mogelijk gemaakt, zoals we al konden zien, door een gewijzigde houding tegenover de dood; en een gedicht als 'Baai bij avond' was 'Straatzanger te Amalfi' al voorafgegaan.

> De wilde liedren die ik zong
> in 't morgenlicht bij de fontein
> zijn weggedreven op den wind
> en zullen nu wel rozen zijn;
>
> rozen en liedren zonder tal
> te strooien in de morgenzon
> en bij de avondlijke bron
> in 't diamanten nachtprieel –
>
> o, jonge dichter, dat is al
> wat mij de stem bevolen heeft;
> de gloed der liefde en de wijn
> zijn tot den droesem toe doorleefd.
>
> o, vlaggen van het morgenlicht
> na 't lange vlijmen van de pijn
> en de alsem die met bitterheid
> mijn mond verdorde en verwrong
>
> o, snelle schepen van de zon
> o, vreugde van de horizon,
> schenk mij een nieuw, verrukt refrein
> het lijf wordt oud, maar 't hart weer jong.

Qua thematiek sluit dit gedicht aan bij de gedichten waarin het Phoenix-thema centraal staat, poëzie waarmee Marsman zich nieuwe moed insprak of uiting gaf aan zijn gevoel van geestelijk herstel. Een dergelijk gedicht is ook

Het instrument

Het was een dor en taai karkas
dat niet meer te bespelen viel;
het donker klaaghout van de ziel
zou brandhout zijn en weldra asch.

Maar toen de muzikant het nam
om het althans de eer te geven
van een verheven zwanenzang,
begon het in zijn hand te leven

en kraaide als een jonge haan. –
Hij greep den strijkstok, om den zwaan,
als was 't een haan, voorgoed te kelen,
maar zie, het snijden werd een streelen

en 't slagerstuig een tooverstaf.
Het oud karkas begon te zingen
vol goddelijke duizelingen,
verrukt als op den eersten dag.

In Italië waren de antieken, voor zover bewaard gebleven in bouw- en beeldhouwkunst, de grote ontdekking, en er is voor Marsman een vèrstrekkende invloed van uitgegaan die een van de belangrijkste bouwstenen van *Tempel en kruis* zou zijn, naast het aandeel van Nietzsche, die trouwens in het Zuiden een soortgelijke zelfbevrijding als Marsman had ervaren. Hij kreeg nu werkelijk de kans het advies van Engelman op te volgen, en de klassieken en de sfeer van de mediterrane cultuur geheel op zich te laten inwerken. Op 29 april 1934 schreef hij vanuit Florence aan Binnendijk:

> *de* openbaring van dit deel van mijn reis zijn de antieken geweest. Je weet hoe 'nordique' ik daarover dacht! en nu ik honderde beelden goed gezien heb, begrijp ik niet meer wat mijn grieven geweest zijn, en tegelijk ben ik verwonderd dat ik – hoewel plastiek-zien voor ons, hollanders, 'schilders', détaillisten, miniatuurteekenaars, moeilijk is – zoo zonder slag of stoot overtuigd, gewonnen, 'be-geesterd' ben. Rodin is *kinderwerk* bij de beelden die ik in Rome en Napels heb gezien.

Hangt deze toegankelijkheid samen met veranderingen die zich in mij voltrekken? – Het is hier momenteel toch niet rustig genoeg om hier verder op door te gaan. Ik denk dat je het wel begrijpt als ik zeg dat ik de laatste resten van 'Katholicisme' *radicaal* aan het verliezen ben; Pompeï – om nog even op de antieken terug te komen – vond ik een hel van steen. Ik heb nog steeds geen 'historisch-archaeologisch' orgaan, en word *ziek* van al die ruïnes. De tempel(s) in Paestum, die vrijwel gaaf zijn, althans gaaf genoeg om een 'aesthetisch' *geheel* te vormen, vond ik *prachtig*. –

Die laatstgenoemde ervaring werd de kern van het gedicht 'Paestum', dat in de erkenning van de continuïteit van de Westeuropese beschaving sinds de Griekse stadsstaten *Tempel en kruis* al aankondigt.

De zuilen zijn vluchtig verguld.
een oeroud zwijgen heeft zich opgericht
uit de getijden der vergankelijkheid.
en onberoerd staat dit verweerd geweld
boven den wirwar en het gekrioel
der mierennesten, en het zichzelf
verdelgend menschelijk gewoel.
geen bloem, geen schaduw zijn gebleven
gelijk zij waren op den eersten dag
en elken nacht een ander firmament
vol nieuwe sterren, boven het onveranderd regiment,
den gouden trouw der zuilen;
onaangedaan, en onaandoenlijk voor het huilen
van de hartstocht en haar hoog getij.
dertig eeuwen dreven in een regen voorbij.

Marsman mocht dan goeddeels afgerekend hebben met zijn katholiserend verleden (hij schreef na 1932 geen enkel gedicht dat ook maar een vage aanduiding zou kunnen zijn dat hij de Moederkerk nog toegedaan was), zijn affiniteit met het fascisme was nog niet geheel verflauwd. Het is niet geheel na te gaan of zijn idee, dat de politieke en maatschappelijke implicaties van deze rechts-radicale ideologie het meest overeenkwamen met zijn eigen staatkundige en sociale visies, is gevoed door wat hij meemaakte van de actuele situatie in Spanje, waar de burgeroorlog al aan de nabije horizon lag. Wel is duidelijk dat het steeds scherper worden van de controverse tussen links en rechts in dat land hem zo heeft bezig gehouden, dat er in de brieven aan de Nederlandse vrienden en in verschillende passages van *Heden ik, morgen gij* de weerslag van te vinden is. Daarbij gaan zijn sympathieën uit naar de partijen die zich tegen 'de rooden' keren.

Op 5 maart 1934 schreef hij vanuit zijn vaste verblijfplaats Alcalá de Guadaira aan Binnendijk:

Ik ben – hoewel ik de politiek van de dag een extra verrottenis vind – in gedachten vaak bezig met het fascisme, dat – ideologisch – nog niet *alle* aantrekkingskracht voor mij verloren heeft, maar ik wil het *grondiger* kennen. Ik vind in ieder geval de *practijken* van Hitler c.s., de heele 'geest' van het *duitsche* nat. soc. verrot, voor zoover men dat van hier af zien kan, maar, *àls* de ideologie goed was, of zelfs àls er een goede, betere economische toestand geschapen wordt, dan zouden mij de moorden en gruwelen *gering* lijken, vergeleken met andere revoluties. Ik vind het geschetter *tegen* Hitler c.s. vaak even idioot als de rommel zelf. Te futiel, te sentimenteel, en 'pathetisch' tegenover een zaak die millioenen menschen beheerscht.

Binnendijk reageerde per brief van 22 maart zeer fel.

Je blijkbaar serieuse bekommering om het fascisme heeft mij gedesillusionneerd. Hoe is het, bij God, mogelijk dat een vrijgevochten kerel als jij (gelukkig) bent, een knieval zou willen doen voor zulk dom étatisme; jij die bij het spelen van het Wilhelmus niet eens wilt opstaan! Weet wel, dat elke stap in die richting van de dictatuur beteekent: het slaan van de strop om de eigen hals. En wat heeft Italië, wat heeft Duitschland economisch en politiek bereikt? Redevoeringen, operapathetiek, volksfeesten en meeningsverstikking. [...] Die rassentheorie, dat Germanisme, 't is om te kotsen. [...] De eigen God van het duitsche volk komt weer op de proppen. Het is geen volk, dat gemeten kan worden met de maatstaven, die wij, beschaafden, plegen aan te leggen aan hen, die wij gelijken wanen. Zeker, wij moeten niet pathetisch en sentimenteel doen over revoluties, maar *dit is geen revolutie.* Er is niets grootsch aan.

We zullen in het vervolg zien dat een dergelijke waarschuwing zijn uitwerking niet miste. Eind april, toen hij inmiddels in Florence vertoefde, haalde Marsman al bakzeil. Hij schreef Binnendijk dat het met zijn wer-

In Soprabolzano (zomer 1934)

kelijke interesse voor het fascisme zo'n vaart niet liep, maar dat hij zich grondig in de theorie wilde verdiepen voordat hij tot een definitieve verwerping over kon gaan. Een bevestiging van de aard van zijn ernstige preoccupaties krijgen we in een brief van E. du Perron aan Jan Engelman van 26 juli 1934.

> Marsman is zeer ònchristelijk geworden; hij schreef mij o.a. een brief waarin hij mij liet beloven dat ik, als ik op mijn sterfbed lag, vooral toch géén geestelijke zou laten halen. [...] Die belofte heb ik hem nu maar gegeven. – Verder schijnt hij bewondering te hebben opgeloopen voor het fascisme, maar daar hij *mij* hierover nog niets schreef, moet je dit nog rekenen tot de vage geruchten.

Een ander document van zijn afwegingen pro en contra, een kennelijk op verzoek gedane literatuuropgave over het nationaal-socialisme van de hand van de NSDAP-functionaris Von Feldmann, bevindt zich in het Marsman-archief.

De uitslag van deze overwegingen is in ieder geval geweest dat Marsman zich niet, als bijvoorbeeld J. C. Bloem, Albert Kuyle of Henri Bruning, allen behorend tot zijn directe kennissenkring, korte of langere tijd bij de NSB of een andere nationaal-socialistische organisatie heeft aangesloten. Aan de andere kant ontbreekt zijn naam tussen de ondertekenaars van wervingsbrochures t.b.v. het *Comité van Waakzaamheid* tegen het nationaal-socialisme van juni en november 1936, hoewel hij toch door zijn vrienden Ter Braak en Du Perron in de voorbereidingen tot oprichting van dit comité betrokken werd. Aangenomen moet worden dat hij zich op dit punt afzijdig gehouden heeft.

Toch kan er geen twijfel aan bestaan dat hij de Hitler-ideologie na de zomer van 1934 met grote kracht afgewezen heeft. Maar de argumentatie waarmee hij dat deed is karakteristiek. De NSDAP en aanverwante organisaties werden door hem verafschuwd omdat het massabewegingen waren, wat ze stempelde tot vulgaire, plebeïsche verschijnselen. In die houding stond hij niet alleen, want een groot deel van de Westeuropese intelligentia sprak tijdens het interbellum in navolging van Ortega y Gasset met minachting over de 'opstand der horden'. Marsman werd in zijn visie nog gesterkt toen hij zag dat de nazileiders hun middelmatige talenten, geringe ontwikkeling en kleinburgerlijke afkomst in hun hele habitus uitstraalden.

Van een dergelijke opinie maakte hij in particuliere en openbare uitlatingen uit deze tijd herhaaldelijk gewag; sterker nog: het werd een hoeksteen van zijn denkbeelden over de toekomst van Europa. In zekere zin keerde hij terug tot het aristocratische individualisme van zijn jeugd, dat een nieuwe impuls kreeg door de filosofie van Nietzsche. In *De gids* van januari 1934 had Anthonie Donker *Der Hass* van Heinrich Mann, een boek met een sterk anti-nazistische inslag, een bijdrage tot vermeerdering van de haat in Europa genoemd. In het algemeen merkte hij op dat 'de nationaal-socialistische beweging een evolutie doormaakt, die het rechtvaardigt dat men haar ondanks haar verleden en begane fouten, de kans geeft en dat men haar niet meer bestrijden kan, zonder zich dan ook consequent anti-Duitsch te noemen.' Naar aanleiding van deze opmerkingen schreef Marsman hem op 21 september 1934:

> Jouw reactie leek mij zeer juist. Ueberhaupt vind ik veel juists in je standpunt t.a.v. het nat. soc. Maar zie het niet te vredelievend! Lees af en toe het Neue Tagebuch eens. Ik sta veel afwijzender tegenover de zaak, omdat de heele affaire mij veel te democratisch, en plebeïsch is. Maar – het is juist wat je zegt – over de 'doodelijk gekromde [...]' kan men niet *blijven* vallen. Tenslotte gebeurt er iets van historisch formaat.

Diezelfde houding, die Marsman toestond een heel eind mee te gaan met de anti-democratische principes en doelstellingen van de nazi's (die hij immers in het Italiaans fascisme zo geapprecieerd had), maar hem bracht tot afwijzing van de methoden en het appelleren aan bepaalde instincten van de massa (dat wat hij 'democratisch' noemde), vinden we ook in het interview dat hij voor *Het vaderland* had met Ernst Günter Gründel. Aanleiding voor het vraaggesprek was diens geruchtmakende *Jahre der Überwindung*, een antwoord op *Jahre der Entscheidung* waarin Oswald Spengler het nationaal-socialisme scherp had bekritiseerd vanuit zijn bekende conservatieve standpunt. Gründel daarentegen, leerling van Spengler, zag in het Derde Rijk de vervulling van de profetie in *Untergang des Abendlandes* over het Caesarentijdperk als laatste fase van de Westeuropese beschaving.

Tegenover Marsman noemde Gründel de machtsovername van maart 1933 de eerste aristocratische revolutie, waarop zijn ondervrager antwoordde te hopen dat het de laatste democratische was geweest. Voor hem was het nu eenmaal onmogelijk dat een proces waarin de massa als drijvende kracht was ingeschakeld, zich ooit nog in aristocratische richting ontwikkelen kon. Niet ten onrechte reageerde Gründel op deze scepsis met de opmerking: 'Ik hoor Nietzsche weer, die u souffleert', waarop Marsman riposteerde: 'Als souffleur is Nietzsche heel goed te gebruiken, vooral nu ik spreek met iemand die door Hitler wordt gesouffleerd, en zelfs gedicteerd.'

Overigens stond hij met Spengler aan de zijde van de voorlopige ver-liezers; dat verbond hem met figuren als Thomas Mann en Ter Braak die zich weldra – anders dan Marsman – op zouden werpen als verde-digers van de democratie als bolwerk tegen het fascisme. Al de oprecht-heid en wereldvreemdheid van zijn 'houding in de tijd' legt hij in het Macaulay-citaat waarmee hij de schriftelijke weergave van het gesprek besluit: 'De grondslagen van de politiek zijn van dien aard, dat de gemeenste rover zich schamen zou ze ook maar aan te duiden tegenover zijn meest vertrouwden trawant.'

De ontmoeting met Gründel had in München plaats gevonden. Marsman was daarheen eind augustus vanuit Italië heen getrokken, de reis enkele dagen onderbrekend voor een verblijf in Oostenrijk. In sep-tember keerde hij terug naar Oostenrijk, om via Wenen, Boedapest en Praag naar Nederland terug te reizen. Nadat hij eind oktober even in Utrecht en Zeist was geweest, trok hij nog voor één week naar Berlijn, o.a. om er na twaalf jaar Slawa Weyna weer te zien. Daarna was zijn 'Wanderjahr' definitief ten einde.

In Venetië, met Aty Greshoff-Brunt (links). Mei 1934

HOOFDSTUK 9

AMOR FATI

Daags na zijn terugkeer in Utrecht op 6 november 1934 schreef Marsman aan zijn uitgever Querido dat hij zich sinds september al ziek voelde; tijdens zijn korte verblijf in Berlijn had hij zelfs een arts moeten raadplegen. Eenmaal terug in Nederland volgde op die fysieke crisis, die overigens slechts uit een eenvoudige griep bestond, een psychische. Het is waarschijnlijk dat het vooruitzicht weer in het hem benauwende Nederland te moeten vertoeven hem op voorhand al ziek maakte. Steun voor zo'n opvatting biedt de eerste brief die hij op vaderlandse bodem aan Binnendijk schreef: 'Het gaat mij intusschen niet slecht, maar ik ben nog aldoor aan pijnaanvallen onderhevig. *Psychisch* is alles veel beter, ondanks Holland.' De ontkenning lijkt aan te tonen dat er werkelijk wel meer aan de hand was. Aan Vestdijk had hij al eerder geschreven: 'het weinige dat ik van Utrecht en de menschen hier zie, heeft mij nog nooit zoo afstootend leelijk en miserabel geleken als nu; alleen de dubbeltjes en draaiorgels zijn aardig.'

Toch begon hij vol goede moed aan nieuw werk, omdat hij, in de wetenschap dat hij van de juridische beslommeringen voorgoed bevrijd was nu hij de advocatuur definitief vaarwel had gezegd, een tijd voor zich zag waarin hij een aantal oude plannen kon verwezenlijken. Behalve aan *Heden ik, morgen gij* schreef hij aan *Zelfportret van J. F.* In een dergelijke optimistische toon liet hij zich althans tegenover Binnendijk uit. In de brief aan Querido van 7 november 1934 had een heel wat mismoediger toon geklonken, tenzij we moeten aannemen dat die opzettelijk was aangeslagen om de uitgever, die Marsman ruime voorschotten had betaald in afwachting van een nieuwe roman, tot het oefenen van meer geduld te bewegen. Na opmerkingen over zijn ziekte schreef Marsman hem:

Dit, en het feit dat de europeesche waanzin mij nu al maanden lang obsedeert, dat àl mijn aandacht daarop gericht is, en mijn lectuur al mijn tijd opvordert voor politiek en philosophische dingen, maakt dat ik alle contact met mijn werk verloren heb. Ik zie – en vooral nu, nu ik mij physiek erg lamlendig voel – op geen stukken na wanneer ik weer een 'normaal' bestaan – als 'schrijver' zal gaan leiden. *Plannen* en *kladden* heb ik genoeg, te veel misschien zelfs – en ook dat obsedeert mij wel eens – maar tusschen dat alles en mij zelf staat een *muur*. Toch houd ik krampachtig vast aan de hoop dat er in '35 althans *iets* af zal komen.

In september had hij vanuit Wenen al in soortgelijke bewoordingen geschreven aan zijn vroegere leermeester Minderaa, die hem had verzocht een lezing te komen houden:

> blijf ik hiermee [met politieke en filosofische lectuur] nog lang bezig, dan is mij de litteratuur een zoo vreemde en verre wereld, dat ik aan een lezing over iets als poëzie eenvoudig niet kan denken. Lukt het mij mijn centrale aandacht wèl weer vrij te krijgen voor de 'pooltocht der verbeelding', dan zal ik mij zoo uitsluitend aan mijn eigen(lijk) werk moeten geven, dat ook in dat geval het houden van lezingen een aandachtsafleiding wordt, die ik nu al bij voorbaat wil afsnijden.

Toen er eind december 1934 een bespreking tussen Marsman en Querido plaats zou vinden, deed de schrijver zijn uitgever het schriftelijk verzoek vooraf, niet te spreken over het werk dat hij op dat moment onder handen had. Bij de ontmoeting zal hij de toezegging verkregen hebben dat hij door Querido niet gehouden zou worden alsnog de twee romans af te leveren waartoe hij bij contract van eind 1932 verplicht was in ruil voor een maandelijks voorschot van honderd gulden, een verplichting waar hij alleen *De dood van Angèle Degroux* tegenover had kunnen stellen. Aan Binnendijk liet hij weten opgelucht te zijn dat hij niet alleen van de balie maar ook van Querido vrij was.

Het eerste waar Marsman zich na zijn terugkeer uit het buitenland en het herstel van zijn lichamelijke inzinking aan wijdde was niet het schrijven van verhalend proza of gedichten, maar aan een polemische verdediging van wat hem het heiligste was: de axiomatische waarde van de poëzie. De aanleiding daartoe was de bespreking die Ter Braak op 16 december 1934 had gepubliceerd in *Het vaderland* n.a.v. de bundel *De tuin van Eros* van Jan Engelman, onder de veelzeggende titel 'Poëzie als roes'. Duidelijker dan bij voorgaande gelegenheden (met name in het programmatische essay *Demasqué der schoonheid*, min of meer als 'manifest' in *Forum* gepubliceerd) waarbij hij zich over dit onderwerp had uitgelaten, sprak Ter Braak zijn wantrouwen tegenover de poëzie uit. In zijn betoog liet hij de volle nadruk vallen op het door hem gesignaleerde element maskerade in de dichterlijke activiteit.

Waarom zou iemand zijn toevlucht nemen tot de poëzie als het niet was, dat hij er zijn goede redenen voor had zich *niet* in proza uit te drukken? [...] Het lijkt mij nu allesbehalve onwaarschijnlijk, dat de bijzondere aandoeningen die de poëzie ons geeft in het algemeen meer uitstaande hebben met die oude functie van roes door bewegingsorgie en bedwelming door toverformules dan met de allerindividueelste expressie van de persoonlijkheid; tenzij men meent, dat de persoonlijkheid zich het allerindividueelst uitdrukt, wanneer zij beschonken is of onder de suggestie van hocus pocus.

En om geen twijfel aan zijn houding te laten bestaan, vatte hij zijn opinie samen in een boutade-achtige definitie van poëzie: '*de alleromslachtigste expressie van de allergeciviliseerdste roes.*'

Op deze weinig genuanceerde aanval waarbij zijn vriend Engelman, een van de weinigen die 'met hem in Holland van schoonheid wisten', het directe doelwit vormde, reageerde Marsman met een 'defense of poetry' die hem in zijn periode als redacteur van *De vrije bladen* niet misstaan zou hebben, maar die men niet meer van hem verwachten kon nu hij zoveel ouder en milder was geworden. In een brief aan Vestdijk van 23 december verborg hij zijn ergernis over Ter Braaks optreden niet.

Ik schreef een stuk tegen Menno als Poëziecriticus dat ik graag in Forum zou hebben (misschien met een naschrift van hem?) of is het te gek dat een redacteur nogal scherp wordt aangevallen in zijn 'eigen' blad?

Als je enkele dingen te scherp vindt, schrijf het mij dan, ik kan ze dan nog eens bekijken. Schrijf ook eens wat je überhaupt vindt van dat stuk; ik hoop dat je het met mij eens bent.

Laat M. mij eens gauw schrijven hoe hij het opneemt, ik zou het vervelend vinden als hij er op een verkeerde manier door geprikkeld werd, en ik ben bang, dat ik, erg ontstemd over de onzin die hij schreef, hier en daar misschien nodeloos krenkend ben geweest.

Het is gek, dat ik nu dit stuk schrijf. Niet alleen dat ik het, nadat ik M's stuk in Het V. las, mijn repliek telkens weer onderdrukte, totdat ik er na een dag of wat toch toe overging, maar zelfs dat ik überhaupt mij weer waag aan iets critisch en polemisch. Ik had op reis gedacht, dat ik er met geen stok toe te krijgen zou zijn. Misschien was zijn stuk meer dan een stok; de teleurstelling n.l. dat hij zich voortdurend verder van de poëzie verwijdert, nu zelfs niet meer schrijft over de psychologie van den dichter, maar de 'inzichten' uit het Démasqué ver over hun eigen grenzen jaagt, en zelfs met de 'menigte' schijnt te heulen als hij de dichters en de dichtkunst maar discrediteeren kan.

Marsmans verdediging, gepubliceerd in *Forum* van februari 1935, berustte niet op een recapitulatie van zijn oude poëzietheorie (goddelijkheid van de poëzie, scheppen als opperste levensfunctie, het louterende van de vormkracht etc.), maar op het aantasten van de zwakke plekken in Ter Braaks betoog. Hij verweet zijn opponent dat diens wantrouwen jegens de lyriek gebaseerd was op intern-psychologische gronden, en nodigde hem uit zijn psychologisch vernuft te richten op zichzelf. 'Misschien vindt hij dan, onder zijn volkomen gemis aan een *dionysisch* element, ten aanzien van dichters en gedichten, wel een vrij duidelijk ressentiment', besloot hij zijn reactie, met een duidelijke verwijzing naar Ter Braaks leermeester Nietzsche. Een aantal jaren later, in zijn grote essay over Ter Braak, verduidelijkte hij deze hint.

Noch door de schoonheid, noch door het specialistisch aesthetenjargon, noch door de verstarring van eenigen olympischen waan werd hij zóó geobsedeerd dat hij zich ervan moest bevrijden. De scherpte van zijn betoog is alleen te verklaren met de gedachte dat hij zich wreekt over een *gemist* avontuur.

Dit laatste citaat is weliswaar gelicht uit een context die betrekking heeft op *Démasqué der schoonheid*, maar 'Poëzie als roes' vloeide naar Marsmans mening regelrecht uit het grote essay van 1931 voort. Ook Ter Braak gaf dat toe in zijn 'Repliek van de nuchtere Dionysos'; sterker nog: hij noemde het artikel van Marsman een van de eerste steekhoudende kritieken die er van dichterszijde op het *Démasqué* verschenen waren. In zijn weerwoord zag hij zich nu wel gedwongen de eenzijdigheid van zijn visie op dichten en dichterschap toe te geven en zich in die eenzijdigheid preciezer te verklaren.

Het nieuwe van Marsmans wijze van polemiseren met Ter Braak school er vooral in dat hij zijn tegenstander aanviel met diens eigen wapens: de dialectische betoogtrant en een beroep op Nietzsche. Marsman zocht in hem de dichter en – maar dat valt buiten het bestek van dit debat – de visionair. Ondanks het feit dat Ter Braak het voornaamste bezwaar van Marsman, tegen zijn ongenuanceerd wantrouwen jegens de poëzie, niet kon, en ook niet wilde wegnemen, lagen hun beider opinies op essentiële punten toch minder ver uiteen dan zij wel dachten, of in geschrifte suggereerden. Marsman had in zijn stuk geschreven:

> De onthulling door Nietzsche van hetgeen de dichter verbergt is niet ontstaan uit afkeer van poëzie, maar van het stuk charlatan dat in den dichter leeft, als in ieder ander.

Parallel daaraan loopt Ter Braaks mening:

> Mijn ironie gold niet Dionysos in de dichter, maar de nuchtere histrio, die de god altijd vergezelt om hem het aanschijn te geven van een geestelijke magistraat, die al zijn gebaren naäapt voor de nuchtere gemeente, die er dus belang bij heeft Dionysos voor te stellen als de esoterische god der poëzie.

Daarmee had hij zijn bezwaren tegen de poëzie omgebogen tot bezwaren tegen bepaalde vormen van poëziekritiek, en wel die, welke hij vier jaar tevoren in zijn discussie met Binnendijk over de inleiding van *Prisma* bestreden had. Als winstpunt van het debat over de dichterlijke roes kon Ter Braak beschouwen dat Marsman zich distantieerde van het 'specialisten-bargoens' waarvan dichters en poëziekritici zich bedienden wanneer zij het over 'de geheimen, het eigen leven van het vers' en 'het beschermd domein van de Poëzie hadden'. Ook Marsmans kritiek en opstellen over poëzie hadden in het verleden vaak te lijden gehad onder een al dan niet gezochte duisterheid. Juist op het moment dat hij met Ter Braak slaags raakte bevond hij zich op het keerpunt van een ontwikkeling die hem leidde tot een grotere helderheid en exactheid in zijn kritische geschriften. Behalve aan de periode van bezinning, die zijn buitenlands verblijf van een jaar voor hem betekend had, dankte hij die evolutie mede aan het contact met de mannen van *Forum*; het citaat uit de brief aan Vestdijk van 23 december 1934 wijst er op dat beide factoren samengingen. De geest van *Forum* zou Marsman echter vreemd blijven, met hoeveel goede wil hij ook aan het ontstaan van het blad had meegewerkt, en hoe trouw hij ook geweest was in het afstaan van zijn bijdragen. Dat zou hij zich duidelijk bewust worden toen hij eind 1935 even voor de keus werd gesteld redacteur van *Forum* te worden in plaats van Ter Braak, die zich uit de leiding terugtrok naar aanleiding van het conflict met de Vlaamse redactie om Victor Varangots verhaal 'Virginia'.

Nadat die uitnodiging zijn betekenis verloren had omdat het tijdschrift toch werd opgeheven, schreef Marsman op 5 december 1935 aan Engelman:

> Wat ik daar had moeten wezen is niet duidelijk. Ik zou, als ik redacteur was geweest, tegen ongeveer alle 'gedichten' hebben gestemd, ik heb Ter Braak bestreden, en ze herhaaldelijk gezegd die rommel er uit te laten. Neen, op dit punt verwijt ik mïe niets.

Marsman doelt hier op de zgn. 'borrelpoëzie' van de Greshoff- en Du Perronepigonen, waarvan hij al in 1932 vond dat ze meer met rijmen dan met dichten te maken had, en die hij erger verafschuwde dan de poëzie van de estheticistische epigonen die tijdens het Prismadebat door Ter Braak en Du Perron waren aangevallen. Desalniettemin luidde zijn eindoordeel:

> Ik voor mij betreur het verdwijnen van Forum zeer: dat het meer dan een andere groep een kliek was, vind ik niet, en verwoest heeft het poëtisch *niets*. Het heeft veel rommel gebracht aan 'gedichten', maar ik heb het altijd een boeiend en weerbaar tijdschrift gevonden.

In het debat met Ter Braak had Marsman zijn positie bepaald tegenover *Forum* (waarvan op dat moment behalve Ter Braak ook de nauwelijks actief meeredigerende Van Vriesland, en Vestdijk, die de meeste sympathie voor Ter Braaks standpunt had, de leiding uitmaakten). En in diezelfde discussie over de poëzie had hij Ter Braak met diens eigen wapen, het beroep op Nietzsche, bestreden. Tijdens het verblijf in het zuiden van Europa had Marsman een 'bad' in Nietzsche genomen, dat hem zo goed was bekomen dat hij zich voorgenomen had het iedere tien jaar te herhalen; zijn voorgaande lectuur dateerde trouwens van 1924. Ter Braak had hem op 23 augustus 1934 geschreven:

> Ik ben overigens benieuwd naar het resultaat van je Nietzsche-bad. Nietzsche heeft antipoden als Ortega y Gasset en Spengler beslissend beïnvloed; waarom niet Marsman en Ter Braak? Maar ik denk, dat jouw Nietzsche-conceptie niet dezelfde zal zijn als de mijne. Voor jou zal hij, denk ik, voor alles de dichter blijven, waar hij voor mij de anti-dichter is, de *meer-dan-dichter*.

De roespolemiek leek die prognose uit te doen komen, en dat sommige van de nabije omstanders er ook zo over dachten valt onder meer op te maken uit Du Perrons brief aan Marsman van 2 februari 1935, op het moment dat Marsmans aanval en Ter Braaks repliek nog maar net in *Forum* verschenen waren.

> Ik begrijp dat je Menno's opvatting van N. niet vertrouwt, maar ik vertrouw jouw interpretatie nog minder. Men kan uit N. alles halen (net als uit den Bijbel!) en ik kan van hier ruiken op welke kant van N. jij spelen zult.

Marsman zou echter de totaliteit van Nietzsche's denken juist benadrukken tegenover hen die één aspect uit diens œuvre lichtten als het belangrijkste of allesoverheersende. Hij gaf toe dat een systeem, zoals dat

Met E. du Perron (± 1935)

in de filosofie van Kant of Hegel wel was aan te treffen, bij Nietzsche ontbrak. Dat mocht door specialisten misschien als een manco ervaren worden, voor hem was het dat nauwelijks.

> Zij [de vakfilosofen] kunnen gerust zijn: de filosofie van Nietzsche, hoezeer ook in schijn pasklaar gemaakt en te maken voor den minderen man, heeft een gehalte dat haar voor altijd aan de aanhang der velen onttrekt, zij zal nooit in de handboeken en op de katheders prijken als een volwaardige, zij wordt nooit een dreigende concurrent. Zij ontsnapt aan de normen en aan de methoden die een officieele filosofie moeiteloos inschakelen in een geschiedenis der wijsbegeerte, zij is voor de systemen der bijen en bevers onschadelijk, zij is ten hoogste lévens-filosofie.

Maar juist het ontbreken van een systematiek, zoals die bij andere denkers wel gevonden werd, maakte het voor Marsman tot een vereiste dat elke uitlating van Nietzsche getoetst zou worden aan het geheel van diens werk. Daarom kon men volgens hem niet, als Bäumler, de 'Wille zur Macht', als Löwith, het idee van de eeuwige 'Wiederkehr des Gleichen', en als Ter Braak, de psychologenkant, of als weer anderen, de conceptie van Übermensch uit het geheel losmaken. Wie, zoals Du Perron, verwacht zou hebben dat Marsman de voorkeur zou geven aan de Nietzsche van *Also sprach Zarathustra*, een boek dat hij in 1939 zou vertalen en van een inleiding voorzien, had het bij het verkeerde eind. Marsman stond zeer sceptisch tegenover dit hoofdwerk, omdat uitgerekend hij Nietzsche hier te vaag-lyrisch vond en de conceptie van de Übermensch te speculatief. Zijn voorkeur ging uit naar *Der Wille zur Macht*, het niet voltooide magnum opus, maar dat belette hem niet de totaliteit van het hele œuvre te blijven accentueren. Zo schreef hij in 1937 dat

> er vrijwel geen tweede denker ter wereld is wiens filosofie, torso en perspectief gebleven, dermate een verwikkeld, tegenstrijdig-en-niet-tegenstrijdig, maar tot in zijn fijnste geledingen samenhangend gehéél is, met lacunes (als men wil), herhalingen, leidmotieven, contradicties, maar van a tot z levend en ondeelbaar. Iedere isolatie binnen dat geheel is een statisch maken van iets dynamisch, een losmaken van iets verbondens, een verabsoluteeren van iets relatiefs, een vereenvoudiging van iets samengestelds, en om elk dezer redenen een vervalsching.

Deze opvatting is ook te vinden in het grootste essay dat Marsman aan Nietzsche heeft gewijd, zijn inleiding bij de Nederlandse vertaling van *Also sprach Zarathustra* uit 1939. Voorzichtig geeft hij aan het slot van die studie een grote lijn aan die voor de hele figuur en het werk van Nietzsche geldt:

> Wil men – zonder Nietzsche's geschriften te verstelselen – een gevaar, niet minder denkbeeldig dan de kans hem te atomiseeren tot een aphoristisch mozaïek – in de veelstemmige symphonie van zijn werk één enkel motief onderscheiden, dat in wezen alle andere beheerscht, dan ligt dit motief in de vraag naar de scheppende mogelijkheden van den mensch.

Wie met mij tot nu toe Marsman heeft gevolgd, en zich herinnert hoe hij ooit de creativiteit tot opperste levensfunctie uitriep, om daarna trouw te blijven aan dit devies, zal een dergelijke visie niet meer als verrassend ervaren. Maar bovendien wist hij zijn aanvankelijk eenzijdige gerichtheid op een vitalistische Lebensbejahung aan te vullen met de erkenning dat bloei ten nauwste verwant is aan ondergang, scheppen aan vernietigen en onbedwingbare levenskracht aan verwoesting. Deze dualiteiten kwamen harmonisch samen in Nietzsche's Dionysus-conceptie, die Marsman over zou nemen in *Tempel en kruis*, waarin hij in half-lyrische, half-epische vorm verslag deed van het ontwikkelingsproces dat hem van een dualistische naar een harmonische levensvisie had gevoerd. Juist het intensieve contact met Nietzsche op het keerpunt van zijn leven had hem die nieuwe richting ingestuurd.

Wat Marsman a priori al met Nietzsche verbond was hun beider afkeer van de geschiedenis als de fixatie van een versteningsproces dat vijandig is aan het voortstromende leven; hun rechtvaardiging van het egoïsme als basis van het handelen; een aristocratische levenshouding die de grondslag vormde voor het afwijzen van democratie en socialisme; en de opvatting van het dichterschap waarin de dichter wordt gezien als een geroepene en een visionair. Wat dat laatste punt van affiniteit betreft hebben we kunnen constateren hoe vroeg die opvatting zich bij Marsman had vastgezet dankzij zijn bewondering voor figuren als Stefan George en Albert Verwey. Hij zal zich heel wel hebben kunnen vinden in deze woorden uit *Ecce homo*:

> Und das ist all mein Dichten und Trachten, dass ich eins dichte und zusammentrage, was Bruchstück ist und Rätsel und grauser Zufall.

Und wie ertrüge ich es Mensch zu sein, wenn der Mensch nicht auch Dichter und Rätselrater und Erlöser des Zufalls wäre?

Die bijna sacrale opvatting moest wel appelleren aan Marsmans aspiraties, die mede waren bepaald door bekommernis om het lot van de samenleving. Het voorbeeld van Nietzsche leerde hem, toen hij een uitweg zocht uit zijn ideologische crisis, hoe hij eerst zijn psychische conflicten op moest lossen, zijn brokkelige persoonlijkheid in harmonie moest brengen om zich te kunnen bevrijden van de dualistische, door zijn calvinistische achtergrond bepaalde levenshouding waarin hij gevangen zat. Het probleem waar hij met behulp van Nietzsche een uitweg uit gevonden had, beschreef hij in zijn inleiding op *Also sprach Zarathustra*, als zo vaak eigen wedervaren projecterend.

Doordat het christendom het leven splitste in een eeuwige hemel en een vluchtig bestaan op aarde, doordat het – gewapend met het zondebesef – de wereld verduisterde tot een tranendal en de onschuld van het vleesch bedierf, doordat het – uitgaand van de gelijkheid der zielen voor God – ontzenuwend werkte op een natuurlijk besef van waarde en rang, had het naar Nietzsches meening, met behulp van het scheppend geworden ressentiment, een cultuur in het leven geroepen, die in ieder opzicht het tegendeel van de helleensche was. De ménsch kwam te kort in het christendom, de adel van het lichaam werd besmeurd en vergiftigd, de manlijke waarden door christelijke deugden als medelijden, naastenliefde en nederigheid – met den grond gelijk gemaakt.

In *Tempel en kruis* zou deze passage haar vertaling krijgen in:

Geen dragender,
doodlijker wonde
dan het knagend en
sleepend besef
van een schuld,
een erflijke zonde,
bedreven voordat
wij bestonden
en waarmee ook
het vleesch is besmet.
laat het lichaam

allengs weer herrijzen
in zijn trotschen
oorspronklijken staat
laat de zon ook
de huid weer genezen
van de angst
die de leden doorvaart
als het lijf,
met een lichaam
verwonden,
in vervoeringen
ondergaat.

slechts een blindlings
en donker verslaven
aan de koortsen
van het genot,
kan de ziel
– uit het duister ontslagen –
weer zuiver
doen ademhalen
in een hemel
van blauw en van goud.

De rigoureuze afrekening met het verleden die *Tempel en kruis* óók is,
lijkt mede ingegeven door de imperatief uit *Ecce homo*:

> Für eine *dionysische* Aufgabe gehört die Härte des Hammers, die
> *Lust selbst am Vernichten* in entscheidender Weise zu den Vorbedin-
> gungen. Der Imperativ: 'werdet hart!', die unterste Gewissheit
> darüber, *das alle Schaffenden hart sind*, ist das eigentliche Abzeichen
> einer dionysischen Natur.

Als Marsman dan toch, ondanks zijn uitgesproken waardering voor de
gehele figuur, bepaalde aspecten van Nietzsche meer nadruk gaf, dan
waren het die kanten die het beste aansloten op zijn eigen persoonlijkheid. Hij koos voor de visionaire Nietzsche van het amor fati, voor de
kritikus van het christendom bóven bv. de psycholoog die Nietzsche
voor Ter Braak was. Wie zou met zoveel inlevingsvermogen hebben
kunnen schrijven over het drama van Nietzsche, wiens stem geen

klankbodem vond, als juist Marsman, de dichter van 'Zonder weer-klank'?

Maar wie en wat is hij in de wereld der daden – hij, die een heros was in het rijk van de geest? Een onbekende, een machteloze, een schim. Dit is voor wie het aanschijn der aarde veranderen wil de meest ontgoochelende van alle ervaringen: de zekerheid, dat de wereld die in de geest als een zee was, waarvan hij de stormen bedwong, een land dat hij ploegde, een stuk was, waarin hij zijn stempel dreef, in de werkelijkheid niets dan een moeras blijkt te zijn, waarin zijn hartstochtelijk ongeduld geluidloos verzakt. De ontstellende wanverhouding, die in deze ervaring tusschen zijn wereldherscheppende droomen en hun volstrekte onmacht blijkt te bestaan, kan in den ontgoochelde een vehementie verkrijgen, die voor den toeschouwer wellicht slechts een groteske reactie vormt, maar die in den man, die ze aan den lijve ervaart, als een aardbeving is. Soms, als men zich in het drama van Nietzsches laatste maanden verdiept, weet men niet meer, of de zwavelwolken, die het berg-land der wereld verduisteren, de teekenen zijn van het noodweer, dat grootheidswaanzin en dadendrang in Nietzsche ontketenden, of dat zijn ondergang slechts een voorschaduw was van de cata-strofe, die zich thans in de wereld voltrekt.

Met die laatste zin refereerde Marsman aan de Tweede Wereldoorlog die, op het moment dat het bovenstaande schreef, juist was uitgebroken.

1935 en 1936 waren jaren, gekenmerkt door een intensieve studie van wijsbegeerte en cultuurgeschiedenis waarin Nietzsche centraal stond. Marsman maakte hem tot inzet van een polemiek, niet alleen met het christendom, maar vooral ook met het nationaal-socialisme. De positie die hij tegenover Ernst Günter Gründel had gekozen, was een defini-tieve: hij verwierp fascisme en nationaal-socialisme op grond van zijn mening dat het vulgaire, anti-cultuurgerichte massabewegingen waren; daartegenover vertegenwoordigde de door de nazi's verminkte Nietz-sche een aristocratische waarde. Gelegenheid tot het doen van verslag van zijn lectuur en het geven van zijn standpunten kreeg Marsman in *Critisch bulletin*, bijvoegsel van Dirk Costers humanistisch getinte blad *De stem*. Typerend is bv. wat hij schrijft naar aanleiding van *Nietzsches Europäisches Rasseproblem* van Alfred Rosenthal.

Zijn studie toont aan, voor wie er nog aan twijfelen mocht, dat het verschil tusschen de mannen van het Derde Rijk en Nietzsche zelf, niet alleen een verschil in niveau is, maar dat, in rechtstreeksch verband met dit niveauverschil, ook op allerlei punten de *denkbeelden* lijnrecht tegenover elkaar staan. Nietzsche – het wordt overigens door Baeumler, de eenige nazi, die bij mijn weten een belangwekkende studie over Nietzsche geschreven heeft, volmondig erkend – was anti-nationalist. Hij achtte Europa, dank zij een eeuwenlange onderlinge penetratie der verschillende landen, rijp voor een staatkundige unificatie, die slechts de bevestiging zou zijn, de uitdrukking, de vorm voor een reeds lang bestaande geestelijke en cultureele eenheid. Hij achtte deze vereeniging een voorwaarde voor het behoud der europeesche cultuur, die, zonder deze politieke beveiliging, binnen zeer afzienbaren tijd een prooi zou worden, en ditmaal definitief, van innerlijke verscheuring en van het imperialisme van andere wereldmachten. In hoeverre deze visie, als men denkt aan het feit dat tallooze oeconomische en politieke belangen reeds lang uiterst samengestelde wereldbelangen geworden zijn, die zich niet meer laten localiseeren in Amerika, Rusland, Europa of Japan, geheel juist is, blijve hier buiten beschouwing.

Die laatste, half als bedenking geopperde opmerking neemt niet weg dat hij in een verenigd Europa, een door één gemeenschappelijke beschaving verbonden staatkundige eenheid, de enige barricade zag tegen een nieuw barbarendom, of dat nu van een fascistische of communistische totalitaire overheersing kwam.

De klare wil tot een pangermanistische hegemonie die Duitschland opnieuw, en met ongekende woede bezielt, de lust om – voorloopig – Versailles en vervolgens alle verdragen en daden die het, rechtvaardig of niet, beperkingen hebben opgelegd, te wreken, moet een tegenwil wakker roepen, een west-europeesche eensgezindheid, die alle verschillen onderling overbrugt terwille van de veel grooter gemeenschappelijkheid: de erfenis, het bezit en de toekomst van het antiek-christelijke beschavingscomplex tusschen Amsterdam en Athene.

Hij onderschreef Nietzsche's ideaal van een verenigd Europa met inbegrip van diens ideeën over eugenetische rassenvermenging. Zo stelde hij in een beschouwing over voor- en nadelen van de symbiose van Joden en Europeanen:

Ik behoor tot degenen die een vermenging van joodsch en niet-joodsch, in deze streken, van harte toejuich. Met Nietzsche, met Eduard von Hartmann geloof ik dat wij, West-Europeeërs, een dosis voor-aziatisch bloed en intelligentie uitstekend kunnen gebruiken, en dat vooral in de toekomst, als de vermenging haar tastend, nog half-bevreesd en experimenteerend karakter, met de remmingen die daar bij behooren, verloren zal hebben, ook de doorsnee-resultaten zeker nog gunstiger zullen zijn. Het is een feit dat de menging met de latijnsche volken zich gemakkelijker en organischer voltrekt dan met de germaansche, maar juist de laatsten zullen met een sterke joodsche injectie zeer zeker zijn gebaat. De vraag waarom juist de nationaal-socialisten het postulaat der z.g. ras-zuiverheid hebben gesteld, is spoedig beantwoord: dit ligt niet alléén aan hun domheid, maar, met hun domheid, aan hun vrees. Vrees is de psychologische factor die het onderbewustzijn van al deze theorieën beheerscht, vrees is de ondergrond van iedere autarkie, economisch en biologisch –; en inderdaad, een sterk gist als het joodsche zou een ingrijpende revolutie te weeg kunnen brengen in de biologische Erbmasse der Duitschers, jong, kalverachtig, 'ongeboren' als ze zijn. Maar wellicht zou dit ferment toch op den duur verfijnend en verlevendigend kunnen werken, en de stompzinnigheid van hun blik, de eigenaardigheid hunner schedels, de onvrijheid hunner zielen kunnen vervormen in den goeden zin. Wellicht zou iets meer psychologisch inzicht, menschelijke beschaving, en critischen zin een grooter deel van de bevolking gaan doordeesemen. Want behalve het volk van dichters en denkers, zijn de Duitschers ook het volk der cultuur-onmondigen.

Zoals vaker wanneer Marsman zich uitliet over andere kwesties dan de strikt literaire, gaf hij ook hier blijk van een naïef geloof in de theorieën van de dag die strookten met zijn eigen maatschappelijke inzichten. Het nu eens gehoor geven aan het ene denkbeeld en dan weer aan het andere geeft zijn betoog dikwijls een tweeslachtig karakter. Dat is ook hier het geval. Kort voor de hierboven geciteerde passage merkt hij op dat 'men, biologisch, op verschillende ongunstige factoren kan wijzen als onvruchtbaarheid der gemengde huwelijken en een gebrek aan geestelijk evenwicht bij de kinderen die eraan ontsproten', al maakt hij de restrictie dat de statistische gegevens elkaar tegenspreken, en dat de naam Marcel Proust genoeg zegt over al die sublieme gevallen 'waarin niet alleen de geestelijke maar ook de physieke vermenging haar geweldige waarde bewezen heeft.' Nu is Proust juist geen goed voorbeeld als om lichamelijke sublimiteit gaat, maar afgezien daarvan: het opereren met een rassentheorie op basis van zo weinig feitelijkheden is natuurlijk als schaatsen op ijs van één nacht.

Marsmans belangstelling voor wat in deze jaren vóór de Tweede Wereldoorlog de 'Joodsche kwestie' werd genoemd, beperkte zich niet tot dit eene geval, waarbij hij zich in laatste instantie toch tegenstander toonde van de assimilatiegedachte, omdat hij een volledige symbiose onmogelijk achtte; daaruit vloeide zijn sympathiseren met het zionistische streven ook voort. Tijdens de jaren 1935 en 1936 maakte hij intensief studie van eigentijdse Joodse denkers als Franz Rosenzweig en Martin Buber. Deze belangstelling stond in direct verband met een ander onderwerp waarin hij zich verdiepte: de geschiedenis van het vroege christendom, voor zover die samenviel met de historie van het Romeinse keizerrijk. Hoewel zijn geschriften er niet zo'n blijk van geven, heeft hij het grootste deel van zijn voor lectuur beschikbare tijd besteed aan deze materie. Een catalogus van zijn bibliotheek, en brieven van de protestantse theoloog Miskotte en Roel Houwink, die hem de gevraagde bibliografische inlichtingen verstrekten, spreken op dit punt duidelijke taal. In deze periode van betrekkelijke rust werd de conceptie van *Tempel en kruis* voorbereid, waarop al zijn studie van deze jaren zou uitlopen, en waarvan de meeste van zijn kritische geschriften de prozaïsche voorstadia zijn. Ongetwijfeld is hij op bovengenoemde onderwerpen gekomen via Nietzsche, de grote psycholoog van een op het christendom en de antieken geënte cultuur. Ook het feit dat hij zich met Nietzsche's voorganger Jacob Burckhardt bij herhaling, ook in geschrifte, heeft bezig gehouden, kan zo worden verklaard. Burckhardt heeft met Nietzsche, zij het dan misschien minder ingrijpend, een rol gespeeld bij het tot stand komen van Marsmans vernieuwde maatschappijvisie, waarin een aristocratisch-individualistische houding en zorg om het erfgoed van twintig eeuwen cultuur samengaan. De karakteristiek die Marsman geeft in zijn opstel 'Burckhardt en het heden' laat zich lezen als een zelfportret, zoals zo vaak wanneer hij figuren beschreef die zijn bewondering of gevoel van affiniteit wekten.

De waarden, waarop Burckhardt de eerste decenniën zijner volwassenheid had geleefd en geteerd, voelde hij aangevreten en ondermijnd raken door den stroom der historie. Het laat-humanistische, antiek-christelijke Europa, de burgerlijke wereld, die sinds de Reformatie geheerscht had, brokkelde weg en smolt, onder den drang van de lava die onder het oppervlak weer was gaan gloeien en de planeet herinnerde aan zijn ondergrondsch leven van vulkaan. Hij, die de grondslagen van Europa kende als weinigen uit haar kunst en historie, begreep dat de elementen zich gingen ontbinden, om misschien later, in een tijd, die hij zeker niet meer zou beleven, een nieuwe verbinding aan te gaan. Hij zag de toenemende democratiseering proporties en pretenties aannemen die onweerhoudbaar een eind moesten maken aan de heerschappij der burgerlijk-aristocratische cultuur, en die, later, in die heerlijke 20ste eeuw, moesten leiden tot de vigeur der enorme massaliteiten, slechts in schijn geregeerd door de exponenten der horden-zelf. De huidige collectivismen, onder het schrikbewind der schijnbaar-republikeinsche militaire dictatoren, de onvermijdelijke consequenties der burgerlijke democratie en van het burgerlijk socialisme, hij voelde het komen, en hij voorzag het met een nauwkeurige helderziendheid, die de toekomst begreep, misschien ook omdat zij het verleden tot in zijn verborgenste drijfveeren kende; het verleden en de menschelijke natuur.

Aan deze analyse wordt een fatalistisch, maar ook hoopvol, ongetwijfeld op Nietzsche's amor fati geïnspireerd toekomstperspectief verbonden:

Toch lijkt mij dit a.h.w. negatief aanvaarden van de demonische machtsmassaliteiten die ons verpletteren, niet zonder belang. Het is n.l. mogelijk dat het den weg baant voor een vernieuwd vertrouwen op een toekomst die wij weliswaar niet meer zullen beleven, maar die komen móét, en die sterker en waardiger zijn zal ook naarmate wij het beeld van wat ik den totalen mensch noem zuiverder en krachtiger in ons bewaren en verbeelden in ons werk. Een paradijs als de 19de eeuw zal men niet spoedig meer zien ontluiken, en dat is ook niet van belang; integendeel, en dit vergeten tal van huidige malcontenten, zij is onherroepelijk voorbij. De verschrikkingen van het heden zijn alleen te doorstaan als men het leven aanvaardt in zijn totaliteit, en den mensch als engel-én-roofdier. Alleen de zekerheid dat ook het heden niet meer dan een golf is, en dat wij, realisten en chiliasten tegelijk, het beeld van den totalen mensch moeten geleiden door de eindelooze riolen naar een ver en flauw licht, is in staat ons staande te houden en niet in wanhoop en verwildering onder te doen gaan.

Dat werd geschreven in 1937, en het slotaccoord van *Tempel en kruis* wordt er al in aangekondigd.

> – De hemel is leeg,
> de oneindigheid bloedt.
> in het nachtlijk gewelf
> niets dan sintels en roet;
>
> en de transen gescheurd
> van den brandenden schreeuw
> en de sneeuw weer besmeurd
> met het bloed dezer eeuw.
>
> – alle duister en gloed
> van 't beroofd firmament
> wordt een brandend ferment
> in het menschelijk bloed.
>
> zie, de aarde is rood
> van den tragischen wijn;
> 't paradijs een woestijn,
> maar het schepsel wordt groot.

In het gedicht 'Dies irae', dat Marsman enige jaren eerder had geschreven, is van een dergelijk amor fati nog geen sprake; de wanhoop om de crisis waarin Europa zich bevindt is sterker dan de gedachte dat een regeneratie alleen maar komen kan nadat het bederf volkomen is uitgeziekt.

> éene horde, schijnbaar in twee kampen,
> opgejaagd en weer belust op bloed,
> hunkrend naar de pijn van sterke rampen,
> en het leven van den geest verbloedt.
>
> o, de woede, machtloos tot de tanden
> bloot te staan aan dit grauw vagevuur!
> wanneer zal dit Babel dan verbranden
> van de schachten tot het zwart azuur?

wanneer zal de horizon weer lichten
met dien smallen gloorstreep onzer hoop?
zij behoeft geen grootsche vergezichten
om zich op te richten uit den dood;

laat één ster, een onaanzienlijk teeken
flonkren boven de rampzaligheid
en opnieuw gelooven wij in streken
voorbij 't moeras van dezen lagen tijd.

Aan dit bekende gedicht zou men Marsmans anti-fascistische gezind-
heid wel kunnen demonstreren, als men dan maar niet voorbijziet aan
de eerste door mij geciteerde regel waarin fascisme en socialisme over
één kam worden geschoren. Zijn houding tegenover socialisme was
onveranderd gebleven sinds zijn twintigste jaar; nationaal-socialisme
wees hij sedert 1935 onvoorwaardelijk van de hand. In een stuk over de
voormalige expressionistische dichter Gottfried Benn, die in 1933 – tijdelijk – voor Hitler gekozen had, schrijft hij:

Ik wil hier tot slot nog slechts den nadruk leggen op hetgeen, bij
de beschouwing van het Derde Rijk, steeds meer de centrale kwestie zal worden: de verhouding ervan tot de West-europeesche cultuur, de cultuur die wel degelijk een deel van haar waarde dankt aan
de penetratie van een germaansch element, maar die óndergaat bij
de hegemonie van dat element.

De sociale en staatkundige veranderingen, die het nieuwe
regiem Duitschland geeft, zullen op den duur gering blijken te zijn
bij de vernieuwing die zij ontketent door de mythe (en het vleesch-
maken van die mythe) die de beweging van het nieuwe Germaansche heidendom bezielt. De parallel die, de onoverbrugbaarheid
van antiek en nordiek daargelaten, telkens weer opduikt tusschen
Sparta en Berlijn, is een symptoom dat m.i. veel meer aandacht verdient dan de boekenbrand, de stem van Goebbels, de gangster-
gezichten der SA, de maatregelen tegen de Joden, etcetera – behalve
voor zoover dat alles op zichzelf ook weer symptoom en factor is
van het centrale reeds historisch geworden proces, dat Duitschland
– en nog nooit zoo doelbewust – al haar krachten in dienst doet
stellen van het scheppen van den 'nieuwen' germaanschen barbaar.
Het is mogelijk dat het noodlot zijn komst nog verijdelen zal, of
althans zijn alleenheerschappij, het is ook mogelijk dat hij, bij een

fatalistische geschiedbeschouwing, komen moet en het noodlot voltrekken over de westeuropeesche cultuur; wij hebben ten slotte niets anders te doen dan te zorgen, dat zoolang wij leven dat blonde beest ons niet overheerscht.

Ook nu vond Marsman in zijn vriend Jan Engelman een medestander. Deze, in het verleden bepaald geen vriend van de parlementaire democratie, zoals veel andere katholieke jongeren die aan *De gemeenschap* meewerkten, had al op 23 maart 1933, dus kort nadat de nazi's op 5 maart de macht hadden gegrepen, in *De nieuwe eeuw* geschreven 'geen ziekelijk pacifisme, geen regering van het plebs, maar ook geen stomme aanbidding van den nationalistisch-geperfectionneerden Wodan' te wensen. En hij voegde daar als zijn mening over Duitsland aan toe:

> Daarom: dit land heeft *niets* geleerd, en wij *blijven* beweren dat Frankrijk, welke fouten en corrupties en decadenties die oudste dochter der Kerk ook mogen aankleven, welke bedenkelijke buitenlandsche politiek het in het verleden ook moge hebben gevoerd, in de eerste plaats de Europeesche beschaving verdedigt, dat wat ons nog rest van het edele gekerstende latinisme.

Het 'gekerstende latinisme': dat begrip was voor Engelman en Marsman de basis van hun gemeenschappelijke maatschappijvisie, al benadrukte de één de christelijke component en de ander de paganistische. De titel *Tempel en kruis* geeft aan dat Marsman een synthese op het oog had als door hem geconstateerd in de persoon van Thomas Mann, bij wiens zestigste verjaardag hij schreef:

> Thomas Mann, de stedeling, de laat-romantische psycholoog, de man zonder landschap, zonder plastisch ruimte-bewustzijn, zonder aarde en hemel, op het eerste gezicht, heeft in zijn stijl, behalve de cultuurelementen der europeesche beschaving waarin hij geboren werd, waarin hij ademt en leeft, die hij vóórstaat als ideale verbinding van christendom en het heidensch beschavingscomplex rondom de Middellandsche Zee, *een natuurbeweging*, en in zijn rhythme het ademen van eb en vloed, het trage deinen der zee.

Het lijkt op een parafrase van het slotgedicht van *Tempel en kruis*, 'De zee', het enige uit die cyclus overigens waarin van een werkelijke synthese tussen de christelijke en antieke cultuuropvatting sprake is; in de overige vijftig gedichten overheerst de Nietzscheaanse polemiek met het christelijk geloof.

De eerste twee jaar na de terugkeer uit het buitenland mochten dan gekenmerkt worden door studie, lectuur en een intensieve bezinning op de maatschappelijke situatie van het moment, in creatief opzicht bleef de impasse waarin Marsman nu al sinds 1926 verkeerde voortduren. Het verblijf in Spanje had hem een nieuw oriëntatiepunt voor zijn schrijverschap doen vinden, maar hij had daar nog niet het benodigde zelfvertrouwen uit kunnen putten. Zijn slechte fysieke toestand, die zich na het tijdelijk herstel van december 1934 weer had doen gelden, bevorderde het gevoel van onzekerheid nog. Het ziektebeeld was vaag en deed een psychische oorzaak vermoeden: zenuwpijnen door heel het lichaam. 18 januari 1935 schreef hij aan Binnendijk:

> Soms denk ik mij van heel die rotzooi, benevens de kuur en middelen ertegen, geen donder meer aan te trekken, en liever ineens *dood*ziek te worden, en dan er op of er onder, dan dit ondermijnende gezeur.

Twee dagen eerder had hij zijn vriend en maecenas Radermacher Schorer laten weten dat de oorzaak vermoedelijk 'een nerveuze kwestie' was, en dat hem in verband daarmee voorgeschreven was thuis te blijven en geen gesprekken te voeren. In diezelfde brief geeft hij – onbedoeld – een mogelijke oorzaak aan: het gebrek aan een vaste bron van inkomsten, nu hij de advocatuur voorgoed vaarwel had gezegd. Een post als griffier bij een kantongerecht die hij wel ambieerde omdat hij vermoedde dat zo'n functie voldoende tijd overliet voor zijn werk, zat er de komende tijd niet in; dat had althans een andere invloedrijke relatie, de Utrechtse rechter J. E. van der Meulen, laten weten. Hij overwoog aan een juridische dissertatie te beginnen om zich zo toegang te verschaffen tot een andere sinecure, het ambt van plaatsvervangend rechter. 'Als dat ook uitgesloten is, weet ik waarachtig niet meer wat ik doen moet, in dit land dat mij door zijn climaat (ook zijn menschelijk "climaat") steeds meer tegenstaat.' Overigens bleef het plan van een proefschrift hem nog lang bezig houden, want in een brief van 10 juni 1936 aan Radermacher Schorer kwam hij er nog eens op terug. In de brief van 16 januari 1935 vervolgde hij zijn klachtenlijstje:

Het is toch niet prettig dat mijn vrouw de verreweg voornaamste drijfkracht van ons bestaan is, financieel. (Dat ze het verder ook is, hindert mij niets, integendeel –) Of vind je dat een 'burgerlijk vooroordeel'?

Vestdijk schreef hem eind december 1934 dat de klachten waarschijnlijk voor negentig procent psychisch geconditioneerd waren. Marsman moest overigens maar niet in psycho-analyse gaan; de beste remedie voor hem was schrijven om los te komen, zonder daarbij aan publicatie te denken. Op 26 december 1934 antwoordde de patiënt daarop:

Je advies, schrijf, schrijf (lijnrecht in strijd met een raad van Slauerhoff een klein jaar geleden, ook ongevraagd), raakt het centrale probleem van mijn schrijverschap, en de toekomst daarvan. Ik schrijf erbij, 'ongevraagd', omdat ik uit de spontaniteit van de adviezen begreep dat jullie beiden gevoeld hebt, waar de zaak bij mij in deze jaren om draait.

Ik kan, ook met me-zelf, op dit punt *nu* niet te rade gaan. Dat zou me grondig uit de koers slaan, en het werk, dat ik naast Wevers onder handen heb, even grondig bederven. Het schrijven met of zonder aesthetische preoccupatie is geloof ik *de* kwestie bij mij, en het lijkt bijna mij alsof ik daarin een beslissing moet nemen (en kan nemen), tenzij ik al niet meer *zonder* preoccupatie *kan* schrijven) die over mijn verder schrijverschap voor goed beschikt.

Ik wil de zaak erg graag, ik denk in het najaar, als dat andere boek, hoop ik af is, en ik mijn aandeel in Wevers ten deele herschrijven ga, tot op de laatste draad met je doorpraten. Ik verwacht er alle heil van, meer dan van alle psychiatrische adviezen – die ik trouwens niet inwinnen zal – bij elkaar. Maar voorloopig kan ik het nog niet. *Als* er een chaos in mij zit en er uit moet, dan aan het eind van het jaar maar, tenzij ik dit niet zoo (mechanisch haast!) in mijn hand heb als ik denk. – Het gekke is, dat ik mij ook op reis al, van dit najaar, maar ondanks die physieke depressie (hoezeer dan ook psychisch 'bedingt' zooals je schrijft) heel goed heb gevoeld, psychisch.

Begin februari 1935 was de depressie zo ver gevorderd dat Marsman zich alle tegenslagen buiten zijn slechte lichamelijke en geestelijke constitutie extra aan ging trekken. Zo valt uit een bezorgde brief van Du Perron aan hem van 6 februari op te maken dat hij geklaagd heeft over geldzorgen en het gevoel heeft door zijn vrienden in de steek gelaten te zijn:

en dat terwijl hij zich in zijn Utrechtse woning zo veel mogelijk iso-leerde en bezoek afweerde.

Du Perron raadde hem aan te gaan vertalen om uit de geldzorgen te komen en weer voldoende soepelheid in het schrijven te krijgen. Mars-man stemde daarmee in. De keus viel op de auteur die hij via zijn contact met Du Perron was gaan waarderen, maar voordien, in het voetspoor van Gerard Bruning, verafschuwde: André Gide. Die appreciatie zou evenwel gemengd blijven met elementen van zijn vroegere afkeuring, zoals bv. op te merken valt wanneer hij op 25 oktober 1935 aan Engelman schrijft:

> Ken je eigenlijk De Immoralist? Ik voel er mij nooit heelemaal lek-ker bij (misschien ook door het element flikkerij?), maar het heeft toch uitstekende qualiteiten.

Marsman heeft dít boek misschien gekozen om te vertalen, omdat in deze roman Nietzsche's invloed op Gide het sterkst tot uitdrukking kwam. Daarnaast zijn er andere elementen in *L'immoraliste* die een gevoel van affiniteit bij hem opgewekt zullen hebben. Ik citeer enkele passages uit de vertaling om dit te verduidelijken.

> De geschiedenis van het verleden kreeg nu in mijn oogen dezelfde onbewegelijkheid, de ontstellende starheid van de nachtelijke scha-duw in den kleinen hof in Biskra; de onbewegelijkheid van den dood.

> Ik kon geen grieksch theater, geen tempel zien zonder ze onmid-dellijk in abstracto te reconstrueeren. Telkens op den dag van een antiek feest deed de ruïne die in plaats daarvan was overgebleven het mij betreuren dat zij dood was; en ik verfoeide den dood.

> En ik vergeleek mezelf met een palimpsest; ik smaakte de vreugde van den geleerde die onder het later geschrevene op het zelfde papier een zeer oude oneindig waardevoller tekst ontdekt. Hoe luidde die verborgen tekst? Moest men om hem te lezen niet eerst de latere teksten uitwisschen?

Men vergelijke hiermee, uit *Tempel en kruis*:

> 't verweerd papier,
> het palimpsest van het gemeene leven,
> dat hij ontraadslen moet en lezen als gedicht;

> Naar aanleiding van de laatste phase der latijnsche beschaving, tee-
> kende ik de artistieke cultuur, die opkomt gelijk met het volk, als
> een afgescheiden product, dat eerst een volheid, een overdaad
> toont aan gezondheid, maar weldra star en hard wordt, en zich ver-
> zet tegen elke volkomen aanraking van den geest met de natuur;
> en dat onder den voortdurende schijn van leven een vermindering
> van leven verbergt, een huls vormt, waarin de geest bekneld raakt,
> verkwijnt en weldra verwelkt en sterft. Ten slotte, mijn gedachte
> doortrekkend tot hun uiterste consequenties, beweerde ik, dat de
> Cultuur die aan het leven ontspruit, het leven doodt.

> Het arabische volk heeft deze bewonderenswaardige eigenschap,
> dat het zijn kunst lééft en zingt en haar vernieuwt met den dag; het
> legt haar niet vast en balsemt haar in geen enkel werk.

Gide is niet zomaar een toevallige keus van Marsman geweest, maar een
die symptomatisch was voor de oriëntatie op de Franse literatuur die
was geïnstigeerd door Du Perron. Zoals na 1931 in Ter Braaks geschriften de namen Larbaud, Stendhal en Gide hun intree hadden gedaan, zo
deden ze het ook in Marsmans essays na ongeveer 1932. Een echte ver-
taler was Marsman echter niet. Vóór *De immoralist* had hij niets noe-
menswaardigs in het Nederlands overgezet, op een niet gepubliceerde
vertaling van Cendrars' *L'or* na; daarna zou hij zich alleen nog wijden aan
de beide Pascoaes-vertalingen, die in samenwerking met Albert Vigoleis Thelen tot stand kwamen. Zijn standpunt over het vertalen formuleerde hij in 1938:

> Voor mannelijke naturen, die bovendien zelf scheppend kunste-
> naar zijn, is vertalen een kwelling. Zij hebben niet alleen het gevoel,
> dat zij kracht, talent en tijd onttrekken aan hun eigen werk, zij voe-
> len zich bovendien gedwarsboomd doordat zij maandenlang moe-
> ten leven met een vreemd rhythme in hun lichaam, dat hun al
> spoedig tot een vijandschap en een obsessie wordt. Toch zijn de
> beste vertalingen meestal door scheppende kunstenaars tot stand

gebracht, doordat zij bovendien in staat zijn tot het leveren van een bezield en als het ware zelfstandig product. Tot een vreugde kan het werk echter voor henzelf alleen worden, als zij genoeg vrouwelijks in zich hebben om gaarne vervuld te zijn van een vreemd element – en wanneer zij bij het lezen, later, van hun vertaling, kunnen vaststellen, dat zij hun taal verrijkt hebben met een levend werk.

Er hoeft niet aan getwijfeld te worden dat Marsman van zichzelf vond dat in hem het mannelijk element overheerste.

Een andere activiteit die gedurende het jaar 1935 het scheppend werk (dat bestond uit het schrijven aan het *Zelfportret* en het afronden, met Vestdijk, van *Heden ik, morgen gij*) op de achtergrond drong, was het samenstellen van de bundel 'Nieuwe Nederlandsche verhalen' *De korte baan*. Eind 1934 had Marsman het plan voor die bloemlezing voorgelegd aan Du Perron en Querido; in het voorjaar van 1936 zou het boek uitkomen. In de inleiding, die ten onrechte aan Du Perron toegeschreven wordt, herhaalt Marsman het standpunt dat hij in 1932 al had ingenomen in het polemische artikel 'Der Weg zurück' (in het *Verzameld werk* afgedrukt als 'Derde dimensie en Europeesch peil'). Hij verweet de Nederlandse prozaïsten provincialisme, en laakte de erfenis van het naturalisme, een mening die hij overigens al voor 1932 had verkondigd.

En dan is er nog één gebeurtenis in de marge van Marsmans eigenlijk scheppend werk. Aan het eind van 1934, vrijwel tegelijk met zijn terugkeer uit het buitenland, was zijn poëziebundel *Porta nigra* verschenen. De publicatie, die hij al sinds drie jaar in zijn hoofd had, en waarvoor hij de aanvankelijke, programmatische, titel *Proteus* had bedacht, werd allerwegen goed ontvangen. Ter Braak en Vestdijk uitten hun lof, bij enige bedenkingen tegen Marsmans gewone hebbelijkheid, de retoriek. Van Duinkerken signaleerde het omineuze van de titel, die niet alleen als doodssymbool, maar ook als teken van Romeinse onverzettelijkheid fungeerde. Hij kon toen nog niet weten dat voor Marsman zelf de *Porta nigra* te Trier zinnebeeld was voor zijn overgang van Noord naar Zuid.

Zomer 1935 werd de bundel door de Commissie voor Schoone Letteren van de Maatschappij der Nederlandsche Letterkunde voorgedragen voor bekroning met de Van der Hoogtprijs, groot 1000 gulden. Het bestuur weigerde dit advies echter over te nemen. Men herinnerde zich namelijk een woedend stuk dat Marsman in 1931 geschreven had naar aanleiding van de uitreiking van dezelfde prijs aan de toen 59-jarige Arthur van Schendel voor diens *Fregatschip Johanna Maria*, een boek, dat

Marsman bewonderde, maar dat hij niet in aanmerking vond komen voor bekroning met de Van der Hoogtprijs, die immers als aanmoediging voor jonge schrijvers was bedoeld. De beslissing van het Maatschappij-bestuur wekte grote verontwaardiging. Vrijwel alle literaire kritici laakten in hun krant deze rancuneuze houding, en op initiatief van Marsmans Utrechtse vrienden en maecenassen Radermacher Schorer en Van der Meulen werd een door enige honderden figuren uit het publieke leven ondertekende protestbrief aan het bestuur gezonden. Een en ander had tot gevolg dat een jaar later de prijs toch aan Marsman werd uitgereikt.

HOOFDSTUK 10

DE ONVOLTOOIDE TEMPEL

In de zomer van 1936 kwam Marsman tot het besef dat hij zich te veel versnipperde in het schrijven van kritieken, en daarom besloot hij zich weer geheel aan zijn creatief werk of desnoods aan een langer essay te wijden; 'de duiten' moest hij dan maar op een andere manier zien te verdienen, schreef hij op 15 juni aan Binnendijk, aan wie hij het redactiewerk van de literatuurpagina van *De groene Amsterdammer*, dat hij sinds eind 1935, ten dele samen met Vestdijk, waargenomen had, overdroeg. Hij moet hebben ingezien dat een verder verblijf in Utrecht, en zelfs in Nederland, niet bevorderlijk was voor het werk dat hij wilde verrichten. Daarom keerde hij in september 1936 de Domstad voorgoed de rug toe als vaste verblijfplaats. Zijn gemengde gevoelens tegenover Utrecht zou hij later in een gedicht vastleggen.

Voorlopig trok hij in een huisje in het Belgische dorp Aubry, niet ver van Brussel. In de voorgaande jaren was hij zo al eerder uit het benauwende Utrecht naar een tijdelijke verblijfplaats op het platteland getrokken. De zomer van 1935 bracht hij door in het Twentse Losser, in april 1936 kreeg hij voor enige tijd Nijhoffs buitenhuisje in Biggekerke te leen.

Van schrijven kwam in Aubry vooreerst niet veel; van voortgezette filosofische studie des te meer. Met de gedichten-in-concept die hij tussen 1933 en 1936 had gemaakt, kon hij geen contact krijgen. Met het verhalend proza ging het iets beter. Hij voltooide het verhaal 'Teresa immaculata', op de finishing touch na, die deze novelle zou krijgen toen hij een half jaar later in het Zwitserse Arlesheim verbleef. 'Je zult zien dat ik, na de poëzie, over 10 jaar ook het proza den rug toe keer, en – uitgecreëerd – *lezer* word, van vooral buiten-litteraire geschriften', liet hij op 26 oktober half schertsend aan Binnendijk weten.

Inmiddels had hij zijn grote essay over Gorter, dat gegroeid was uit een aantal lezingen, voltooid en gepubliceerd in *De gids* van januari 1937. Kort daarop zou het als boekje door Querido worden uitgegeven. Marsman had zijn belangrijkste politieke bezwaren tegen Gorters socialistische denkbeelden al in 1928 in *i 10* geformuleerd en in gemitigeerde vorm keerden ze hier terug, al gaf hij ditmaal toe dat dergelijke ideeën uit Gorters wezen voortvloeien en niet direct schadelijk waren voor zijn dichterschap. Deze studie is vooral van belang omdat hij in het portret van de door hem bewonderde dichter een beeld van zichzelf schetst, zoals hij dat ook had gedaan toen hij, in dicht of ondicht, Trakl, Novalis, Bredero, Leopold en later Kloos behandelde. Zoals hij de ontwikkeling van Gorter beschrijft, was ook zijn eigen evolutie verlopen: van dualisme naar harmonie, van richtingloosheid naar een min of meer omlijnde ideologie. En de constatering hoe belangrijk het Hollandse landschap als inspiratiebron was voor Gorter, zal mede ingegeven zijn door affiniteit.

Ter Braak zag in de spontane vereenzelviging met het object een van de factoren die het essay in zijn ogen 'meesterlijk' maakten; het complement van die identificatie was 'het waakzame wantrouwen tegen eigen primaire impulsen', dat Marsman vroeger ontbroken had. Wanneer Marsman in 'de honger naar geluk' de essentie van Gorters wezen herkende, bleek daaruit de verwantschap van beide dichters in de hang naar metafysica. In hun uiteindelijke keuze lag het verschil: de een prefereerde een historisch-materialistisch, de ander een Nietzscheaans perspectief.

Die visie formuleerde Marsman aan het slot van zijn essay als volgt:

Tien jaar geleden is Gorter gestorven. De wereld is in een snel cataclysme in den afgrond gerend. De chaos is een lawine geworden, de planeet een vulkaan. Van het communisme zooals Gorter het zag, is ook in het stalinisme weinig meer over, en ons tijdperk vertoont het grootsche barbaarsche gericht, dat ons aan het einde der vorige eeuw door mannen als Burckhardt, Le Bon en Nietzsche tot in onderdeelen nauwkeurig werd voorzegd. Een periode van wezenlijke vernieuwing en opgang zullen ook wij, menschen van nog geen veertig, zeker niet meer beleven. Maar voor zoover de hoop in ons brandend blijft, is zij, hoe wij dan ook de verhoudingen van een betere toekomst mogen zien, gericht op een regeneratie die de cultuur wil zien als expressie en bodem van den totalen mensch. Ik voor mij zie haar, over enkele eeuwen, komen in een zin als door Nietzsche voorspeld. Voor zoover wij omziend steun zoeken in het verleden, is de eerste Hollander dien wij ontdekken boven het gekrioel van den minderen rang, Gorter, den eenigen tachtiger, dien een tegenwoordig geslacht als figuur nog ten volle aanvaardt, ook al verwerpt het zijn denkbeeld. Want – vriend of vijand – alleen mannen als hij kunnen een land, een tijd en een menschheid er voor behoeden onder te gaan en verdoemd met het kleine te zijn.

In weerwil van eigen prognoses was Marsman toch te veel dichter om het contact met zijn poëzie zo maar te verliezen. Toen hij zich in november 1936 dicht in de buurt van zijn vriend Jan Greshoff in de Brusselse voorstad Schaerbeek had gevestigd, kwam er een stroom van gedichten los, tussen 14 en 16 november ongeveer twintig, waarvan negen op één en dezelfde dag. Twee jaar later schreef hij over deze lyrische explosie in 'Proeve van zelfcritiek':

> wat eenmaal het door geen andere menschelijke ervaring te over-treffen geluk is geweest van den tijd waarin ik mijn eerste gedich-ten schreef – met onderbrekingen overigens en de noodige ver-twijfeling er tusschen door, in de jaren 1919–1926 –, een bezieling en zekerheid, die mij met een volledigheid en intensiteit deden leven als in geen tien jaar daarna, hervond ik in het najaar van 1936 in Schaerbeek, toen de inspiratie zich baanbrak in een regeneree-rende stroom van gedichten.

In zijn herinneringen aan Marsman beschrijft Konrad Merz, die toen-dertijd het appartement van de dichter deelde, hoe deze telkens weer zijn kamer binnen kwam stormen om hem zijn nieuwste werk voor te lezen.

Vrijwel alle gedichten die zijn opgenomen onder het poëtisch werk van de 'derde periode' in het *Verzameld werk* zijn in Schaerbeek geschre-ven; een aantal ervan werd voltooid in Arlesheim, in het voorjaar van 1937. Overigens zijn niet alle gedichten die in deze maanden ontstonden terecht gekomen in de definitieve selectie die Marsman later maakte. Daarbij hoort bv. het gedicht dat geschreven werd onder de impressie van een schilderij van Luis de Morales in het Madrileense Prado dat de kruisiging voorstelt. In nuce bevat dit vers het onderwerp van een roman die Marsman zich voorgenomen had te schrijven. Op 20 decem-ber 1936 liet hij Engelman daarover weten:

> ik weet niet of de opvatting kettersch is of niet – ik heb er ook het conflict met Judas in verwerkt, *heel summier*, uitgaande van de (te?) extreme opvatting van Hebbel, dat... Judas der Allerglaübigste was... en zich door Jezus' dood voor een 'onwereldsch' rijk even zeer verraden voelde als Jezus het door hem werd. Ook in Jezus zelf strijden de aardsche en onaardsche opvatting van zijn taak. Maar hij

Met J. Greshoff (najaar 1936)

eindigt met een aanvaarden van het lot, vol zelfverachting overigens, en met dat mengsel van een superieure deernis en berusting en geringschatting voor het gespuis der wereld, dat mij in de reproductie zoo geweldig trof.

Ruim een jaar later waren zijn ideeën voor dit boek al zo ver gerijpt dat hij Nijhoff kon schrijven:

Voor 'Judas' vond ik een bevredigenden vorm. Hèt groote nadeel voor mij lag in het feit dat het stof is uit het verleden. Ik heb, als schrijver althans, absoluut het heden noodig en vooral de gedachte aan het moeten oproepen van een 'historische sfeer' was voor mij een obsessie. Ik heb nu besloten dat radicaal te negeeren. Het gevaar is nu ook dat Judas, als Breeroo, te veel op mij zelf gaat lijken, maar aangezien ik op Judas lijk, is dat misschien wel een voordeel. Ten slotte kies ik een stof toch omdat hij een stuk van mij zelf bevat. – Ik moet er alleen nog véél voor lezen, en vergeten, en ik heb aldoor het gevoel dat ik dit boek in jouw buurt moet schrijven. Ik zal dan, in de gesprekken erover, wel zeer hardleersch en eigenzinnig zijn, trek je dat niet aan, dat is nu eenmaal de manier waarop ik iets leer – en misschien komt er dan toch meer van jou in te zitten dan het lijkt. Dus – als het kind geboren moet worden, meld ik mij aan. Maar misschien heeft de coïtus zelfs nog niet plaats gehad; wie weet het, in zoo'n geval? –

Dat hij voor het concipiëren van deze roman juist de steun van Nijhoff zocht, wordt verklaard door de mededeling van de laatste dat ze samen een tijd lang wekelijkse bijeenkomsten hadden waarop vooral het Nieuwe Testament ter sprake kwam. Dat moet geweest zijn tijdens het laatste jaar van Marsmans verblijf in Utrecht, en nadat Nijhoff in Utrecht Nederlandse taal- en letterkunde was gaan studeren. In zijn bijdrage aan het herdenkingsnummer van *Criterium* schrijft Nijhoff dat Marsman geen studie te veel was, om zich op de hoogte te stellen van de gemeenschap en de gestalten van discipelen en apostelen. 'Urenlang hebben wij Judas en Paulus vergeleken, en Petrus en Johannes; urenlang de oorsprongen van de Evangelies besproken.' Ik teken hier nog bij aan dat Nijhoff in deze gesprekken niet een belangstellend, maar ook een belanghebbend deelgenoot is geweest: vermoedelijk werkte hij in deze tijd al aan zijn bijbelse spelen.

Zoals dikwijls zou dit onderwerp, waarvoor Marsman een roman gereserveerd had, slechts uitgewerkt worden in de voorstudie van een gedicht. Behalve aan *Judas* heeft hij de laatste jaren van zijn leven ook serieus gedacht aan het schrijven van een lang verhaal over de Vliegende Hollander, zijn oude preoccupatie, maar het zou blijven bij de enkele prozastukken uit 1923, en het gedicht 'Lezend in mijn boot' dat in Schaerbeek ontstond.

Vestdijk heeft in 1938 nog eens geïnformeerd naar de kans op verwezenlijking van dit laatste plan, waarvoor hij zelf ook belangstelling had opgevat. Dat hij eveneens op de hoogte geweest moet zijn van Marsmans ontwerp van de Judas-roman, kan worden afgeleid uit zijn stuk 'De grootheid van Judas', geschreven tijdens de oorlogsjaren, en gebundeld in *Essays in duodecimo*, waar wel meer aanzetten tot grotere studies en romans in te vinden zijn. De overeenkomst tussen de hierboven aangehaalde brief aan Engelman van 20 december 1936, en onderstaand fragment uit Vestdijks stuk is in elk geval frappant.

> Judas Iskariot [wordt] tot de discipel, die Jezus nader stond dan een der anderen, – ja, die Hem in zekere zin beter kende dan Hij zichzelf kende. Als instrument van de voorbeschikking is Judas overigens denkbaar in alle graduaties van bewustwording. Blijft deze graad zeer gering, of ontbreekt hij, dan onderscheidt Judas zich in beginsel niet van de knechten van Caiphas of de soldaten van Pilatus, en verliest hij verder alle belang voor ons. Wéét hij evenwel wat hij doet, overziet hij alle consequenties en implicaties, alle gevolgen voor het mensdom en alle bedoelingen van God, dan wordt hij al haast even goddelijk als Jezus zelf, en zelfs goddelijker, omdat, op dit zeer bepaalde moment, Jezus hem meer nodig had dan hij Jezus. [...]
>
> Wie er de voorkeur aan geeft het algemeen-menselijke uitgangspunt niet te verruilen voor mystische hoogten, waar ons de adem afgesneden wordt, kan Judas het best begrijpen uit de weigering tot vereenzelviging met het door hem aanbeden idool. Zo bezien, verried Judas zijn Meester uit vroomheid, – om het beeld trouw te kunnen blijven, dat hij zich van Hem, en tevens van zichzelf, gevormd had, – zo bezien, was hij een beeldenstormer op grond van hogere beeldendienst.

Over het gedicht 'De Christus van Luis de Morales' heeft Marsman ook nog gecorrespondeerd met de theoloog K. W. Miskotte, met wie hij in de loop van 1935 in contact gekomen moet zijn toen hij zich grondig ging oriënteren op de oorsprongen en de vroegste geschiedenis van het christendom. Vroegere vrienden, met name Roel Houwink, vroegen zich af wat die belangstelling te betekenen had, en of er niet van een vernieuwde toenadering tot het geloof sprake was. Marsman heeft dat overigens tegenover Houwink en anderen steeds ontkend. Hij was zich veeleer via Nietzsche, de grote criticus van het christendom, die hem van zijn laatste aspiraties naar een bekering genezen had, gaan oriënteren op de bronnen van de Westeuropese beschaving, waarvan hij de antieke component had leren kennen op zijn reis door het Middellandse Zeegebied, en waarvan hij ook het christelijk aandeel op zijn juiste betekenis wilde leren schatten.

Het is waarschijnlijk mede om die reden geweest dat hij de uitnodiging aanvaardde die Albert Vigoleis Thelen in oktober 1936 tot hem richtte: samen het werk van de Portugese, mystiek georiënteerde schrijver Teixeira de Pascoaes in het Nederlands te vertalen. In hoofdstuk 8 refereerde ik al in het kort aan Marsmans kennismaking met Thelen, die in februari 1934 plaats vond op Mallorca, waar de latere schrijver van *Die Insel des zweiten Gesichts* op dat moment in vrijwillige ballingschap woonde, omdat hij als Duitser niet onder het naziregiem wilde leven. In augustus 1936 had hij echter opnieuw de wijk moeten nemen toen de door Franco ontketende burgeroorlog Mallorca het eerst en het zwaarst getroffen had. Thelen en zijn vrouw vonden een voorlopig onderkomen bij zijn zwager in het Zwitserse Arlesheim, vlak bij Bazel, en vandaaruit schreef hij Marsman. Deze had er al over gedacht zich na het verblijf in Brussel, dat hij zich als kortstondig had gedacht, in Zwitserland te vestigen, ook al om gezondheidsredenen, dus het voorstel van Thelen lokte hem aan; de vertalingsplannen minder, omdat hij na zijn ervaringen met *L'immoraliste* niet aan een dergelijke onderneming gebonden wilde zijn. Hij kende het werk van Pascoaes echter nog niet.

Marsman moet de persoonlijkheid van Thelen wel erg hoog hebben geschat dat hij, de hyperindividualist, die zich in latere jaren het liefst van anderen isoleerde, met hem ging samenwerken en -wonen. Er zijn aanwijzingen, niet alleen van Thelen zelf, maar ook uit mondelinge en schriftelijke getuigenissen van andere informanten, dat zijn humor en levenslust enerzijds, en zijn pessimistische, bijna 'verneinende' instelling anderzijds, een weldadige uitwerking op Marsman hebben gehad. De ochtenden werden besteed aan het vertalen, de middagen waren gereserveerd voor Marsmans eigen werk, en de avonden werden gevuld met de verhalen van Thelen. Marsman hield van 'Vigo', en het beste bewijs van die liefde is wel dat hij hem als geen andere vriend is blijven opzoeken; een laatste poging, kort voor zijn dood, werd verhinderd doordat de oorlogsgebeurtenissen de weg naar Portugal, waarheen Thelen inmiddels vertrokken was, hadden afgesneden.

In de brief van 21 oktober 1936, de eerste die Marsman aan Thelen schreef na diens gedwongen vertrek uit Mallorca, blijkt de behoefte aan een nauw contact duidelijk.

> Schrijf eens, en maak eens een plan voor een ontmoeting, of een gemeenschappelijk duitsch-nederlandsch werk. De weinige menschen, die nog iets aan elkaar kunnen hebben, moeten elkaar niet te veel uit het oog verliezen (deze overweging houdt ook verband met Slauerhoff's dood en met du Perron's vertrek)

Aanvankelijk was het de bedoeling dat Marsman al in januari 1937 naar Zwitserland zou afreizen, maar door een griep en een daarop volgende lezingentournee door Nederland werd het vertrek uitgesteld tot Pasen. Op Goede Vrijdag, 26 maart, arriveerden de Marsmans op het station van Bazel. Toen brak de periode aan waarvan Thelen zich zestien jaar later in gesprek met Adriaan Morriën herinnerde:

> Zodra wij elkaar zagen stelde hij mij de voor Hollandse letterkundigen typerende vraag: Waaraan werk je? Ik vertelde hem dat ik een Portugese mysticus had ontdekt, die ik voor Meulenhoff aan het vertalen was, samen met een jonge anthroposoof die in Dornach woonde en op wie ik hevig jaloers was vanwege zijn geruisloze Remington schrijfmachine. Marsman was meteen geïnteresseerd en wilde iets lezen, maar ik had het manuscript niet bij mij. Later zijn wij met de vertaling naar Dornach gegaan, het anthroposofisch centrum, waar Marsman wilde logeren. Maar hij schrok zo van de anthroposofische bulten in de bedden en op de meubelen, dat hij vreesde er nooit te kunnen schrijven. In het restaurant was alleen vegetarisch voedsel te krijgen, terwijl Marsman niet buiten vlees kon. Wij zaten juist onder een groot portret van Rudolf Steiner toen mijn vrouw vlees bestelde, tot grote ontsteltenis van het dienstmeisje dat onmiddellijk haar meesteres ging halen. De vrouw diende ons, met een vinger op het portret van Rudolf Steiner gericht, een van zijn uitspraken over het vleeseten toe. Wij zijn toen naar een naburig dorpje gegaan, Arlesheim, waar Marsman in het restaurant Zum Ochsen de vertaling las. Hij was woedend over het Hollands van de jonge anthroposoof en bood

mij zijn medewerking aan. Daarmee begon de grootste vertaaltragedie die ooit heeft plaatsgevonden. Van 1937 tot 1939 waren wij samen, lange tijd in Auressio. Mevrouw Marsman verweet mij dat ik niet denken kon, dat er geen logica in mijn gedachten was. Dat moet ik juist hebben, zei Marsman. Wij hebben eindeloze gesprekken gevoerd, nooit fachmännisch of pedantisch, maar gewoon aus den Hemdärmeln. Toen Marsman later onze vertaling van *Paulus* nog eens las, was hij opgetogen en zei: Verdomme, wat is dat mooi. Dat had Henny Marsman vertaald kunnen hebben.

Bij alle onnauwkeurigheden en onjuistheden in deze herinneringen, ongetwijfeld toe te schrijven aan de vertelkunst van Thelen, geeft dit relaas toch een aardig beeld van Marsman. De eerste kennismaking met *São Paolo* van Pascoaes – door hem Colas genoemd, omdat hij grote moeite had met de uitspraak van het Portugees – moet een schok van herkenning hebben betekend. In dit werk was iemand aan het woord die hij zelf had kunnen zijn: mysticus, religieus atheïst, visionair. Enkele voorbeelden om die 'verwantschap' te illustreren:

Met de Thelens (midden) en D. A. M. Binnendijk in Auressio (zomer 1937)

De ontgoocheling is een beweging in stoffelijken zin, de illusie daarentegen is een beweging in spiritueelen zin. [...] De overgang van illusie naar ontgoocheling teekent den doodelijken oorsprong der dingen: niets dan gestalten uit het graf.

Men vergelijke hiermee Marsmans idee over de verstening van de creatieve aandrift in het gefixeerde beeld. Pascoaes laat uit deze constatering volgen: 'De Cosmos is God, ontgoocheld in het hart van de ledige ruimte.'

De plek waarop wij lang vertoeven krijgt het aanzien van een graf, waarin wij langzamerhand vergaan.

want den dood vreezen, beteekent reeds dood zijn.

Ik volg een dichterlijk, dat wil zeggen een waar criterium, want de Dichtkunst is het rijk der Waarheid, de Werkelijkheid is dat van de Wetenschap.

Paulus was het misdrijf van de gewetenswroeging, evenals Judas, de meest vertrouwde discipel van Christus, die den Heer zoo nastond dat hij hem tenslotte verried.

Wanneer dit goddelijke instinct [de zinnelijkheid] buiten zijn grenzen wordt gedreven, brengt het het menschelijk lichaam tot waanzin en lost het op in de bedwelming van den lust, waarin men een voorproef smaakt van den dood.

Aan deze laatste uitspraak wordt nog toegevoegd dat de mens in etherische zin de engel, en in aardse zin het dier verwekt, een ook door Marsman bij herhaling gebruikt begrippenpaar.
De directe echo van het laatste citaat is te vinden in het gedicht 'Annie' dat Marsman schreef toen hij aan de vertaling van *Paulus* bezig was.

maar golf of dal of mast of boot –
onder het weemlend sproetengoud,
onder den wilden harenval
van beukenrood en berkengoud,
werden wij, hemel en heelal,
een voorgolf van den dood.

Dit gedicht is er een uit de serie, die in het eerste deel van het *Verzameld werk* bijeengebracht is in afdeling XI van de poëzie, verzen waarvan de meeste vermoedelijk in Arlesheim hun afronding hebben gekregen. Het centrale motief ervan is de erotiek in combinatie met de dood, die echter geheel anders gewaardeerd wordt dan in de poëzie van enkele jaren tevoren. De dood dient tot een renaissancistisch aandoende aansporing de dag te plukken zolang het nog kan (zoals in 'Memento mori'), of wordt gezien als de zingeving van het leven dat zich telkens opnieuw vernieuwt (in 'De wijnpers'). Voor de interpretatie kan het citaat van Pascoaes in zoverre verhelderend werken, dat de liefde waar het in het gedicht om gaat, te veel een puur zinnelijke is. Van 'Annie' is een lijn te trekken naar 'Paula in een droom', waar de vrouw wordt gezien als engel dier. De onderlinge relatie tussen de in deze tijd geschreven gedichten wordt bevestigd door een vergelijking van de kladversies, die laten zien dat bepaalde fragmenten uit het ene gedicht later een plaats kregen in een ander.

Op 1 juli 1937, na drie maanden van gemeenschappelijk vertalen, reisden Marsman, Thelen en hun vrouwen naar Auressio, in het Italiaanssprekende kanton Ticino, waar ze een groot huis huurden van de zusters Peverada. Thelen voelde zich als bekend anti-fascist namelijk niet meer zo veilig in de buurt van de Duitse grens, omdat hij de indruk had gekregen dat men hem wilde kidnappen. In Auressio kreeg *Paulus, de dichter Gods* definitief gestalte.

Thelen had al een Duitse vertaling uit het Portugese origineel gemaakt, die als basistekst voor Marsman diende. Deze stelde dan een bepaalde Nederlandse vertaling voor, die de ander weer aan het Portugees controleerde. Een gecompliceerde manier van samenwerken, die toch een bevredigend resultaat opleverde, al waren er soms kleine strubbelingen omdat Marsman verfraaiingen wilde aanbrengen die Thelen niet verantwoord achtte.

Het eigen werk dat Marsman in Casa Peverada onder handen had betrof de samenstelling van zijn *Verzameld werk*. De auctor intellectualis van deze onderneming was Du Perron, zijn onvermoeibare en onbaatzuchtige coach. Kort voordat deze naar zijn land van herkomst vertrok, had hij een schema ontworpen waar Marsman zich in grote trekken aan zou houden. Op 16 juli 1936 schreef Du Perron:

Van je literaire plannen 'begrijp' ik niet veel. Dit komt 1° door het enorme verschil in ons: dat jij wèl allerlei proefnemingen wilt doen, maar verder de techniek in wat achter je ligt (en half gelukt of mislukt is) wilt vergeten, terwijl in het doorzetten, hernemen, herzien, de beste les ligt die een auteur zichzelf geven kan (als Tolstoï en Lawrence je als voorbeelden te kras zijn, denk dan aan Nijhoff, aan Vestdijk); 2° dat jij een soort sympathie schijnt te hebben behouden voor 'kleine boekjes', die ik vroeger sterk had en nu heelemaal niet meer. – *A.M.B.* + *De Bezoeker* + een nieuw verhaal, is een boekje waar ik het belang niet van inzie: als verhalenbundel apart beschouwd, is het te klein (bijna genre *Vijf Vingers*), als brok van jouw 'ontwikkelingsgang', óók. Ik zou, als *ik* jou was, het volgende doen: *Vera* opnemen, mijzelf dat lééren, vooral omdat er veel goeds in steekt; het bekorten, er een *verhaal* van maken, en dan misschien daaraan toevoegen: alle verhalen die ik geschreven had, y compris de 'proza-gedichten', deze als losse hfdstn. onder één titel bv. (Natuurlijk zou ik *Bill* bv. zorgvuldig vergeten. Maar nièt *De Vliegende Hollander*, en niet 2 of 3 van de goede stukken uit *De Vijf Vingers*). Ik zou dààr dan ook bij doen: *A.M.B.* en *De Bezoeker*, en *De Benoeming* (als dat goed is), en misschien zelfs *Angèle Degroux* (bekorte lezing; ook een lang verhaal ervan maken, wat het au fond is). En misschien zelfs *Vreede*, of hoe die heer heeten zal. Je kreeg dan een boek van 300 blzn., maar dan een boek voor volwassen menschen, en een *belangrijk* stuk werk van Marsman. Noem het boek dan zooals je wilt: liever niet naar één verhaal, maar zoo ja, dan naar *Angèle D.* (*AD + andere verhalen*).

Al dat verdere geschipper en geflutter vind ik jou onwaardig en verlaat je ontwikkelingsgang. Als je één groot boek met proza achter je hebt – verhalend, *dit*, – en één groote bundel essays, à la *Tweede Gezicht* en *Smalle Mens*, den bundel dien ik je aangaf, – en één groote bundel gedichten, àlles wat je geschreven hebt bijeen, – dan was je een vent, met 3 stevige, belangrijke getuigenissen van zijn literaire activiteit achter zich; en dàn zou je wschl. opschieten naar een nieuw groot boek, dat dit werk waardig zou zijn, of overtreffen zal. Inplaats daarvan, vermors je al je gaven, omdat je, onbewust misschien, het *beeld* van je activiteit versnipperd en 'voorloopig' houdt.

Dat is precies mijn 'diagnose' en mijn opinie; maar je hebt er wschl. niets aan. Je begrijpt misschien niet dat je (volgens mij) door op deze manier aan je 'verleden' te werken, het allerbest aan je 'toekomst' bouwt; je maakt de *basis* daarvoor steviger, je zelfvertrouwen en alles. En laat al de idiootjes lullen die dan spreken van: 'hij knoeit aan oude dingen omdat hij geen nieuwe heeft'. Wat *zij* maken is iets anders dat wat *jij* maakt; jouw werk behoort, bewust, tot de literatuur. [...]

Ik wou dat je voor ééns zoowat absoluut naar mij wilde luisteren, en je – zeg 3 maanden maximum – aan deze opgave wilde wijden. *Vreede* komt er dan niet bij, maar dat hoèft dan ook niet; misschien wordt dàt dan je volgende groote boek. Maak wat ik je zeg nu in orde in 3 maanden tijd, waarin je dan ook nog hoopen *lezen* kunt; maar dwing je tot het *schrijven*, tot de literatuur*lessen*, van *dit*.

Het is èn als *werk*, èn als *resultaat*, het beste wat je doen kunt. Iemand die 3 goede verhalen van jou bijeen krijgt, ondergaat het als een nieuw staaltje van Marsman's fraaie proza; iemand die de 3 boeken krijgt die ik voor je 'bedenk', is 3 × in een bad van Marsman geweest; heeft 3 × te maken gehad met een niet weg te denken stuk Marsman, of hij er verder in opgaat of het versmaadt. Laat alle kleinzielige bedenkingen van 'des esprits à moitié chemin' opzij en geef jezelf en de hollandsche literatuur deze 3 brokken werk – deze 3 resultaten van al wat je geprobeerd, gevoeld en gevonden hebt tot je ± 36e jaar. Van 37 tot 47 heb je dan 10 jaar om iets totaal anders te probeeren.

Pas een jaar nadat Du Perron hem deze gebiedende, maar ook zo welgemeende brief had geschreven, zou Marsman aan de realisatie van het plan beginnen, van de nood min of meer een deugd makend. Door een contract met Querido was hij nog steeds gehouden tot de levering van twee van de drie romans, waarvan *De dood van Angèle Degroux* de eerste was geweest; nadien had hij niets aan verhalend proza voltooid dan 'Teresa immaculata' en het grootste deel van het *Zelfportret van J.F.*, dat in de jaargangen 1937 en 1938 van *Groot Nederland* werd gepubliceerd. De overeenkomst werd nu in die zin gewijzigd dat het *Verzameld werk* in plaats van de twee romans zou komen. Marsman begon nogmaals aan de bewerking van *Vera*, zoals hij in 1932 ook al gedaan had, eveneens op instigatie van Du Perron, ditmaal onder de titel *Hedda, een lyrisch verhaal*. Het kwam zelfs nog tot een drukproef, maar ter elfder ure besloot hij deze roman, die hij als mislukt beschouwde, definitief niet te laten herdrukken. Aan Greshoff schreef hij op 18 februari 1938:

Ik heb het vroegere *Vera* bij herlezing zoo bedonderd gevonden, dat ik in geen jaren tot publiceeren zal komen. Misschien later eens, als het mij niets meer kan schelen, dat het zoo slecht is –, als curiositeit.

Afgezien van deze essentiële afwijking van Du Perrons desiderata, voerde Marsman de opdrachten van zijn vriend vrij nauwkeurig uit, zoals blijkt uit de bewaardgebleven exemplaren van *De dood van Angèle Degroux*, *De anatomische les*, *De lamp van Diogenes* en *Kort geding*, die alle door Du Perron met het snoeipotlood bewerkt zijn. Vooral de aanwijzingen bij de roman zijn tot in details gevolgd.

Exemplarisch is de bewerking van het stuk over Rilke uit *De anatomische les*, dat voor de opname in het deel *Critisch proza* van het *Verzameld werk* met meer dan de helft bekort is. Marsmans appreciatie van Rilke, die hij in de eerste jaren van zijn dichterschap zo hogelijk bewonderde, had een ingrijpende ommekeer ondergaan. Vóór de ontmoeting met Du Perron was dat ook al te constateren geweest, toen hij in een bespreking van Rilke's brieven zijn misnoegen uitte over het naar zijn mening weke karakter van Rilke. Toen Du Perron van die opinie, herdrukt in *Kort geding*, kennis nam, was hij zo verrukt dat hij Marsman, met wie hij kort tevoren kennis had gemaakt, meedeelde blij te zijn dat ook hij Rilke een 'kleffe slaplul' vond.

Als Du Perron in zijn exemplaar van *De anatomische les* bij Marsmans waarderend commentaar op *Die Weise von Liebe und Tod des Cornets Christoph Rilke* aantekent: 'Kom kom, dat boudoirpoepje', dan is dat voldoende om de hele volgende passage te laten vervallen.

> Ge herademt, op slag. Ge vindt hier een jonge en slanke kracht; fijne, geheimzinnige stemming; een sterk visioen. Ge wordt geboeid door afwisseling, verwonderd om verrassende wendingen, betooverd door spanning en atmosfeer. Ge wordt gegrepen door angst. Rilke is jong hier, en helder; moedig en gloedvol, edel, en melancholisch. Zijn psychologie is nog elementair-synthetisch, nog onuitgesponnen, en onverdacht; ze is uitstekend aangebracht tusschen stemming en beeld; zooals de afzonderlijke tafereelen goed gecomponeerd zijn in het geheel.

De verloochening van deze gunstige mening krijgt nog meer reliëf wanneer men bedenkt dat de *Cornet* Marsman bij het schrijven van zijn eigen verhalend proza (waarin hij de organische psychologie wilde toepassen die hij bij Rilke had opgemerkt) tot voorbeeld diende.

De distantiërende houding tegenover Rilke valt nog sterker op bij de waardering van *Die Aufzeichnungen des Malte Laurids Brigge*, in *De anatomische les* Rilke's meesterwerk genoemd. 'Lees het kreng eens over', luidt Du Perrons advies, en het resultaat is dat er in het *Critisch proza* niet meer over het boek gesproken wordt. *Malte* was overigens al jarenlang een twistpunt tussen Marsman en Du Perron, al valt uit schriftelijke uitingen van Marsman wel de conclusie te trekken dat hij geleidelijk – al dan niet dankzij Du Perrons bekeringsijver – van zijn vroegere mening terugkwam.

Du Perrons adviezen werden verder opgevolgd bij de essays over Charley Chaplin ('jou onwaardig'), Delteil ('over dezen epigoon en idioot geen regel meer, en zeker niet lovend, alles *WEG*'), en Cendrars. Deze figuren hoorden allen bij Marsmans vitalistische periode, evenals Henri de Montherlant. Dat het stuk over laatstgenoemde auteur toch werd gehandhaafd lijkt inconsequent, maar valt zonder twijfel te herleiden tot Du Perrons gunstige oordeel: 'Dit stuk is mij erg meegevallen; het is vaak uitstekend geschreven en absoluut van belang voor *jou* – als Novalis, Büchner. Ook veel juister dan ik eig. dacht.'

Geheel door Du Perron geconcipieerd is ook de reeks van 42 korte kritische notities in het derde deel van het *Verzameld werk*. De door hem gebruikte titel *X-stralen* liet Marsman uiteindelijk ongebruikt. In deze afdeling werden een groot deel van de 'Varia', in 1927 en 1928 in *De vrije bladen* gepubliceerd, en fragmenten uit dag-, week- en maandbladkritieken bijeengebracht, waarbij weer van Du Perrons selectie gebruik gemaakt werd. Het plan voor een dergelijke verzameling dateerde al uit de tijd dat beide vrienden elkaar nog maar sinds kort kenden.

Wat bij vergelijking van de beide versies van deze fragmenten – de publicatie van 1938 en de oorspronkelijke – opvalt, is dat Marsman de elementen uit zijn poëtica die sterk van Maritain afhankelijk waren heeft gesupprimeerd. Men vergelijke bv. fragment 22 als de herschrijving van de passage die ik in hoofdstuk 5, pag. 207 citeerde; de metafysische ondertoon is aanzienlijk gematigd. Iets dergelijks is vast te stellen m.b.t. herdruk van de artikelen waarin Marsman in het spoor van Gerard Bruning het individualisme afwijst en het herstel van de maatschappij zoekt in een nieuwe religie; voor het overgrote deel zijn dergelijke uitlatingen geschrapt.

In zijn poëzie heeft Marsman minder van zijn oude ik willen retoucheren. In 1927 had hij met de uitgave van *Paradise regained* al een strenge retrospectieve selectie gemaakt, en hij heeft er in 1938 kennelijk geen behoefte aan gehad die bundel nogmaals uit te dunnen. Van *Witte vrouwen* behield hij het meeste, en in de inhoud van *Porta nigra* had hij al in de vierde druk van 1937 wijzigingen aangebracht. 'Don Juan' was weggelaten, misschien omdat het te veel reminiscenties aan Slauerhoff wekte. 'Paul Robeson zingt' onderging hetzelfde lot, maar werd als 'katholiserend' gedicht vervangen door 'Zinkend schip', wat Anton van Duinkerken deed vermoeden dat Marsman mogelijk een nieuwe richting insloeg; een vermoeden waarvan de dichter hem haastig per brief van 28 maart 1937 trachtte af te brengen.

Marsman heeft terdege beseft hoeveel hij bij de samenstelling van zijn *Verzameld werk* aan Du Perron dankte. Zo schreef hij aan Greshoff in september 1937, toen hij de laatste hand aan de drie delen legde:

> Voor mij zou het een groote voldoening zijn, na jarenlange minitieuze detailcritiek zijn synthetisch oordeel te lezen; en werkelijk – hij *kent* het als *niemand*. Niemand heeft er zich zoo in verdiept, niemand heeft zoo veel voor mij als schrijver gedaan!

Het eindoordeel van Du Perron, gepubliceerd in het *Bataviaasch nieuwsblad* van 20 augustus 1938, luidde ongeveer als zijn argumentatie die Marsman had moeten overreden tot deze uitgave.

> Deze drie delen verzameld werk situeren hem eigenlijk nauwkeurig zoals hij er nu voorstaat: als een man die dit reeds bereikte en dit gaf, die deze monumentale zelfbevestiging achter de rug heeft en met geoefende en lege handen het leven en de materie dus weer aan kan, vertrouwde vijanden die hem niet veroorloven zullen zich te onttrekken aan de strijd.

Ook Marsman zelf vatte de betekenis die de mijlpaal van zijn *Verzameld werk* voor hem persoonlijk had op in de zin die Du Perron met zijn opdracht had beoogd. Hij schreef aan Roland Holst dat hij zich nu veel vrijer voelde staan tegenover nieuw te schrijven werk. Nog duidelijker liet hij zich in die zin uit tegenover C. Leeflang, boekhandelaar te Utrecht, die hem om een prospectustekst ter begeleiding van de driedelige uitgave had gevraagd. Hij stelde vast dat er nu definitief een fase achter hem lag, en vervolgde:

> Ik ben niet iemand wiens ontwikkeling in een geleidelijke spiraalgang verloopt, ik ben als een stroom door een vrij sterk geaccidenteerde bedding en er is geen zweem van twijfel, of de rivier die ik ben maakt in dit jaar haar eerste groote bocht. Ik neem afscheid van een bepaald landschap, en ga een nieuw verschiet tegemoet.

Hij verwachtte van zichzelf een evolutie naar een grotere objectiviteit, waarvan hij zelf de studie over Gorter als een eerste stap beschouwde. Een tweede specimen van deze gewijzigde kritische instelling is te vinden in de monografie over Ter Braak, die tegelijk met zijn 'Proeve van zelfcritiek' werd opgenomen in het geheel aan hem gewijde nummer van juli 1938 van *Groot Nederland* dat ter gelegenheid van de verschijning van zijn *Verzameld werk* uitkwam.

Nu hij zo bewust een periode afgesloten had, voelde Marsman de behoefte weer van woonplaats te wisselen, en zo de kans op nieuwe indrukken en nieuwe inspiratie te vergroten. In februari en maart 1938 maakte hij vanuit Zwitserland een reis naar Zuid-Italië en Sicilië, 'het demetrisch eiland', ten dele in het gezelschap van A. Roland Holst, die toen in Positano bij Napels verbleef. Voordien, in november 1937, had hij door bemiddeling van Thelen in Locarno, dat vlak bij Auressio ligt, kennis gemaakt met Thomas Mann. Waarschijnlijk is bij deze gelegenheid Marsmans eventuele medewerking aan *Mass und Wert*, het door Mann geredigeerde tijdschrift voor Duitse Exilliteratuur, ter sprake gekomen. Thelen had de kort tevoren in *Groot Nederland* verschenen

Huis te Mornex, waar Marsman van de zomer van 1938 tot het voorjaar van 1939 verbleef

novelle 'Teresa immaculata' in het Duits vertaald, en Mann aangeboden ter publicatie in zijn blad. Uiteindelijk zou het verhaal niet in *Mass und Wert* geplaatst worden, omdat Mann met reserve tegenover het incestthema stond; hij verhulde deze bedenking met het excuus dat kort tevoren een verhaal van Robert Musil over hetzelfde onderwerp in *Mass und Wert* opgenomen was.

In april 1938 maakte Marsman weer een kleine lezingentournee door Nederland, zoals hij dat sinds de terugkeer van zijn buitenlandse reis in 1934 regelmatig had gedaan, sinds hij de advocatuur had opgegeven een financiële noodzaak. Daarna vertrok hij naar Frankrijk, eerst naar de Provence, waar de mistral al gauw een te grote belasting voor zijn nog altijd zwakke longen werd, al genoot hij er van het uitzicht op de 'apollinisch' heldere, blauwe zee. Een voorlopig rustpunt vond hij in Mont Gosse bij Mornex in de Haute Savoie, waar hij tot het voorjaar van 1939 zou blijven. Hier werkte hij aan verschillende projecten, in de eerste plaats aan een nieuwe Pascoaes-vertaling, ditmaal van *São Jeronimo*, waartoe Thelen hem weer had uitgenodigd. Nu werkte hij echter in afzondering aan de door Thelen in het Duits vertaalde tekst. De afwerking deden ze samen in Auressio. Overigens beviel dit boek van Pascoaes hem veel minder dan de *Paulus*, waarvan bij vergelijking het veel bezielder en visionairder karakter opvalt. Vervolgens begon hij aan de voltooiing van de Nederlandse versie van *Also sprach Zarathustra*, begonnen door P. Endt, directeur van uitgeverij De Wereldbibliotheek, maar door diens overlijden onafgemaakt. Dat hij ook met deze 'Wagneriaanse opera' weinig affiniteit had, viel hem bij het vertalen extra op.

Daarnaast schreef hij zeer veel korte en lange poëziekritieken voor de NRC, waar Vestdijk sinds 1937 redacteur letteren was. Marsman toonde zich zeer geïnteresseerd in wat hij de 'jongste generatie' noemde: Hoornik, Van Hattum, Den Brabander, Van der Steen, Franquinet, Lehmann en Gomperts. Hij had zowel een door hem samen te stellen bloemlezing uit hun poëzie op het oog, als een bundel artikelen erover, beide uit te geven door Meulenhoff; maar van geen van beide plannen is ooit iets gerealiseerd, bij gebrek aan voldoende interesse van de uitgever. Aan het belang dat Marsman in de nieuwste literatuur stelde, was zijn diep geworteld verantwoordelijkheidsgevoel voor de poëzie niet vreemd. De stukken die hij aan de jongeren wijdde, waren niet vanuit het standpunt van de geïnteresseerde, maar ook enigszins afwachtende oudere en bezadigder literator geschreven, maar verrieden de nog steeds levende behoefte zich actief met de wordende dichtkunst bezig te houden. Een essay als 'De richting der jeugd' had naast een informatieve ook een sterk stimulerende strekking. Zo constateerde hij het ontbreken van een groepvormend en profilerend tijdschrift, wat naar zijn mening moest leiden tot 'een staat van halve onbekendheid en onoverzichtelijk isolement', die de levenskans van de jongste literatuur stellig niet zouden vergroten. Sprekend uit eigen ervaring merkte hij op dat een tijdelijk brandpunt van literaire meningsvorming van eminente betekenis kon zijn.

> Tijdelijk – meer is ook niet noodig: na een periode van gemeenschappelijk verzet, van diepgaand persoonlijk contact, van uitwisseling, idealisme, grootspraak en verblinding, stuk voor stuk de uitingen van een bezield, saamhoorig jong leven, gaat men, wellicht na de heftigste botsing, voor goed of voor lang weer uiteen; maar het tijdschrift heeft, mits het aan een gemeenschappelijken drang, een norm, een criterium is ontsprongen, zijn werking gehad, het heeft het gezicht van den tijd en zelfs van het leven, in geringe of hevige mate, maar in beide gevallen *onmisbaar*, veranderd en gemerkt.

'Een criterium'. Misschien is het niet toevallig dat een groot aantal van de dichters die Marsman met zoveel belangstelling volgde, en die kort voor 1940 als de nieuwe literaire generatie gold, zich na een tijdelijk verband in het tijdschrift *Werk* verenigde in een programmatisch orgaan onder de naam *Criterium*. Dat programmatische karakter had *Werk* juist ontbroken, tot Marsmans ontevredenheid. Aan Hoornik, redacteur van *Werk* en later ook van *Criterium*, met wie hij sinds 1938 in schriftelijk contact stond, schreef hij: 'hoewel ik, met u, tegen geforceerde programma's, polemiek en critiek ben, vind ik het voor een jong tijdschrift veel te doodsch.' *Criterium* zou hem beter bevallen.

Naast Hoornik werd de eerste redactie van dit blad, dat vanaf januari 1940 verscheen, gevormd door Han Hoekstra en Cola Debrot. De laatste kende Marsman al sinds 1932, toen ze beiden in Utrecht woonden. In zijn bijdrage aan het nummer van *Criterium* dat in september 1940 aan Marsmans nagedachtenis werd gewijd, meldt Debrot dat hij van nabij de wording van 'De aesthetiek der reporters' meemaakte, een essay dat bij eerste publicatie in *Forum* aan hem werd opgedragen, en waarmee hij per brief zijn instemming betuigde. Bij de samenstelling van zijn *Critisch proza* had Marsman dit stuk als inleiding opgenomen, een bewuste keuze, want hij had er indertijd duidelijk zijn positie mee bepaald: tussen de estheten van de inmiddels ter ziele gegane *Vrije bladen* en de personalisten van *Forum*. Hij had zich tegen de moderne zakelijkheid als norm gekant, en had, à la Verwey, een onderscheid gemaakt tussen de reportage als afbeelding en het literaire werk als verbeelding. Alleen de kunstenaar kende 'den droom die meer dan het ding is'; de kunstenaar wilde om de tijd niet vergeten 'wat boven den tijd ligt' en om de zichtbare werkelijkheid niet afzien 'van wat onzichtbaar is en achter den mensch, zwakke maar onbedrieglijke teekenen in de richting van het geheim.'

Het was juist Debrot die de inleidende verklaring, zo men wil het programma, van *Criterium* ondertekende, en als koers van het blad een synthese tussen *De vrije bladen* en *Forum* voorstond, aangeduid met de term 'romantisch rationalisme', waarin de verbinding tussen verbeelding en zakelijkheid ligt opgesloten. Hoewel hij 'De aesthetiek der reporters' niet noemt, is de nawerking ervan op zijn literair credo duidelijk.

Dat Marsman goed inzag wat de jongere generatie bewoog, blijkt uit een andere passage in 'De richting der jeugd'.

> Ik behoef hier geen deerniswekkend tafereel op te hangen van den nood van den tijd, waarmee reeds voldoende gesold wordt door lieden van allerlei slag, maar één ding is zeker: zij die nu veertig zijn, hebben nog iets gekend van een veiligheid, een althans uiterlijke gezondheid, een idyllische stabiliteit, die weliswaar spoedig niets dan schijn bleek te zijn, maar ook de schijn heeft zijn waarde, en voor de op *dit* moment jeugdige menschen heeft zelfs die schijn niet bestaan. Zij denken dat wij droomen of fabuleeren of zwetsen als wij vertellen over de jaren waarin wij ontwaakten. Het is waar, ook wij zijn in menig opzicht en zelfs niet tot ons nadeel ontnuchterd – zij daarentegen werden ontgoocheld geboren.

En als mogelijke wereldbeschouwing, die de basis voor literatuuropvatting is, bood hij hun aan

> een aanvaarding, die het leven niet alleen ziet, maar ook *neemt* zooals het is, met een harden, maar helderen blik. Deze aanvaarding tenslotte verraadt, enkel reeds door te aanvaarden, een mannelijke weerbaarheid, die, aanvankelijk bijna onmerkbaar en ook door haar dragers onopgemerkt, kan overgaan in een geloof: de overtuiging dat het leven als geheel moet worden geleefd. Zij zou, in verschillende graden en nuances, het richtsnoer kunnen worden

van een geslacht dat zijn bestaan met een door het huidige leven volkomen gerechtvaardigd pessimisme zonder een schim van illusies begon.

Het is niet helemaal hetzelfde als het in de poëtische praktijk kiezen voor het 'klein geluk' dat de werkelijkheidsaanvaarding van de *Criterium*groep kenmerkt; in Marsmans formule schuilt de geïnspireerdheid van een Nietzscheaans amor fati, dat zou leiden tot de bezielde retoriek van *Tempel en kruis*, een retoriek die men in de poëzie van Hoornik, Den Brabander, Lehmann en anderen tevergeefs zal zoeken. De enige, wiens gedichten de ook door Marsman zelf ervaren aansluiting te zien geven, Robert Franquinet, bleef een eenling.

Dat Marsman in ieder geval de *stemming* van de jongste generatie goed gepeild heeft, wordt duidelijk uit de woorden van Hoornik, geschreven bij de opening van de tweede jaargang van *Criterium*:

> Marsman die de gemeenschap verweet niet te beseffen, wat zij de persoonlijkheid schuldig is, die in eigen hart en ziel de conflicten uitvocht, waarvan de slechting ook haar bestaan zou verbeteren en haar cultuur zou verrijken, werd als wij individualist uit nood.
>
> Dit terugtrekken op eigen gebied leverde in de poëzie een somber beeld op, waaruit de tragiek van al het individueel-levende in dubbele mate spreekt. Want meer nog dan in die verworpenheid zelve, zooals bij den dichter J. C. Bloem, werd het hoofdthema van ònze poëzie de realiteit, die haar veroorzaakt. Er ontstond een psychologisch realisme, dat de zaken niet verfraaide en de dingen bij hun naam noemde, waaruit de geijkte schoonheid geheel gebannen was, en waaraan de aesthetische vooringenomenheid van de etherische lyrici zich wel moest stooten.
>
> [...] Slechts de enkeling vroeg om een grooten, bevrijdenden droom, en maar weinigen wilden hun verlatenheid die ook de onze was, verbeeld zien in de poëtische vormen. Tot dien droom waren wij niet bij machte. Wij sliepen niet meer als Marsman met den Melkweg, maar met de sterren van springende granaten.

In het tweede deel van dit programmatische stuk benadert Hoornik niet alleen de analyse en het perspectief dat Marsman had gesteld, maar ook diens toon, zoals die klonk in de cultuurkritiek van de laatste levensjaren en in *Tempel en kruis*.

De scheppende mensch tot in zijn doodsverlangen toe, verwerpt het leven niet, zoolang hij creatief is. Er komt een avond, dat hij 'den onuitsprekelijken hemel' weder ziet, dat hij, ook zonder wijsgeerige bezinning, het onvergankelijke boven het tijdelijke stelt, den droom boven de realiteit, dat hij het lijden en het geluk, het gemis en de verwachting erkent als de wezenlijke factoren van de menschelijke tragiek *in alle tijden*. Ook wíj zagen het: maan en sterren boven een turbulente uiteengeslagen wereld: een werkelijkheid die wij ondanks alles toch konden aanvaarden, een realiteit, die tot op vandaag de bron onzer verbeelding bleef en, op een hooger plan gebracht, 'hinausgeht über die sinnliche Erfahrung mit der Tendenz sich zu dem was hinter den Dingen liegt zum Geistigen zu erheben.'

Een dergelijke uitspraak wekt herinneringen aan het in 'De aesthetiek der reporters' verwoorde standpunt, en aan de slotregels van *Tempel en kruis*:

> zoolang de europeesche wereld leeft
> en, bloedend, droomt den roekeloozen droom
> waarin het kruishout als een wijnstok rankt,
> ruischt hier de bron, zweeft boven déze zee
> het lichten van den creatieven geest.

De nauwe relatie die er bestond tussen de *Criterium*dichters en Marsman maakt duidelijk dat hij de rol van mentor vervulde. Zeer manifest is dat bv. in het geval van Achterberg. In zijn debuutbundel *Afvaart* van 1931 toonde hij veel te danken te hebben aan de poëzie van Marsman, na A. Roland Holst zijn belangrijkste voorbeeld. Uit de briefwisseling die een paar maanden voor Marsmans dood ontstond blijkt dat die bewondering in 1940 nog niet verminderd was.

Overigens was er in de relatie van Marsman tot de jongeren geen sprake van eenrichtingsverkeer. Hij was niet alleen bereid als hun mentor op te treden, maar liet zich ook door enkelen van hen inspireren. Zo heeft men gemeend in de exuberante beeldenrijkdom van 'De boot van Dionysos', het tweede deel van *Tempel en kruis*, de invloed van Robert Franquinet te kunnen herkennen. In zijn beschouwing over de nieuwste poëzie, 'Het steenen tijdperk', van 1939 schreef Marsman zelf al dat Franquinet in het middenstuk van de plaquette *In memoriam Maurice Ravel* een dionysische elegie van bijzondere waarde had gepubliceerd, en het is vooral deze poëzie die doet denken aan die van Marsmans laatste bundel. Men vergelijke Franquinets:

Wie huivert in 't azuur der waterklare nachten
en roept de sterren na langs curven van het dal?
Geen zeilenschip op zee draagt roekelozer vrachten,
geen pasgeboren lam blaat blanker in zijn stal.

Hij schrijdt vooraan en kranst zijn bandeloze leden
met druivenooft en sliert de slingers rond uw leest
en treedt op glanzend kruid naar gonzende gebeden
van 't wild gediert in 't lokkende foreest.

En aan de herfsten nestlen duiven in zijn haren,
van bloedrood lover is het zingende priëel
van wie te dwaas en droef naar waterbellen staren
en sterrenval verbeiden als een minnestreel...

In Bogève (1939)

met Marsmans:

> De morgenwind ontrolt zijn schuimende banieren
> door het vervalend nagrauw van den nacht;
> de ochtend brandt in hemelsblauwe vuren,
> het sterrengruis bekoelt tot sintelende asch.

> de kreet der hanen scheurt het donker van de muren,
> het eerste versche bloed springt uit den flank der dag,
> en die in 't donker lag, hoort in zijn laatste droomen
> de vlucht der hinden nog, de herten van den nacht.
> [...]
> nog slechts een korten tijd en het heelal zal stroomen
> en vlammen als een zuil, den hemel in het haar,
> en 't dionysisch schip danst langs de roode stroomen,
> dolfijnen om de kiel, de mast een druivelaar.

Metrum, metaforiek, woordkeus, sfeer: uit alles blijkt de grote overeenkomst. In de opzet van *Tempel en kruis* is daarentegen weer invloed onderkend van Hoorniks lange gedicht *Mattheus*. Nu is het waar dat Marsman zich kort voor en tijdens het schrijven van *Tempel en kruis* intensief heeft bezig gehouden met Hoornik, over wie hij in de zomer van 1939 een essay in *Groot Nederland* publiceerde. Maar de 'epische vorm' die Hoornik had gebruikt, en die bij Marsman zo duidelijk aanwezig is in de inzet 'De man van wien ik dit verhaal vertel', was al eerder geïntroduceerd door Nijhoff in *Awater*.

De hele kwestie van originaliteit van conceptie daargelaten: de epische vorm was voor Marsman daarom zo geschikt, omdat hij in *Tempel en kruis* de analyse van zijn persoonlijke ontwikkelingsgang sinds 1919 wilde combineren met zijn visie op het lot van de Westeuropese cultuur aan de vooravond van de wereldoorlog, die hij onvermijdelijk achtte. De worsteling om los te komen van het christendom als dualistische levensleer resulteerde in een visie op samenleving en cultuur waarin een synthese was bereikt tussen de klassieke en de christelijke elementen van twintig eeuwen geschiedenis. De verwevenheid van het individuele en het algemene is duidelijk te vinden in regels als:

> deze man verloor het geloof
> in wat sterker was dan hijzelf.

hij reisde de wereld rond.
doch hoe weinig baat het den mensch
of haar ziel de zaligheid won
nu de wereld te gronde ging.

Bekommernis om de samenleving was Marsman al vanaf zijn eerste optreden als dichter en kritikus eigen geweest. We hebben ook kunnen zien wat een belangrijke impuls de lectuur van Nietzsche is geweest bij zijn afrekening met het christendom; daarnaast was het idee uit Ter Braaks *Van oude en nieuwe Christenen* over het ressentiment als psychologische basis van het gelijkheidsprincipe, waardoor de Westeuropese beschaving sinds Augustinus werd geleid, van groot belang. Ik vermeldde al hoe zijn lectuur van deze jaren geheel in het teken stond van politiek, filosofie en geschiedenis van het vroege christendom. Die laatste bron is eenvoudig te traceren in de openingsafdeling van *Tempel en kruis*, met fragmenten als:

'zonder die mastodont geen heden,
zonder de dom geen stad, zonder die spil
geen wentlend firmament,'
geen dierenriem, geen babylonisch jaar
dat zijn getal in 't aantal poorten sloeg
van 't colosseum, en in de kralen
van den rozenkrans'.

Dat het Marsmans uitdrukkelijke bedoeling was met deze regels de continuïteit van de babylonische, antieke en christelijke beschaving te accentueren, blijkt uit de toelichtende brief die hij Binnendijk korte tijd na de verschijning van *Tempel en kruis* schreef. Overigens is het gedicht waaruit ik citeerde een van de weinige in de bundel waarin dat zo expliciet gebeurt, als we het bekende slotgedicht 'De zee' even uitzonderen. Dàt gedicht is een pleidooi voor de synthese van de genoemde elementen, maar in de vijftig die daaraan voorafgaan valt juist sterk op hoe Marsman polemiseert met het christendom. Zijn voorkeur voor het steile, krachtige Oud-Testamentische geloof, een voorkeur die ook zijn belangstelling voor het Jodendom verklaart, boven het z.i. verwekelijkte christendom, overheerst, bv. in het tweede gedicht waarin de man voor de kerktoren staat en de in het donker oplichtende klok beschouwt.

opziend naar de middernachtelijke zon,
ontwaart hij 't draaiend kruis,
dat de apostelen als cijfers draagt,
een medaillon, God met den doornenkroon.
dus zoo ondraaglijk werd de eeuwigheid
dat zij zich grijpen liet
door 't vliegwiel van den tijd
en in een speeldoos zich vermalen deed!
door 't vliegwiel van den tijd?
als hij het kruipen van de naalden ziet
beseft zijn trots met een rebelschen spijt
dat ook die ongeboren duizeling,
gebroken en gestremd,
den mensch wordt voorgezet
in 't drama van de kreeft op het tapijt,
en waar eens God in de arena stond
en met een weerbaar man den strijd aanbond
onder de vlaggen van het morgenrood,
knielt nu een schaaldier traag den kruisweg rond
en bidt de staties van de wijzerplaat.

Met Binnendijk (midden) in Bogève

Het gevecht met God, dat gevoerd wordt om zelf God te zijn teneinde niet te vergaan (een motief dat ook Marsmans verbeeldingen van de Vliegende Hollander beheerst) is hier aanwezig in de verwijzing naar de strijd tussen Jacob en de engel aan de Jabbok.

De tijdelijke toenadering tot de kerk wordt achteraf gevoeld als ontrouw aan de eigen aristocratische persoonlijkheid. Het is de spijt om die fase, die Marsman zich in het contact met Nietzsche zeer sterk bewust is geworden, en die de felheid van zijn hoon bepaalt.

> 'Wat deed gij binnen den muur
> van het kathedrale gewelf?
> gij die ook in het Vuur
> geen afstand zoudt doen van uzelf!
> wat rest er nu nog van den smaad
> dat de Droom van de Hoofdschedelplaats
> alleen in het bevende hart
> van het deemoedsgedierte bestaat?'
>
> hoe kon hij ooit zich zuivren van 't verraad?
> want de herinnering aan dat eene maal
> zat in zijn strottenhoofd gelijk een bal,
> een gummiring hem in den hals geschroefd
> als een gezwel, een onverteerbaar ding,
> waarin zijn levensdorst gebeten had,
> maar niets dan asch, bederf en dood geproefd.

Juist omdat de haat tegen het christendom zo fel wordt verwoord, slaat de balans radicaal naar de andere kant door, met als resultaat een Nietz-scheaans-dionysische levensverheerlijking, waarin het instinctmatige en irrationele overheerst. Het treffendst is die polariteit te vinden in gedicht XLVI uit de afdeling 'De onvoltooide tempel' waaruit ik op pag. 319–320 al ruim citeerde. Deze dionysische levensdrift gaat samen met een onverholen anti-intellectualisme:

> 'O vleesch dat uzelve bevlekt
> met het beursche vleesch der cultuur,
> wees een plant weer, een stroomend wier
> in de zwarte rivier der natuur.
> [...]
> slaap niet met het intellect,
> paar niet met een kouden schoot.

361

Met een dergelijke tendens verloochende Marsman overigens zijn expressionistische afkomst niet. Ludwig Klages had met zijn vitalistische filosofie waarin de geest tegenover ziel en instincten werd gesteld de uiterste consequenties uit bepaalde door Nietzsche geschapen premissen getrokken, en een hele generatie schrijvers en dichters was hem gevolgd. Sommigen van hen, onder wie Benn, maakten vanuit dergelijke opvattingen zelfs de sprong naar de nationaal-socialistische variant van het irrationalisme; de ideologie waartegen *Tempel en kruis* voor een belangrijk deel gericht was!

Het zijn deze tegenstrijdige elementen binnen de bundel zelf die *Tempel en kruis* tot een onevenwichtig werk maken. Het lijkt of de zeven maanden die Marsman aan deze 51 gedichten gegeven heeft (voor zijn doen een absolute recordtijd) te kort zijn geweest; alsof hij zich, misschien opgejaagd door de dreiging van de oorlog, te veel heeft gehaast. Die suggestie van gejaagdheid spreekt ook uit de exuberante beeldspraak die in vergelijking met de ook al kwistige metaforiek uit voorgaande periodes, barok te noemen valt. Al in het eerste gedicht tuimelt het ene beeld over het andere, zonder dat de dichter zich bekommerd lijkt te hebben om een logisch, of zelfs maar associatief verband. Het plein wordt vergeleken met 'een zeester in het zand', in de daarop volgende regel met een mijn die zijn schachten in de stad zendt, en weer even verder met een krater. Die lawine van elkaar verdringende beelden houdt de hele bundel door aan, maar is wel het krachtigst in 'De boot van Dionysos'.

Een merkwaardig aspect van deze serie van vijf gedichten is dat, waar ze als een duidelijke reminiscentie bedoeld zijn aan de vitalistische periode van *Verzen*, ze geschreven zijn in een van de meest klassieke maten die men zich denken kan, de alexandrijn. Men kan in verband daarmee ongetwijfeld aan de expressionistische gedichten van de door Marsman zeer bewonderde Georg Heym denken, maar met evenveel recht aan een aan tradities van metrum, ritme en pronkende beeldspraak gebonden symbolist als Karel van de Woestijne (die Marsman ook al tijdens zijn eerste periode beïnvloedde, getuige het fin-de-siècle-achtige gedicht 'Einde').

Tempel en kruis mag dan om poëtisch-technische en compositorische redenen tekortkomingen hebben, om andere redenen is het van groot belang. In de eerste plaats geeft Marsman een boeiend en persoonlijk retrospectief op zijn leven en dichterschap, een leven dat met zijn dichten één was. Van een richtingloos 'anarchistisch-aesthetisch-vitalisme' (zoals hij het ooit tegenover Lehning omschreef) evolueerde hij via een jarenlang zoeken naar een nieuwe ideologie, 'een God of maatschap-pij/die mijn bestaan betrekt in een bezield verband', naar een levensop-vatting waarin de vrees voor de dood was overwonnen met het accep-teren van de totaliteit van het leven, dat de dood als noodzakelijk com-plement in zich besloten houdt. Na de inleidende afdeling 'De dieren-riem' weerspiegelen de drie volgende de fases van het dichterschap, die Marsman zelf onderscheiden had bij de redactie van zijn *Verzameld werk*: 'De boot van Dionysos' zijn vitalistische tijd ('Ik die bij sterren sliep en 't haar der ruimten droeg'), 'De wanhoop' de ideologische ontreddering, en de toenadering tot het katholicisme daarna, waarvan *Paradise regained* spreekt (het gelijknamige gedicht wordt in XX geparafraseerd, en gecontrasteerd met de doodsangst, waartegen het ooit als – ontoerei-kend – antidotum diende; merkwaardig is dat Marsman ook in deze afdeling in scherpe bewoordingen het fascisme en nationaal-socialisme veroordeelt); en tenslotte in 'De onvoltooide tempel' de doorbraak naar de 'zuidelijke krachten' van zijn natuur.

Daarmee zijn we dan meteen bij de algemene strekking van *Tempel en kruis*, die uit de persoonlijke voortvloeit: juist van die krachten, de oude antieke waarden: apollinische helderheid, Lebensbejahung, har-monie tussen ziel en zinnen, verwachtte hij de regeneratie van het in het totalitaire geweld ondergaande West-Europa. Ook de toekomstige wereldbrand aanvaardde hij als voorwaarde voor een hernieuwde bloei met een Nietzscheaans amor fati.

> – alle duister en gloed
> van 't beroofd firmament
> wordt een brandend ferment
> in het menschelijk bloed.
>
> zie, de aarde is rood
> van den tragischen wijn;
> 't paradijs een woestijn,
> maar het schepsel wordt groot.

Het was juist de op Nietzsche geïnspireerde felheid waarmee Marsman zich tegen het christendom had gekeerd, die Anton van Duinkerken in zijn *Gids*-bespreking van *Tempel en kruis* bracht tot een oordeel dat onder een schijnbare objectiviteit de gekwetstheid van de katholiek nauwelijks verbergt. De bezwaren tegen compositie, beeldspraak, ritme, metrum e.d. worden zeer breed uitgemeten, breder dan misschien wel

363

nodig was geweest. Maar een zwaarder accent krijgen de morele bezwa-zwaren. Zo tekent Van Duinkerken bij het door mij op pag. 319–320 geciteerde gedicht aan:

> Roekeloos de vitaliteit van lichaam en geest uitvieren lijkt bij zulk een levensbeschouwing de gepaste geneeswijze voor iemand, die door niets anders in zielsverbijstering geraakt was dan door de ervaring, dat blinde roekeloosheid nutteloos is, en dat zij de mens, die gedurig zichzelf ermee bevredigt, in feite verlaft. Het tekent Marsman, dat hij in deze Nietzscheaanse belijdenis het daarmee zo strijdige woord: *verslaven* gebruikt en dat hij de schijnbaar kracht-herstellende lusten aanduidt als de *koortsen* van het genot. Deze woordkeus profeteert voldoende, dat zijn hoofdpersoon niet in staat zal zijn, de morele levenswaardering, hem uit Holland mee-gegeven, in het zuiden voorgoed te vergeten. Na korte termijn zal hij vernederd voelen, hoe de koortsen van het genot hem uitput-ten. De tijdelijk ontlopen krisis zal dan opnieuw beginnen.

En in een profeterend eindoordeel over de hele bundel merkt Van Duinkerken op:

> Als ooit het nageslacht zich afvraagt, hoe de meest representatieve dichter van heden heeft gereageerd op de verwarring van de tijd, zal het uit dit opzettelijk ideaal-loze verhaal een spoorwijzend ant-woord vernemen. Het zal de stemming afgetekend zien, die de invloed van het Nietzscheaanse nihilisme omstreeks 1940 in de gemoederen naliet. Het zal in een wilskrachtiger tijdperk de beslui-teloosheid verachten, die hier 'walging' en 'wanhoop' genoemd wordt, maar die in werkelijkheid een verlamming van de beste geestelijke functies is geweest als gevolg van de dreigende uitzicht-loosheid in het maatschappelijk en cultureel verkeer.

Van Duinkerkens stuk was een laatste stap in de animositeit die tussen hem en Marsman was gekomen sinds de laatste zich openlijk van het katholicisme had afgekeerd. De polemiek per gedicht van 1930, Van Duinkerkens verdediging van de door Marsman als tweederangs romancier gekarakteriseerde Coolen in 1932, de schimpende bespreking van het Ter Braak-essay in *De tijd* van 8 juni 1939 die Marsman verleidde tot een – door Greshoff geweigerde – reactie voor *Groot Nederland*: het waren incidenten geweest die een steeds verder gaande verwijdering hadden gemarkeerd.

Met Binnendijk in Bogève (1939)

De oorlog die Europa een ander aanzicht zou geven, wordt in *Tempel en kruis* als een onvermijdelijke realiteit gezien, en er is geen moment in Marsmans laatste jaren geweest dat hij met het uitbreken ervan geen rekening hield. Tijdens de München-crisis van september 1938 vreesde hij dat het Italiaanse leger door Zwitserland Frankrijk binnen zou trekken, en wilde hij uit Bogève naar veiliger oorden trekken. De berichten die Thelen verstrekt uit zijn herinneringen aan de dagen dat de oorlog werkelijk uitbrak, en hij op doorreis naar Portugal bij Marsman langs ging om hem tot meegaan te overreden, als zou deze een en al zorgeloosheid zijn geweest, steken daarbij wat zonderling af. Die onbezorgde houding zou dan gebaseerd geweest zijn op de overweging dat bezitters van een door een neutraal land uitgegeven paspoort geen hinder zouden hebben van de oorlogshandelingen.

Hoe dit ook zij, toen de huurtermijn van het chalet in Bogève verstreken was, besloot hij zich te vestigen in een streek die verder van de Duitse en Italiaanse grenzen aflag. Na enig zoeken vestigde hij zich in het dorp St. Romain bij Beaune in Bourgondië. Daar bracht hij de laatste maanden van zijn leven door, werkend aan de inleiding op Slauerhoffs *Verzamelde poëzie*, de *Zarathustra*-vertaling en de afwerking van *Tempel en kruis*, dat verscheen in april 1940, een maand voor de Duitse inval in Nederland. Toen het eenmaal zo ver was, overwoog hij nog even als vrijwilliger dienst te nemen in het Nederlandse leger, maar tenslotte besloot hij, toen de Duitse opmars de terugtocht naar zijn vaderland al spoedig onmogelijk maakte, naar Bordeaux te gaan, om vandaaruit te trachten te ontkomen naar Zuid-Afrika, waar Greshoff zat, of naar Portugal, waar hij Thelen wist. Met beide vrienden correspondeerde hij in zijn laatste brieven over de mogelijkheden van een vlucht.

De allerlaatste berichten over Marsman zijn ons verstrekt door Wiessing in zijn mémoires. Uitgeweken vanuit Parijs, ontmoette deze oudhoofdredacteur van *De nieuwe Amsterdammer*, die Marsman al kende uit de tijd dat hij diens eerste expressionistische verzen in zijn periodiek plaatste, hem medio juni in Bordeaux. Nog steeds bezocht Marsman het Portugese en Engelse consulaat om de benodigde visa te bemachtigen, en nog steeds ging hij een reis door Spanje uit de weg, uit vrees 'door Franco als cadeautje aan Hitler te worden aangeboden'. Op het Nederlandse consulaat ondernam hij pogingen voor zichzelf en zijn vrouw bootpassage naar Engeland te verkrijgen. Wiessing beschrijft een typerend incident: samen met Marsman had hij de Nederlandse consul er op betrapt zich valselijk afzijdig te houden.

Hij was mij op de voet gevolgd, toen ik, de deur openduwend, de consulaire chef op het onbetaamlijke ging wijzen van zo ambtenaarlijk-olympisch mensen in onzekerheid te laten, die zichzelf terecht in gevaar achtten. Toen ik had uitgesproken, was het, of een al te strak gespannen veer in Henny Marsman sprong. Hij liep wijdbeens heen en weer door de kamer, zwaaide met beide armen en hield met soms bijna overslaande stem luidkeels een rede tot zich zelf. Waar de wereld naar toe moest, als mensen zonder verbeeldingskracht het overal te zeggen kregen! Wat er van de wereld terecht kon komen, als dragers van cultuur als vodden werden behandeld!

Door een toeval kreeg Wiessing geen toegang tot de Berenice, het kleine motorschip waarop Marsman zich op 20 juni 1940 met achttien andere Nederlandse vluchtelingen inscheepte voor de oversteek naar Engeland. In de vroege ochtend van de volgende dag, niet ver van de Britse kust in het Kanaal, werd het schip door een torpedo van een Duitse onderzeeboot getroffen. Binnen enkele ogenblikken was het met de opvarenden in de diepte verdwenen. Alleen mevrouw Marsman en de kok, die bovendeks het ontbijt aan het verzorgen waren, werden door de explosie in zee geslingerd en konden na uren ronddrijven worden opgepikt door een patrouillerend vaartuig van de Engelse marine.

Zo deelde Marsman zonder het te weten het lot van Du Perron en Ter Braak. Op 20 mei had hij Thelen nog geschreven opgelucht te zijn door het bericht dat Ter Braak waarschijnlijk veilig in Londen zat. Hij besloot die brief met de laatste dichtregels die van hem bekend zijn:

> Hooger kunnen de golven
> van de wanhoop niet gaan,
> denkt het hart; ik ben aan
> het einde, door het donker bedolven.

Aan het meer van Genève (zomer 1939)

HOOFDSTUK II

NALEVEN

Op het eerste oog valt er een merkwaardige discrepantie te constateren tussen de rol die Marsman bij leven in de Nederlandse literatuur speelde, en de invloed die zijn werk daarna heeft uitgeoefend. Ofschoon hij met Ter Braak en Du Perron hoorde tot de leiders van een generatie, valt hij als voorbeeld voor de naoorlogse letterkunde praktisch weg vergeleken met de betekenis die beide anderen wordt toegekend in de toonaangevende bladen *Criterium, Libertinage* en *Podium*; daar moet wel meteen aan worden toegevoegd dat in laatstgenoemd periodiek de beide voormalige *Forum*redacteuren weldra de functie van stootkussen gaan innemen. Maar dat deze twee naast bijval ook uitgesproken verzet hebben gewekt (en nog wekken) wijst er op dat ze te beschouwen zijn als figuren van betekenis. Marsman daarentegen lijkt al spoedig het lot beschoren te zijn geweest van opname in het rijtje klassieke dichters dat nog wel regelmatig als nationaal cultuurgoed wordt herdacht en herdrukt, maar niet meer als actueel wordt ervaren, en derhalve weinig of geen belangstelling meer trekt van de zijde der literatuurkritiek.

Het lijkt alsof de oorlog in de waardering voor Marsman een beslissende cesuur heeft aangebracht. Vlak na zijn dood, in september 1940, verscheen er nog een honderden pagina's dik herdenkingsnummer van het jongerentijdschrift *Criterium*, dat meer is dan een obligate verzameling van gelegenheidsstukjes of in memoriams met een overdosis aan lof en prijs. Han Hoekstra dicht en Halbo Kool schrijft over de gestorvene als een nog onmisbare en daarom levende voorpost, en zelfs in de woorden van de grootste scepticus onder de herdenkers, L. Th. Lehmann, klinkt veel waardering en dankbaarheid.

Het slot van het artikel dat Hoornik, op dat moment de onbetwistbare leider van de *Criterium*groep, wijdt aan *Tempel en kruis*, is representatief voor de houding die de jongste generatie tegenover Marsman inneemt: hij wordt beschouwd als een belangrijk en voorbeeldig dichter, in wiens werk het eigen groepsstreven herkend wordt.

Wat Marsman, wiens in wezen Germaansche romantiek een tegenwicht zocht in de Latijnsche beschaving, eigenlijk wilde, n.l. de synthese van romantiek en rationalisme, van intellect, magie en mystiek, uitdrukking te geven dus aan den completen mensch, wil eigenlijk iedere kunstenaar.

Een duidelijke projectie van het programma van *Criterium*, waarin een 'romantisch-rationalistische' literatuur werd voorgestaan. Dat Marsman zich al voor de oprichting van het blad als mentor van een aantal jonge dichters beschikbaar had gesteld, heb ik in het voorgaande hoofdstuk aangestipt. De relatie tussen hem en *Criterium* kwam dus bepaald niet uit de lucht vallen, en was gebaseerd op persoonlijke contacten met redacteuren en medewerkers: Hoornik, Debrot, Achterberg en anderen. Een dergelijke rol paste geheel bij zijn aspiraties tot het leiderschap dat hij tussen 1922 en 1930 met wisselend succes ook daadwerkelijk uitgeoefend had, en hem de reputatie van 'dictator der jongeren' had bezorgd.

Na 1930 verdween Marsman voorlopig naar de achtergrond, een ontwikkeling die verklaard moet worden uit een complex van persoonlijke factoren en de literair-politieke situatie van dat moment. Om te beginnen was er zijn ideologische crisis, die hem deed zwalken tussen de rooms-katholieke kerk en het fascisme, en daarnaast zijn creatieve impasse. Die persoonlijke omstandigheden hadden zijn weerslag op het milieu van *De vrije bladen*, waar alle ogen op Marsman gericht waren. Met het verstarren van zijn poëtica verstarde het blad mee tot een orgaan van neo-klassicisten en estheten, en door zijn groeiende desinteresse, die maar tijdelijk in het tegendeel omsloeg toen hij in 1929 voor de tweede maal redacteur werd, kreeg de inhoud een voorspelbare formule. De lauwheid van zijn deelname aan het *Prisma*debat, waar hij via vriend en medestander Binnendijk toch zo nauw bij betrokken was, en waarin zijn positie en invloed op de poëzie en de poëziekritiek ter discussie stonden, is significant. Hij moet gevoeld hebben dat zijn leidende rol uitgespeeld was. Vrijwillig en min of meer met eigen goedvinden door het toekomstige *Forum*tweetal overvleugeld, verdween hij naar de achtergrond.

Toen hij na 1934 weer op het toneel verscheen, bleek zijn oriëntatie na de reis door het Middellandse Zeegebied en de intensieve lectuur van Nietzsche ingrijpend te zijn gewijzigd. Zijn kritiek had zich verbreed van literatuurbeschouwing (waarin overigens maatschappelijke noties meespeelden) tot cultuurkritiek, zijn maatschappijbeeld tot een visie waarin het belang van twintig eeuwen traditie in de Westeuropese beschaving centraal stond. Het was in die hoedanigheid, en om het charisma dat hij nog steeds had als de vitalistische dichter van *Verzen* en *Paradise regained*, dat Marsman een gezaghebbende figuur in de Nederlandse literatuur bleef.

De *Criterium*lijn van romantisch rationalisme, waarin de invloed van Marsman zich na zijn dood lijkt voort te zetten, wordt echter al spoedig afgebroken wanneer het tijdschrift op last van de Duitse bezetters eind 1941 wordt opgeheven, en Hoornik niet lang daarna in een concentratiekamp verdwijnt. In de oorlogsjaren is er slechts één duidelijke adhesiebetuiging aan de figuur Marsman: het essay *Het hooglied van de creativiteit* van Erik Martens, een outsider in literaire kringen, wiens boekje bovendien clandestien gepubliceerd en ook na 1945 nauwelijks opgemerkt wordt. Het is echter representatief voor de Marsman-receptie van dat moment. Martens' slotevaluatie luidt:

> Geen dichter heeft meer de sympathie van de moderne jeugd dan hij. Van alle modernen is hij degene, die de voor poëzie gevoeligen, ook onder de allerjongsten, heeft weten te boeien en te inspireren. Al wordt hij soms pathetisch gevonden, de dynamische veerkracht van zijn levensgevoel en de koele romantiek van zijn vormgeving beantwoorden aan de behoeften van de jongste generatie. Er is trouwens geen modern mens, gevoelig voor jeugd en poëzie, die de zuiverende kracht van Marsmans scheppingsvermogen niet ondergaat.

Verwant aan deze visie is de mening van Halbo Kool, een van Marsmans trouwste adepten, die kort na de oorlog in *De nieuwe stem* schrijft:

> Marsman vertegenwoordigt, als geen ander in ons land, met zijn poëzie de belichaming van een nieuwen tijd, want zijn principieel partijkiezen voor de jeugd en zijn hardnekkig vasthouden aan haar programma zooals dat in hem zelf gestalte had aangenomen, beteekenden den inzet voor den strijd om de toekomst, voorzoover deze reeds aanstonds was te verwerkelijken, zij het dan ook nog slechts in woorden – doch, 'in den beginne was het Woord'. Dat is de terreinwinst, die hij op zijn voorpost voor ons allen heeft bevochten. Het is ook de basis, waarop hij zijn generatiegenooten verwijten van lauwheid en lafheid durfde en mocht maken. Geen ander heeft als hij de toekomst zoo heldere beelden van te realiseeren mogelijkheden afgedwongen. Geen ander heeft zooveel, ook van zich-

zelf, achtergelaten om uitsluitend en alleen naar den horizon toe te groeien. Geen ander bleek in staat zich dermate als hij, op het wezenlijke te concentreeren.

Er zijn meer getuigenissen die spreken van Marsman als voorbeeld èn symbool voor een generatie. Het zijn juist de leden van de generatie die tijdens het interbellum volwassen werd die steeds weer op hem teruggrijpen. Zo schrijft Van Klinkenberg tien jaar na Marsmans dood:

> Juist deze enkelen zijn het, die de geestelijke ruimte scheppen, waarin een generatie, een volk, kan ademen, en zich bewegen. Daarom betekende de dood van Marsman het grootste verlies voor zijn generatie. Met Slauerhoff, Ter Braak, Du Perron verloor zij haar krachtigste spruiten, maar met Marsman, zo voelden velen het, verloor zij haar groeicentrum, het punt, vanwaaruit een radicale vernieuwing altijd mogelijk scheen. Het heeft weinig zin te speculeren over de wijze, waarop hij op de litteraire gebeurtenissen van de afgelopen 10 jaar zou hebben gereageerd, maar één ding staat voor ons vast: de geestelijke benauwenis, die ons nu vaak bedrukt, zou minder zijn indien hij nog leefde.

En Schulte Nordholt schrijft weer veertien jaar later:

> moet ik een godennaam noemen, dan is het ver voor en boven alle andere Marsman. Laat elke generatie zijn eigen dichters vinden en herkennen, maar is er één generatie zo gelukkig geweest als de onze, die in deze dichter alles verwierf wat bij haar paste aan jeugd, aan stromende hartstocht en trots en openheid en vaart?

Inmiddels is er dan al lang een andere generatie aan het woord geweest, die het belang van Marsman heeft afgezwakt, of hem eenvoudig heeft genegeerd. Dat zijn invloed, in tegenstelling tot die van Ter Braak en Du Perron, na 1945 niet heeft doorgezet, heeft te maken met de omstandigheid dat *Criterium*, waar zijn erfenis geaccepteerd leek, bij heroprichting na de oorlog een koerswijziging had ondergaan. Hoornik en Debrot speelden geen leidinggevende rol meer. Gomperts was er weldra een van de belangrijkste zegslieden, en hij relativeerde de betekenis van Marsman als kritikus (en derhalve als autoriteit) sterk, toen hij de vitalistische stukken vergeleek met het bespelen van een zuchtend en steunend fornuis.

Ter Braak en Du Perron zijn de grote leermeesters van de na-oorlogse generatie geweest, zelfs voor iemand als W. F. Hermans, die zich
pas na 1950 van hen distantieerde. Hij had toen inmiddels de overgang
gemaakt van *Criterium* naar *Podium*, waar het gezag van Ter Braak en Du
Perron van meet af aan minder onvoorwaardelijk werd geaccepteerd als
in *Criterium*, en na 1948 in *Libertinage*. Zo deed Paul Rodenko in *Podium*
een poging zich van de burger/dichter-antithese los te maken, maar
door Fokke Sierksma, de belangrijkste woordvoerder van het tijdschrift
gedurende de eerste jaargangen, werd hij al snel met de afhankelijkheid
van Ter Braak geconfronteerd. Ook Sierksma's eigen essays stonden
duidelijk in het teken van deze afhankelijkheid, gelet op de titel en de
inhoud van het boek waarin hij zijn stukken uit deze jaren bundelde:
Schoonheid als eigenbelang. Bij hem is Marsman nog slechts te horen in de
vorm van een geciteerde versregel of een opvatting waarmee wordt
ingestemd; maar meer dan terloops is het niet. Kennelijk was, evenals in
1931 na de uitkomst van het debat over *Prisma*, een naast elkaar optreden
van de tandem Ter Braak-Du Perron en Marsman als literaire leiders
uitgesloten. In beide gevallen verdween Marsman naar het tweede plan,
in laatste instantie definitief.

Tekening van Paul Martin, gemaakt te Mornex (maart 1939)

Alleen in een tweetal tijdschriften, die zich in 1945 aandienen als een van de richtingen in het veelstromenland van de naoorlogse literatuur, maar die achteraf niet blijken te horen tot één van de drie hoofdstromen – *Criterium, Podium* en *Libertinage* – valt een theoretisch teruggrijpen op Marsman te constateren, zij het nooit onvoorwaardelijk. Vooral van het vitalisme wordt afstand genomen, meestal met verwijzing naar de gebeurtenissen van de voorgaande vijf jaar, die een dergelijke, 'lebens-bejahende' mentaliteit onmogelijk hebben gemaakt. Het duidelijkst is dat waar te nemen in *Het woord*. Bij monde van Koos Schuur en Hans Redeker kiest men daar voor een ander aspect van het dichterschap, zoals dat door Marsman belichaamd werd: het primaat van de poëzie als middel bij uitstek de werkelijkheid èn het eigen ik te doorgronden, het daarmee samenhangende belang van de verbeelding, en het streven naar een bezield verband. In de redactionele verklaring in het eerste nummer wordt gesteld:

> Wij zijn ervan overtuigd, dat de literatuur in deze tijd, wil zij haar functie behouden, blijk moet geven van een grote visie. Alleen een bezielde literatuur, bezield door een doorleefde wereldbeschouwing en gedreven door een idee, achten wij daartoe in staat.

Op grond van deze stellingname wordt niet alleen de 'lyrische anecdotiek' van Hoornik en de zijnen verworpen, maar ook aansluiting gezocht bij de humanistische richting van de vooroorlogse *Stem*.

> Verhelderend het beeld van mede-mensch en wereld in ons, stellend ons met deze hoogste directheid en intensiteit, welke exclusief tot het wezen van kunst en poëzie behooren, tegenover de werkelijkheid, doorlevend deze wereld met haar vloeken en heerlijkheden in een matelooze ontroering en teederheid, is de dichter tegelijk de meest waarachtige dienaar van deze Liefde van Christendom en humaniteit: meelevend contact tusschen ik en ander-ik, mensch en mede-mensch: Marsman en Coster hebben elk een zijde der volle waarheid beklemtoond.

In *Columbus*, dat zich in 1945 had geformeerd uit een drietal literaire periodiekjes die tijdens de oorlog clandestien verschenen waren, een bundeling die niet kon voorkomen dat het na twee jaargangen opging in *Podium*, deelt Marsman het patronaat met de mannen van *Forum*. Weliswaar ligt ook hier het accent op het scheppen als 'opperste levensfunctie'; in de inleiding tot het eerste nummer van oktober 1945 heet het 'dat de kunst, ons proza en onze poëzie, voor ons niet anders meer is te verstaan, dan als een functionele menselijke uiting:' 'gelebtes Leben'. Maar in het vervolg van het stuk wordt van deze vitalistische poëtica enige afstand genomen, met behoud van het persoonlijkheidscriterium, dat na Marsman met grotere kracht gesteld werd door *Forum*: 'Wij erkennen dus opnieuw de waarde der persoonlijkheid, aangezien persoonlijkheid voor ons 'mens-zijn' betekent, hetgeen – niet zozeer in vitalistische als wel in vitale zin – synoniem is met 'Leven'. Overigens klinkt ook hier, in het appel op het 'mens-zijn', de stem van Dirk Coster door.

In *Libertinage* tenslotte, het derde belangrijke naoorlogse literaire tijdschrift, wordt Marsman via de voorpublicaties van Arthur Lehnings biografische studie *De vriend van mijn jeugd* in de literatuurgeschiedenis bijgezet. Weldra volgen dan de eerste wetenschappelijke studies en proefschriften. De voor Marsman zeer gunstige, in de lijn van de waardering van Martens, Kool en Van Klinkenberg liggende dissertatie van Van de Ree opent de rij. Opvallend is de positieve belangstelling uit Vlaanderen, waar kort na elkaar de monografieën van René Verbeeck en Paul de Wispelaere verschijnen; niet zo verwonderlijk wanneer bedacht wordt dat de nuchter-relativerende reactie die er met *Forum* in de poëzie optrad, in Vlaanderen nooit zo is aangeslagen. Men kon daar gevoelig blijven voor de soms exuberante lyriek van Marsman.

Een duidelijke wending in de over het algemeen positieve, maar niet erg levendige en stimulerende Marsman-receptie leek aan te breken met het artikel 'Marsman voor jong en oud' dat Oversteegen publiceerde in *Raster* van april 1967. Hij liet daarin de mythe Marsman, het beeld van de dichter als de altijd jeugdige, impulsieve en prikkelende persoonlijkheid, onaangetast, maar trok de waarde van de gedichten in twijfel. 'De vriendschap van deze man moet even bijzonder geweest zijn, als zijn gedichten voor mij onleesbaar zijn, en vaak irritant.' Hij stelde vast dat er voor het lezen van Marsmans poëzie wel een zeer speciale gevoeligheid nodig geweest moest zijn, die in 1967 niet meer bestond, getuige zijn ergernis over de incoherente en vaak tegenstrijdige beeldspraak, die soms vals of lachwekkend werd. Hij signaleerde de overvloed van elkaar verdringende beelden, niet alleen in het op dit punt exuberante *Tempel en kruis*, maar ook in het werk dat daaraan voorafgaat. De depreciatie voor de dichter Marsman voert zelfs zo ver dat Oversteegen de voorkeur gaf aan de schrijver van enkele verhalen en kritieken.

Een paar jaar later, in 1970, leek Jacques Kruithof zich bij dat standpunt aan te sluiten, toen hij bij enkele regels uit *Tempel en kruis* aantekende dat Marsman voor hem in de geschiedenis van de Nederlandse poëzie de grootmeester van de near-miss en het schampschot was. Deze opinies kregen een literair-wetenschappelijke bezegeling van Hannemieke Postma in haar proefschrift over Marsmans eerste bundel *Verzen*. Weliswaar was zij minder radicaal in haar afwijzing dan Oversteegen, en constateerde ze in de door haar bestudeerde teksten veel van blijvende waarde, maar met een herhaling van de bezwaren 'incoherentie' en 'slordigheid' vroeg ze zich verbaasd af, waarom zo velen Marsman nog steeds als een groot dichter beschouwden.

Ik heb het idee dat het met die vermeende bewondering nog al meevalt. Toen de leeftijdsgroep waartoe Oversteegen zelf behoort, van adolescent volwassen werd, dus tussen 1945 en 1955, bestond er geen kloof in de waardering voor de oudere schrijvers tussen de spraakmakende gemeente verzameld in *Criterium, Podium* en *Libertinage*, en het lezerspubliek van die bladen. Het veronachtzaamde boek *Bij nader inzien* van J. J. Voskuil bevestigt volledig het beeld, dat Ter Braak en Du Perron door intellectuelen en intellectuelen in spe werden geëerd en geïmiteerd tijdens het genoemde decennium. Bij Voskuil doet men elkaar het *Verzameld werk* van Marsman wel eens cadeau bij feestelijke gelegenheden, maar als een autoriteit wordt hij bepaald niet beschouwd, en als dichter prefereert men Gorter.

Postma schrijft op pagina 434 van haar studie dat Marsmans poëzie voor adolescenten geschapen lijkt, en 37 pagina's verder voegt ze daaraan toe dat dat naar haar idee te danken is aan zijn 'adolescent élan, en niet te vergeten de ongecompliceerde, directe en enigszins naïeve thematiek, die op een eenvoudig niveau al aanspreekt.' Die bewering wordt gedaan zonder verwijzing naar enig materiaal, vermoedelijk op basis van introspectie, en misschien ook op grond van ervaringen met leerlingen van het middelbaar onderwijs. Zolang er nog geen resultaten van onderzoek op dit punt, (hier ligt een mogelijke opgave voor de receptie-esthetica) beschikbaar zijn, kan ik tegenover een dergelijke observatie slechts *mijn* persoonlijke ervaringen stellen. Ik heb als adolescent weinig gemerkt van een voorkeur voor Marsman bij mijn leeftijdgenoten, en navraag onder een tiental docenten Nederlands heeft me geleerd dat er van een dergelijke grote belangstelling ook nu nog geen sprake is. Ik geloof dat Marsman als dichter bij uitstek voor pubers halverwege de vijftiger jaren al vervangen was door Lodeizen.

Een van de weinigen die op jonge leeftijd zeer intensief met de poëzie van Marsman verkeerd hebben is Gerrit Krol, die in *Het gemillimeterde hoofd* bekende dat het was als 'een geluk, een ziekte, tot het is overgegaan.' De sporen van de herkenning in de dichter van de kosmische zelfvergroting, die als een profeet opriep tot het vormen van een nieuwe gemeenschap, zijn hier en daar in Krols eigen werk aan te treffen. Zo is de titelheld van het verhaal 'De zoon van de levende stad', die 'fietst door de straten van zijn holy city en kijkt naar de mensen, alleen om te zien of ze voor of tegen hem zijn' het type van de 'Verhevene', de 'Heerscher', die we kennen uit Marsmans eerste gedichten. En zo wordt het verhaal 'Eenvoudige lichaamsuitbreidingen' door de auteur gepresenteerd als een parafrase van het gedicht 'Potsdam'.

Wat is, als men voorbijgaat aan de onherroepelijke constatering dat Marsman als figuur literatuurgeschiedenis is geworden, zijn betekenis? Voor een belangrijk deel is die te vinden in het derde en vierde deel van het *Verzameld werk*, waarin het kritisch proza is verzameld. Een studie als die over Ter Braak, portret dat ten dele ook zelfportret is, zoals veel van Marsmans beschouwende geschriften, 'Selbstaussage' als zijn lyriek, maar van een andere categorie, valt moeilijk in scherpte te overtreffen. De korte karakteristiek van de poëzie van Henriëtte Roland Holst is in al zijn beknoptheid het meest juiste dat ooit over haar is beweerd. En tot 1936 had niemand met zoveel inlevingsvermogen over Herman Gorter geschreven als Marsman in het lange essay over de man die hij als de verpersoonlijking van het ideale dichtertype beschouwde.

Zelfherkenning, inlevingsvermogen en een grote intuïtie voor poëzie zijn in hun combinatie de factoren die maken dat Marsman langs 'impressionistische' weg zulke treffende waarnemingen heeft geformuleerd, die op een kernachtige manier en in kort bestek een literaire figuur vaak beter karakteriseren dan vele rationele analyses.

Die eigenschappen waardoor hij als kritikus uitblonk lieten hem merkwaardigerwijs in de steek wanneer hij zijn krachten beproefde op het verhalend proza. Ik ben het bepaald oneens met Oversteegen die Marsmans verhalen prijst, en kan moeilijk inzien dat 'Teresa immaculata' en 'A.-M.B.' minder drakerig zouden zijn dan *Vera* en *De dood van Angèle Degroux*, romans die hun belang meer ontlenen aan wat ze vertellen over de persoon van de schrijver dan aan kwaliteiten op het vlak van compositie, psychologisch inzicht en thematiek. Pas wanneer Marsman onverhuld over zichzelf schrijft, en zich niet verplicht ziet tot een geforceerde objectivering van zijn problematiek in romanpersonages, die hij ondanks al zijn moeite toch niet boven het niveau van tweederangsliteratuur weet te tillen, is hij als prozaïst boeiend. Daarom lijkt mij dat de 'Drie autobiografische stukken' en de 'Proeve van zelfcritiek' met die gedeelten uit het *Zelfportret van J. F.* waarin Jacques Fontein samenvalt met de dichter H. Marsman behoren tot de top van zijn œuvre.

Daarbij hoort ook een groot deel van zijn gedichten. Toegegeven, verzen als 'Heimwee', 'Lex barbarorum' en 'Phoenix' hebben te lijden onder retoriek en lyrische grootspraak. Dergelijke gedichten hebben pendanten te over in de vorm van bombastische beschouwingen en kritieken, waarin Marsman zichzelf overschreeuwt, en die hij veelal geen plaats heeft gegeven in zijn *Verzameld werk*; wellicht omdat hij zelf al begreep dat ze hem van zijn zwakste zijde lieten zien, en hem toonden als een wat verwarde en weinig originele denker. Tot een zelfstandige verwerking van bv. Nietzsche, waartoe Ter Braak in staat bleek, reikte hij niet. Een speculatief systeembouwer als Vestdijk was hij evenmin, en naar een nog altijd actuele en lezenswaardige stellingname tegenover de politiek-maatschappelijke situatie van de jaren dertig als Du Perrons *De smalle mens* zal men bij hem tevergeefs zoeken. Wat Marsman aan ideeën, die verder reikten dan de literatuur, te berde heeft gebracht, treft door oprechtheid maar evenzeer door naïviteit en wereldvreemdheid en is daardoor niet ten onrechte in de archieven geraakt, die alleen nog door nijvere cultuurhistorici worden bezocht.

Nee, het belang van Marsman wordt ook literair-historisch vertegenwoordigd door zijn dichterschap. En ook hier valt niet te aanvaarden zonder kritische kanttekeningen. De blijvende kracht van de 160 gedichten die hij in 1938 nog van waarde vond, schuilt vaker in de bezieling die er uit spreekt, dan in een verrassende wending, een pakkend beeld of een oorspronkelijke zienswijze. Maar onder die 160 zijn enkele tientallen die beantwoorden aan de door hemzelf gestelde eis dat ze zijn 'gezuiverd van de tijd'.

In zijn vroegste poëzie zijn meesterstukken van spanning en complexiteit te vinden, bij een minimum aan middelen, zoals 'Amsterdam', 'Hiddensoe', 'Delft', 'Weimar' en het door Van Ostaijen terecht bewonderde 'Salto mortale'. Tussen de elegische en verstilde gedichten in *Witte vrouwen*, een weldadig intermezzo tussen het opgeschroefde vitalisme van *Paradise regained* en de verbeten doodspoëzie van *Porta nigra*, treft een ijl en absoluut on-Marsmaniaans vers als 'De bruid'. En in *Tempel en kruis* staat, naast één rederijkerige afdeling, 'De boot van Dionysos', de cyclus 'De wanhoop', 21 gedichten waarin het evenwicht is bereikt van een door sobere vormgeving ingetoomde emotionaliteit.

'Het ergste is de literatuurgeschiedenis', schreef hij in 1932, terugblikkend op zijn vitalistische periode, en zoekend naar een nieuwe houding; 'te zien hoe een stuk van mij verleden is geworden, historie, versteening, het ligt in een museum, een mausoleum, het ligt op een kerkhof en verspreidt lijkenlucht. [...] Ik had vrij kunnen zijn, [...] ik had los kunnen zijn van mijn verleden, onversteend, vloeiend, ik had mijzelf kunnen zijn.' De ironie van de geschiedenis wil dat de plaats die Marsman als historische figuur op het moment inneemt juist grotendeels wordt bepaald door uitingen die getuigen van de wil vrij te blijven van verstening, de hang naar 'het onbeperkt gezag van een nieuwen naam'. Als dichter bij leven al in de schaduw gesteld door Slauerhoff, als romancier en verhalenschrijver onderdoend voor Vestdijk, en als kritikus alleen op het terrein van de poëzie een waardig concurrent voor Du Perron en Ter Braak; men zou haast geneigd zijn Marsman een plaats op de tweede rang toe te delen. Dat hij ondanks al zijn tekortkomingen meer verdient is te danken aan wat hij zelf heeft opgeroepen en vervolgens bestreden, zonder te kunnen verhinderen dat het ook na zijn dood bleef bestaan: de mythe van de eeuwig jonge dichter.

NOTEN

Wanneer uit de tekst zonder meer duidelijk is wat de herkomst van een bepaald citaat is, of op welke bronnen een bepaalde weergave van feiten of meningen berust, wordt geen annotatie gegeven. Het notenapparaat heeft een beperkte opzet; meer informatie krijgt de lezer in de bibliografieën, en in de toelichtingen bij de documenten, brieven en verspreide publicaties (deel II).

De volgende afkortingen en aanduidingen zijn gebruikt:

Vw I, II en III
> H. Marsman, *Verzameld werk.* Amsterdam etc. 1938.

Vw IV
> H. Marsman, *Verzameld werk IV.* Critisch proza. Amsterdam 1947.

Verzen
> H. Marsman, *Verzen.* Zeist 1923.

De anatomische les
> H. Marsman, *De anatomische les.* Bussum 1926.

De lamp van Diogenes
> H. Marsman, *De lamp van Diogenes*, Utrecht 1928.

Witte vrouwen.
> H. Marsman, *Witte vrouwen.* z.p. [Utrecht] 1930.

Kort geding
> H. Marsman, *Kort geding.* Brussel 1931.

De dood van Angèle Degroux
> H. Marsman, *De dood van Angèle Degroux.* Amsterdam 1933.

Tempel en kruis
> H. Marsman, *Tempel en kruis.* Amsterdam 1940.

De vriend van mijn jeugd
> Arthur Lehning, *De vriend van mijn jeugd.* Herinneringen aan H. Marsman. 's-Gravenhage etc. 1954.

Marsman en het expressionisme
> Arthur Lehning, *Marsman en het expressionisme.* 's-Gravenhage 1959.

Sprokkelingen
> In rood leer gebonden notitieboekje met 31 gedichten in Marsmans handschrift, gedateerd 25 januari tot 12 oktober 1917. Privé-collectie Lehning.

LM
> Nederlands Letterkundig Museum en Documentatiecentrum te 's-Gravenhage.

KB
> Koninklijke Bibliotheek te 's-Gravenhage.

NOTEN BIJ DE INLEIDING

pagina 7

'Het lot van een wereld' – *NRC* van 16 februari 1929, opgenomen in *Kort geding*, p. 39 e.v. In *Vw* III, p. 8 e.v. is de inleidende alinea, waaruit het citaat stamt, vervallen; één van de vele voorbeelden van herschrijving, die ik in het vervolg niet telkens zal noemen.

pagina 8

'De drang zich te geven' – 'Over Marsman'. In *Criterium* I (1940) 8/9 (september), p. 486.

pagina 9

'De verschijning van Marsmans eerste dichtbundel' – *De tijd* van 19 juni 1936.
'leiderschap' – Wat men verder ook mag vinden van Dirk Coster, hij *had* een vrij scherp inzicht in de literaire verhoudingen. Wanneer hij dan ook in 1929 in *De stem* (p. 664) Marsman de 'leider der jongeren' noemt, is dat geen persoonlijke, maar een algemene constatering.

pagina 12

'naar eigen zeggen geen geboren epistolier' – Een bv. in de brieven aan Binnendijk (in bezit van de ontvanger en aan mij welwillend ter inzage gegeven) herhaaldelijk geslaakte verzuchting.

pagina 13

'haar studie over Marsmans *Verzen*' – *Marsmans 'Verzen'*. Toetsing van een ergocentrisch interpretatiemodel (Groningen 1977), p. 454. De weerlegging van deze stelling ontleen ik aan mijn bespreking van deze studie in *Forum der letteren* 18 (1977) 4 (december), p. 284–294.

pagina 14

'schrijft Arthur Lehning' – *De vriend van mijn jeugd*, p. 146–147.

pagina 15

'als bewijsmateriaal zijn gebruikt' – bv. door René Verbeeck in *De dichter H. Marsman* (Lier 1959²).
'Ik had vrij kunnen zijn' – *Vw* II, p. 55.
'in brieven aan Du Perron' – Zoals valt op te maken uit E. du Perron, *Brieven* III (Amsterdam 1978), p. 313
'ongescheiden-onderscheiden één' – *De anatomische les*, p. 96.

pagina 16

'Dit is geen critiek' – Jan Engelman, *Parnassus en empyraeum* (Maastricht 1931), p. 39.

pagina 17

'De roem is een kwelling' – *Vw* II, p. 54.

pagina 19

'Het is mogelijk' – *Vw* II, p. 192.
'wie zichzelf herleest' – *Vw* II, p. 219, *Vw* IV, p. 9.
'leeg is het graf' – *Tempel en kruis*, p. 20.
'Marsmans vader' – De feitelijke gegevens voor deze personalia werden ontleend aan
een levensschets t.g.v. het 25-jarig jubileum van Marsman sr. als boekhandelaar, waarbij hij zich tegelijkertijd uit zijn zaak terugtrok, gepubliceerd in het *Nieuwsblad voor
den boekhandel* van 27 december 1921, en aan de burgerlijke stand van de gemeente
Zeist.

pagina 21

'De vader van Jacques Fontein' – *Vw* II, p. 208 e.v.
'De herinnering aan mijn moeder' – *Vw* II, p. 204.
'de voorstudies van het *Zelfportret*' – hs. KB 68 D 7. In het *Zelfportret* wordt een dergelijke
kijk op de vader toebedeeld aan Annie, zuster van de ik-verteller (*Vw* II, p. 214).
'ik kom toch' – *Vw* II, p. 203.
'aantal brieven dat aan haar persoonlijk is gericht' – hs. KB 135 A 65.
'omstreeks de zevende april' – Mondelinge mededeling van J. F. Marsman, een broer
van H. Marsman.

pagina 22

'zijn toenadering tot de rooms-katholieke kerk' – Getuige een brief aan Van Vriesland
n.a.v. diens suggesties in die richting in de bespreking van *Witte vrouwen* (*NRC* van
12, 19 en 26 december 1930), hs. LM M 278 B. 1; verder mondelinge mededeling van
J. F. Marsman.
'gedicht' – *Sprokkelingen*.
'Een groote statige vrouw' – *Vw* II, p. 205.

pagina 23

'per brief aan Lehning geuite klachten' – Privé-collectie Lehning.
'Ik paste niet in die sfeer' – hs. KB 68 D 6.
'Ik kan er tenminste' – *Vw* II, p. 192–193.

pagina 26

'eerste ernstige longaandoening' – *De vriend van mijn jeugd*, p. 31.
'de enige die mij niet verraden zal' – O.C., p. 150.
'nauwelijks bestond' – hs. KB 68 D 6.
'De vriendschap van Paul' – hs. KB 68 D 6.
'een tweede tehuis' – *De vriend van mijn jeugd*, p. 25.

pagina 27

'zijn sympathie' – hs. KB 68 D 6.
'Innemend is een slecht woord' – hs. KB 68 D 6.
'Het ging' – hs. KB 68 D 6.

pagina 28

'Daar wij geen ambitie hadden' – *De vriend van mijn jeugd*, p. 15.
'dr. Klaas Later' – In 1903 gepromoveerd op *De Latijnsche woorden in het Oud- en Middelnederduits* aan de Utrechtse universiteit.
'Ik geloof achteraf' – *Vw* II, p. 197–198.

pagina 29

'Met een jaar of achttien' – *De vriend van mijn jeugd*, p. 14–15.

NOTEN BIJ HOOFDSTUK 2

pagina 30

'dagboek' – *De vriend van mijn jeugd*, p. 27.
'paarse album' – hs. KB 68 D 6. Het gaat hier om het aan Lehning geschonken *Sprokkelingen*.
'Roel Houwink' – *Persoonlijke herinneringen aan Marsman* (Amsterdam 1961), p. 6.
'de staf zou breken' – *De anatomische les*, p. 104.

pagina 31

'nagelaten prozafragment' – hs. KB 68 D 8.
'Ik liep' – *Vw* II, p. 232–233.

pagina 33

'Nijhoviaanse opvatting' – J. J. Oversteegen, *Vorm of vent*. Opvattingen over de aard van het literaire werk in de Nederlandse kritiek tussen de twee wereldoorlogen (Amsterdam 1970), p. 132.
'Dit Verhevene' – *De vriend van mijn jeugd*, p. 38.
'het oudste in *Verzen*' – Voor een afwijkende mening zie Hannemieke Postma, *Marsmans Verzen*.

pagina 34

'Het matgroene licht' – *Sprokkelingen*.
'*Het getij*' – Zie A. C. M. Kurpershoek-Scherft, *De episode van 'Het getij'*. De Noord-Nederlandse dichtkunst van 1916 tot 1922 (Den Haag z.j. [1956]).

pagina 35

'vuur van m'n hart' – *Sprokkelingen*.
'"De landman spreekt" en "De twee schilders"' – Zie deel II, p. 26 en 30.
'Rimbaud heeft hij niet eerder gelezen' – *Marsman en het expressionisme*, p. 35.

pagina 36

'voor de BRT-microfoon' – Tekst in LM, hs. M 278 H. 5. Een resumé van dit op 28 november 1936 afgenomen interview werd gepubliceerd in *Het vaderland* van 5 december 1936.
'zijn depreciatie voor Van den Bergh' – E. du Perron, *Verzameld werk* II (Amsterdam

1955), p. 222–223; id., *Brieven* II (Amsterdam 1978), p. 293, 302; *Brieven* III (Amsterdam 1978), p. 164.
'De conclusies van Oversteegen' – *Vorm of vent*, p. 92, 187–189, 235.

pagina 37

'Grondpatroon' – Zie C. de Deugd, *Het metafysisch grondpatroon van het romantische lite-raire denken. De fenomenologie van een geestesgesteldheid* (Groningen 1966).
'Het goede gedicht heeft' – Herman van den Bergh, *Nieuwe tucht.* Studieën (Amsterdam z.j. [1928]), p. 46.
'eerst een verjongde woordbeschouwing' – o.c., p. 10.
'de scheppende zinsbouw' – I. K. Bonset, 'Van de beeldende letteren'. In *De stijl* 7 (1926) 73/74, p. 3.

pagina 38

'Zij maken het lichaam' – *Nieuwe tucht*, p. 7.
'Dagen' – *Het getij* 5 (1920) 8 (augustus), p. 545–558.
'Een gelukkig gesternte' – *Vw* III, p. 21.

pagina 39

'zijn schoolvriend' – Nol Gregoor, 'Een debuut dat niet doorging'. In *Vrij Nederland* van 15 augustus 1953; vgl. *Vw* II, p. 233–234.
'ongeveer tezelfdertijd' – In de redactionele 'Rondblik' van *De stijl* 2 (1918–1919) 12 (oktober 1919), p. 140.

pagina 40

'Il faut aux nouveaux artistes' – *Les peintres cubistes* (Paris 1965), p. 58.
'had Mondriaan al geschreven' – Geciteerd naar A. B. Loosjes-Terpstra, *Moderne kunst in Nederland 1900–1914* (Utrecht 1959), p. 15.
'La vraisemblance n'a plus' – *Les peintres cubistes*, p. 49.

pagina 41

'stelt Van Ostaijen' – *Verzameld werk.* Proza 2 (Amsterdam 1977), p. 114.
'er is geen ras' – Herman van den Bergh, 'De vlam'. In *De boog* (Amsterdam 1917), p. 13.
'persoonlijkheid is gezond individualisme' – *Het getij* 3 (1918) 3 (maart), p. 62.
'Van een simplistische menschen-universaliteit' – 'Het individu na den oorlog'. In *Het getij* 7 (1922) 3 (maart), p. 60.

pagina 42

'evenals trouwens Van Doesburg' – 'Anti-tendenskunst'. In *De stijl* 6 (1923–1924) 2 (april 1923), p. 17–19.

pagina 43

'En toch moet in deze volgorde' – 'Schoonheids- en liefdesmystiek'. In *Het getij* 3 (1918) 7 (juli), p. 181.
'Elk individu' – Ongepubliceerd gedeelte uit de brief die Lehning citeert in *De vriend van mijn jeugd*, p. 35–37. Privé-collectie Lehning.

pagina 45

'zijn standpunt van die nuance voorzag' – *De stijl* I (1917–1918) I (oktober 1917), p. 6; 4 (februari 1918), p. 44.

pagina 46

'reeds is tot heden gestold' – Vgl. hfdst. 4, p. 171 e.v. en 7, p. 270 e.v.

'de tijdgeest' – Zie hiervoor uitgebreid August K. Wiedmann, *Romantic Roots in modern Art. Romanticism* and Expressionism: a Study in comparative Aesthetics (Old Woking 1979), p. 117–121, en vooral p. 119 waar het metafysisch subjectivisme van een aantal expressionisten ter sprake komt. Zie voorts C. de Deugd, *Het metafysisch grondpatroon van het romantische literaire denken.*

'de neo-thomist Maritain' – Zie hfdst. 5, p. 203 e.v.

'De trek' – *Vw* II, p. 19; vgl. de opmerking van Pierre H. Dubois in 'Het verhalend proza van Marsman', in *Criterium* I (1940) 8/9 (september), p. 435.

pagina 47

'het beeld dat leeft' – *Vw* II, p. 55.

'"Val" en "Salto mortale"' – *Vw* I, p. 40–41, 75.

'dat al wat' – *Vw* I, p. 109.

'kan het zijn' – *Tempel en kruis*, p. 14.

'De vraag naar' – *Vw* II, p. 218.

pagina 48

'"Mijn woord"' – Getypt afschrift in KB 68 D 21; zie deel II, p. 18.

'in dien vreemden' – *Vw* III, p. 131. Toen de tekst van deze studie al afgesloten was, verscheen het artikel 'Heimwee van Marsman' van J. T. Harskamp in *Hollands maandblad* 22 (1980) 393/394 (augustus/september), p. 37–45, dat een verband legt tussen deze aanvankelijke 'fin-de-siècle'-mentaliteit, en Marsmans latere 'vitalistische' verheerlijking van een maatschappijvorm naar middeleeuws model, die ik in hfdst. 5 uitgebreid aan de orde stel.

'"Stervensstonde" [...] "Opstand" [...] "Artieste"' – Zie deel II, p. 11–17.

'Doodsliedjes' – Zie deel II, p. 19.

'met Houwink aan te nemen' – *Persoonlijke herinneringen aan Marsman*, p. 11. In deze mening staat hij alleen.

pagina 50

'Dageraad' – Zie deel II, p. 20.

'Hendrik de Vries' – 'Over Marsman'. In *Criterium* I (1940) 8/9 (september), p. 489.

'Van Wessem' – 'Marsman, een portret'. ibid., p. 557.

pagina 51

'E. Krispyn, die in zijn artikel' – *De gids* 121 (1958) 4 (april), p. 231–249.

'in het *Zelfportret*' – *Vw* II, p. 226.

'Teveel met het oog op' – *Vw* II, p. 227–229. De belangstelling voor de mystieken heeft Marsman met een groot aantal expressionistische dichters en schilders gemeen.

pagina 52

'Lehning meent' – *Marsman en het expressionisme*, p. 16.
'een samenvattende karakteristiek' – *Marsmans Verzen*, p. 258–281.

pagina 53

'Verbeeck' – *De dichter H. Marsman*, p. 10–14.
'"Nacht" [...] "Triptiek"' – Zie deel II, p. 23 en 37.

pagina 54

'Stroom' – *Verzen*, p. 13.
'Ik droomde' – *Vw* II, p. 242.

pagina 55

'neo-klassicistische tendens' – Zie J. Kamerbeek jr., *Albert Verwey en het nieuwe classicisme* (Groningen 1966).
'zijn in 1924 gepubliceerde oordeel' – 'Over Guillaume Apollinaire v'. In *De vrije bladen* I (1924) 5 (december), p. 239.
'kenschets van diens werk' – 'Over Guillaume Apollinaire III'. In *De vrije bladen* I (1924) 3 (mei), p. 145.
'volgens Krispyn' – *Herman van den Bergh, Marsman en het Noord-Nederlandse expressionisme*, p. 240.

pagina 56

''t Uitgemergeld menschdom' – *Sprokkelingen*.
'Terzij de horde' – *Vw* I, p. 14.

pagina 58

'Als violette schemer' – *De vriend van mijn jeugd*, p. 33.
'binnen mijn violette kamer' – *De spiegel* (Amsterdam 1925), p. 18.
'Ik sta te wachten' – Getypt afschrift in KB 68 D 21; vgl. *De vriend van mijn jeugd*, p. 33.

pagina 60

'Eeuwen wentelden' – *Vw* I, p. 9.
'aan de gewelven' – *Verzen*, p. 13.
'een late, smalle bloem' – *Vw* I, p. 14.
'zijn eerste literair-kritische artikel' – Zie deel II, p. 60–64.

pagina 61

'zijn typering van Apollinaire' – 'Over Guillaume Apollinaire'. In *De vrije bladen* I (1924) I (januari), p. 59.

pagina 62

'als bij bliksemslag overvallen' – *Vw* II, p. 232.
'het geluk, ondervonden tijdens het schrijven' – *Vw* IV, p. 10.
'Jacob Smit' – *De kosmische zelfvergroting van de dichter bij Bilderdijk, Perk en Marsman*. Mededelingen van de Koninklijke Nederlandse Academie van Wetenschappen, afd. Letterkunde N.R. 20 no. 4. (Amsterdam 1957).

386

pagina 63

'de brief die hij hem bij de jaarwisseling' – Privé-collectie Lehning.

'het eeuwige wezen' – *De XXe eeuw* 9 (1903) 12 (december), p. 390–391.

'geïnteresseerd was in Kandinsky' – Vgl. het gedicht 'De schilder' in *Oorspronkelijk dicht-werk* (Amsterdam 1938), p. 838, eerder gepubliceerd in *Het zichtbaar geheim* (1915).

'Van Doesburgs essay' – In *De beweging* 12 (1916) 5 (mei), p. 124–131, 6 (juni), p. 219–226, 7 (juli), p. 57–66, 8 (augustus), p. 148–156 en 9 (september) p. 226–235.

pagina 64

'brief van 13 mei 1919' – Evenals de andere brieven van Marsman aan Verwey in het Verwey-archief, UB Amsterdam, hs. II G 55.

'een kleine schets' – Waarschijnlijk 'De zwerver', zie deel II, p. 106–107.

pagina 65

'Op 7 november 1919' – Privé-collectie Lehning.

'zijn theorie van de nieuwe woordbeelding' – I. K. Bonset, 'Inleiding tot de nieuwe verskunst'. In *De stijl* 4 (1921) 1 (januari), p. 1–5 en 2 (februari), p. 24–26.

'Zo schreef hij aan Lehning' – In oktober 1919, privé-collectie Lehning.

pagina 66

'een brief van 17 oktober 1919 aan Van Doesburg' – Getypt afschrift in privé-collectie Lehning.

'Götter-Fruchtbarkeit' – Zie deel II, p. 27.

'Ich bin über den Wäldern' – Kurt Pinthus, *Menschheitsdämmerung*. Symphonie jüngster Dichtung (Berlin 1919), p. 239.

pagina 67

'ich gehe gipfelhohe' – *Der sturm* 7 (1916–1917) 4 (juli 1916), p. 47.

'"Jean Paul" en "Das Tor"' – Zie deel II, p. 38 en 39.

'Tegen avond' – *De boog*, p. 26.

'Bloei' – *Vw* I, p. 13.

'schimmen van strenglooze geslachten' – *Verzen*, p. 13.

pagina 68

'Wenn die Strassen' – *Der Sturm* 5 (1914) 9 (augustus), p. 71.

'als gij den avond' – *Vw* I, p. 22.

'Wir sind Korallen' – *Der Sturm* 7 (1916–1917) 11 (februari 1917), p. 126.

'en huiveren als reeën' – *Vw* I, p. 27.

'een cahier' – hs. LM M 278 A. I.

pagina 69

'een drietal bewaard gebleven brieven aan Van Doesburg' – Typescripten in privé-col-lectie Lehning.

pagina 70

'zou hij zich verdedigen' – I. K. Bonset, 'Over het nieuwe vers en het aaneengeknoopte touw'. In *De stijl* 3 (1919–1920) 8 (juni 1920), p. 71.

pagina 73

'Op 23 juni 1920' – Privé-collectie Lehning.
'die Van Doesburg een charlatan vond' – *Erich Wichman tot 1920* (Amsterdam 1920), p. 201–207.
'een waarderende brief' – hs. KB 68 D 86.
'Jullie zijn rijp' – hs. KB 68 D 6.

pagina 75

'anarchistisch-esthetisch vitalist' – Brief aan Lehning, geciteerd in *De vriend van mijn jeugd*, p. 62.
'artikelen in *Der Sturm*' – 'Etwa im Jahre 1845'. In *Der Sturm* 134/135 (november 1912), p. 206; 'Oratio pro domo'. In *Der Sturm* 174/175 (augustus 1913), p. 87. Zie verder de levensschets van Wim Zaal in Erich Wichman, *Lenin stinkt en andere satirische geschriften* (Amsterdam 1971), p. 7–21. Ik spel Wichmanns naam, tegen diens eigen gebruik, volgens de burgerlijke stand.
'Wichmann nodigde hem uit' – Brief van 15 april 1921, hs KB 68 D 86.

pagina 77

'vrijwel al zijn oude makkers' – Mededeling van A. C. Bakels in *De telegraaf* van 30 november 1957, geciteerd bij Hans Mulder, *Kunst in crisis en bezetting. Een onderzoek naar de houding van de Nederlandse kunstenaars in de periode 1930–1945* (Utrecht etc. 1978), p. 71.
'neo-fascistische bijeenkomst' – Op 20 oktober 1979 van het Nationaal Jeugdfront.
'wat Marsman op 30 mei aan Havermans schrijft' – hs. KB 68 D 53.
'een korte aanbevelende bespreking' – In *Den gulden winckel* 19 (1920) 5 (mei), p. 78–79.

pagina 78

'sterk door Wichmann beïnvloed' – Lehning, *Marsman en het expressionisme*, p. 30.
'zijn bespreking van Erich Wichmans *Idealisten*' – In *De gids* 87 (1923) 11 (november), p. 339–340.
'Geen nieuwen vorm' – *Erich Wichman tot 1920*, p. 135.
'Dat jij en anderen' – Privé-collectie Lehning. Interpunctie van Marsman.

pagina 80

'van hem bewaarde brieven' – hs. KB 68 D 97 A.

pagina 81

'Immer deutlicher' – *Menschheitsdämmerung*, p. XI–XIII.
'vormgeving' – o.c., p. IX.

pagina 83

'Piet Calis' – In *Maatstaf* 10 (1962–1963) 9 (december 1962), p. 610–618.
'Roel Houwink' – 'Marsman en de generatie van Achttien'. In *Maatstaf* 2 (1954–1955) 4/5 (juli-augustus 1954), p. 267–273.

pagina 85

'Wanneer ik mijn verhouding' – *Persoonlijke herinneringen aan Marsman*, p. 5–6.

'in de bespreking' – 'Over Roel Houwink's Novellen'. In *De vrije bladen* 1 (1924) 4 (juli-augustus), p. 206–210.
'experimenten in het verhalend proza' – Zie deel II, p. 107 e.v.
'Deuren werden opengeschoven' – Roel Houwink, *Novellen* (Zeist 1924), p. 9.
'Avond' – o.c., p. 55.

'Uw oordeel' – Geciteerd bij J. Meijer, 'Marsman en Kloos'. In *De nieuwe taalgids* 65 (1972) 1 (januari), p. 42–43.

'relativisme' – In de bespreking van *Bezette stad* (*Den gulden winckel* van juni 1921), 'Diva-gatie' (*Den gulden winckel* van december 1921), 'Divagatie' (*Den gulden winckel* van 15 april 1922) en 'Over kunst en kritiek' (*De nieuwe kroniek* van 25 januari 1923).

NOTEN BIJ HOOFDSTUK 3

'op uitnodiging van Walter Pritzkow' – Zoals valt af te leiden uit de brieven van Slawa Weyna aan Marsman, hs. KB 68 D 85. Nog jaren lang is het contact met Pritzkow en Slawa Weyna blijven bestaan. Zo logeerde Marsman bij hen toen hij in de herfst van 1934 Berlijn bezocht. Zie de brief van Marsman aan S. Vestdijk van 4 oktober 1934 in *Heden ik, morgen gij* (Amsterdam 1947²), p. 301.
'Ik moet den goden' – *De vriend van mijn jeugd*, p. 54.

'De lectuur van deze dagen' – *De vriend van mijn jeugd*, p. 54; brieven Slawa Weyna.
'een ontmoeting' – Brief aan Houwink van 8 augustus 1921, hs. LM M 278 B. I.
'Zijn verzen' – *De anatomische les*, p. 27–29.

'Das Tor' – Zie deel II, p. 38.
'Dagboekbladen' – Zie deel II, p. 52 e.v.
'dichter van een stervende tijd' – *Criterium* 1 (1940) 8/9 (september), p. 483.

'een centrum van kunst en cultuur' – Zie John Willet, *The new Sobriety. Arts and Politics in the Weimar Period* (London 1978).
'De zon staat boven' – H. Marsman, *Vijf versies van 'Vera'*. ed. Arthur Lehning en Daisy Wolthers. *Achter het boek*, eerste jaargang, afl. 2 en 3 ('s-Gravenhage 1962), p. 44–46.

'Deze winter' – o.c., p. 68–74.

pagina 96

'een typescript' – Privé-collectie Thelen.

'De Winter' – Voor Marsmans relatie met deze pionier van de non-figuratieve schilderkunst in Nederland, zie Lehning, *Marsman en het expressionisme*, p. 23–26.

'Aanteekeningen over Franz Marc' – *De nieuwe kroniek* van 5 en 19 april 1923.

'op 8 augustus aan Lehning' – Privé-collectie Lehning.

pagina 97

'aan G. A. van Klinkenberg' – hs. LM M 278 B. I.

'aanduidingen in de brieven aan Lehning' – *De vriend van mijn jeugd*, p. 55, 59–60.

'het eerste briefje' – hs. KB 68 D 56.

pagina 98

'op 27 augustus 1921 aan Lehning' – *De vriend van mijn jeugd*, p. 59.

'De loome verfijning' – *Vijf versies van Vera*, p. 64–65.

'Hoog, misschien boven' – Privé-collectie Lehning.

pagina 99

'haren sloegen hun vlag' – *Vw* I, p. 9.

'Und graunhaft' – Georg Heym, *Dichtungen und Schriften* I (Hamburg etc. 1964), p. 51.

'Das Dunkel' – o.c., p. 135.

'en door ons warme schrijden' – *Vw* I, p. 22.

'Voor den nacht' – Zie deel II, p. 34.

pagina 100

'Praeludium mortis' – Zie deel II, p. 96–99.

'die untergehende Welt' – *Vitalismus und Expressionismus. Ein Beitrag zur Genese und Deutung expressionistischer Stilstrukturen und Motive* (Stuttgart 1971), p. 205.

'Getuige de vele fijne potloodstreepjes' – Dit exemplaar is in bezit van dhr. A. V. Thelen, Lausanne, Zwitserland.

pagina 101

'Die Liebenden' – 'Heiterer Frühling'. In *Die Dichtungen von Georg Trakl* (Leipzig 1917), p. 24.

'Schatten drehen sich' – 'In der Nachmittag geflüstert'. o.c., p. 52.

'Am Abend säumt' – 'Die Verfluchteten'. o.c., p. 117.

'Immer lehnt' – 'Der Wanderer'. o.c., p. 141.

'Lehning noemt' – *Marsman en het expressionisme*, p. 42.

'Hannemieke Postma' – *Marsmans Verzen*, p. 315.

'Oneindig zijn de vloeren van de nacht' – *Vw* I, p. 22.

pagina 102

'maar aan haar eind' – *Verzen*, p. 13.

'Huizen hangen scheef' – *Vw* I, p. 23.

pagina 103

'Roland Holst en Rilke, en nog weer later Nijhoff' – Roland Holst en Rilke vooral

in *Penthesileia* (1925). Vgl. bv. Rilke's 'Dame vor dem spiegel' uit *Neue Gedichte II* met
'De vrouw met den spiegel'. Nijhoffs *Awater* werkt door in de aanhef van *Tempel
en kruis*.
'De maan verft een gevaar' – *Vw* I, p. 36.
'hooge vensters droomen hun vergaan' – *Vw* I, p. 38.
'groene dood' – *Vw* I, p. 39.
'een sombren knaap' – *Vw* I, p. 53.
'O, wie alt' – *Die Dichtungen von Georg Trakl*, p. 110.
'daarachter zingt de zee' – *Vw* I, p. 45.
'en in 't verborgene' – *Vw* I, p. 91.

pagina 104

'Voor mijn gevoel' – *Vw* III, p. 39–40.
'Trakls in wezen' – *Vw* II, p. 40–41.
'Vera wandelt' – *Vijf versies van Vera*, p. 34–36.

pagina 105

'Hij was één' – In facsimile afgedrukt in *Marsman en het expressionisme*, p. 39.
'Hij is soms' – *De nieuwe kroniek* van 18 juni 1921.

pagina 106

'een brief van 20 oktober' – *De vriend van mijn jeugd*, p. 61.
'op 18 november' – Privé-collectie Lehning.
'Wij hebben gisteravond' – *De vriend van mijn jeugd*, p. 63.

pagina 107

'neen, schuchter niet' – *Vw*, I p. 24.

pagina 108

'ongepubliceerd gebleven' – hs. LM M 278 B. 3.
'aan Lehning liet weten' – *De vriend van mijn jeugd*, p. 55.

pagina 109

'Op 24 juli 1921' – Zie deel II, p. 53.
'Nacht tunnel' – *Verzen*, p. 37.
'De privélessen in Grieks en Latijn' – P. Minderaa, 'Een herinneringsbeeld'. In *Criterium*
   I (1940) 8/9 (september), p. 473–477.
'aan Annie Grimmer' – Privé-collectie Lehning.

pagina 110

'De Rijn snijdt' – hs. LM M 278 B. 1.
'Nu de looden mantel' – *De vriend van mijn jeugd*, p. 74.
'een interview met Den Doolaard' – Zie deel II, p. 143–144.
'Vanuit Vitznau schreef hij Houwink' – hs. LM M 278 B. 1.

pagina 111

'naar Marsmans zeggen' – Brief van 13 februari 1928 van Van Ostaijen aan E. du Perron.
   In Gerrit Borgers, *Paul van Ostaijen, een documentatie* 2 (Den Haag 1971), p. 1001.

'een korte reeks' – Zie deel II, p. 42–43.
'De brief van 20 september' – Zie deel II, p. 55–56.
'geëxalteerde brieven' – *De vriend van mijn jeugd*, p. 75–77.
'een lange brief aan Houwink' – Zie deel II, p. 56–59.
'Terecht heeft Lehning opgemerkt' – *De vriend van mijn jeugd*, p. 77.

pagina 112

'Ofschoon ik het land had' – hs. KB 68 D 6.
'Dat was toen hij voelde' – Zie hfdst. 7, p. 271 e.v.
'Martien de Jong' – *De verlossing van Venus en andere essays* (Rotterdam 1979), p. 41–68.
'de brief aan Lehning van 16 augustus 1921' – *De vriend van mijn jeugd*, p. 56.

pagina 113

'de Kantteekeningen' – *Den gulden winckel* 21 (1922) 2 (15 februari), p. 21.

pagina 114

'De receptie van August Stramm' – Zie deel II, p. 93–95.
'het predikaat geniaal' – 'Over kunst en kritiek' in *De nieuwe kroniek* van 25 januari 1923.

pagina 115

'Aan Van Klinkenberg' – hs. LM 278 B. I.

pagina 116

'Het cubisme' – *De nieuwe kroniek* van 5 april 1923.

pagina 117

'Hij heeft een hang naar' – *De gids* 86 (1922) 6 (juni), p. 535–536. *Vw* III, p. 22–23.
'het cubisme is van de stad' – *De nieuwe kroniek* van 5 april 1923.
'Meesterlijk werd nu' – *De gids* 86 (1922) 8 (augustus), p. 336. *Vw* III, p. 23–24.

pagina 119

'min of meer afwijzend' – t.a.p.
'Het is een nachtbloem' – *De gids* 86 (1922), p. 536.
'Zijn richting naar het abstracte' – *De nieuwe kroniek* van 19 april 1923.
'een brief van begin november 1922' – *De vriend van mijn jeugd*, p. 83.

pagina 120

'Zie er is dit' – *De vriend van mijn jeugd*, p. 78.

pagina 121

'ongehoorde onevenwichtigheid' – *De vriend van mijn jeugd*, p. 85.
'kwalificeerden zijn nieuwste poëzie als dadaïstisch' – Brief van februari 1923, privé-collectie Lehning.
'een propagandatournee' – Zie K. Schippers, *Holland Dada* (Amsterdam 1974), p. 54–91.
'Het is mij veel waard' – *De vriend van mijn jeugd*, p. 82.
'Wij waren Maandagmorgen' – o.c., p. 77.

pagina 122

'Hannemieke Postma' – *Marsmans Verzen*, p. 297–302.
'de portefeuillekwestie' – Brief van 1 april 1923 aan Marsman, hs. KB 68 D 77; *De vriend van mijn jeugd*, p. 100.

pagina 123

'ter publicatie aan *De gids* waren ingestuurd' – Zie brief van Marsman aan Roland Holst, deel II, p. 49–51.
'Jany is voorbij' – *De vriend van mijn jeugd*, p. 79.
'sentimenteel vindt' – Brief van 3/4 november 1923, privé-collectie Lehning.
'Ik kan, hier noch daar' – *De gids* 86 (1922) 3 (maart), p. 518.

pagina 124

'dit – geweigerde – stuk' – Zie deel II, p. 100–105.
'een neersabelende recensie' – Zie deel II, p. 77–79.
'Oswald Spengler' – Zie hfdst. 4, p. 128 e.v.

NOTEN BIJ HOOFDSTUK 4

pagina 126

'na de schoone' – *De vriend van mijn jeugd*, p. 97.
'Ik ben weer naar huis gegaan' – o.c., p. 98–99.

pagina 127

'het schuiven van poëzie' – *Vw* II, p. 57.
'Zo schrijft hij drie jaar later' – Ongedateerde brief, privé-collectie Binnendijk.
'Vreugde is zwartgebrand' – *Vw* I, p. 16.
'Misschien ga ik spoedig' – Brief van 2 maart 1923, privé-collectie Lehning.
'ontmoette hij Herman Gorter' – *De vriend van mijn jeugd*, p. 100.

pagina 128

'nooit, sinds ik hem zag' – *Vw* I, p. 159.
'Praeludium mortis' – Zie deel II, p. 96–99.
'allerminst door hem bedoeld' – Anton M. Koktanek, *Oswald Spengler in seiner Zeit* (München 1968), p. 210–215.
'*Das dritte Reich*' – In een brief van 8 november 1938 (hs. LM M 278 B. 1) vraagt Marsman Wouter Paap, die zijn in Utrecht gebleven boeken beheert, *Das dritte Reich*, samen met *Mein Kampf*, 'bij de rommel' onder te brengen.

pagina 129

'naar mededeling van Lehning' – *Vijf versies van Vera*, p. 5
'een onmiskenbaar teeken' – Drukproef, KB 68 D 9.

pagina 130

'schreef hij Binnendijk' – Privé-collectie Binnendijk.

'Jan Engelman en Beb Vuyk' – Jan Engelman, 'De poëzie van Marsman'. In *Groot Neder-land* 36 (1938) 7 (juli), p. 7–14; Beb Vuyk, 'In memoriam H. Marsman'. In *Bataviaasch nieuwsblad* van 2 juli 1940.

pagina 132

'Eng'len-pâle-valse' – Théo Reeder, *Verzen* (Amsterdam 1893), p. 56.
Later zou een verschil van appreciatie van Marsmans werk tussen Querido en A. M. de Jong, beiden redacteur van het literaire blad *Nu*, leiden tot het aftreden van laatst-genoemde. Zie hiervoor Sjoerd van Faassen, 'Vier brieven van Is. Querido en A. M. de Jong over "Nu"'. In *Tirade* 20 (1976) 215/216 (mei-juni), p. 361–376.

pagina 134

'Martien Beversluis' – *Onze eeuw* 24 (1924) II (november), p. 160–173.
'een buitengeslotene voelde' – Ertsarchief, UB Amsterdam.

pagina 136

'Zijn stuk over *Verzen*' – Zie hierover H. A. Gomperts, 'Een dwaalgedachte'. In *Over Buonarotti, internationale avant-gardes, Max Nettlau en het verzamelen van boeken, anar-chistische ministers, de algebra van de revolutie, schilders en schrijvers.* Voor Arthur Lehning (Baarn 1979), p. 127–135.

pagina 137

'Paul van Ostaijen' – *Verzameld werk*. Proza 2 (Amsterdam 1977), p. 215–216.

pagina 139

'P. N. van Eyck' – Opgenomen in *Verzameld werk* 4 (Amsterdam 1961), p. 305–315.

pagina 141

'nam hij persoonlijk contact op' – *De briefwisseling tussen P. N. van Eyck en H. Marsman.* ed. H. A. Wage en A. P. Verburg. *Achter het boek,* derde jaargang, afl. 2 en 3 ('s-Gra-venhage 1968), p. 12–14.
'geheel naar zijn stem' – Brief van 19 oktober 1925, KB 68 D 54.
'Ik zelf schreef' – *De vriend van mijn jeugd,* p. 105.
'*De nachtorchis*' – Brieven aan Binnendijk van januari 1924 en 25 mei 1924, privé-collectie Binnendijk.
'zelf nogal ingenomen' – Brief van 10 mei 1924, KB 68 D 77.

pagina 142

'met Martien de Jong' – Vgl. het titelessay uit *De verlossing van Venus,* p. 7–25.
'vraaggesprek met Den Doolaard' – Zie deel II, p. 149.
'schreef hij Binnendijk' – Op 8 januari 1925, privé-collectie Binnendijk. In de Palladium-reeks van uitgever Hijman, Stenfert Kroese & Van der Zande verschenen naast Marsmans *Penthesileia* bundels van o.a. Albert Besnard, H. W. J. M. Keuls en J. W. F. Werumeus Buning.
'Van Ostaijen' – 'Marsman of vijftig procent'. In *Verzameld werk*. Proza 2, p. 398.

pagina 143

'uit de redactie van *Propria Cures*' – Vgl. Carel Peeters, 'Menno ter Braak in Propria

Cures'. In Menno ter Braak, *De Propria Curesartikelen* 1923–1925 ('s-Gravenhage 1978), p. 7–9. Campert werkte overigens niet aan PC mee.

pagina 145

'Het individualisme' – 'Over Wies Moens'. In *De vrije bladen* 1 (1924) 2 (maart), p. 112.

pagina 146

'sterk op Marinetti geïnspireerde terminologie' – Zie bv. het onder het pseudoniem F.C. (=Frederik Chasalle) gepubliceerde stuk 'De drie sprongen van het heilige ik' in *De vrije bladen* 1 (1924) 2 (maart), p. 73–77.

pagina 147

'Aan Binnendijk schreef hij' – Brief van 11 augustus 1924, privé-collectie Binnendijk.

pagina 148

'het eerste manifest' – In *De vrije bladen* 2 (1925) 1 (januari), p. 1–3.
'graan wordt omgestookt' – In hoeverre Marsman hier teruggrijpt op Marinetti is niet duidelijk; het futuristisch manifest *L'imagination sans fils et les mots en liberté* van 11 mei 1913 bevat de zinsnede: 'Je vous déclare que le lyrisme est la *faculté* très rare *de se griser de nous-mêmes*; la faculté de transformer en vin l'eau trouble de la vie'.

pagina 149

'naar aanleiding van *Menschheitsdämmerung* – *Vw* III, p. 262.
'Toen hij' – *Mijn broeders in Apollo* ('s-Gravenhage 1941), p. 120.

pagina 150

'De dichtkunst is eeuwig' – *De vrije bladen* 2 (1925) 2 (februari), p. 26–27. In *De lamp van Diogenes*, waar dit stuk werd herdrukt, is het verwijt aan God verdwenen; begrijpelijk, want Marsman was toen in zijn 'katholiserende' periode.

pagina 151

'Wie hier en nu' – *Vw* III, p. 237–238.
'doet hem betreuren' – *De lamp van Diogenes*, p. 33.
'Als hij schrijft' – *De lamp van Diogenes*, p. 76–77.

pagina 153

'als een uitloper' – Zie August K. Wiedmann, *Romantic Roots in modern Art*.
'aan het einde van zijn leven' – *Vw* IV, p. 12.

pagina 154

'scheppen als vergoddelijken' – zie p. 204 e.v.
'Wat is ertegen' – *Vw* III, p. 15.

pagina 155

'aan Jozef Peeters' – Gepubliceerd door Paul de Vree in 'Hendrik Marsman en het modernisme'. In *Nieuw Vlaams tijdschrift* 30 (1977–1978), p. 766–776.

'Men mag dan beweren' – A. den Doolaard, 'H. Marsman', In *Den gulden winckel* 26 (1927) 4 (april), p. 83–84.

'Coster en wij' – *De vrije bladen* 5 (1928) 2 (februari), p. 33–36. Herdrukt in *Vw* III als 'Gedachten bij "Nieuwe geluiden"'.

'persoonlijk geschreven' – hs. KB 68 D 84.

'antwoordde Marsman' – hs. LM M 278 B. I.

'die opinie nog eens definitief samen' – 'Een vervulling'. In *Criterium* I (1940) 8/9 (september), p. 570–572.

'geschrokken van het epigonisme' – *Mijn broeders in Apollo*, p. 121.

'*Prisma*-debat' – Zie verder hfdst. 6, p. 241 e.v.

'Ik vind het alleen grappig' – *Brieven* II (Amsterdam 1978), p. 399.

'Daarom is de dichter' – *De anatomische les*, p. 104.

'In zijn exemplaar' – Privé-collectie Thelen.

'Profeet' – In *Het getij* 7 (1922) 9 (september), p. 167.

'in het novembernummer' – 'Thesen'. In *De vrije bladen* 2 (1925) 11 (november), p. 290–291.

'een brief van 14 juni 1925' – Privé-collectie Houwink.

'politieke onderwerpen' – Ongedateerde brief aan Lehning, privé-collectie Lehning; brief van Wichmann aan Marsman d.d. 21 juli 1925, hs. KB 68 D 86.

'In juli nam hij het definitieve besluit' – Brieven aan Binnendijk en Houwink, resp. privé-collecties; brief aan Scholte, hs. UB Amsterdam XVI B 13/187.

'midzomernachtfeest' – Gegevens in Distelvinckarchief, hs. UB Amsterdam XVI B 13/203–282; brief van Scholte aan Marsman d.d. 6 juli 1925, hs. UB Amsterdam XVI B 13/186; 'Het feest'. In *De vrije bladen* 2 (1925) 12 december), p. 343–344.

'politieke onderwerpen' – Ongedateerde brief aan Lehning, privé-collectie Lehning; brief van Wichmann aan Marsman d.d. 21 juli 1925, hs. KB 68 D 86.

'schreef hij aan Binnendijk' – privé-collectie Binnendijk.

'De eenheid ontbrak' – *De vrije bladen* 2 (1925) 12 (december), p. 321–323.

'*De vrije bladen* te liquideren' – Brief aan Van Wessem, door deze gedateerd eind september 1925, en geciteerd in *Mijn broeders in Apollo*, p. 130.

'opdracht aan Binnendijk en Thelen' – Zie de 'Verklaring' bij de derde druk van het *Verzameld werk* (1955).

'Wat blijft wordt molm' – 'Laatste groet aan de Vliegende Hollander'. In *De nieuwe kroniek* van 25 januari 1923.
'een antagonisme' – Paul de Wispelaere, 'Henri Marsman, het antagonisme tussen mens en dichter'. In *Dietsche warande en Belfort* 100 (1955), p. 416–427. De Wispelaere poneert dat Marsman in het dichterschap compensatie zocht voor psychische onvolkomenheden. Dat is juist in zoverre men het vitale aspect dat de *activiteit* van het dichten voor Marsman had, benadrukt. Tegenover het poëtisch *resultaat*, zijnde een stuk gestold en dus dood leven, stond hij uiterst ambivalent. Zie verder p. 171.
'als stimulans' – *Vw* III, p. 244.

pagina 165

'Vorm als contour' – 'Varia'. In *De vrije bladen* 5 (1928) 1 (januari), p. 16.

pagina 166

'het besef der vergankelijkheid' – In *Groot Nederland* 22 (1924) 4 (april), p. 443–444.
'Kunst en leven' – *De anatomische les*, p. 96–101.

pagina 167

'zijn beschouwingswijze' – o.c., p. 102–104.

pagina 168

'Naar aanleiding van Theun de Vries' – In de *NRC* van 24 september 1927.
'deze opmerking' – *Vorm of vent*, p. 211.

pagina 169

'ook Oversteegen moet dat toegeven' – o.c., p. 205, 209.
'En de mensch zelf' – *Kort geding*, p. 70.
'Begrijpelijk is het' – zie p. 241–249.
'als *theorie*' – *Vw* III, p. 274.
'een branie-achtig commentaar' – Brief van 31 mei 1926, privé-collectie Binnendijk.

pagina 170

'lezing' – Verslag in *Der clercke cronike* van 13 maart 1937; aantekeningen hs. KB 68 D 16.
'voor het moment' – zie verder p. 316–325.
'Die Kunst erinnert uns' – Friedrich Nietzsche, *Werke* III. ed. Karl Schlechta (München 1960²), p. 536.
'Die Kunst ist' – *Werke* II (München 1960²), p. 1004–1005.

pagina 171

'de zwartste, de meest ongoddelijke' – *De lamp van Diogenes*, p. 103.
'als der hochsten Aufgabe' – *Werke* I (München 1962³), p. 20.
'als organische Funktion' – *Werke* III, p. 752.
'De lust om het leven' – *Vw* II, p. 221.
'Kunst is mij zoo' – hs. LM M 278 B. I.
'interview met Den Doolaard' – Zie deel II, p. 142.
'want het beeld' – *Vw* II, p. 55.
'Zichzelf herlezen' – *Vw* II, p. 219.

pagina 172

'de versteening' – *Vw* II, p. 220.
'Haar dood' – *Vw* II, p. 231.
'Dat was geheel' – *Vw* II, p. 245–246.
'God zijn om niet te vergaan' – *Tempel en kruis*, p. 57.

pagina 173

'Lezend in mijn boot' – *Vw* I, p. 157.
'een groter geheel' – Zie deel II, p. 112 e.v.
'een filmscenario' – Mededeling van Nico Bredero, Kunsthistorisch Instituut, Leiden.

pagina 175

'breed germaansch tegenwicht' – Brief aan Binnendijk van 14 november 1925, privé-collectie Binnendijk.
'buiten de beraadslagingen' – Brief van Houwink aan Van Wessem d.d. 16 februari 1926, hs. LM H 8471 B. I.
'in de dagbladpers' – Ongedateerd kranteknipsel met een desavouerende ingezonden brief van H., in mijn bezit. Hiernaar wordt verwezen in een redactionele verklaring in *De vrije bladen* 3 (1926) 2 (februari), p. 53.
'Op 12 februari 1926' – hs. LM M 278 B. I.

NOTEN BIJ HOOFDSTUK 5

pagina 176

'Nijhoff citeerde' – *De vrije bladen* 2 (1925) 1 (januari), p. 3. Het is mij niet bekend waaruit het citaat stamt. Overigens is de overeenkomst met de ideeën die Willem Kloos formuleert in de inleiding bij de *Gedichten* van Perk frappant.

pagina 178

'Marsman antwoordde' – *De nieuwe eeuw* van 9 april 1925.
'het standpunt van Maritain' – *Réponse à Jean Cocteau* (Paris 1926), p. 33.

pagina 179

'nieuwe, oorspronkelijke religie' – Marsman stond hierin niet alleen. J. K. Rensburg schreef in *De groene Amsterdammer* van 15 augustus 1925 naar aanleiding van de eerste nummers van *De vrije bladen*: 'Een nieuwe stijl kan alleen ontstaan in de litteratuur en de architectuur door de grondvesting van een nieuwen godsdienst, thans die van het Derde Rijk uit Israël, dan van de Rijzende Zon, de Witte Roos en den Heiligen Graal, maar dit zal gebeuren door de loonslaven, gelijk het met het Christendom geschiedde door slaven. Een nieuwe stijl kan alleen ontstaan uit een synthese van Kunst, Godsdienst en Wetenschap op communistische basis.'

pagina 180

'De eerste die op het stuk reageerde' – De polemiek tussen Marsman en Lehning is opgenomen in *De vriend van mijn jeugd*, p. 189–203; Lehnings commentaar vindt men op p. III–127.

'Op 12 december 1921' – Privé-collectie Lehning.
'de schoonste zijde' – *De vriend van mijn jeugd*, p. 62.
'In april 1924' – *De vriend van mijn jeugd*, p. 106.
'tijdens de Kerstdagen' – Brieven in privé-collectie Lehning.

pagina 181

'kennis gemaakt met Bruning' – Zie Piet Calis, 'Mensen van de koningsstam'. In *De gids* 122 (1959) 9 (september), p. 110–111.
'gastlezingen' – Zie o.m. kranteverslagen in *De gelderlander* van 8 mei 1925 en *De telegraaf* van 29 november 1925.
'tegen het tijdschrift *Nu*' – Zie Wim Hazeu, 'Over het socialistische en semitische schrikbewind in 1928'. In *Bzzlletin* 72 (januari 1980), p. 18–22.

pagina 182

'Op een dag in de maand mei' – *Schrijversdebuten* (Den Haag 1960), p. 65.

pagina 183

'Wereldvrede' – Calis, *Mensen van de koningsstam*, p. 120.

pagina 185

'Het fundament' – In *Katholieke staatkunde* van 10 mei 1923.

pagina 186

'Ik wou dat' – *De vriend van mijn jeugd*, p. 125.
'Twee vrienden' – *Vw* I, p. 76.
'met het scheiden onzer wegen' – *De vriend van mijn jeugd*, p. 125.

pagina 188

'Heimwee' – *Vw* I, p. 69.
'Sjooks' – In *De vrije bladen* 7 (1930) 7 (juli), p. 193–201.
'een bespreking van Marsmans *Porta nigra*' – In *Boekenschouw* 28 (1934–1935), p. 241–246.

pagina 189

'stootte Gerard Bruning zich' – Zie Gerard Bruning, *Verontrust geweten* (z.p., z.j. [Antwerpen etc. 1961]), p. 234–240.
'die sinds eind 1925 bestond' – Brieven aan Lehning en Binnendijk, resp. privé-collecties.
'de bespreking' – Opgenomen in *Verontrust geweten*, p. 123–129.

pagina 190

'De nacht staat tusschen ons in' – *Vw* I, p. 55.

pagina 191

'Zou je dit accent' – Calis, *Mensen van de koningsstam*, p. 121.

pagina 192

'Zo schreef Lou Lichtveld' – hs. KB 68 D 70.

pagina 193

'op 25 januari 1927' – Gepubliceerd in *Raam* 65 (mei 1970), p. 16.
'Sprak Nijhoff hem toe' – Brief van 12 oktober 1926, hs. KB 68 D 73.

pagina 194

'Je kunt nu' – Geciteerd in *De vriend van mijn jeugd* (Amsterdam 1976[3]), p. 191.
'heeft Oversteegen' – *Vorm of vent*, p. 415–416.

pagina 195

'een bijna als charismatisch ervaren dichterschap' – Zie hfdst. 4, p. 130.
'toegang tot de redactievergaderingen' – Jan Engelman, 'De katholieke jongeren, Nolens en het fascisme'. In *Raam* 26 (1966), p. 39; Albert Helman, 'Catacomben en troglodyten (De interne geschiedenis van "De gemeenschap")'. In *Maatstaf* 26 (1978) 3 (maart), p. 71.
'een van zijn meest programmatische essays' – In *De gemeenschap* 3 (1927) 7/8 (juli-augustus), p. 256–266, 9 (september), p. 269–272. Opgenomen in *Parnassus en empyraeum*.

pagina 197

'gedichten als' – *Vw* I, p. 62–65.
'dubbele houding' – *Vw* IV, p. 11.
'Achteraf is het' – t.a.p.
'het gevaarlijke leven verheerlijkende gedichten' – *Vw* I, p. 73, 75.
'getuigenissen van noodweer' – *Vw* I, p. 77.
'berusting' – *Vw* I, p. 81.

pagina 198

'4 februari 1928' – hs. LM M 278 B. I.
'Het zou nog meer bedriegelijk' – 'Aan tafel met H. Marsman'. In *De gemeenschap* 4 (1928) 8/9 (augustus/september), p. 308.
'dat de dood het einde niet is' – *Vw* I, p. 64.
'in het eeuwige vuur' – *Vw* I, p. 126.
'de Utrechtse priester Ramselaar' – Jan H. Cartens, *Orfeus en het lam*. Jan Engelman en H. Marsman (Utrecht 1966), p. 16–17. Marsman vond R. 'een soort van Roomse Just Havelaar', geen gunstige kwalificatie, gelet op zijn ongunstig oordeel over de humanitaire richting van *De stem*.

pagina 200

'grapje in *De vrije bladen*' – Jaargang 5 (1928) 4 (april), p. 144. Vgl. het stuk 'Kruisbeeld of kathedraal', in deel II, p. 279–285. Met 'A.D.' is wschl. Anthonie Donker bedoeld.
'Deze tijd' – Ik citeer de Nederlandse versie van dit stuk, hs. KB 68 D II. Zie ook Arthur Lehning, 'De dichter en de politiek'. In *Ithaka*. Essays en commentaren (Baarn 1980), p. 212–229.
'Twee jaar na dit stuk' – Zie deel II, p. 137–140.

pagina 201

'in een in 1932 geschreven' – Zie deel II, p. 272–277.
'een polemiek' – H. Marsman, 'De schommelstoel der historie'. In *De vrije bladen* 6 (1929)

2 (februari), p. 53–57; P. H. Ritter jr., 'Verweer'. In *De vrije bladen* 6 (1929) 4 (april), p. 124–127.

pagina 202

'De structuur van het italiaansche fascisme' – Zie deel II, p. 138.

pagina 203

'een brief aan Engelman' – hs. LM M 278 B. I.
'op 11 juni' – hs. KB 135 B 81.
'La poésie' – *Réponse à Jean Cocteau*, p. 25.

pagina 204

'De trek naar het overzeesch paradijs' – *Vw* II, p. 19.
'L'art restitue' – *Réponse à Jean Cocteau*, p. 29.
'Zo schreef Baudelaire' – *Oeuvres complètes* II (Paris 1976), p. 113–114; Gerard Bruning, *Verontrust geweten*, p. 246.
'Vormkracht is scheppende energie' – Bespreking van W. L. M. E. van Leeuwen, *Dichterland*, in de NRC van 21 januari 1928.

pagina 205

'Er is meermalen op gewezen' – Zie bv. L. M. H. Joosten, *Katholieken en fascisme in Nederland 1920–1940* (Hilversum etc. 1964) en A. A. de Jonge, *Crisis en critiek der democratie. Anti-democratische stromingen en de daarin levende denkbeelden over de staat in Nederland tussen de wereldoorlogen* (Assen 1968).

pagina 206

'Zo meende Engelman' – In *De gemeenschap* 6 (1930) 1 (januari), p. 36.
'Drama en epiek' – *De anatomische les*, p. 105.
'Die kleine concessie' – Zie Brunings brieven van 28 juni en 8 juli 1926 (*Mensen van de koningsstam*, p. 128–130) en Marsmans brieven van 11 juni en 7 juli 1926 (hs. KB135 B 81).
'Daarom kan de zwartste' – *De lamp van Diogenes*, p. 103–104.

pagina 207

'Ik wilde wel' – Bespreking van Anton van Duinkerken, *Onder Gods ogen*, in de NRC van 15 oktober 1927.

pagina 208

'Ik vind hun deernis' – Bespreking van Herluf van Merlet, *Het oud seizoen*, in de NRC van 27 april 1929.

pagina 209

'een vitaal, saamhoorig verbond' – Bespreking van Jef Last, *Bakboordslichten*, in de NRC van 16 juli 1927.

pagina 210

'dichters als priesters' – Zie C. de Deugd, *Het metafysisch grondpatroon van het romantische literaire denken*, p. 52–91.

'Het lot van een wereld' – *Kort geding*, p. 39.
'Daarom mogen zij' – *NRC* van 22 september 1928.

pagina 211

'Ik ben een vijand' – Bespreking van Ernest Michel, *'t Mes*, in de *NRC* van 23 maart 1929.

pagina 212

'op 14 september 1924' – hs. KB 68 D 86.
'Erich en ik' – *De vriend van mijn jeugd*, p. 109.

pagina 213

'in de *Barchem Bladen*' – Zie deel II, p. 137–140.
'Als je een' – hs. KB 68 D 86. Dit plan is wschl. niet gerealiseerd, omdat Wichmann al de longontsteking had waaraan hij enkele weken later overleed.

pagina 214

'Zo bericht hij' – hs. L M 278 B. I.

pagina 215

'Piet Calis deelt mee' – *Mensen van de koningsstam*, p. 134.
'op 10 oktober 1926' – Privé-collectie Binnendijk.
'hierbij enkele briefjes' – hs. KB 135 B 82.
'van en aan Paul van Ostaijen' – *Brieven uit Miavoye* (Amsterdam 1932).

pagina 216

'Het geval Kafka' – Zie de 'Verklaring' van Binnendijk en Thelen in de derde druk van het *Verzameld werk* (1955).
'uit opmerkingen van Du Perron' – *Brieven* V (Amsterdam 1979), p. 38–39.
'een keuze uit zijn creatief en essayistisch werk' – Het volgende is gebaseerd op de brieven van Marsman aan Wouter Lutkie die zich bevinden in het Katholiek Documentatie Centrum te Nijmegen.
'een nieuw op te richten literair tijdschrift' – Brieven van Marsman aan Engelman, hs. LM M 278 B. I, en aan Bruning, hs. KB 135 B 81.
'enige bezwaren' – Zie Calis, *Mensen van de koningsstam*, p. 127.

pagina 217

'Toen hij gestorven was' – *De lamp van Diogenes*, p. 58.

pagina 218

'De ondergang' – Zie deel II, p. 126–127.
'Maar nu' – *Nagelaten werk* (Nijmegen 1927), p. 105.
'Marsmaniaans proza' – o.c., p. 62.

pagina 219

'Het hoedenwinkeltje' – *Gedichten* (Amsterdam 1954), p. 29.
'De poëzie van Herman Gorter' – *Nagelaten werk*, p. 213.

pagina 220

'het Surréalisme' – *Nagelaten werk*, p. 159. Boy Hermes is een personage uit *L'autruche aux yeux clos* van Georges Ribémont-Dessaignes.
'een der meest fascineerende' – *De lamp van Diogenes*, p. 65.
'de psycholoog Ter Braak' – *Verzameld werk* I (Amsterdam 1950), p. 379–386.

pagina 221

'Ik weet niet' – hs. LM M 278 B. I.

pagina 224

'"De grijsaard en de jongeling" en "De hand van de dichter"' – *Vw* I, p. 97, 95.

NOTEN BIJ HOOFDSTUK 6

pagina 225

'En jij zelf' – hs. LM M 278 B. I.
'Van Wessem zou later toegeven' – 'Marsman, een portret in de verf'. In *Criterium* I (1940) 8/9 (september), p. 558.
'Zo zou Theun de Vries' – 'Jaren met Marsman'. In *Criterium* I (1940) 8/9 (september), p. 517.
'op 26 november 1932' – hs. LM M 278 B. I.

pagina 226

'Phoenix' – Eerste publicatie in *Balans 1930–1931*, p. 53.
'kopijnood' – Mondelinge mededeling van Binnendijk.
'Aan Engelman' – Brief van 4 juni 1929, hs. LM M 278 B. I.

pagina 227

'Ik verkoos de onvruchtbaarheid' – hs. KB 68 D 6.

pagina 228

'een brief aan Houwink' – Privé-collectie Houwink.
'toespelingen' – *Brieven* III (Amsterdam 1978), p. 155, 247, 498.
'Op 4 juni 1929' – hs. LM M 278 B. I.
'Op 14 augustus' – Privé-collectie Lehning.

pagina 231

'een – negatieve – bespreking' – *De vrije bladen* 6 (1929) 3 (maart), p. 96.
'een lang essay' – *De vrije bladen* 6 (1929) 4 (april), p. 97–108.
'zijn bespreking van Ilja Ehrenburgs' – *De vrije bladen* 7 (1930) 8/9 (augustus-september), p. 269–270.
'De aesthetiek der reporters' – *Forum* I (1932) 3 (maart), p. 141–150.

pagina 232

'In 1929 verscheen hier' – *De vrije bladen* 7 (1930) 8/9 (augustus-september), p. 269.

pagina 234

'in *De lamp van Diogenes*' – p. 65.
'een tendens' – Zie John Willett, *The new sobriety*.
'de belangstelling voor Chaplin' – Zie mijn artikel 'Chaplinade'. In *Voor H. A. Gomperts bij zijn 65e verjaardag*. Amsterdam 1980. p. 167–176.
'"Bill" [...] "Campo"' – Zie deel II, p. 159–174.

pagina 235

'een dorre monnikshand' – *Witte vrouwen*, p. 21.
'Victor van Vriesland' – In de *NRC* van 12, 19 en 26 december 1930.
'Een klein jaar later' – Brief van 14 november 1931, privé-collectie Houwink.

pagina 236

'Zij die hebben gemeend' – Binnendijk in *Het parool* van 5 juni 1954; S. Vestdijk, 'H. Marsman als Apollinische persoonlijkheid'. In *De poolsche ruiter* (Bussum 1946), p. 168–169.
'ik ben bang voor het uur' – 'Vrees'. In *Vw* I, p. 126.
'ik ben een prooi' – *Vw* I, p. 107–108.

pagina 237

'Anton van Duinkerken' – In *De tijd* van 30 april 1930, opgenomen in *Verzamelde geschriften* (Utrecht etc. 1962), p. 248–251.
'de bespreking van *De vijf vingers*' – In *De tijd* van 12 februari 1930.

pagina 238

'Oversteegen' – *Vorm of vent*, p. 202.
'aansluiting bij de poëtica van Verwey' – o.c., p. 203–204.

pagina 239

'Saamgekomen' – 'Andre monden...'. In *De vrije bladen* 6 (1929) 3 (maart), p. 77.
'Het huis' – *De vrije bladen* 7 (1930) 8/9 (augustus–september), p. 228.
'een witte droom' – 'Voorjaar'. In *De vrije bladen* 7 (1930) 12 (december), p. 369.

pagina 240

'Hun bloed' – o.c. p. 371.
'Wat moest die stad' – *De vrije bladen* 7 (1930) 11 (november), p. 323.
'in december 1921' – hs. LM M 278 B. I.
'Nabijheid' – *De vrije bladen* 7 (1930) 4 (april), p. 111.

pagina 241

'De duistere tocht' – *De vrije bladen* 7 (1930) 11 (november), p. 322.

pagina 243

'Niet een bepaalde' – *Prisma*. Bloemlezing uit de Nederlandsche poëzie na 1918 (Blaricum z.j. [1930]), p. 5, 19–20.

pagina 244

'Hij beschouwde hem' – *Verzameld werk* II (Amsterdam 1955), p. 275–305.
'ik ben het geklets' – o.c., p. 290.

pagina 246

'de positie van Van Eyck' – *Vorm of vent*, p. 320.
'zijn bespreking van Van Eycks bundel *Inkeer*' – Zie deel II, p. 302–305.
'als "esthetische" bundel beschouwde' – Lezing over eigen werk, hs. KB 68 D 16.
'Ge vindt, in zijn karakter' – *De anatomische les*, p. 19.
'zijn bespreking van *De lamp van Diogenes*' – In *Commentaar* (Maastricht 1931), p. 83–88.

pagina 248

'tegenover Du Perron benadrukken' – *Verzameld werk* II, p. 293–294.
'Gesprek in een tuin' – Zie deel II, p. 327 e.v.
'over Anthonie Donker' – *Kort geding*, p. 70.
'over *Verworpen Christendom*' – In *Kroniek van kunst en kultuur* 4 (1938–1939) 6 (15 januari 1939), p. 96.
'over een Forumiaans dichter als Greshoff' – Zie deel II, p. 338–340.
'zoals Oversteegen heeft opgemerkt' – *Vorm of vent*, p. 223.

pagina 249

'Bij het lezen van je slotopstel' – *Brieven* VI (Amsterdam 1980), p. 245.

pagina 250

'schreef Ter Braak aan Du Perron' – Menno ter Braak/E. du Perron, *Briefwisseling 1930–1940* I (Amsterdam 1962), p. 107. Voor de oprichtingsgeschiedenis van *Forum* ontleen ik verder gegevens aan de inleiding van L. Mosheuvel bij *Forum. Brieven, citaten, dokumenten en knipsels* ('s-Gravenhage 1969), p. 5–26, en aan een ongepubliceerde doctoraalscriptie over de briefwisseling tussen Du Perron en Van Wessem van L. Uding. (Rijksuniversiteit te Leiden, 1972).
'Dick heeft je' – hs. LM M 278 B. I.

pagina 251

'Daar Schotman' – hs. LM M 278 B. I.

pagina 252

'Wat doe je' – hs. KB 68 D 59.
'Zelfs als hij' – Ter Braak/Du Perron, *Briefwisseling* I, p. 133.
'Op 27 augustus' – Privé-collectie Binnendijk.

pagina 254

'De eerste brief die Du Perron hem schreef' – *Brieven* II (Amsterdam 1978), p. 459–461.

pagina 255

'Hauser was' – *Vijf versies van Vera*, p. 140.

pagina 256

'Aan zijn uitgever Querido' – hs. KB 68 D 53.
'Romans schrijven' – Theun de Vries, *Jaren met Marsman*, p. 512–513.

pagina 257

'wat mijn werk betreft' – hs. LM M 278 H 1.

NOTEN BIJ HOOFDSTUK 7

pagina 259

'ter herinnering aan maarschalk Joffre' – Zie deel II, p. 180–181.
'hij viel terug' – *Vw* I, p. 137–138.

pagina 261

'mortalistische poëzie – De term is van G. Stuiveling; cf. 'Tempel noch kruis' in *Steekproeven* (Amsterdam 1950), p. 208–228.

pagina 262

'Toen is ook die afmattende periode' – *Vw* II, p. 243.

pagina 263

'het knagend' – *Tempel en kruis*, p. 69.
'De nacht staat' – 'De laatste nacht'. In *Vw* I, p. 55–56.
'Tot de middag' – *Vijf versies van Vera*, p. 110.

pagina 264

'op 13 juli 1932' – *Brieven* III (Amsterdam 1978), p. 346.
'gepubliceerd in *Maatstaf*' – 'Vergeelde papieren'. In *Maatstaf* 8 (1960–1961) 8 (december 1960), p. 538–553. Zie deel II, p. 272–277.

pagina 266

'zeer consciëntieus' – Zie *Criterium* I (1940) 8/9 (september), p. 426, 514, 534–535. De mening van Van der Meulen is weergegeven naar een mondelinge mededeling van M. B. B. Nijkerk.

pagina 267

'als een treffend bewijs' – *Vw* IV, p. 11–12.
'Gij hebt u-zelf zeer lief' – *Vw* I, p. 50–51. Overigens is in dit gedicht evenals in andere uit *Penthesileia* de invloed van Rilke merkbaar (vgl. 'Dame vor dem Spiegel.')

pagina 268

'Ik ben hier alleen' – *Vijf versies van Vera*, p. 48.
'Theo Walter' – o.c., p. 62.

pagina 269

'Ik wilde dat ik het feit' – *Vw* II, p. 53–55.

pagina 270

'zijn afwijzing van de objectieve kritiek' – Zie hfdst. 5, p. 201; vgl. ook *Vw* III, p. 35, 212–213. Zie ook *Vw* III, p. 248, waar blijkt dat Marsman zich al in 1927 bij Ter Braaks 'vitalistische' opvatting van literatuurkritiek aansloot.
'Het Carnaval' – *Vw* IV, p. 73.
'Ich hasse' – 'Kurze Reise'. In *Die Sammlung* I (1933–1934) 8 (april) 1934), p. 443.
'In den grond' – *Vw* II, p. 36.

pagina 271

'Ik glimlach' – *Forum* 2 (1933) 8 (augustus), p. 614–617.

pagina 274

'Het vitalisme' – *Vw* III, p. 274.
'Ik had wellicht' – hs. KB 68 D 97A.

pagina 275

'Leben – das heisst' – *Werke* II, p. 59.
'het actieve aandeel' – Ik noem als voorbeelden: de bewerking van Van Vrieslands roman *Het afscheid van de wereld in drie dagen* met het oog op de tweede druk; de redactie van de meeste romans, verhalen en dichtbundels van Slauerhoff; de redactie van Kelks bundel *Spelevaart*; de redactie van *De fantasiestukken van Frederik Chasalle* van Van Wessem. In al deze gevallen gaat het om een ook in inhoudelijk opzicht ingrijpend aandeel.

pagina 276

'schreef hij de laatste' – Brief van 25 maart 1933, Ter Braak/Du Perron, *Briefwisseling* II (Amsterdam 1964), p. 14.
'Het is werkelijk' – o.c., p. 18.

pagina 277

'De verafschuwing' – *Brieven* IV (Amsterdam 1978), p. 99–100.
'je commenteert' – o.c., p. 141–143.

pagina 279

'Voor mijn gevoel' – Brief van 8 december 1933, hs. KB 68 D 77.
'Tusschen de woelende menigte' – *De dood van Angèle Degroux*, p. 7–8.

pagina 280

'Werkelijke menschen' – o.c., p. 180.
'Alleen de zekerheid' – 'Burckhardt en het heden'. In *Critisch bulletin* 8 (1937) 10 (oktober), p. 299.

pagina 281

'Het was het oude Parijs' – *De dood van Angèle Degroux*, p. 89–92.

pagina 283

'De eenige strijd' – o.c., p. 31–32.

pagina 284

'Gooi het vooral niet weg' – Brief van 3 november 1933, in *Brieven* IV (Amsterdam 1978), p. 359–362.

pagina 285

'De ontgoocheling' – *De tijd* van 7 november 1933 (*Verzamelde geschriften* II, p. 263).

pagina 286

'op 3 maart 1934' – hs. LM M 278 B. I.
'Ik wil vooral geen' – hs. KB 68 D 53.

pagina 287

'Ik ga op weg' – *Vw* I, p. 149–150.

NOTEN BIJ HOOFDSTUK 8

pagina 288

'laat Spanje en het Zuiden' – hs. KB 68 D 64. Later (*NRC* van 12 december 1935) zou Marsman schrijven dat 'Engelman's verzen de heldere en vruchtbare weerspiegeling zijn' van de heidens-christelijke cultuur van mediterrane oorsprong.

pagina 289

'Ik ben benieuwd' – Privé-collectie Binnendijk.
'Rudolf Snellen' – H. Marsman en S. Vestdijk, *Heden ik, morgen gij*. Aangevuld met een reeks van brieven met betrekking tot het ontstaan van deze roman (Amsterdam 1947²), p. 36–37.

pagina 291

'ik ben bang voor den dood' – 'Ontmoeting in het donker'. In *Vw* I, p. 129.
'De dooden liggen hier goed' – *Vw* I, p. 176.

pagina 292

'op 14 april 1934' – hs. LM M 278 B. I.

pagina 293

'Cola Debrot' – 'Vlucht voor de kunst'. In *Criterium* I (1940) 8/9 (september), p. 518–523.
'naar aanleiding van *Porta nigra*' – In de *NRC* van 24 november 1934.
'De schemer valt' – *Vw* I, p. 184.

pagina 295

'naar mededeling van Arthur Lehning' – *Vijf versies van Vera*, p. 12.
'een brief van eind januari 1934' – Privé-collectie Binnendijk.
'en passant zijn kritiek geeft' – *Brieven* IV, p. 463.
'Allerbelabberdst' – Ter Braak/Du Perron, *Briefwisseling* II, p. 352–353.

pagina 296

'Laura' – Met 'Drievoudig afscheid' opgenomen in deel II, p. 200–210 en 247–253.

pagina 297

'ten huize van wederzijdse vriend Ter Braak' – *Gestalten tegenover mij* (Den Haag 1962), p. 83–84.
'Dat levert' – *Heden ik, morgen gij*, p. 274.
'Voor zijn poëzie' – *Gestalten tegenover mij*, p. 79–80.
'je bent éendimensionaal' – *Heden ik, morgen gij*, p. 9.

pagina 298

'Trouwens, de tegenstelling' – o.c., p. 41.
'toch vraag ik me af' – Brief van december 1934, o.c., p. 309.
'Jaap is' – Brief van 7 maart 1934, o.c., p. 282.

pagina 299

'Toch zou ik je nu' – o.c., p. 294.
'dat juist voor naturen' – o.c., p. 276.

pagina 300

'De twee romans' – *Vw* IV, p. 14.
'Ik heb hoop' – hs. KB 68 D 53.
'Anton van Duinkerken' – In *De tijd* van 18 maart 1937 (*Verzamelde geschriften* II, p. 272).

pagina 302

'Het instrument' – In *De stem* 17 (1937) 5 (mei), p. 474.
'*de* openbaring' – D. A. M. Binnendijk, 'Twee brieven'. In *Criterium* I (1940) 8/9 (september), p. 464–465.

pagina 303

'De zuilen zijn vluchtig verguld' – *Vw* I, p. 148.

pagina 304

'Op 5 maart 1934' – Privé-collectie Binnendijk.
'Je blijkbaar serieuse bekommering' – hs. KB 68 D 57.

pagina 306

'Marsman is zeer onchristelijk geworden' – *Brieven* V, (Amsterdam 1979), p. 80.
'*Comité van Waakzaamheid*' – Dit gegeven ontleen ik aan de doctoraalscriptie *Het Comité van Waakzaamheid van anti-nationaalsocialistische intellectuelen in 1939* (Gemeentelijke Universiteit van Amsterdam, Instituut voor de wetenschap der politiek) van G. R. van der Ham.
'Von Feldmann' – hs. KB 68 D 57.

pagina 307

'Jouw reactie' – hs. LM M 278 B. I. Eén woord onleesbaar.
'het interview' – Afgenomen eind augustus te München, en gepubliceerd in *Het vaderland* van 16 november 1934.

pagina 308

'Thomas Mann en Ter Braak' – Zie hiervoor mijn artikel 'Menno ter Braak, interpreet en medestrijder van Thomas Mann' in *Maatstaf* 23 (1975) 5/6 (mei–juni), p. 45–49.

NOTEN BIJ HOOFDSTUK 9

pagina 310

'aan zijn uitgever Querido' – hs. KB 68 D 53.
'Het gaat mij intusschen' – Privé-collectie Binnendijk.
'Aan Vestdijk' – *Heden ik, morgen gij*, p. 305.
'Dit, en het feit' – hs. KB 68 D 53.

pagina 311

'Blijf ik hiermee' – P. Minderaa, 'Een herinneringsbeeld'. In *Criterium* 1 (1940) 8/9 (september), p. 476.
'Aan Binnendijk liet hij weten' – Brief van begin januari 1935, privé-collectie Binnendijk.

pagina 312

'Waarom zou iemand' – Menno ter Braak, *Verzameld werk* v (Amsterdam 1951), p. 369.
'Ik schreef een stuk tegen Menno' – *Heden ik, morgen gij*, p. 313.

pagina 313

'Misschien vindt hij dan' – *Vw* III, p. 281.
'Noch door de schoonheid' – *Vw* IV, p. 95.
'zijn weerwoord' – *Verzameld werk* v, p. 317–323.

pagina 314

'De onthulling door Nietzsche' – *Vw* III, p. 280–281.
'Mijn ironie' – *Verzameld werk* v, p. 321–322.

pagina 315

'Wat ik daar had moeten wezen' – hs. LM M 278 B. I.
'die hij erger verafschuwde' – *De nieuwe eeuw* van 14 april 1932.
'Ik voor mij' – Brief aan Engelman van 5 december 1935, hs. LM M 278 B. I.
'dat hij zich voorgenomen had' – Brief aan Binnendijk van begin 1935, privé-collectie Binnendijk.
'Ik ben overigens benieuwd' – hs. KB 68 D 59.

pagina 316

'Ik begrijp dat je' – *Brieven* v, p. 221.

pagina 317

'Zij kunnen gerust zijn' – 'Nietzsche, de denker zonder systeem'. In *Critisch bulletin* 7 (1936) 6 (juni), p. 179.
'er vrijwel geen tweede denker' – *Vw* IV, p. 156.

pagina 318

'Und das ist' – *Werke* II, p. 1139.

pagina 319

'Doordat het christendom' – *Vw* IV, p. 148.
'Geen dragender' – *Tempel en kruis*, p. 69.

pagina 320

'Für eine dionysische Aufgabe' – *Werke* II, p. 1140.

pagina 321

'Maar wie en wat' – *Vw* IV, p. 151.
'Zijn studie toont aan' – Nietzsche's Europeesche ras'. In *Critisch bulletin* 7 (1936) 4 (april),
p. 107.

pagina 322

'De klare wil' – 'Antiek-christelijke cultuur en pangermanisme'. In *Critisch bulletin* 6
(1935) 7/8 (juli-augustus), p. 212.
'verenigd Europa' – Dit idee is ook te vinden bij de door Marsman bewonderde Ortega
y Gasset, die trouwens ook sterk door Nietzsche is beïnvloed. Vgl. Marsmans essay
over Ortega 'Terzij de horde' in *Critisch bulletin* 7 (1936) 1 (januari), p. 11-13.
'Ik behoor tot degenen' – 'Brief over de Joodsche kwestie'. In *Het kouter* I (1936) 7 (juli),
p. 295-296. Marsmans interesse in het Jodendom blijkt verder uit zijn publicaties in
deze jaren (zie Bibliografie B in deel II).

pagina 324

'een catalogus van zijn bibliotheek' – Privé-collectie Thelen.
'brieven van de protestantse theoloog Miskotte' – hs. KB 68 D 97A.
'Roel Houwink' – Privé-collectie Houwink.
'De waarden' – *Critisch bulletin* 8 (1937) 10 (oktober), p. 298.

pagina 325

'De hemel is leeg' – *Tempel en kruis*, p. 73.
'éene horde' – *Vw* I, p. 138. De gedachte dat de komst van nieuwe mens en de regeneratie
van de cultuur pas ná een totale ondergang van de Europese samenleving plaats kunnen hebben, is te vinden bij veel expressionisten, die zich daarbij al dan niet op Nietzsche beroepen.

pagina 326

'Ik wil hier tot slot' – *Critisch bulletin* 6 (1935) 7/8 (juli–augustus), p. 211-212.

pagina 328

'Thomas Mann, de stedeling' – *Vw* III, p. 163.

pagina 329

'Soms denk ik' – Privé-collectie Binnendijk.
'Twee dagen eerder' – hs. KB 135 B 82.

pagina 330

'Vestdijk schreef hem' – hs. KB 68 D 81.
'Je advies' – *Heden ik, morgen gij*, p. 315.
'Een bezorgde brief' – *Brieven* V, p. 225–227.

pagina 331

'Du Perron raadde hem aan' – Brief van 9 februari 1935, *Brieven* V, p. 229.
'Ken je eigenlijk' – hs. LM M 278 B. I.
'De geschiedenis' – André Gide, *De immoralist* (Amsterdam 1935), p. 71.
'Ik kon geen grieksch theater' – o.c., p. 72.
'En ik vergeleek' – o.c., p. 74.

pagina 332

''t verweerd papier' – *Tempel en kruis*, p. 8.
'Naar aanleiding van de laatste phase' – *De immoralist*, p. 132.
'Het arabisch volk' – o.c., p. 221.
'vertaling van Cendrars' *L'or*' – hs. KB 68 D 20.
'Voor mannelijke naturen' – 'Over vertalen'. In *Hollandsch weekblad voor België* van 24 december 1938.

pagina 333

'waarvan ten onrechte' – Ik maak hier gebruik van een ongepubliceerde doctoraal-scriptie van Anette Peetoom over de ontstaansgeschiedenis van *De korte baan* (Vrije universiteit, Amsterdam 1979); vgl. de brieven van 11 juni, 20 juli en 2 augustus 1935 van Du Perron aan Marsman, *Brieven* V, p. 354, 409 en 416. De inleiding zelf is opgenomen in E. du Perron, *Verzameld werk* VI (Amsterdam 1958), p. 11–13.
'*Proteus*' – Zie E. du Perron, *Brieven* II (Amsterdam 1978), p. 472.
'Ter Braak' – In *Het vaderland* van 30 september 1934, opgenomen in *Verzameld werk* V (Amsterdam 1949), p. 296–303.
'Vestdijk' – *NRC* van 24 november 1934.
'Van Duinkerken' – In *De tijd* van 3 oktober 1934 (*Verzamelde geschriften* II, p. 266–269).
'een woedend stuk' – Zie deel II, p. 324–327.

pagina 334

'protestbrief' – Stukken en documentatie over deze affaire KB 135 B 170.

NOTEN BIJ HOOFDSTUK 10

pagina 335

'op 15 juni' – Privé-collectie Binnendijk.
'in een gedicht' – Zie deel II, p. 267.
'op 26 oktober' – Privé-collectie Binnendijk.

pagina 336

'Ter Braak zag' – *Verzameld werk* VI (Amsterdam 1950), p. 480, 482.
'Tien jaar geleden' – *Vw* IV, p. 67–68.

pagina 337

'een stroom van gedichten' – Brief van 17 november aan Engelman, hs. LM M 278 B. I,
brief van 13 januari 1940 aan Achterberg, gepubliceerd in *Maatstaf* 11 (1963–1964) 10/11
(januari/februari 1964), p. 805–807.
'Wat eenmaal' – *Vw* IV, p. 10.
'Konrad Merz' – 'Ein Winter mit Marsman'. In *Maatstaf* 23 (1975) 3 (maart), p. 1–5.
'Luis de Morales' – Zie deel II, p. 264.
'ik weet niet' – hs. LM M 278 B. I.

pagina 339

'Voor "Judas" vond ik' – Brief van 6 november 1937, hs. LM M 278 B. I. Zie verder de
'Ballade', in deel II, p. 263.
'In zijn bijdrage' – 'Marsman of de vrijheid'. In *Criterium* I (1940) 8/9 (september), p. 524.

pagina 340

'Vestdijk heeft [...] geïnformeerd' – Brief van 1 november 1938, hs. KB 68 D 81.
'Judas Iskariot' – *Essays in duodecimo* (Amsterdam 1952), p. 131–132.
'K. H. Miskotte' – Brief van 14 december 1936, hs. KB 68 D 97A.

pagina 341

'met name Roel Houwink' – Zulks valt af te leiden uit wat Marsman hem op 2 november 1938 schreef (hs. LM M 278 B. I.).

pagina 342

'Schrijf eens' – Privé-collectie Thelen.
'Zodra wij elkaar zagen' – Adriaan Morriën, *Op bezoek bij Albert Vigoleis Thelen*
(Amsterdam 1953), p. 14–15.

pagina 344

'De ontgoocheling' – Teixeira de Pascoaes, *Paulus, de dichter Gods* (Amsterdam 1937), p.
119.
'De plek waarop' – o.c., p. 173.
'want den dood vreezen' – o.c., p. 239.
'Ik volg een dichterlijk' – o.c., p. 353.
'Paulus was het misdrijf' – o.c., p. 366.
'Wanneer dit goddelijk instinct' – o.c., p. 65.
'maar golf of dal' – *Vw* I, p. 170.

pagina 345

'In Arlesheim hun afronding' – Aantekening bij de eerste publicatie in *Groot Nederland*
35 (1937) 6 (juni), p. 538–544.
'kladversies' – Privé-collectie Thelen.
'Van je literaire plannen' – E. du Perron, *Brieven* VI (Amsterdam 1980), p. 250–252.

pagina 346

'Vreede' – *Zelfportret van J. F.*

pagina 347

'Ik heb het vroegere *Vera*' – hs. LM M 278 B. I.

pagina 348

'bewaardgebleven exemplaren' – Privé-collectie Thelen.
'het naar zijn mening weke karakter' – *Vw* III, p. 49–50.
'was hij zo verrukt' – *Brieven* III, p. 18.
'in zijn exemplaar' – Privé-collectie Thelen.
'Ge herademt' – *De anatomische les*, p. 45–46.

pagina 349

'*Malte* was overigens' – Du Perron, *Brieven* III, p. 81; *Brieven* IV, p. 255, 348.
'over Charley Chaplin' – *De anatomische les*, p. 71–73.
'Delteil' – *De lamp van Diogenes*, p. 64–71.
'Cendrars' – o.c., p. 72–73.
'door hem gebruikte titel' – *Brieven* III, p. 184, *Brieven* IV, p. 33; aantekeningen in hs. KB 68 D 49.
'fragment 22' – *Vw* III, p. 206.

pagina 350

'per brief' – Nijmeegs gemeentearchief, nr. 4074.
'Voor mij zou het' – hs. LM M 278 B. I.
'Deze drie delen' – *Verzameld werk* VI (Amsterdam 1955), p. 292.
'vrijer voelde staan' – Valt af te leiden uit de antwoordbrief van Roland Holst d.d. 11 april 1938, hs. KB 68 D 77.
'tegenover C. Leeflang' – Brief van 24 november 1937, hs. LM M 278 B. I, in 1943 gedrukt als H. Marsman, *Een brieffragment over zijn Verzameld werk*.

pagina 351

'Sicilië' – Vgl. *Tempel en kruis*, p. 12.
'medewerking aan *Mass und Wert*' – De hierover tussen Thomas Mann enerzijds, en Thelen en Marsman anderzijds gewisselde brieven bevinden zich in de privé-collectie Thelen.

pagina 352

'de "apollinisch" heldere' – Brief van 6 juni 1938 aan Engelman, hs. LM M 278 B. I.
'Overigens beviel dit boek van Pascoaes' – Brief van 18 juli 1938 aan Engelman, hs. LM M 278 B. I.
'deze Wagneriaanse opera' – Brief aan Engelman van 8 december 1938, hs. LM M 278 B. I. In het interview met Ernst Günter Grundel (*Het vaderland* van 16 november 1934) merkte Marsmans al op dat '"Zarathustra" het slechtste, goedkoopste, reclame-achtigste boek is, dat Nietzsche geschreven heeft.'

pagina 353

'Tijdelijk' – *Vw* IV, p. 264.
'hoewel ik' – Brief van januari 1939, privé-collectie Manuel van Loggem.
'meldt Debrot' – 'Vlucht voor de kunst'. In *Criterium* I (1940) 8/9 (september), p. 518.
'per brief zijn instemming' – hs. KB 68 D 62.

pagina 354

'den droom die meer dan het ding is' – *Vw* III, p. 15–16.
'Ik behoef hier' – *Vw* IV, p. 266.
'een aanvaarding' – *Vw* IV, p. 267.

pagina 355

'een retoriek' – Vgl. het gedicht 'Aan Eduard Hoornik C.S.', deel II, p. 269.
'Marsman die de gemeenschap verweet' – Ed. Hoornik, 'Stand van zaken'. In *Criterium*
2 (1941) 1 (januari), p. 1–6.

pagina 356

'zoolang de europeesche wereld' – *Tempel en kruis*, p. 79.
'de briefwisseling' – Marsmans brieven zijn gepubliceerd in *Maatstaf* II (1963–1964) 10/11
(januari–februari), p. 804–815; de brieven van Achterberg: hs KB 68 D 55.
'Zo heeft men gemeend' – Ed. Hoornik, 'Tempel en kruis'. In *Criterium* I (1940) 8/9 (september), p. 463.

pagina 357

'Wie huivert' – *In memoriam Maurice Ravel* (Maastricht etc. 1938), p. II.

pagina 358

'De morgenwind' – *Tempel en kruis*, p. 29.
'deze man verloor het geloof' – *Tempel en kruis*, p. 61.
Toen de tekst van deze studie afgesloten was verscheen in *De nieuwe taalgids* van juli
1980 het artikel 'Leven, dood en wedergeboorte; een archetypische lektuur van
Marsmans 'Tempel en kruis' van Maarten van Buuren, die via een op Jung geïnspireerde methode tot dezelfde bevindingen komt als ik in de volgende pagina's.

pagina 359

'zonder die mastodont' – *Tempel en kruis*, p. 13.
'de toelichtende brief' – In *Criterium* I (1940) 8/9 (september), p. 563–564.

pagina 360

'opziend naar' – *Tempel en kruis*, p. II.

pagina 361

'Wat deed gij' – *Tempel en kruis*, p. 56.
'hoe kon hij ooit' – *Tempel en kruis*, p. 61.
'O vleesch' –, *Tempel en kruis*, p. 16. Vgl. hiermee de tezelfdertijd geschreven passage uit
'Proeve van zelfcritiek' (*Vw* IV, p. 12), waarin Marsman uiteenzet waarom hij tegenstander werd van het filosofisch vitalisme, waarvan de geciteerde dichtregels de uitdrukking zijn. 'Ik stel hier niet alleen tegenover dat wij de z.g. waardeloosheid van
het intellect blijkbaar toch alleen kunnen aanduiden met behulp van datzelfde intellect, maar de irrationeele overtuiging, dat wij het leven, hoe onvolledig dan ook,
kunnen doordenken, doordat er tusschen leven en intellect een homogene verwantschap bestaat. Het begrijpen is noch de bevriezing, noch de vernietiging, noch de
zelfmoord van het leven, maar een levende vorm ervan.' In januari 1936 had hij de

'z.g.n. vitalisten en hun antipoden' al verweten een te scherpe scheiding tussen leven en geest te maken. (*Critisch bulletin* 7 (1936) (januari), p. 12.).

Overigens zijn de aanhalingstekens waartussen de dichtregels zijn gevat uiteraard niet zonder betekenis; maar ze omvatten ook het slotgedicht van *Tempel en kruis*, en daarin wordt juist een 'humanistischer', verzoenend standpunt ingenomen tegenover de 'geest' en de 'cultuur'. Marsman voert verschillende sprekers in zijn gedicht in, maar alle zijn ze afsplitsingen van een incoherente visie. Zie verder Wiedmann, *Romantic Roots in modern Art*, p. 37–44.

pagina 362

'tuimelt het ene beeld' – Zie ook J. J. Oversteegen, 'Marsman voor jong en oud'. In *Raster* 1 (1967) 2 (april), p. 58–70.

pagina 363

'alle duister en gloed' – *Tempel en kruis*, p. 73.

pagina 364

'Roekeloos de vitaliteit' – In *De gids* van juli 1940 (*Verzamelde geschriften* II, p. 331–333).
'een door Greshoff geweigerde' – Blijkens een brief van Greshoff aan Marsman, privé-collectie Thelen.
'de animositeit' – Zie p. 237–238 en 258. Van Duinkerkens verdediging van Coolen vindt men in *Verzamelde geschriften* II, p. 258–262, zijn mening over de Ter Braak-studie o.c., p. 304–311. Voor een onjuiste lezing van dit geval door Van Duinkerken zelf zie men dr. G. Puchinger, *Is de gereformeerde wereld veranderd?* (Delft 1966), p. 112–113.

pagina 366

'laatste brieven' – Zie deel II, p. 348–353.
'Hij was mij' – H. P. L. Wiessing, *Bewegend portret*. Levensherinneringen (Amsterdam 1960), p. 400–401.

pagina 367

'Hooger kunnen de golven' – Privé-collectie Thelen.

NOTEN BIJ HOOFDSTUK 11

pagina 370

'Wat Marsman' – Ed. Hoornik, 'Tempel en kruis'. In *Criterium* 1 (1940) 8/9 (september), p. 467.

pagina 371

'Marsman vertegenwoordigt' – Halbo C. Kool, 'Marsmans verzet'. In *De nieuwe stem* 1 (1946) 2 (februari), p. 186–187.

pagina 372

'Juist deze enkelen' – ongedateerd krantenknipsel in KB 135A 65.
'moet ik een godennaam noemen' – 'Marsman en Achterberg'. In *Maatstaf* 11 (1963–1964) 10/11 (januari–februari 1964), p. 714.

pagina 373

'Paul Rodenko' – 'Verzoening met de soldaat'. In *Podium* 4 (1947–1948). 1 (oktober 1947), p. 3–14. De reactie van Fokke Sierksma: 'Nieuwe stenen of een kwastje verf' in afl. 3 (december 1947), p. 170–179.

'deze afhankelijkheid' – Sierksma zelf geeft overigens in deze tijd al toe dat hij ook veel te danken heeft aan Vestdijk, die via hem eerst als medewerker en later als redacteur *Podium* wordt binnengehaald.

pagina 374

'Wij zijn ervan overtuigd' – *Het woord* 1 (1945–1946) 1 (oktober), p. 2.

'Verhelderend het beeld' – J. A. (=Hans) Redeker, 'Poëtisch perspectief'. In *Het woord* 1 (1945–1946) 1 (oktober 1945), p. 20.

pagina 376

'Jacques Kruithof' – 'Marsman'. In *Maatstaf* 17 (1969–1970) 10 (februari 1970), p. 666.

'Bij Voskuil' – Zie bv. *Bij nader inzien* (Amsterdam 1964), p. 821, 847 en 919.

pagina 377

'Gerrit Krol' – *Het gemillimeterde hoofd* (Amsterdam 1967), p. 54.

pagina 378

'Het ergste is' – *Vw* II, p. 55.

GERAADPLEEGDE LITERATUUR

In deze lijst treft men uitsluitend handboeken, studies, monografieën, bloemlezingen, artikelen en primaire literatuur aan, die betrekking hebben op de algemeen-literaire en -maatschappelijke context van Marsmans werk. Voor bibliografieën van alle gedrukte werken *van* Marsman en de publicaties *over* hem, verwijs ik naar deel II, p. 354 e.v.

Die Aktion 1911–1918. (Reprint München 1961–1967).

Apollinaire, G., *Oeuvres poétiques.* z.p. [Paris] 1959.

Apollinaire, G., *Les peintres cubistes.* Paris 1965.

Benn, Gottfried, *Gesammelte Werke.* 8 Bde. Wiesbaden 1960–1968.

Bergh, Herman van den, *De boog.* Zeist 1917.

Bergh, Herman van den, *De spiegel.* Amsterdam 1925.

Bergh, Herman van den, *Nieuwe tucht.* Studiën. Amsterdam z.j. [1928].

Binnendijk, D. A. M., *Prisma.* Bloemlezing uit de Nederlandsche poëzie na 1918. Blaricum z.j. [1930].

Borgers, Gerrit, *Paul van Ostaijen.* Een documentatie. Den Haag 1971.

Braak, Menno ter, *Verzameld werk.* 7 dln. Amsterdam 1949–1951.

Deugd, C. de, *Het metafysisch grondpatroon van het romantische literaire denken.* De fenomenologie van een geestesgesteldheid. Groningen 1966.

Dresden, S., *De structuur van de biografie.* Den Haag 1956.

Dunk, H. W. von der, 'Het fascisme – een tussenbalans'. In *Internationale spectator* 29 (1975) 1 (januari), p. 32–50.

Felice, Renzo de, *Interpretations of fascism.* London 1977. (Vertaling van *Le interpretazione del fascismo.* Bari 1972.)

Forum. Maandschrift voor letteren en kunst. 1932–1935.

De gemeenschap. Maandschrift voor katholieke reconstructie. 1925–1941.

Het getij. Maandschrift voor jongeren. 1916–1922.

Hamilton, Alastair, *The appeal of fascism.* A study of intellectuals and fascism. London 1971.

Heym, Georg, *Dichtungen und Schriften.* 3 Bde. Hamburg etc. 1964.

Jaffé, H. L. C. *De stijl* 1917–1931. The Dutch contribution to modern art. Amsterdam 1956.

Jong, L. de, *Het koninkrijk der Nederlanden in de tweede wereldoorlog* I. Voorspel. Den Haag 1969.

Jonge, A. A. de, *Crisis en critiek der democratie.* Anti-democratische stromingen en de daarin levende denkbeelden over de staat in Nederland tussen de wereldoorlogen. Assen z.j. [1968].

Joosten, L. H. M., *Katholieken en fascisme in Nederland 1920–1940.* Hilversum etc. 1964.

Kadt, J. de, *Het fascisme en de nieuwe vrijheid.* Amsterdam 1939.

Kadt, J. de, *Jaren die dubbel telden.* Politieke herinneringen uit mijn 'Indische' jaren. Amsterdam 1978.

Kamerbeek jr., J., *Albert Verwey en het nieuwe classicisme.* Groningen 1966.

Knuvelder, G. P. M., *Handboek tot de geschiedenis der Nederlandse letterkunde* III. Den Bosch 1973⁵.

Knuvelder, G. P. M., *Handboek tot de geschiedenis der Nederlandse letterkunde.* Den Bosch 1976⁵.

Koktanek, Anton M., *Oswald Spengler in seiner Zeit.* München 1968.

Kurpershoek-Scherft, A. C. M., *De episode van 'Het getij'. De Noord-Nederlandse dichtkunst van 1916 tot 1922.* Den Haag z.j. (1956).

Loosjes-Terpstra, A. B., *Moderne kunst in Nederland 1900–1914.* Utrecht 1959.

Marinetti, Filippo Tommasso, *(Verzameling van 27 futuristische manifesten).* Milaan etc. 1909–1924.

Maritain, Jacques. *Art et scolastique.* Paris 1919.

Maritain, Jacques, *Réponse à Jean Cocteau.* Paris 1926.

Martens, Gunter, *Vitalismus und Expressionismus.* Ein Beitrag zur Genese und Deutung expressionistischer Stilstrukturen und Motive. Stuttgart 1971.

Moeller van den Bruck, Arthur, *Das dritte Reich.* Berlin 1923.

Mooijman, Willem en L. Mosheuvel, *Forum: brieven, citaten, dokumenten en knipsels.* Den Haag etc. 1969.

Mulder, Hans, *Kunst in crisis en bezetting.* Een onderzoek naar de houding van de Nederlandse kunstenaars in de periode 1930–1940. Utrecht etc. 1978.

Nietzsche, Friedrich, *Werke.* 3 Bde. ed. K. Schlechta. München 1966.

De nieuwe kroniek 1921–1923.

Nijhoff, Marinus, *Verzameld werk* II. Kritisch, verhalend en nagelaten proza. 2 dln. 's-Gravenhage etc. 1961.

Novalis, *Schriften.* Die Werke Friedrich von Hardenbergs. Ed. Paul Kluckhohn und Richard Samuel. 4 Bde. Stuttgart 1960–1975.

Ortega y Gasset, J., *De opstand der horden.* 's-Gravenhage 1932. (Vertaling van *La rebelión de las masas.* Madrid 1930).

Ostaijen, Paul van, *Verzameld werk.* 4 dln. Den Haag etc. 1971–1977.

Oversteegen, J. J., *Vorm of vent.* Opvattingen over de aard van het literaire werk in de Nederlandse kritiek tussen de twee wereldoorlogen. Amsterdam 1969.

Peeters, Carel, 'Menno ter Braak in Propria Cures'. In Menno ter Braak, *De Propria Curesartikelen 1923–1925.* 's-Gravenhage 1978. p. 7–32.

Perron, E. du, *Verzameld werk.* 7 dln. Amsterdam 1954–1959.

Perron, E. du, *Brieven.* 6 dln. Amsterdam 1977–1981.

Pinthus, Kurt, *Menschheitsdämmerung.* Symphonie jüngster Dichtung. Berlin 1920.

Schippers, K., *Holland Dada.* Amsterdam 1974.

Scholten, Harry, *Aspecten van het tijdschrift De gemeenschap.* Baarn 1978.

Spaendonck, Jan van, *Belle époque en anti-kunst.* De geschiedenis van een opstand tegen de burgerlijke cultuur. Meppel etc. 1977.

Spengler, Oswald, *Der Untergang des Abendlandes.* Umrisse einer Morphologie der Weltgeschichte. 2 Bde. Wien etc. 1919–1922.

De stijl. Maandblad gewijd aan de moderne beeldende vakken en de kultuur. 1917–1932. (Reprint Amsterdam 1968)

Stramm, August, *Das Werk.* Wiesbaden 1963.

Der Sturm. Wochenschrift für Kultur und die Künste. 1910–1932. (Reprint Nendeln, Liechtenstein 1970).

Trakl, Georg, *Die Dichtungen* von – . Leipzig 1917.

Vestdijk S., *Essays in duodecimo*. Amsterdam 1952.

De vrije bladen. Onafhankelijk maandschrift voor kunst en letteren. 1924–1931.

Wichman, Erich, *Erich Wichman tot 1920*. Amsterdam 1920.

Wichman, Erich, *Lenin stinkt en andere satirische geschriften*. Amsterdam 1971.

Wiedmann, August K., *Romantic Roots in modern Art*. Romanticism and Expressionism: a Study in comparative Aesthetics. Old Woking 1979.

Willet, John, *The new Sobriety*. Arts and Politics in the Weimar Period. London 1978.

REGISTER

Dit register bevat namen van personen, voor zover genoemd in mijn tekst of de door mij aangehaalde citaten, en titels van tijdschriften en bloemlezingen, voor zover daar andere dan alleen bibliografische mededelingen over zijn gedaan.

INHOUD

428

COLOFON

Op zoek naar een bezield verband van Jaap Goedegebuure werd in opdracht van G. A. van Oorschot, Uitgever te Amsterdam, gezet uit de Bembo en gedrukt door de Koninklijke drukkerij G.J.Thieme bv te Nijmegen en gebonden door Uitgaafbinderij Van Rijmenam te 's-Gravenhage. De ontwerpen van de banden en omslagen zijn van Gerrit Noordzij.